AZ GREAT BRITAIN ROAD ATLAS

EDITION 26 2019
Copyright © Geographers' A-Z Map Company Ltd.

A-Z AZ AtoZ
registered trade marks of
Geographers' A-Z Map Company Ltd

www.az.co.uk

REFERENCE

MOTORWAY WITH NUMBER	M4 s Service Area
MOTORWAY (Under Construction / Proposed)	
MOTORWAY JUNCTIONS	5 7 Limited
PRIMARY ROUTE	A5
A ROAD	A272
NATIONAL BOUNDARY	
TOWNS SHOWN IN THE MILEAGE CHART	NORWICH

SCALE

0   10   20   30 Miles

0   10   20   30   40 Kilometres

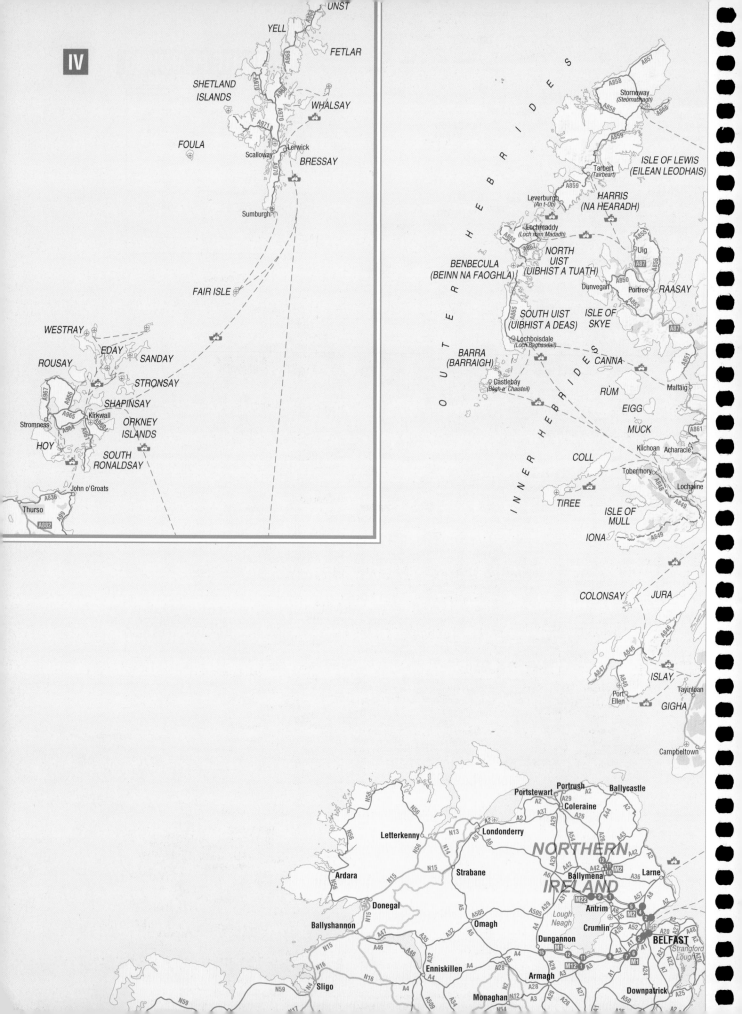

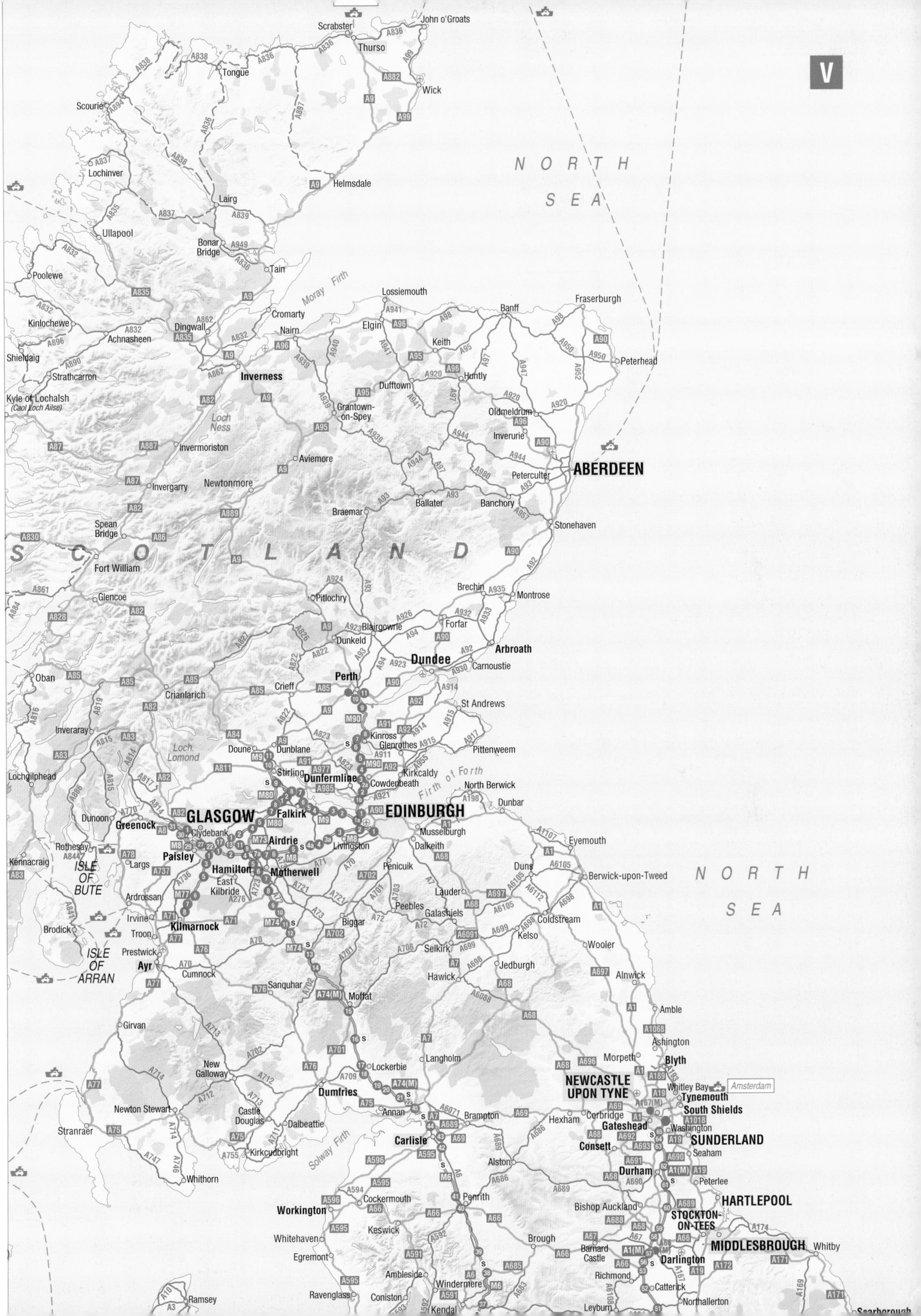

NORTH SEA

NORTH SEA

SCOTLAND

ABERDEEN

GLASGOW

EDINBURGH

NEWCASTLE UPON TYNE

SUNDERLAND

MIDDLESBROUGH

John o'Groats
Scrabster
Thurso
Wick
Helmsdale
Tongue
Scourie
Lochinver
Lairg
Bonar Bridge
Ullapool
Tain
Poolewe
Cromarty
Kinlochewe
Dingwall
Nairn
Achnasheen
Lossiemouth
Shieldaig
Strathcarron
Inverness
Elgin
Banff
Fraserburgh
Kyle of Lochalsh
(Caol Loch Ailse)
Keith
Invermoriston
Dufftown
Huntly
Peterhead
Loch Ness
Grantown-on-Spey
Aviemore
Oldmeldrum
Invergarry
Newtonmore
Inverurie
Peterculter
Spean Bridge
Braemar
Ballater
Banchory
Stonehaven
Fort William
Glencoe
Pitlochry
Brechin
Montrose
Oban
Crianlarich
Blairgowrie
Forfar
Dunkeld
Arbroath
Dundee
Carnoustie
Inveraray
Crieff
Perth
St Andrews
Doune
Dunblane
Kinross
Glenrothes
Lochgilphead
Stirling
Pittenweem
Loch Lomond
Dunfermline
Kirkcaldy
Cowdenbeath
North Berwick
Dunoon
Falkirk
Musselburgh
Dunbar
Greenock
Clydebank
Airdrie
Livingston
Dalkeith
Eyemouth
Rothesay
Paisley
Motherwell
Penicuik
Duns
Berwick-upon-Tweed
Kennacraig
Largs
Hamilton
Lauder
ISLE OF BUTE
Ardrossan
East Kilbride
Peebles
Galashiels
Coldstream
Irvine
Kilmarnock
Biggar
Selkirk
Kelso
Wooler
Brodick
Troon
Prestwick
Jedburgh
Hawick
Alnwick
ISLE OF ARRAN
Ayr
Cumnock
Amble
Girvan
Sanquhar
Moffat
Ashington
Blyth
New Galloway
Lockerbie
Langholm
Morpeth
Whitley Bay
Tynemouth
Newton Stewart
Dumfries
Annan
Brampton
South Shields
Stranraer
Castle Douglas
Dalbeattie
Carlisle
Hexham
Corbridge
Gateshead
Washington
Seaham
Whithorn
Kirkcudbright
Alston
Consett
Durham
Peterlee
Cockermouth
Penrith
Bishop Auckland
HARTLEPOOL
Workington
Keswick
Brough
Seaham
STOCKTON-ON-TEES
Whitehaven
Barnard Castle
Darlington
MIDDLESBROUGH
Whitby
Egremont
Richmond
Ravenglass
Ambleside
Windermere
Catterick
Coniston
Leyburn
Northallerton
Ramsay
Kendal
Scarborough

Moray Firth
Firth of Forth
Solway Firth

Amsterdam

This chart shows the distance in miles and journey time between two cities or towns in Great Britain. Each route has been calculated using a combination of motorways, primary routes and other major roads. This is normally the quickest, though not always the shortest route.

Average journey times are calculated whilst driving at the maximum speed limit. These times are approximate and do not include traffic congestion or convenience breaks.

To find the distance and journey time between two cities or towns, follow a horizontal line and vertical column until they meet each other.

For example, the 285 mile journey from London to Penzance is approximately 4 hours and 59 minutes.

Britain

Journey times

Distance in miles

| 0 | 1 | 2 | 3 | 4 | 5 | | | | | 10 | | | | | 15 | | | | | 20 Miles |

| 0 | 1 | 2 | 3 | 4 | 5 | | | | 10 | | | | | 15 | | | | | 20 | | | | 25 | | | | | 30 Kilometres |

Reference

Motorway
Autoroute
Autobahn — M1

Motorway Under Construction
Autoroute en construction
Autobahn im Bau

Motorway Proposed
Autoroute prévue
Geplante Autobahn

Motorway Junctions with Numbers
Unlimited Interchange — 4
Limited Interchange — 5
Autoroute échangeur numéroté
Echangeur complet
Echangeur partiel
Autobahnanschlußstelle mit Nummer
Unbeschränkter Fahrtrichtungswechsel
Beschränkter Fahrtrichtungswechsel

Motorway Service Area (with fuel station) — Ⓢ
with access from one carriageway only — Ⓢ
Aire de services d'autoroute (avec station service)
accessible d'un seul côté
Rastplatz oder Raststätte (mit tankstelle)
Einbahn

Major Road Service Area (with fuel station) with 24 hour facilities
Primary Route — Ⓢ   Class A Road — Ⓢ
Aire de services sur route prioritaire (avec station service) Ouverte 24h sur 24
Route à grande circulation   Route de type A
Raststätte (mit tankstelle) Durchgehend geöffnet
Hauptverkehrsstraße   A- Straße

Major Road Junctions   Detailed — 4
Jonctions grands routiers   Détaillé
Hauptverkehrsstraße Kreuzungen   Ausführlich
    Other Autre Andere —

Truckstop (selection of) — Ⓣ
Sélection d'aire pour poids lourds
Auswahl von Fernfahrerrastplatz

Primary Route — A41
Route à grande circulation
Hauptverkehrsstraße

Primary Route Junction with Number — 5
Echangeur numéroté
Hauptverkehrsstraßenkreuzung mit Nummer

Primary Route Destination — **DOVER**
Route prioritaire, direction
Hauptverkehrsstraße Richtung

Dual Carriageways (A & B roads)
Route à double chaussées séparées (route A & B)
Zweispurige Schnellstraße (A- und B- Straßen)

Class A Road — A129
Route de type A
A-Straße

Class B Road — B177
Route de type B
B-Straße

Narrow Major Road (passing places)
Route prioritaire étroite (possibilité de dépassement)
Schmale Hauptverkehrsstaße (mit Überholmöglichkeit)

Major Roads Under Construction
Route prioritaire en construction
Hauptverkehrsstraße im Bau

Major Roads Proposed
Route prioritaire prévue
Geplante Hauptverkehrsstraße

Safety Cameras with Speed Limits
Single Camera — 30
Multiple Cameras located along road — 50
Single & Multiple Variable Speed Cameras — Ⓥ Ⓥ
Radars de contrôle de vitesse
Radar simple
Radars multiples situés le long de la route
Radars simples et multiples de contrôle de vitesse variable
Sicherheitskameras mit Tempolimit
Einzelne Kamera
Mehrere Kameras entlang der Straße
Einzelne und mehrere Kameras für variables Tempolimit

Fuel Station
Station service
Tankstelle

Gradient 1:7 (14%) **& steeper** — »»
(descent in direction of arrow)
Pente égale ou supérieure à 14% (dans le sens de la descente)
14% Steigung und steiler (in Pfeilrichtung)

Toll — Toll
Barrière de péage
Gebührenpflichtig

Dart Charge — Ⓒ
www.gov.uk/pay-dartford-crossing-charge

Park & Ride — P+R
Parking avec Service Navette
Parken und Reisen

Mileage between markers — 8
Distence en miles entre les flèches
Strecke zwischen Markierungen in Meilen

Airport — ⊕
Aéroport
Flughafen

Airfield — +
Terrain d'aviation
Flugplatz

Heliport — Ⓗ
Héliport
Hubschrauberlandeplatz

Ferry
(vehicular, sea) Bac (véhicules, mer) Fähre (auto, meer)
(vehicular, river) (véhicules, rivière) (auto, fluß)
(foot only) (piétons) (nur für Personen)

Railway and Station
Voie ferrée et gare
Eisenbahnlinie und Bahnhof

Level Crossing and Tunnel
Passage à niveau et tunnel
Bahnübergang und Tunnel

River or Canal
Rivière ou canal
Fluß oder Kanal

County or Unitary Authority Boundary
Limite de comté ou de division administrative
Grafschafts- oder Verwaltungsbezirksgrenze

National Boundary
Frontière nationale
Landesgrenze

Built-up Area
Agglomération
Geschlossene Ortschaft

Town, Village or Hamlet
Ville, Village ou hameau
Stadt, Dorf oder Weiler

Wooded Area
Zone boisée
Waldgebiet

Spot Height in Feet — · 813
Altitude (en pieds)
Höhe in Fuß

Relief above 400' (122m)
Relief par estompage au-dessus de 400' (122m)
Reliefschattierung über 400' (122m)

National Grid Reference (kilometres) — ¹00
Coordonnées géographiques nationales (Kilomètres)
Nationale geographische Koordinaten (Kilometer)

Page Continuation
Suite à la page indiquée — 48
Seitenfortsetzung

Area covered by Main Route map — MAIN ROUTE 180
Repartition des cartes des principaux axes routiers
Von Karten mit Hauptverkehrsstrecken

Area covered by Town Plan — PAGE 194
Ville ayant un plan à la page indiquée
Von Karten mit Stadtplänen erfaßter Bereich

Tourist Information

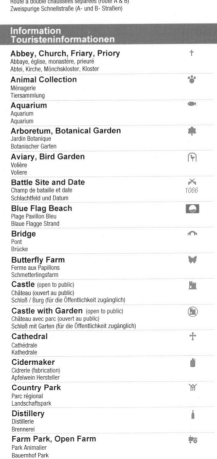

Abbey, Church, Friary, Priory — †
Abbaye, église, monastère, prieuré
Abtei, Kirche, Mönchskloster, Kloster

Animal Collection — 🐾
Ménagerie
Tiersammlung

Aquarium —
Aquarium
Aquarium

Arboretum, Botanical Garden — 🌳
Jardin Botanique
Botanischer Garten

Aviary, Bird Garden —
Volière
Voliere

Battle Site and Date — ✕ 1066
Champ de bataille et date
Schlachtfeld und Datum

Blue Flag Beach —
Plage Pavillon Bleu
Blaue Flagge Strand

Bridge —
Pont
Brücke

Butterfly Farm — 🦋
Ferme aux Papillons
Schmetterlingsfarm

Castle (open to public) —
Château (ouvert au public)
Schloß / Burg (für die Öffentlichkeit zugänglich)

Castle with Garden (open to public) —
Château avec parc (ouvert au public)
Schloß mit Garten (für die Öffentlichkeit zugänglich)

Cathedral — ✟
Cathédrale
Kathedrale

Cidermaker —
Cidrerie (fabrication)
Apfelwein Hersteller

Country Park —
Parc régional
Landschaftspark

Distillery —
Distillerie
Brennerei

Farm Park, Open Farm —
Park Animalier
Bauernhof Park

Fortress, Hill Fort — 米
Château Fort
Festung

Garden (open to public) —
Jardin (ouvert au public)
Garten (für die Öffentlichkeit zugänglich)

Golf Course — ⚑
Terrain de golf
Golfplatz

Historic Building (open to public) —
Monument historique (ouvert au public)
Historisches Gebäude (für die Öffentlichkeit zugänglich)

Historic Building with Garden (open to public) —
Monument historique avec jardin (ouvert au public)
Historisches Gebäude mit Garten (für die Öffentlichkeit zugänglich)

Horse Racecourse —
Hippodrome
Pferderennbahn

Industrial Monument — ✱
Monument Industrielle
Industriedenkmal

Leisure Park, Leisure Pool —
Parc d'Attraction, Loisirs Piscine
Freizeitpark, Freizeit pool

Lighthouse —
Phare
Leuchtturm

Mine, Cave —
Mine, Grotte
Bergwerk, Höhle

Monument —
Monument
Denkmal

Motor Racing Circuit —
Circuit Automobile
Automobilrennbahn

Museum, Art Gallery — M
Musée
Museum, Galerie

National Park
Parc national
Nationalpark

National Trail
Sentier national
Nationaler Weg

National Trust Property
National Trust Property
National Trust- Eigentum

Natural Attraction — ★
Attraction Naturelle
Natürliche Anziehung

Nature Reserve or Bird Sanctuary —
Réserve naturelle botanique ou ornithologique
Natur- oder Vogelschutzgebiet

Nature Trail or Forest Walk —
Chemin forestier, piste verte
Naturpfad oder Waldweg

Picnic Site —
Lieu pour pique-nique
Picknickplatz

Place of Interest — Craft Centre *
Site, curiosité
Sehenswürdigkeit

Prehistoric Monument —
Monument Préhistorique
Prähistorische Denkmal

Railway, Steam or Narrow Gauge —
Chemin de fer, à vapeur ou à voie étroite
Eisenbahn, Dampf- oder Schmalspurbahn

Roman Remains —
Vestiges Romains
Römischen Ruinen

Theme Park —
Centre de loisirs
Vergnügungspark

Tourist Information Centre —
Office de Tourisme
Touristeninformationen

Viewpoint (360 degrees) (180 degrees)
Vue panoramique (360 degrés) (180 degrés)
Aussichtspunkt (360 Grade) (180 Grade)

Vineyard —
Vignoble
Weinberg

Visitor Information Centre — Ⓥ
Centre d'information touristique
Besucherzentrum

Wildlife Park —
Réserve de faune
Wildpark

Windmill —
Moulin à vent
Windmühle

Zoo or Safari Park —
Parc ou réserve zoologique
Zoo oder Safari-Park

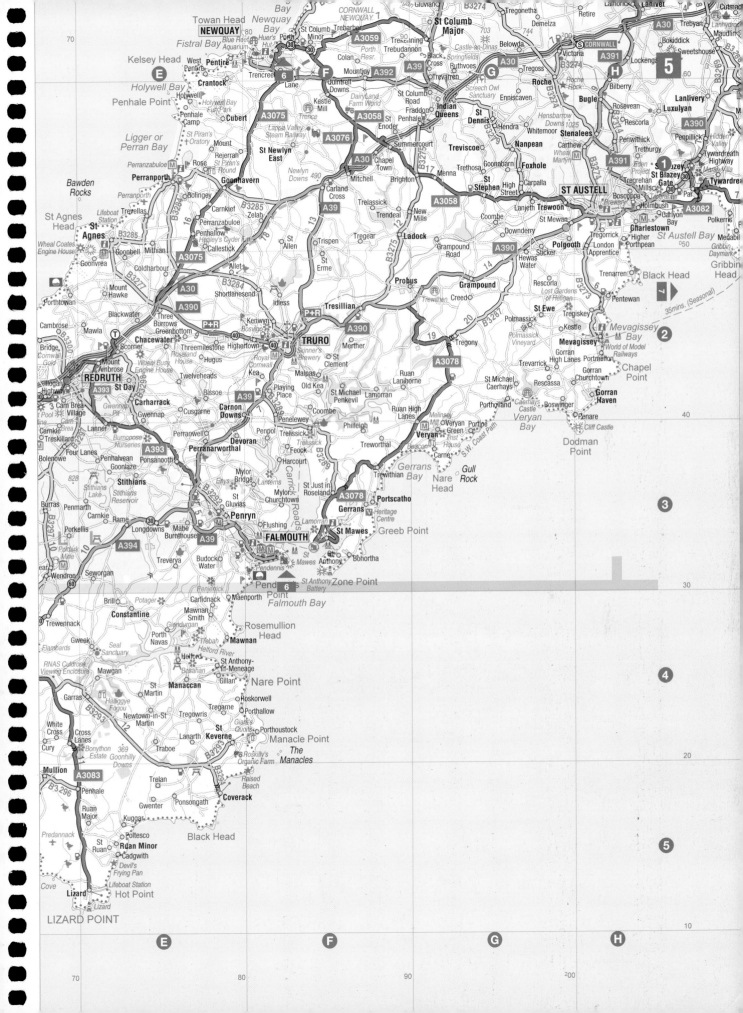

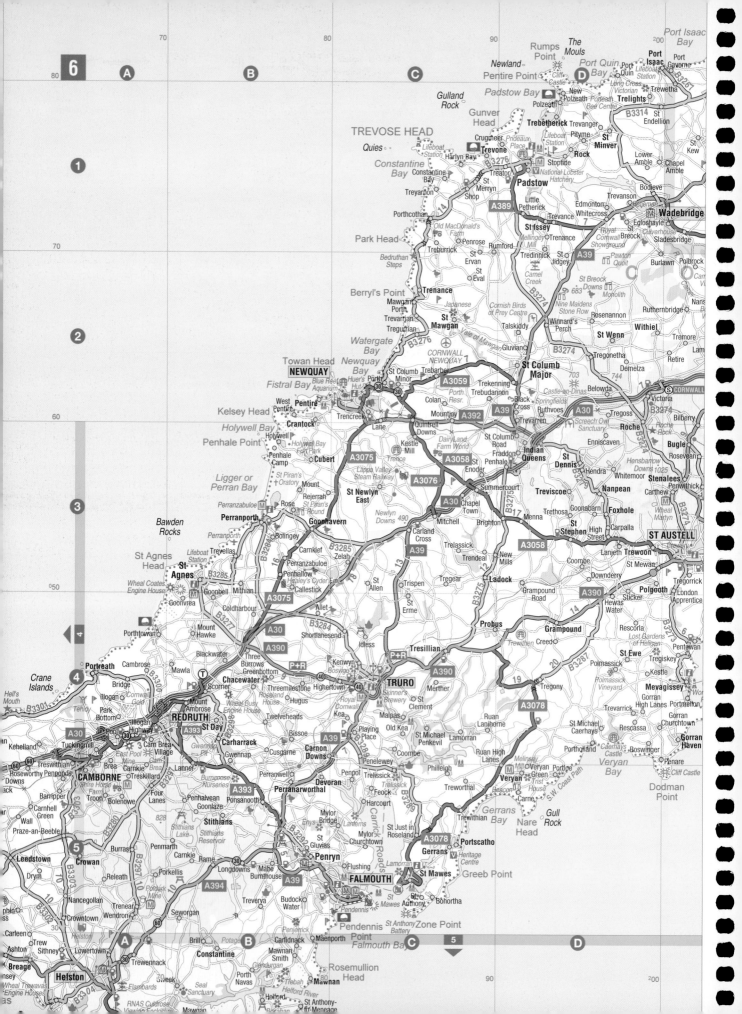

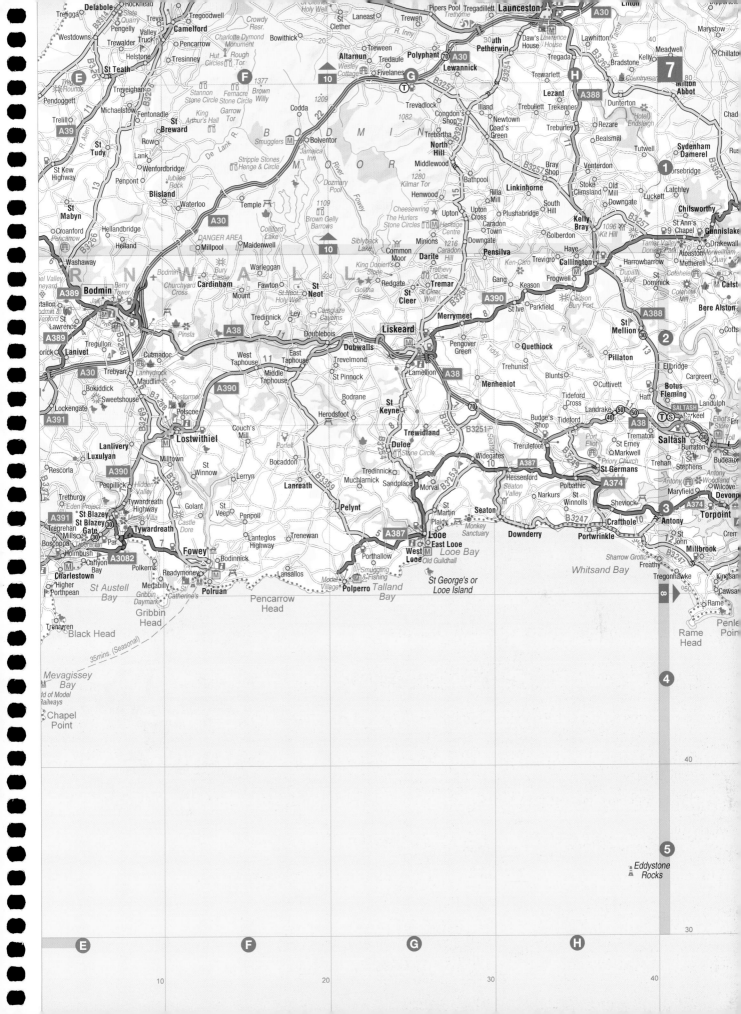

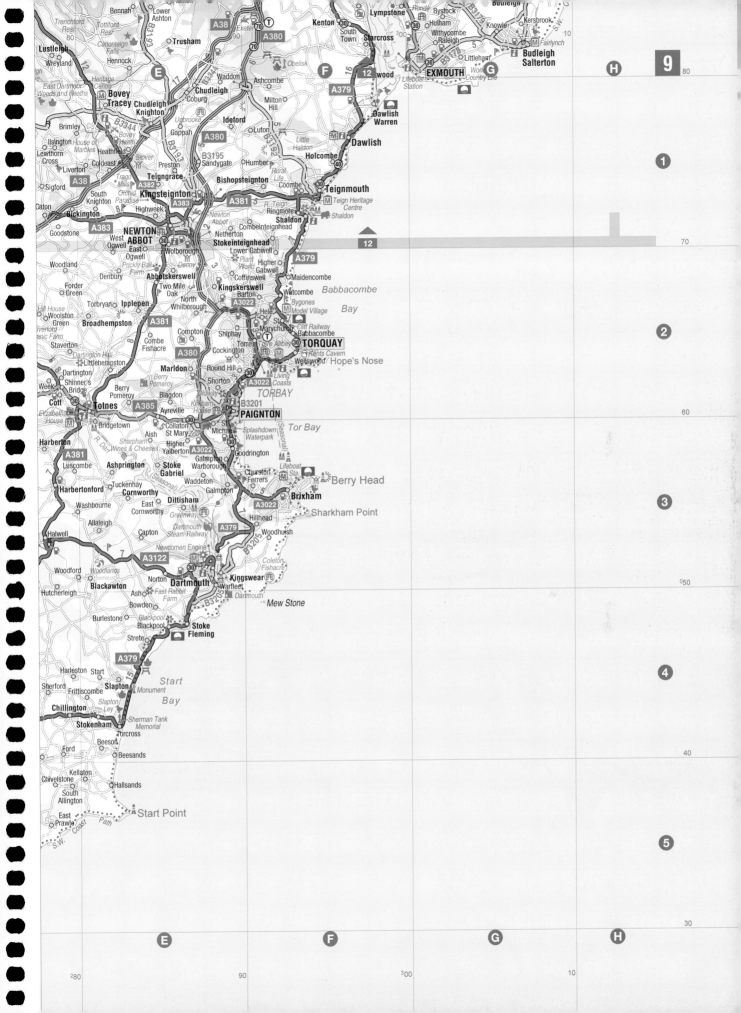

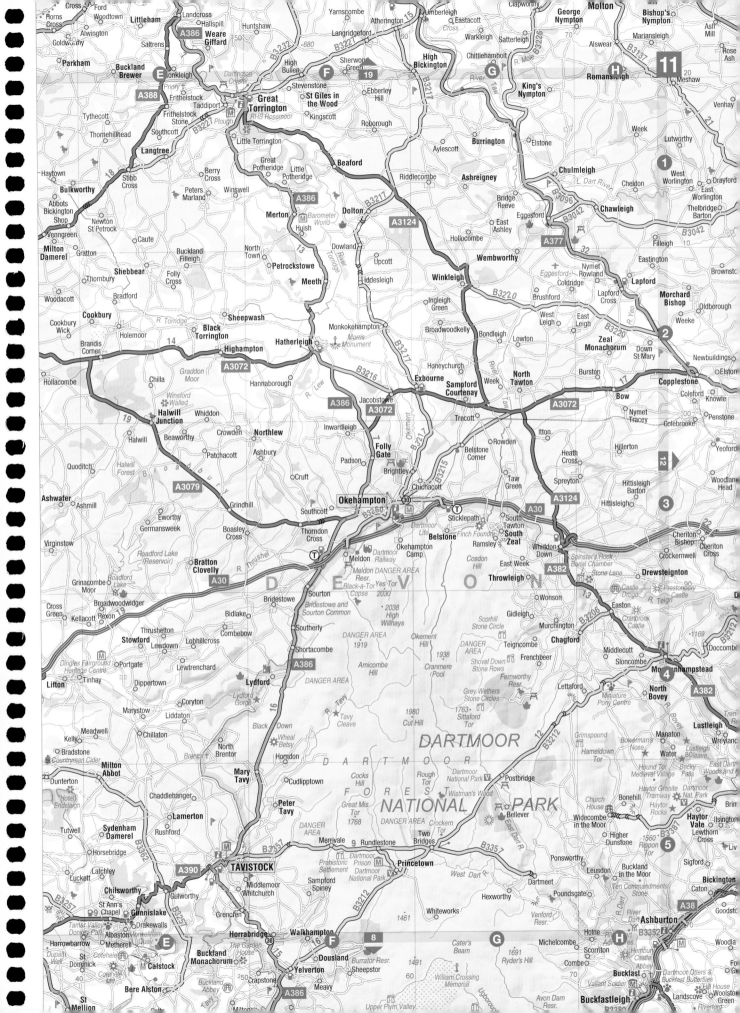

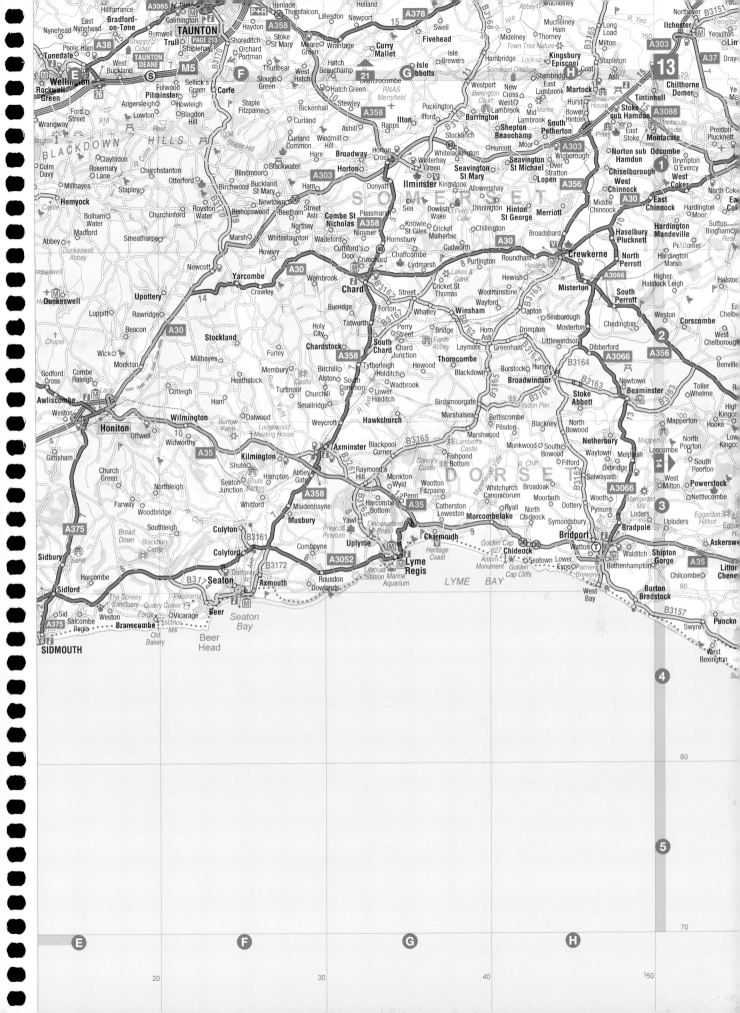

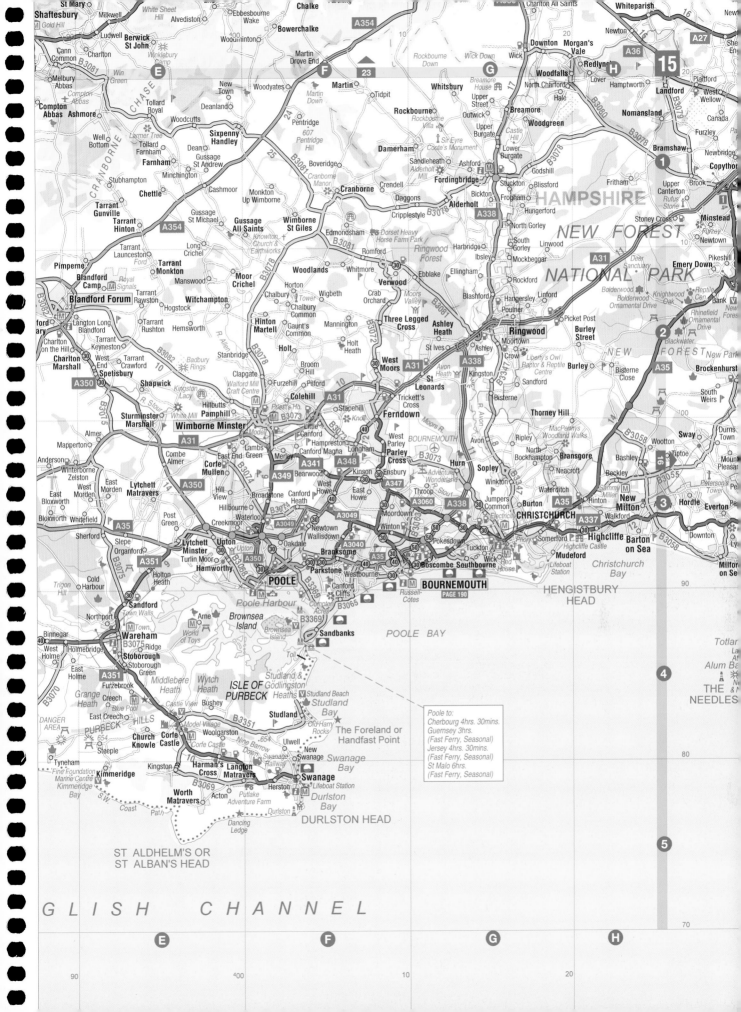

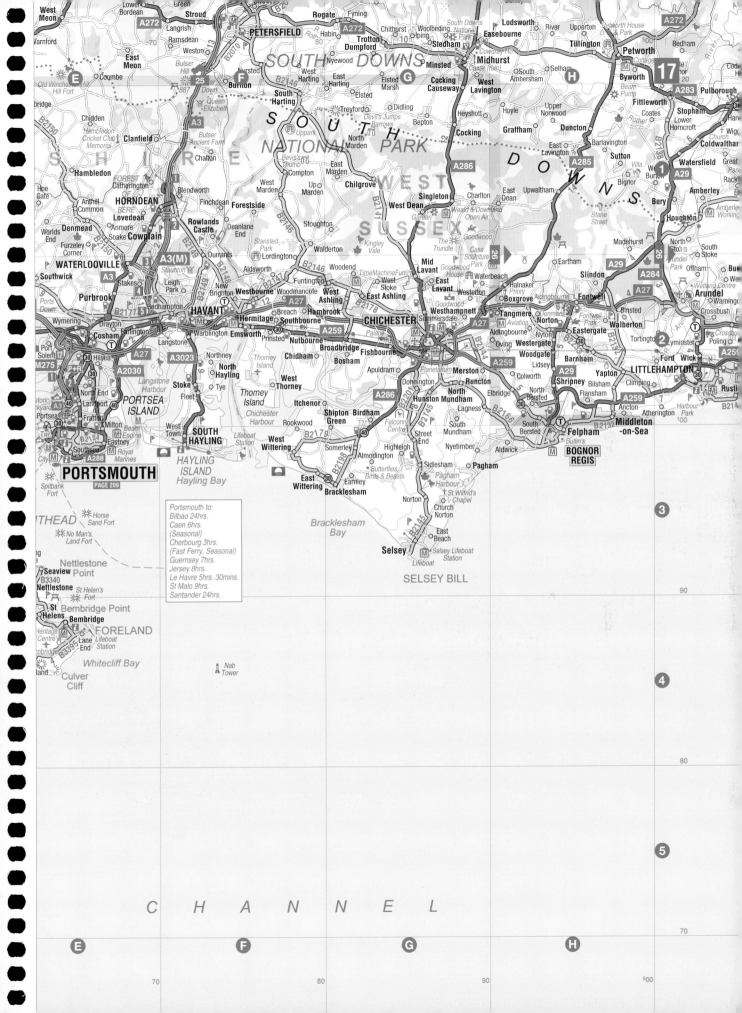

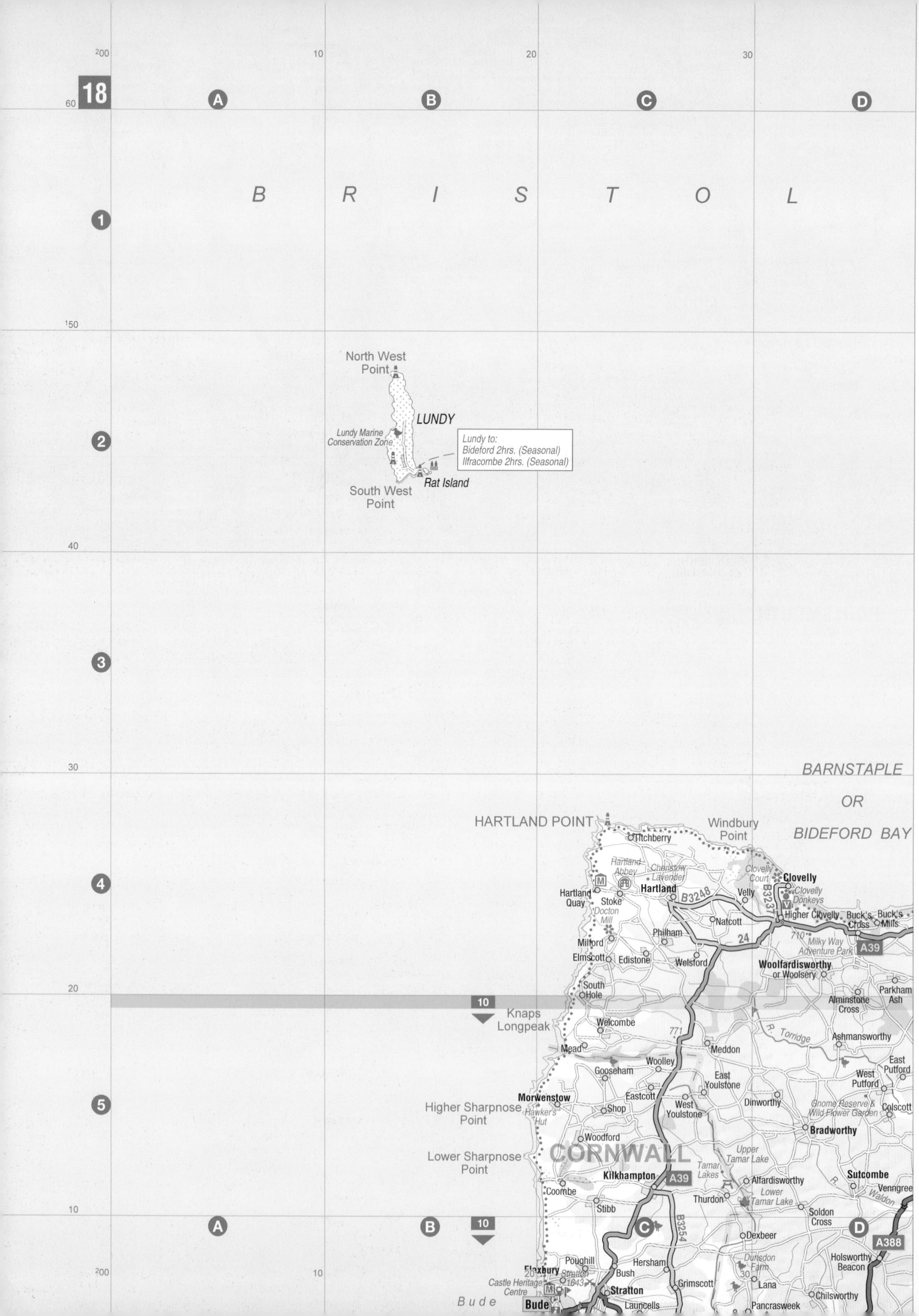

200   A   10   B   20   C   30   D

60

1

B R I S T O L

150

2

North West
Point

LUNDY

Lundy Marine
Conservation Zone

Lundy to:
Bideford 2hrs. (Seasonal)
Ilfracombe 2hrs. (Seasonal)

Rat Island

South West
Point

40

3

30

BARNSTAPLE

OR

BIDEFORD BAY

HARTLAND POINT

Windbury
Point

Titchberry

Clovelly
Court

Clovelly

Hartland
Abbey

Chenstow
Lavender

Clovelly
Donkeys

4

Hartland
Quay

Stoke
Docton
Mill

Hartland

B3248

Velly

Higher Clovelly

Buck's
Cross

Buck's
Mills

Milford

Philham

Natcott

24

710
Milky Way
Adventure Park

A39

Elmscott   Edistone

Welsford

Woolfardisworthy
or **Woolsery**

Alminstone
Cross

Parkham
Ash

South
Hole

20

10

Knaps
Longpeak

Welcombe

771

R. Torridge

Ashmansworthy

Mead

Meddon

East
Putford

Gooseham

Woolley

West
Putford

5

Higher Sharpnose
Point

Hawker's
Hut

Morwenstow

Eastcott

Shop

East
Youlstone

West
Youlstone

Dinworthy

Gnome Reserve &
Wild Flower Garden

Colscott

Lower Sharpnose
Point

Woodford

CORNWALL

Upper
Tamar Lake

Bradworthy

Tamar
Lakes

Sutcombe

Kilkhampton

A39

Alfardisworthy

Venngree

Coombe

Thurdon

Lower
Tamar Lake

R. Waldon

Soldon
Cross

10

Stibb

B3254

C

Dexbeer

D

A388

Poughill

Hersham

Bush

Dunsdon
Farm

Lana

Holsworthy
Beacon

200

Flexbury
Stratton 1643
Castle Heritage
Centre

Chilsworthy

Stratton

Grimscott

30

Bude

Bude

Launcells

Pancrasweek

10   A   10   B   **10**   C   D

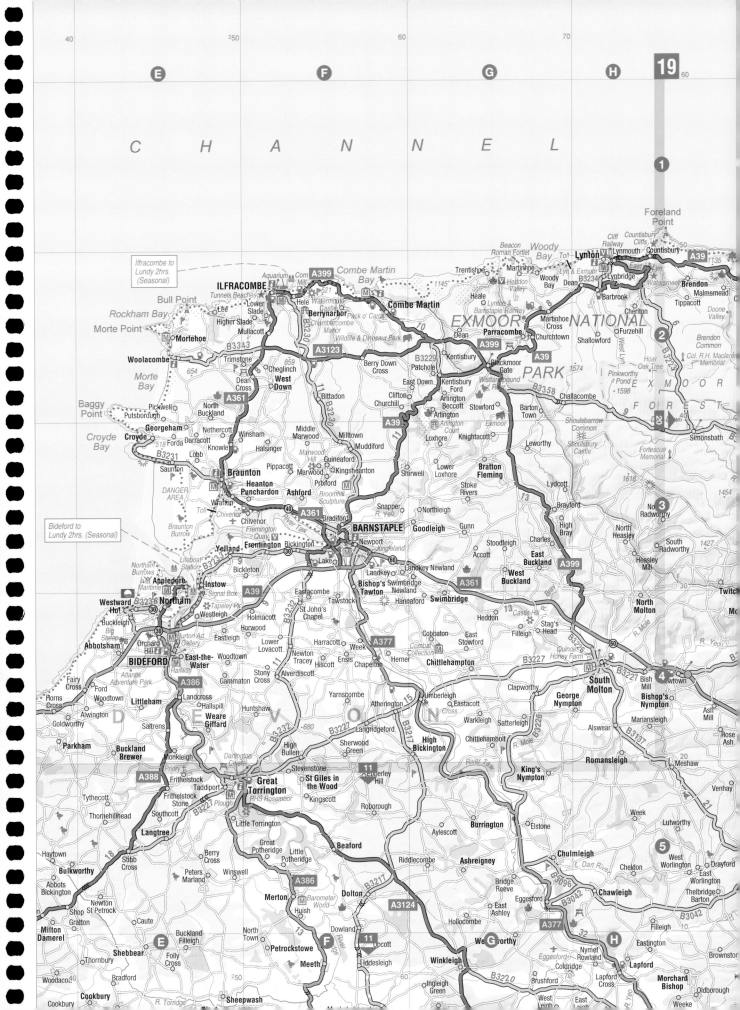

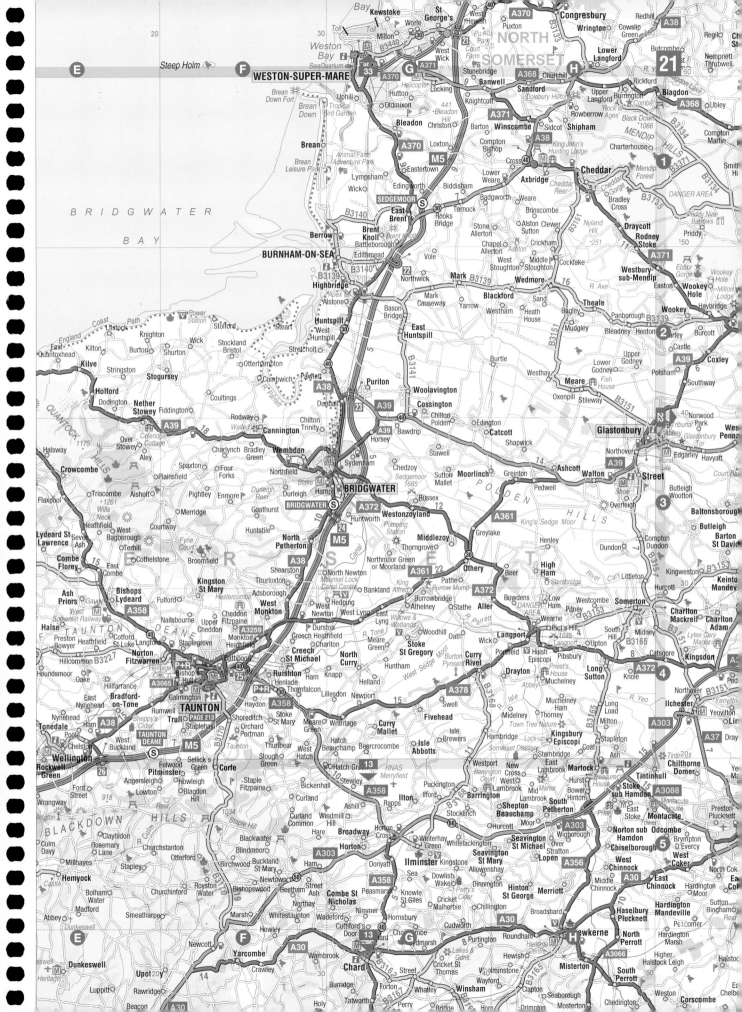

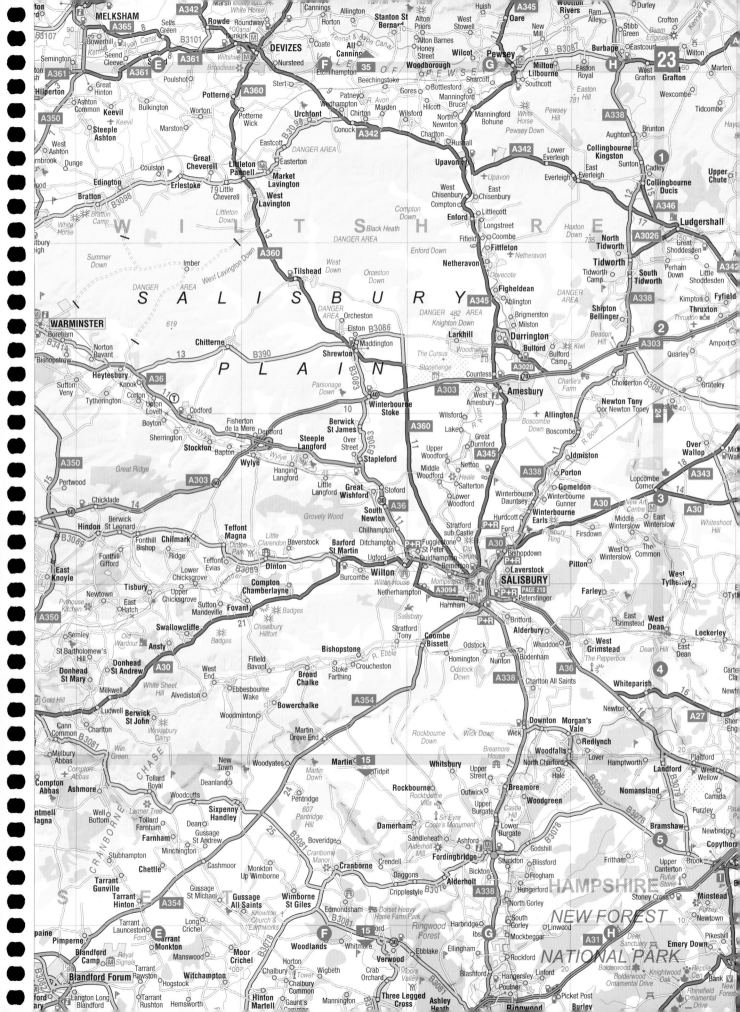

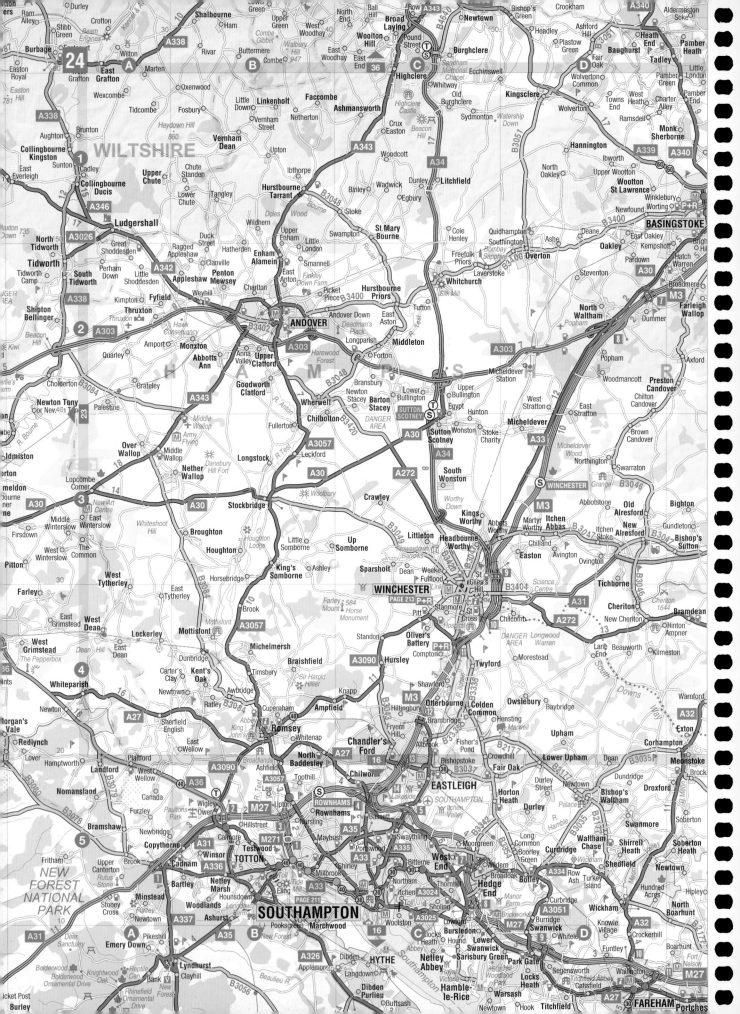

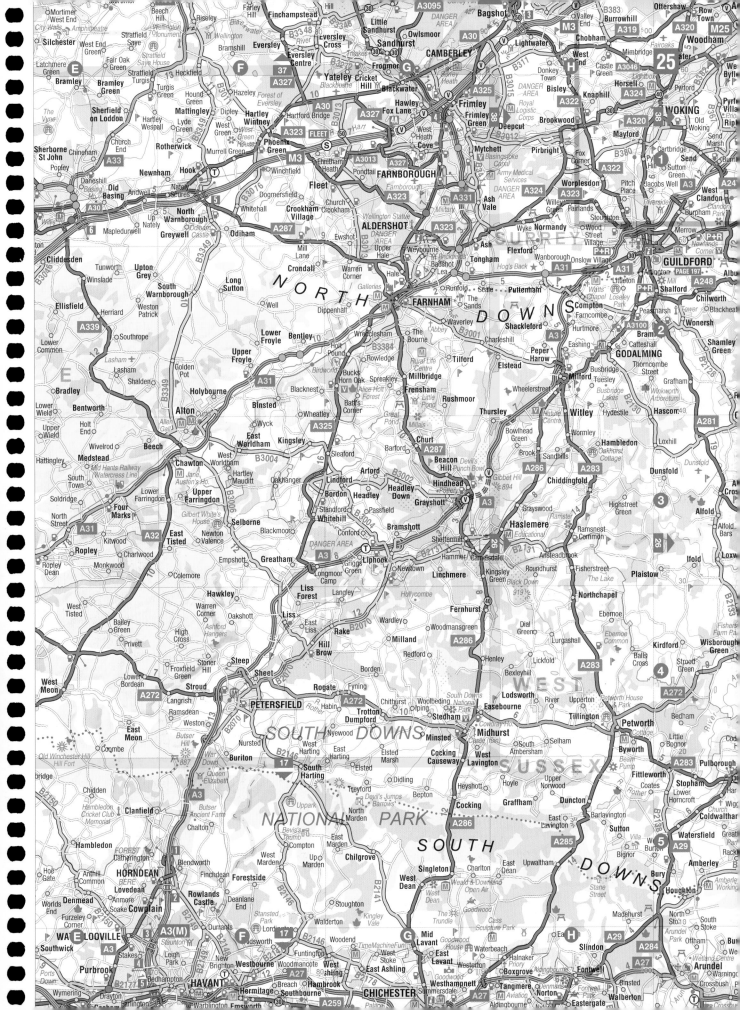

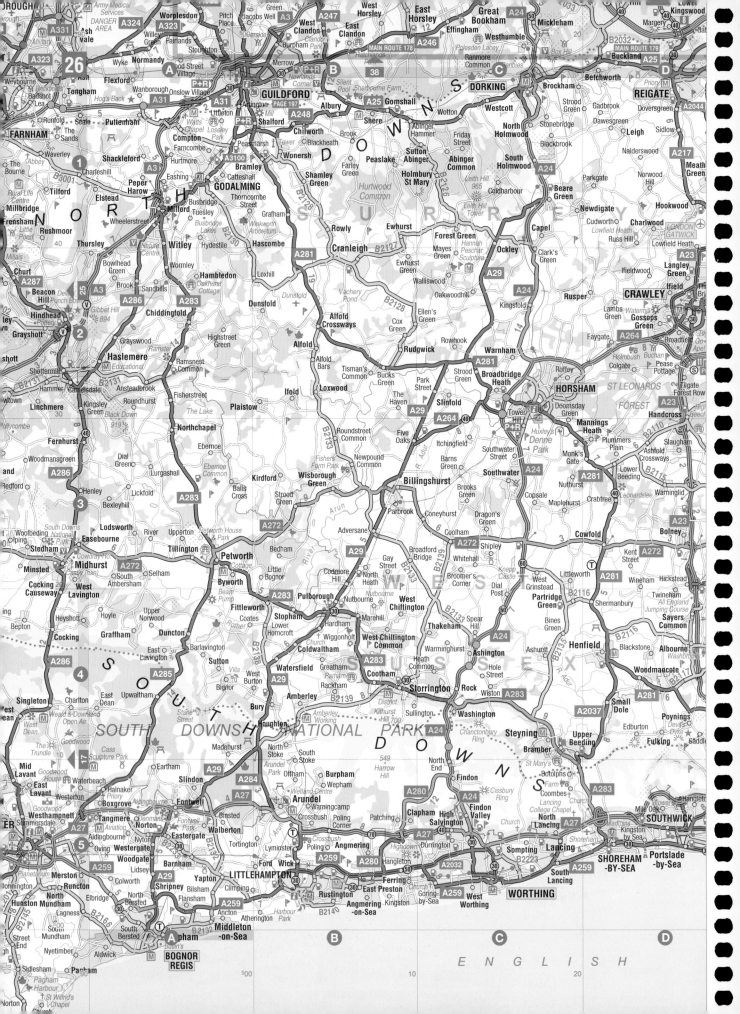

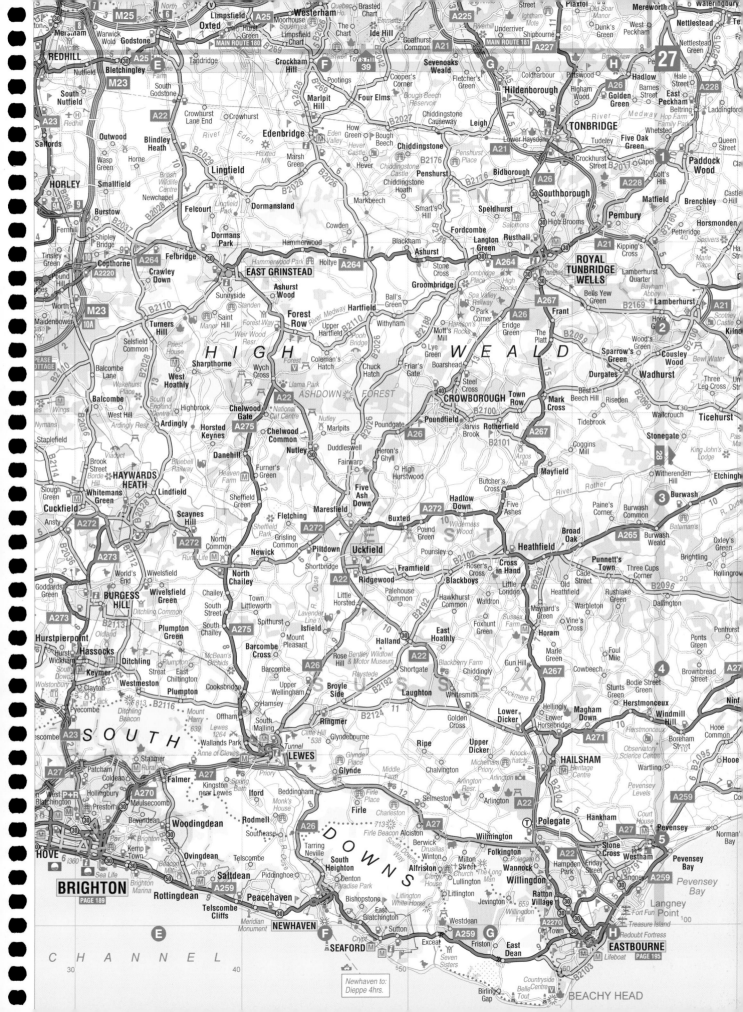

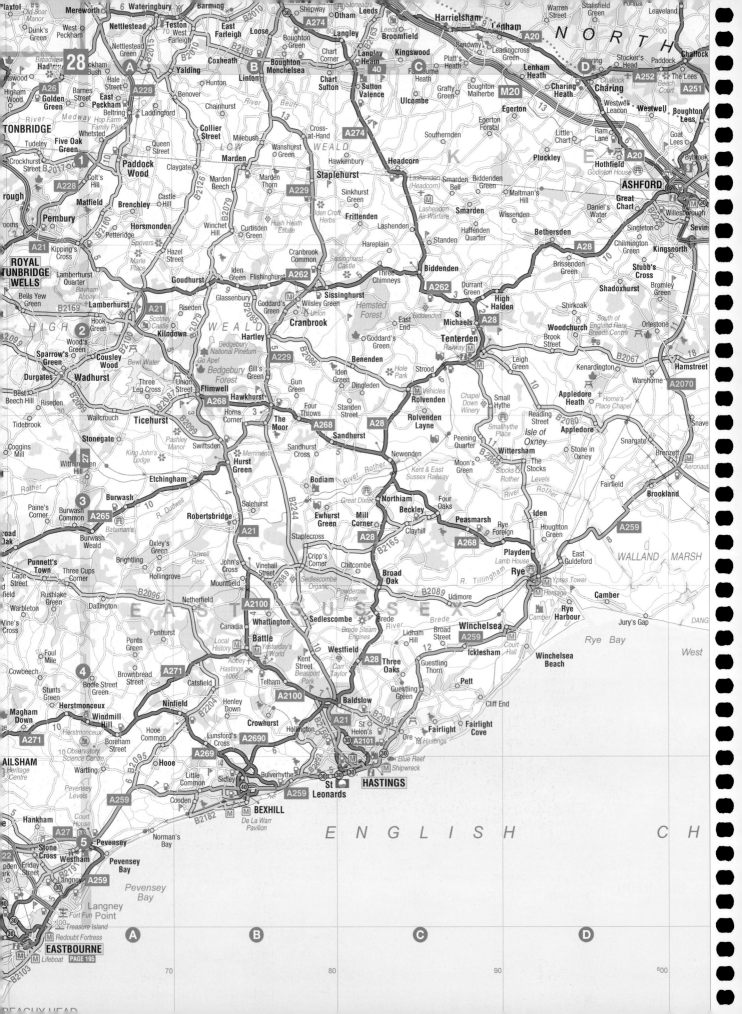

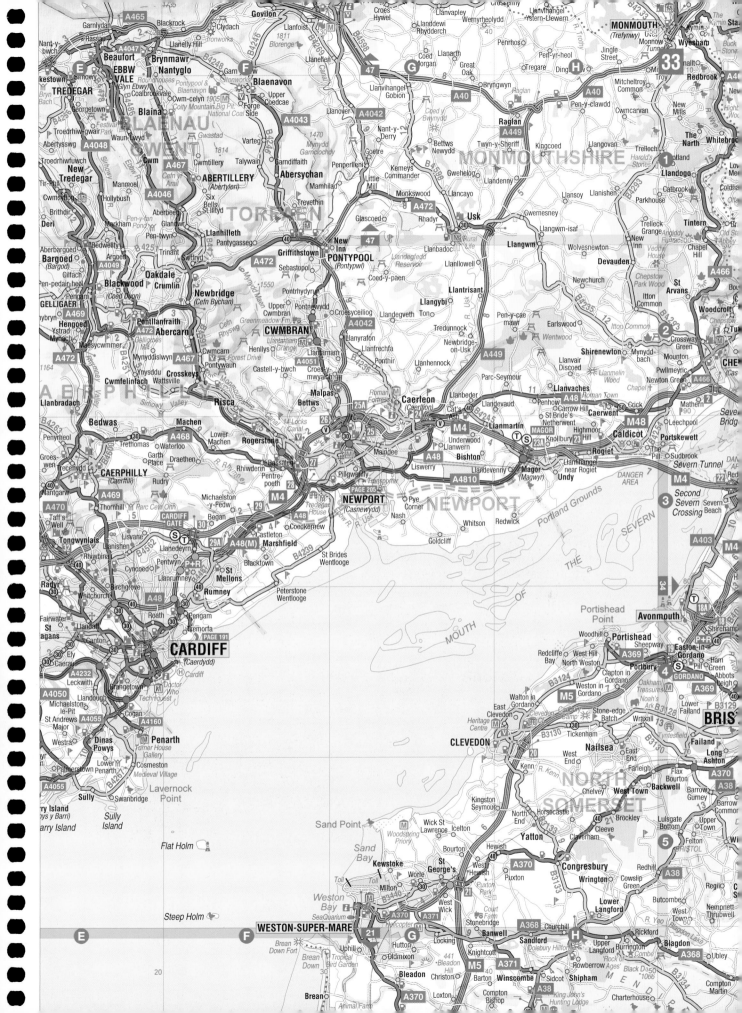

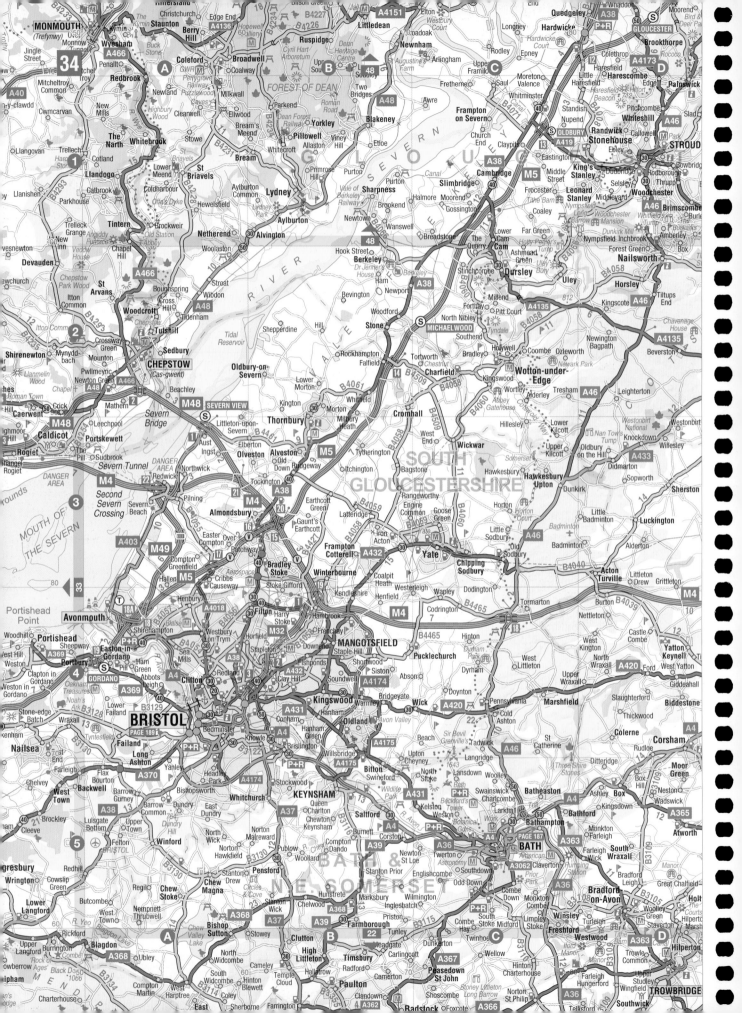

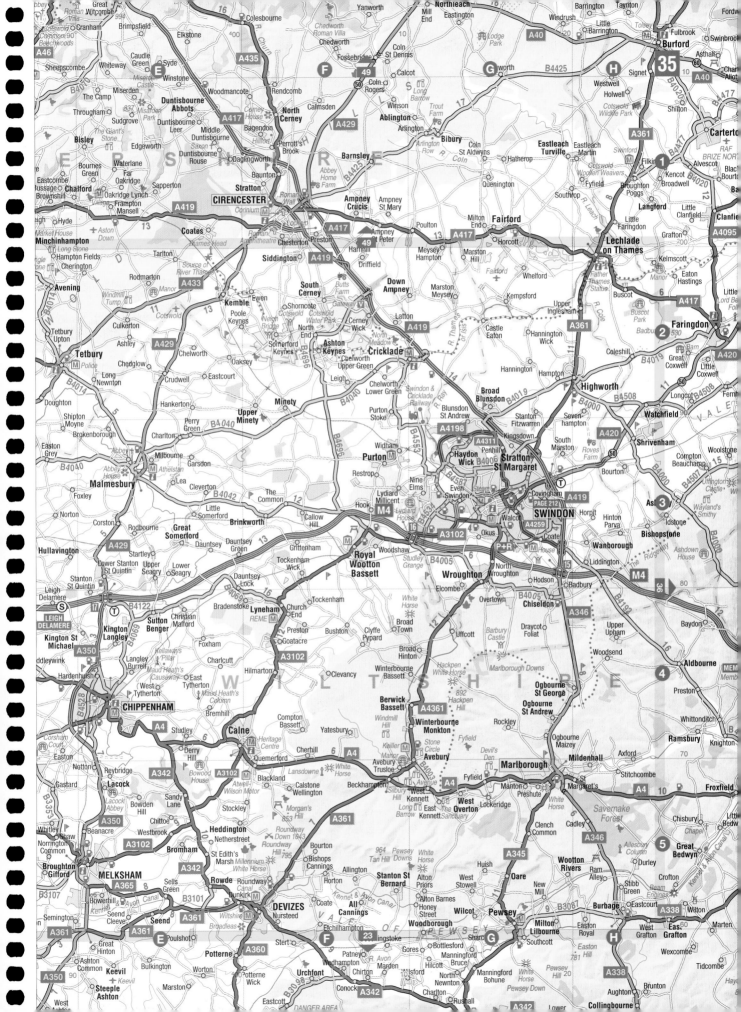

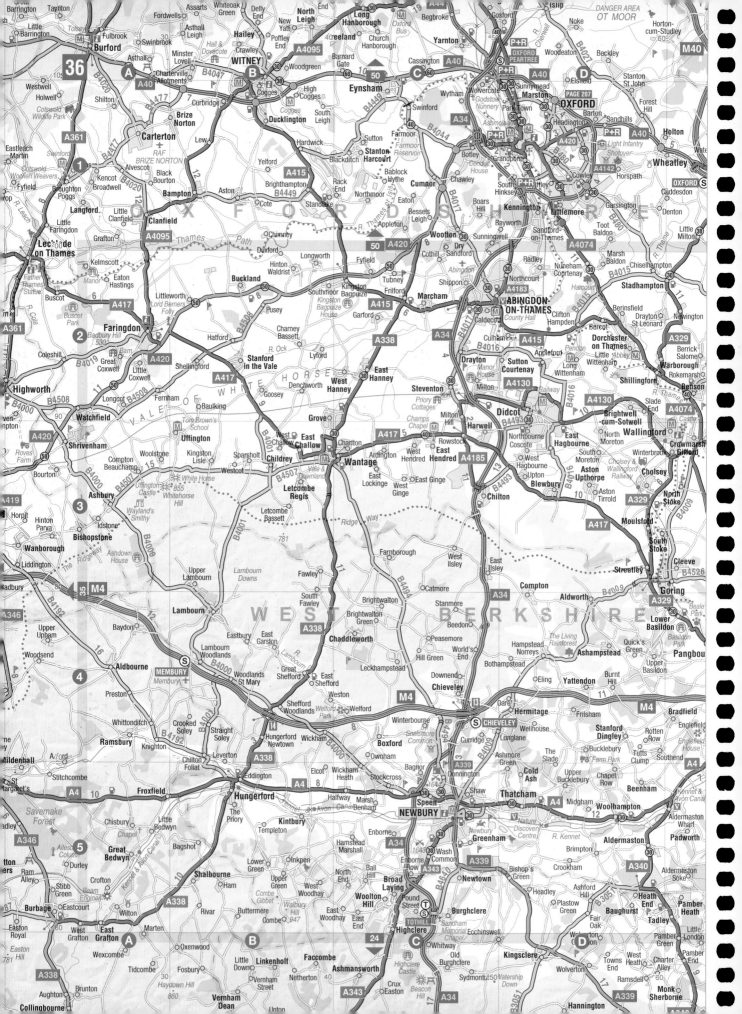

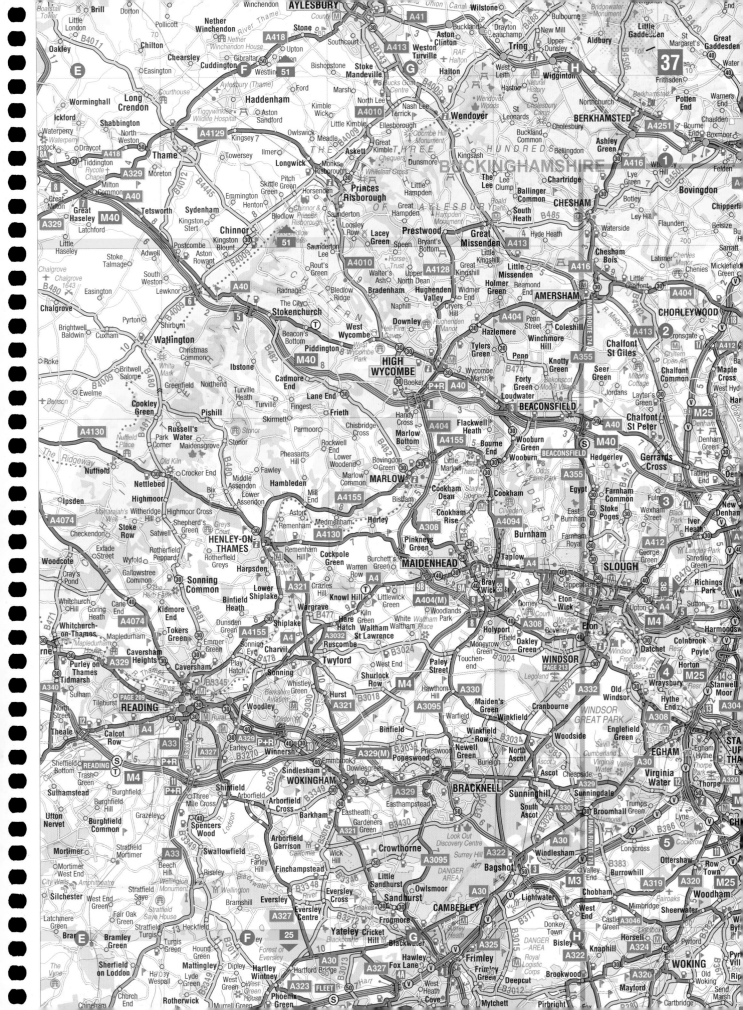

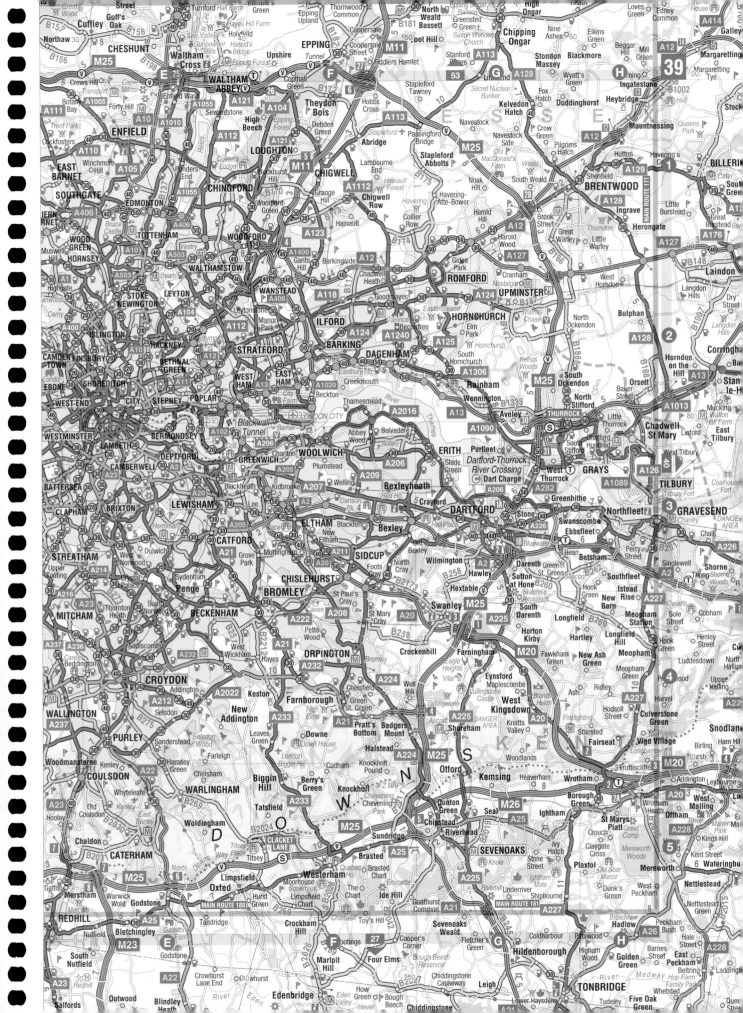

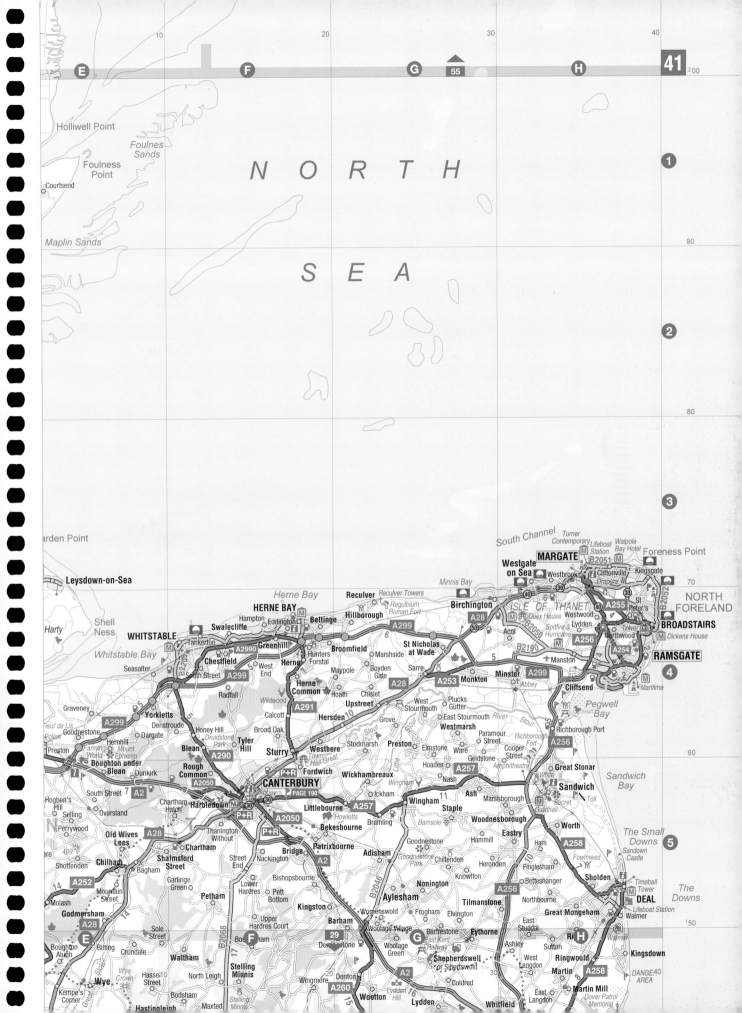

10   20   30   40

N O R T H

S E A

1

90

2

80

3

Holliwell Point

Foulnes Sands

Foulness Point

Courtsend

Maplin Sands

arden Point

South Channel

Turner Contemporary

Lifeboat Station

Walpole Bay Hotel

Foreness Point

Westgate on Sea

MARGATE

Westbrook

B2051

Cliftonville

Draper

Kingsgate

NORTH FORELAND

Leysdown-on-Sea

Herne Bay

Reculver

Reculver Towers

Regulbium Roman Fort

Minnis Bay

Birchington

Acol

ISLE OF THANET

Essex House

Westwood

Spitfire & Hurricane

Lydden

Tower

St Peter's

B2052

BROADSTAIRS

Dickens House

HERNE BAY

Hampton

Eddington

Beltinge

Hillborough

A299

A28

A28

50

40

30

40

30

A255

Northwood

A256

Maritime

RAMSGATE

WHITSTABLE

Swalecliffe

Greenhill

Hunters Forstal

Broomfield

Marshside

St Nicholas at Wade

Sarre

A253

B2190

Manston

Minster

A299

Abbey

Cliffsend

Harty

Shell Ness

Tankerton

A2990

A299

West End

Herne

Maypole

Boyden Gate

Chislet

Pegwell Bay

Seasalter

Chestfield

South Street

Herne Common

Hoath

Upstreet

West Stourmouth

Plucks Gutter

Richborough Port

A256

Whitstable Bay

B2205

Radfall

Wildwood

Calcott

Hersden

Grove

East Stourmouth

River *Stour*

Graveney

Yorkletts

Denstroude

Honey Hill

Broad Oak

Stodmarsh

Preston

Elmstone

Ware

Paramour Street

Richborough Fort

Amphitheatre

60

Goldstone

Cooper Street

A256

Fleur de Lis

Police

Goodnestone

Dargate

A299

A290

Tyler Hill

Sturry

Westbere

Town Hall

Great

Wickhambreaux

Hoaden

Nash

Westmarsh

A257

White

Great Stonar

Sandwich Bay

Hernhill

Mount Ephraim

Blean

Druidstone Park

Fordwich

Little

Wingham

Sandwich

Secret

Toll

Preston

Boughton under Blean

Dunkirk

Rough Common

A2050

CANTERBURY

PAGE 190

Ickham

Marshborough

Guildhall

7

Hogben's Hill

Selling

South Street

A2

Harbledown

M

30

30

P+R

Littlebourne

Bekesbourne

Bramling

Wingham

Ash

Staple

Barnsole

Woodnesborough

Worth

The Small Downs

Perrywood

Overland

Thanington Without

P+R

A2050

Howletts

A257

11

Sandown Castle

5

499

Old Wives Lees

A28

Chartham

Street End

Nackington

Patrixbourne

Goodnestone

Chillenden

Hammill

Eastry

Ham

A258

Fowlmead

Finglesham

Sholden

Timeball Tower

DEAL

The Downs

Chilham

Shalmsford Street

Bagham

Bridge

Bishopsbourne

Adisham

Goodnestone Park

Knowlton

Heronden

Betteshanger

Northbourne

Great Mongeham

Lifeboat Station

Walmer

150

A252

Mountain Street

Petham

Lower Hardres

Pett Bottom

Aylesham

Nonington

Frogham

Elvington

Tilmanstone

A256

East Studdal

Molash

Garlinge Green

Kingston

Womenswold

Godmersham

A28

Sole Street

B2068

Barham

29

Derringstone

Woolage Village

Barfrestone

East Kent Railway

Eythorne

Ashley

West Langdon

Sutton

Ringwould

Martin

A258

Kingsdown

E

Boughton Aluph

Bilting

Crundale

F

Waltham

Stelling Minnis

North Leigh

Wingmore

20

Denton

Woolage Green

G

Shepherdswell or Sibertswold

A2

Coldred

H

Ri

Shottenden

Stelling Minnis

A260

Lydden Hill

16

East Langdon

Whitfield

Martin Mill

Dover Patrol Memorial

Wye

Wye Crown

Hasse

10

Bodsham

Maxted

Wootton

Lydden

DANGER AREA

40

Kempe's Corner

Hastingleigh

15

Stour

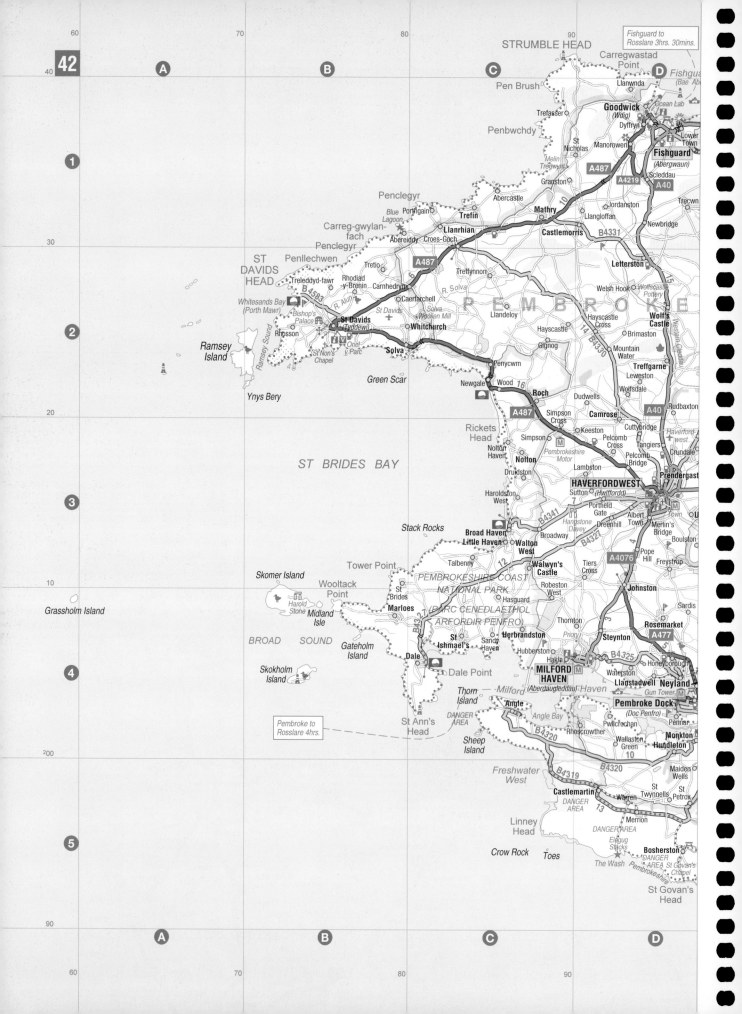

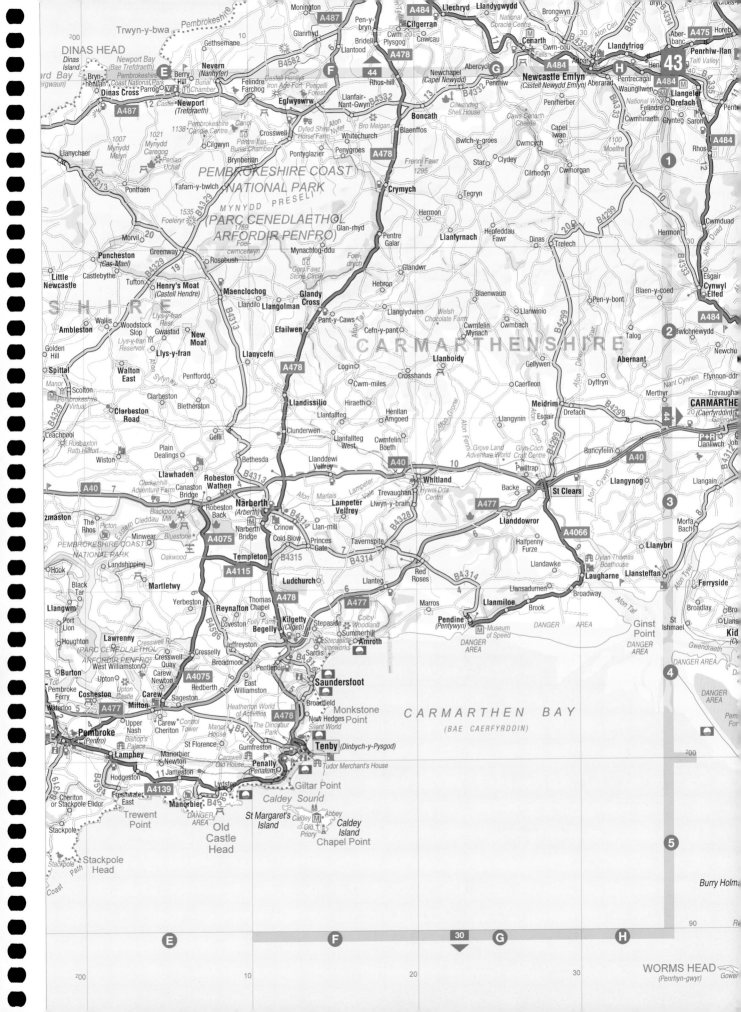

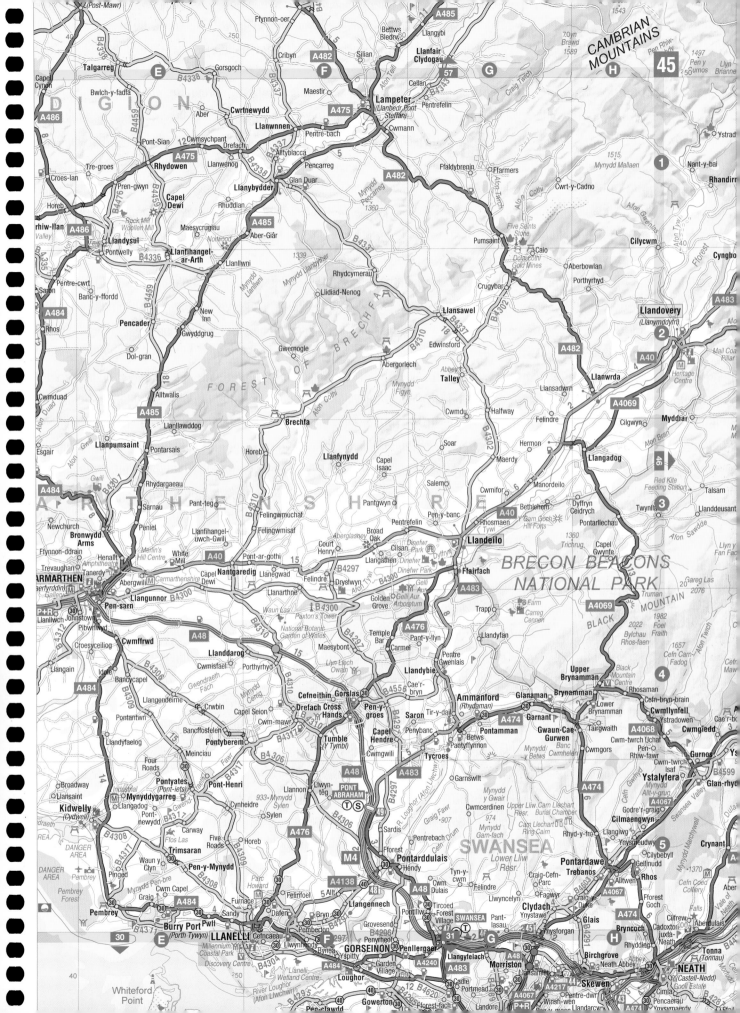

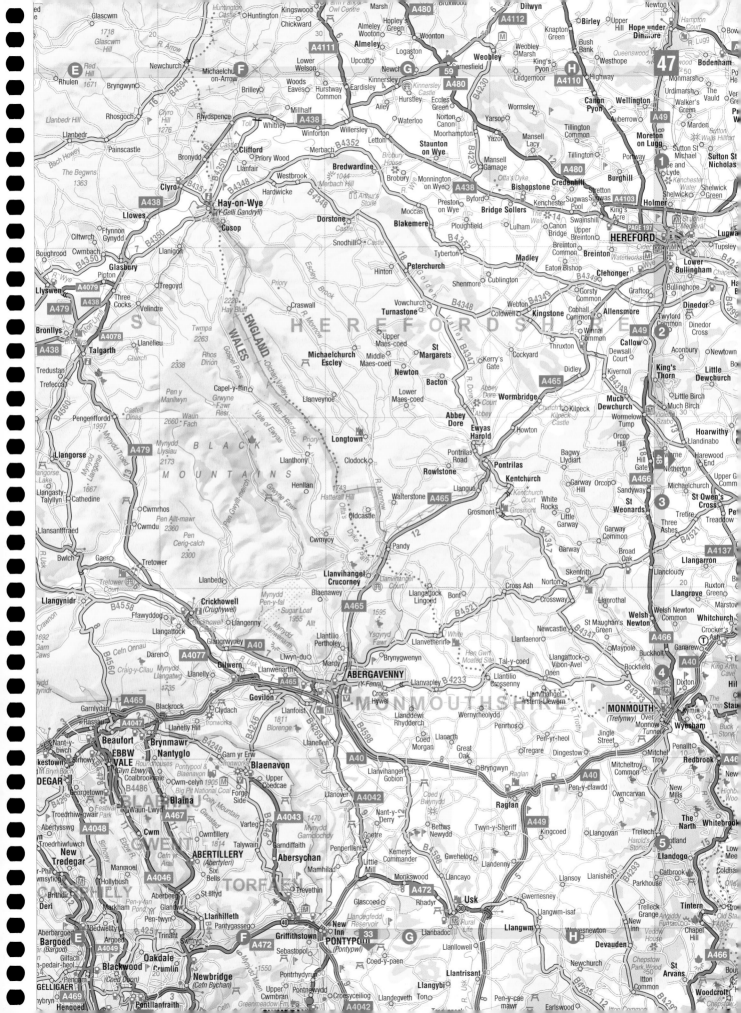

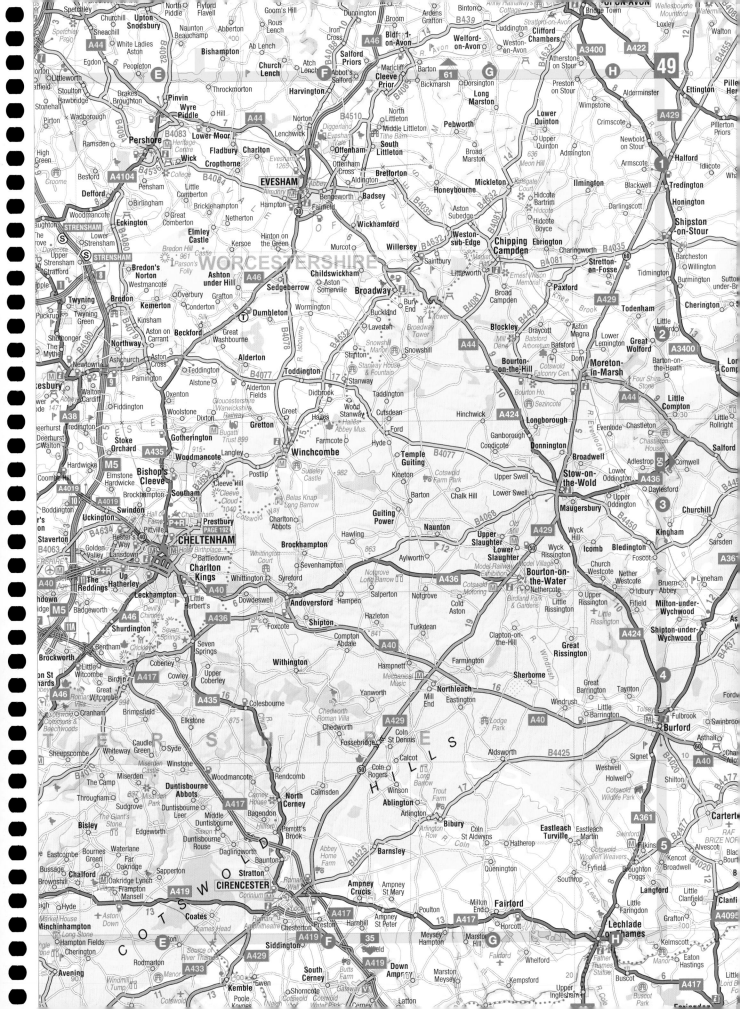

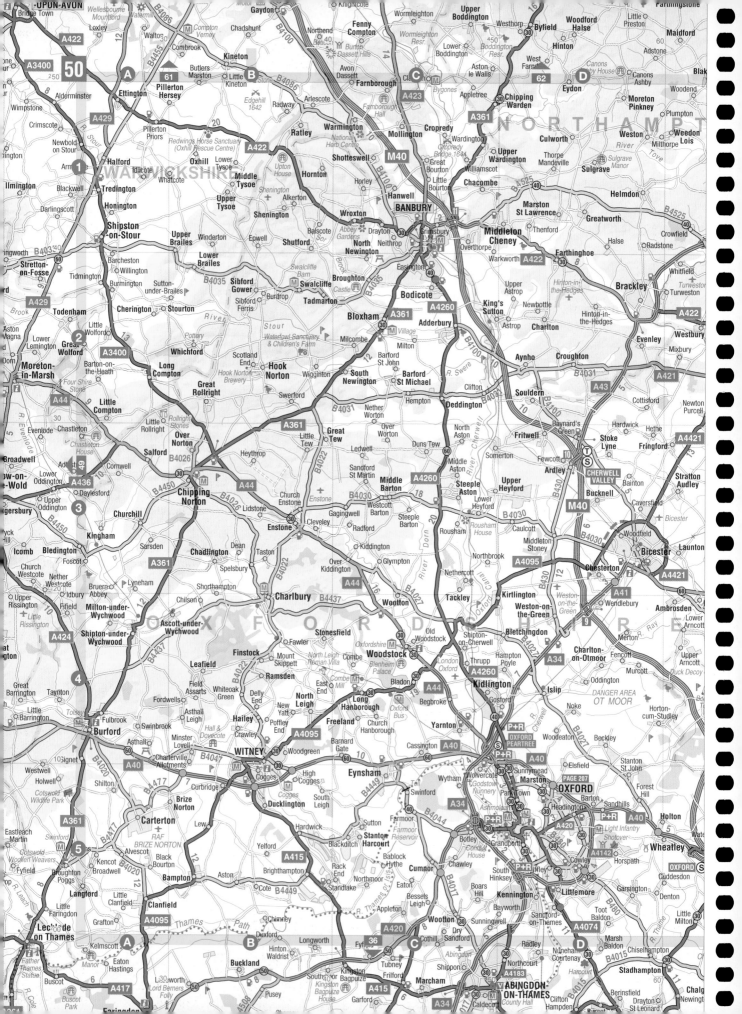

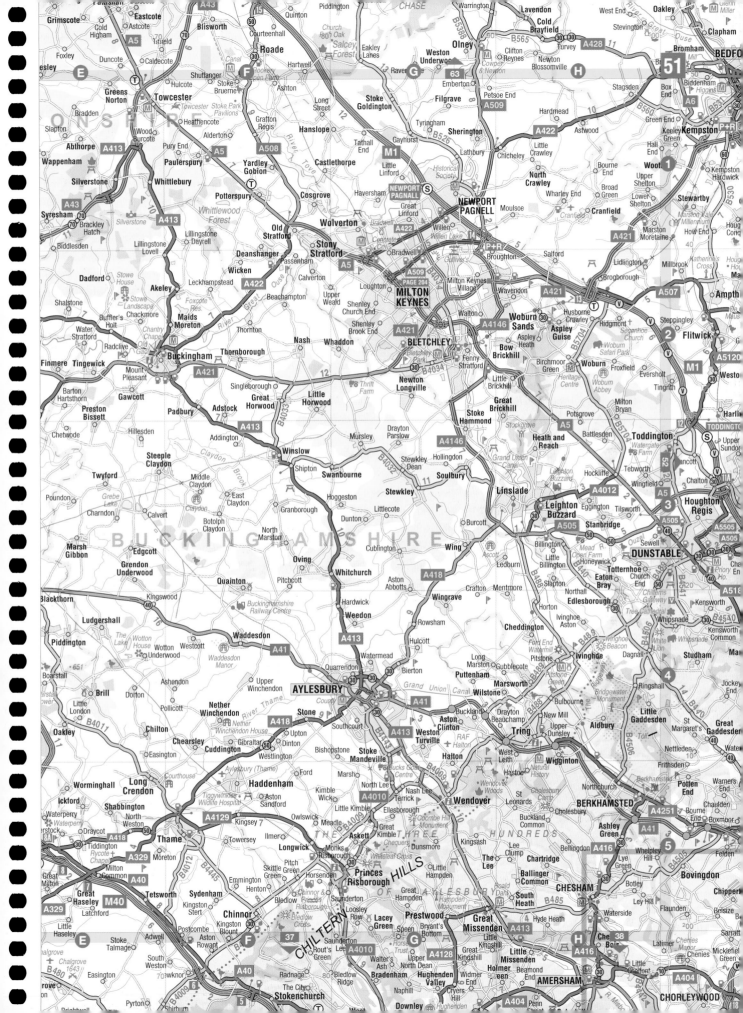

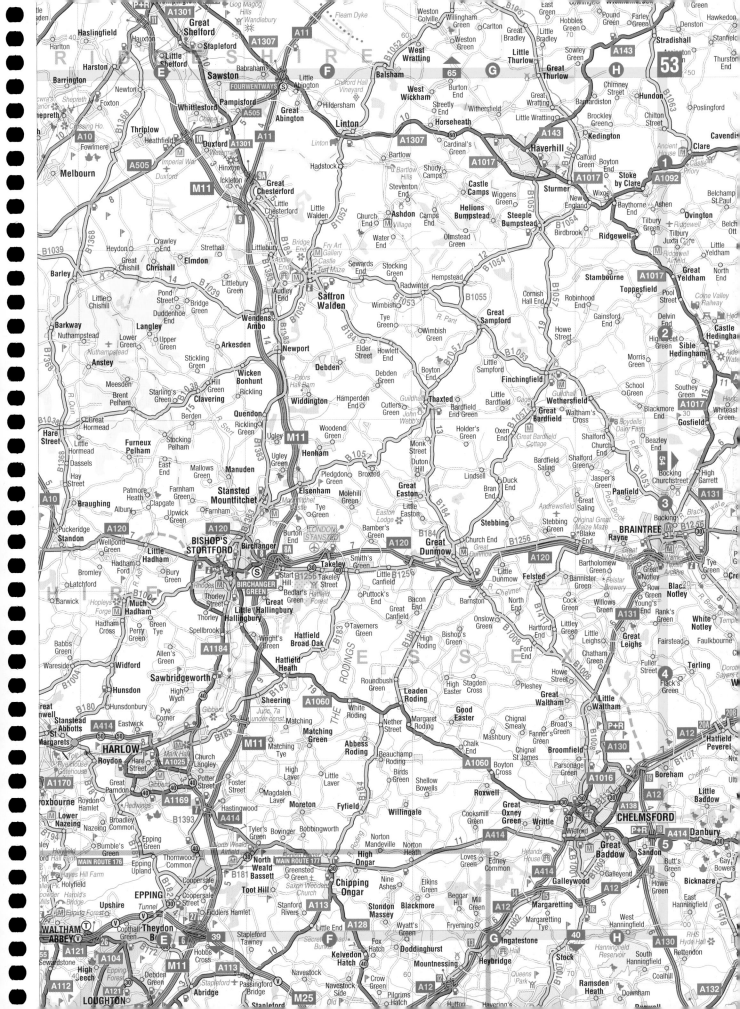

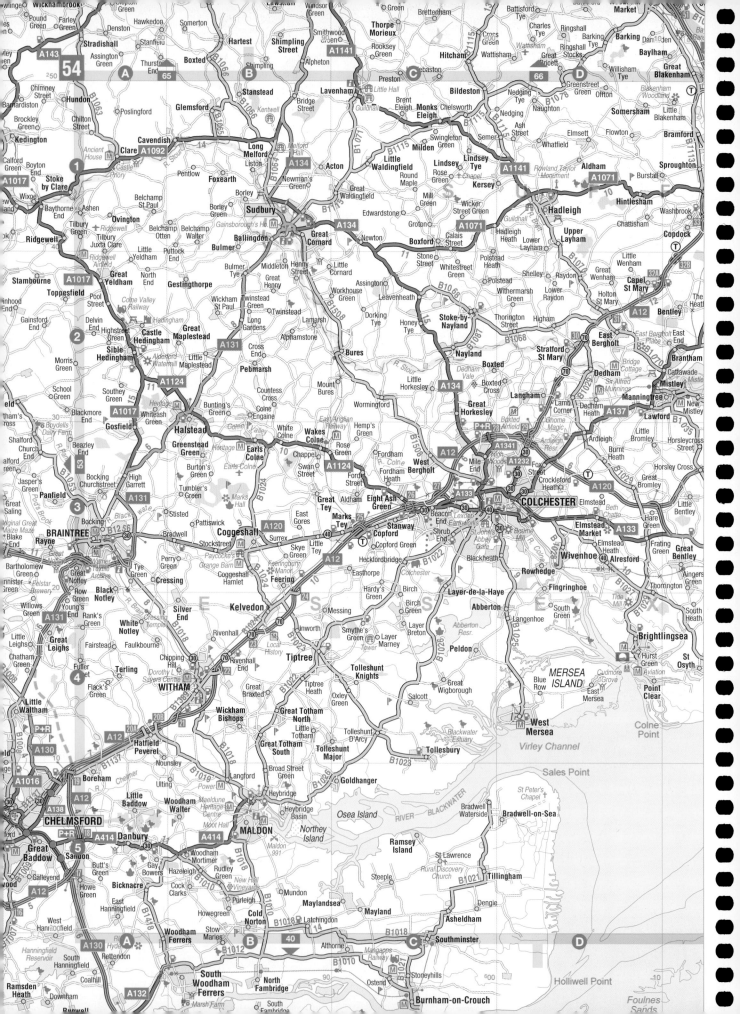

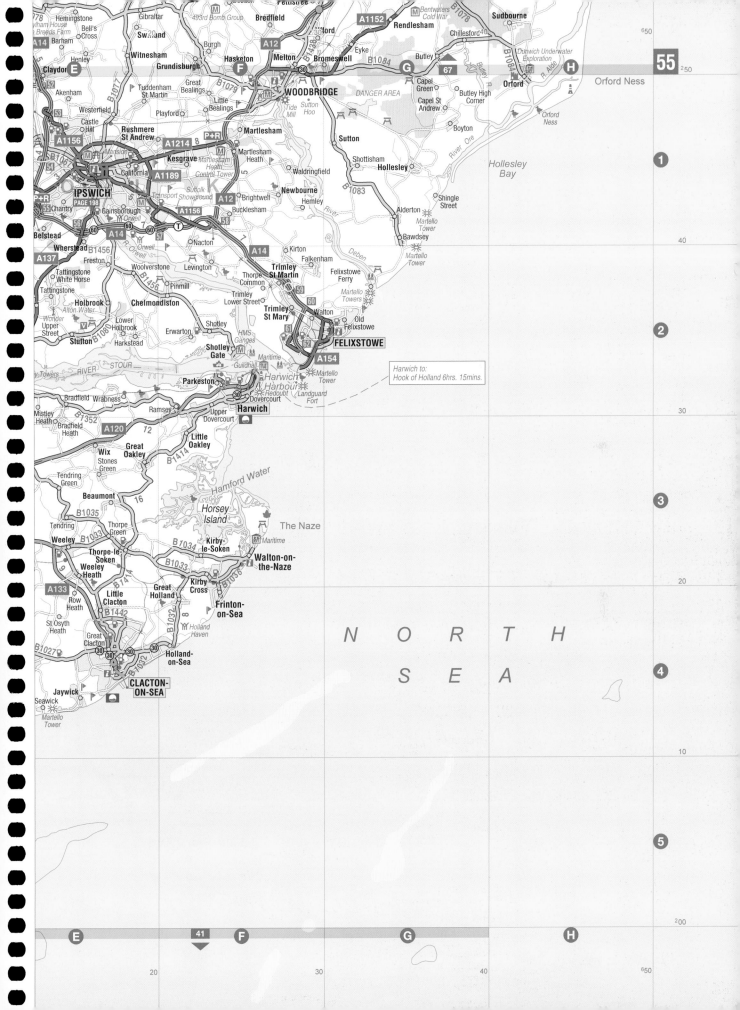

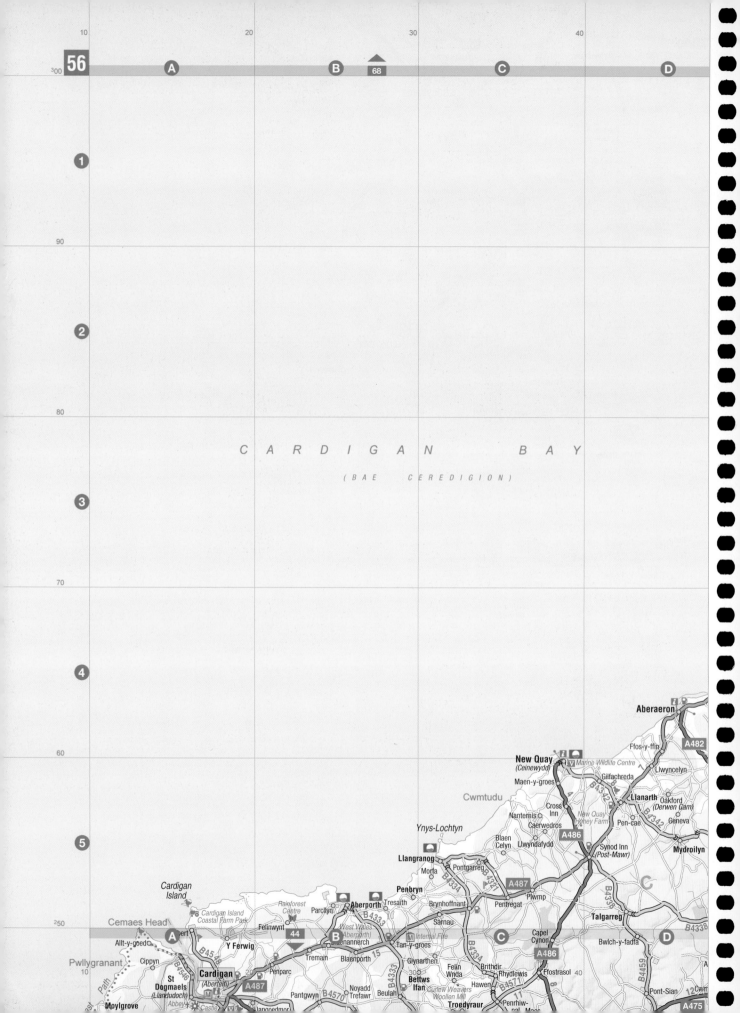

C A R D I G A N   B A Y

(B A E   C E R E D I G I O N)

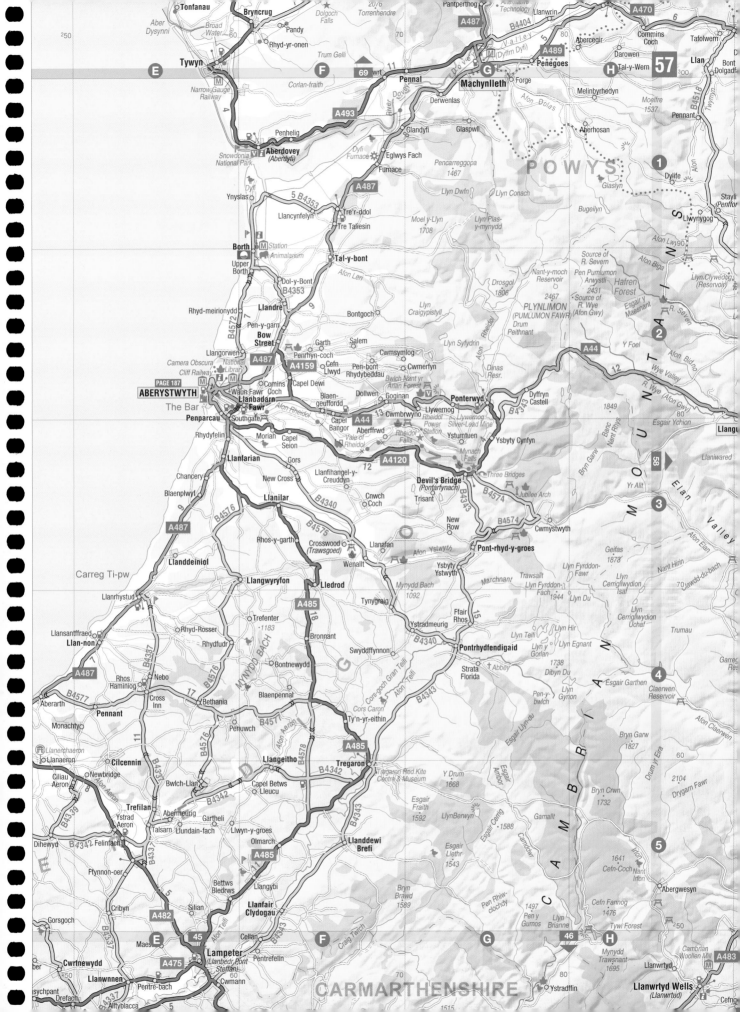

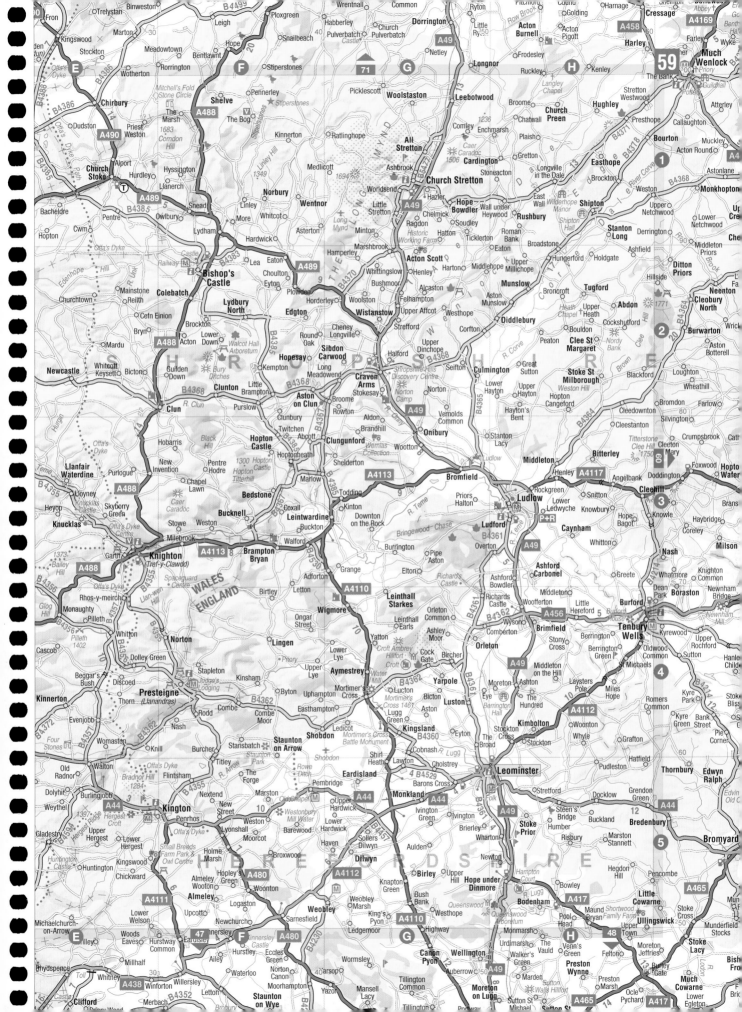

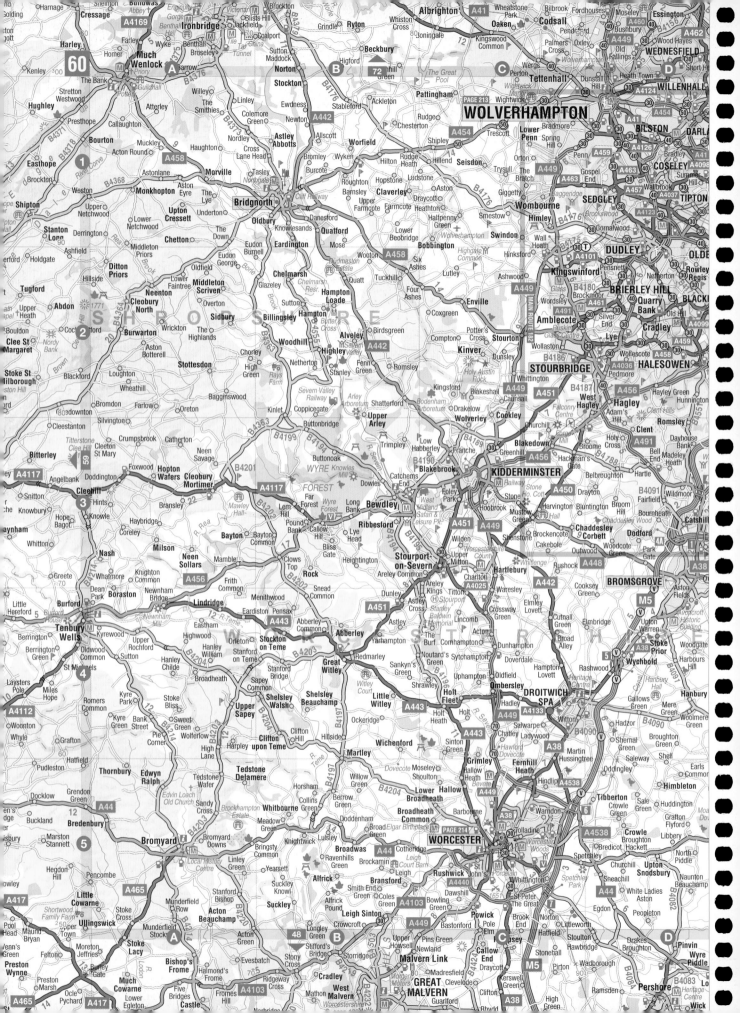

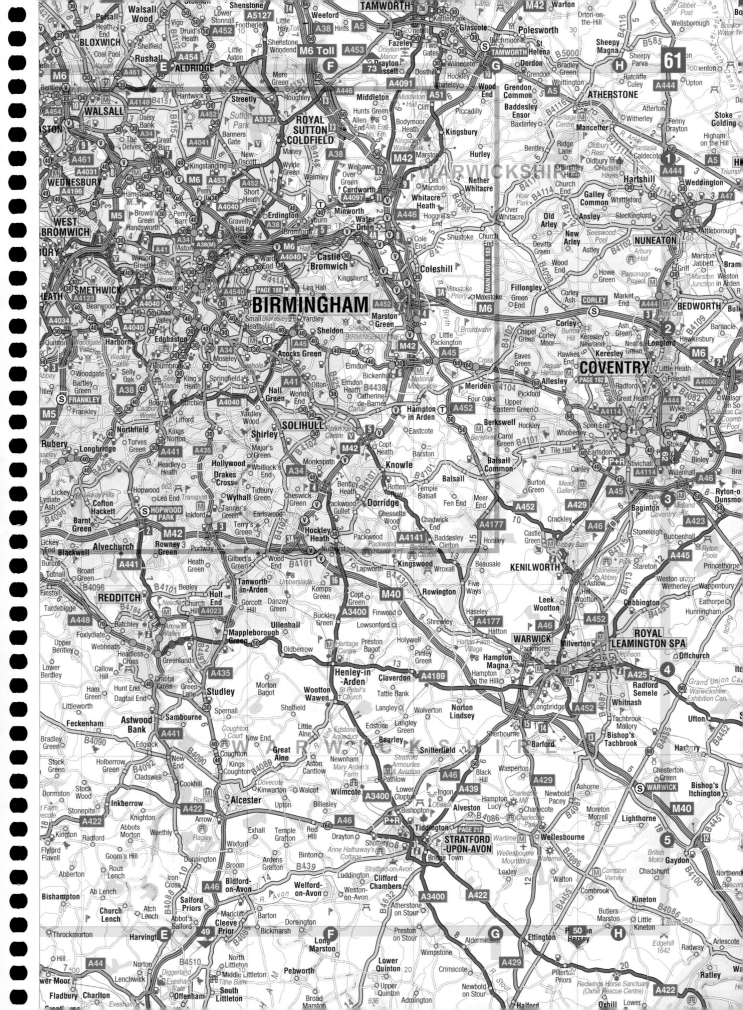

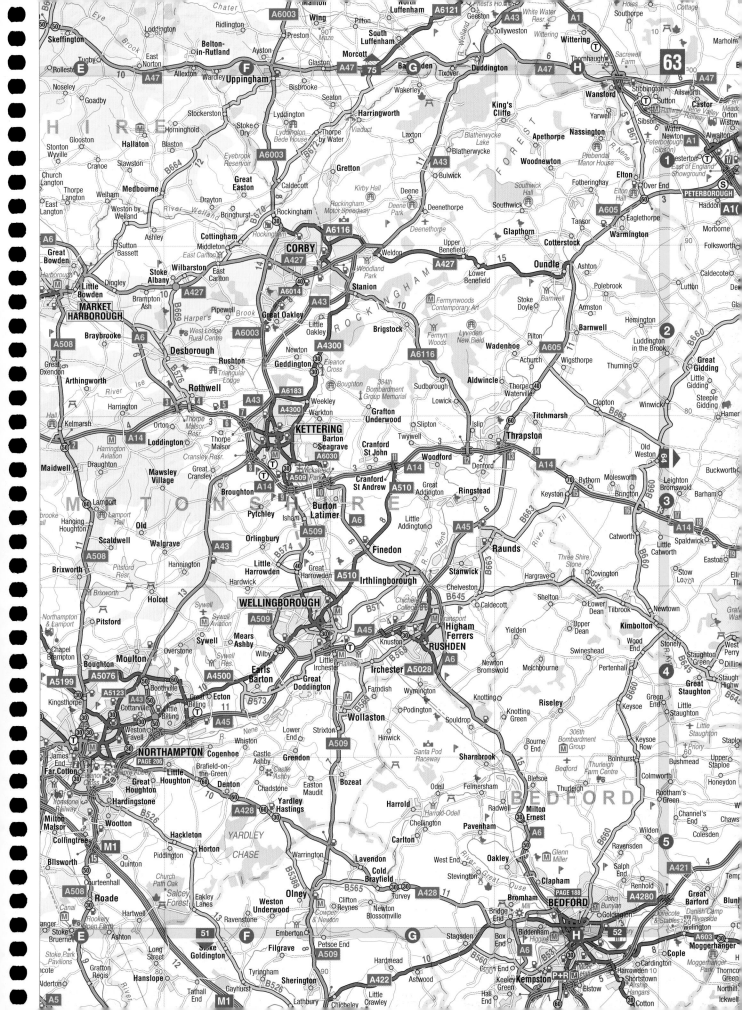

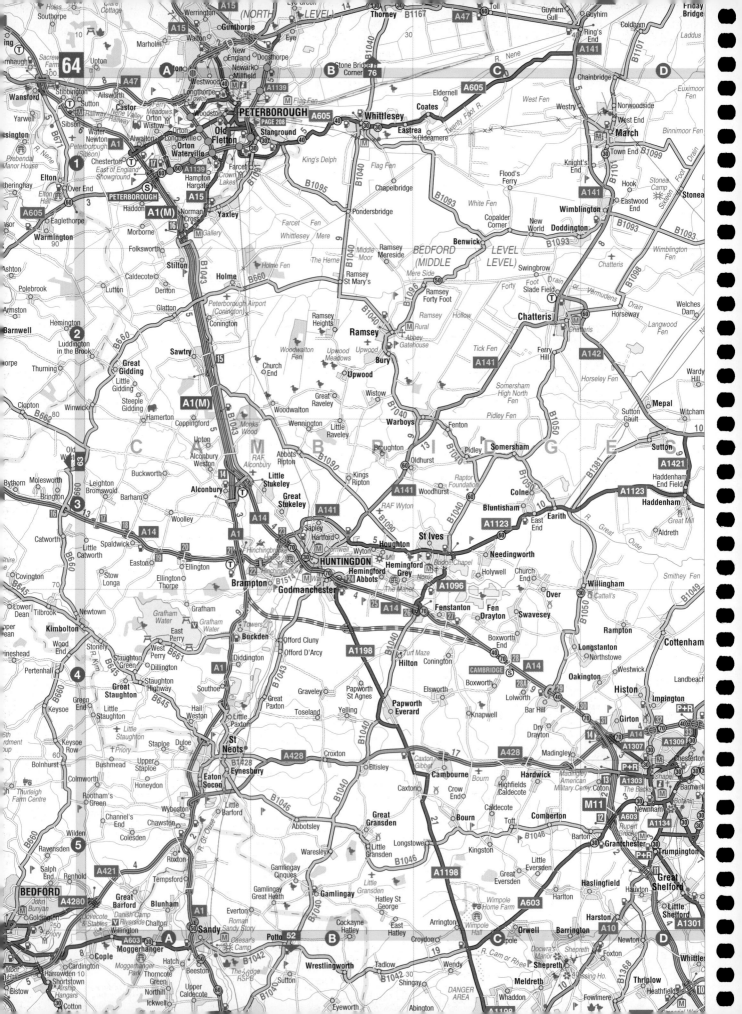

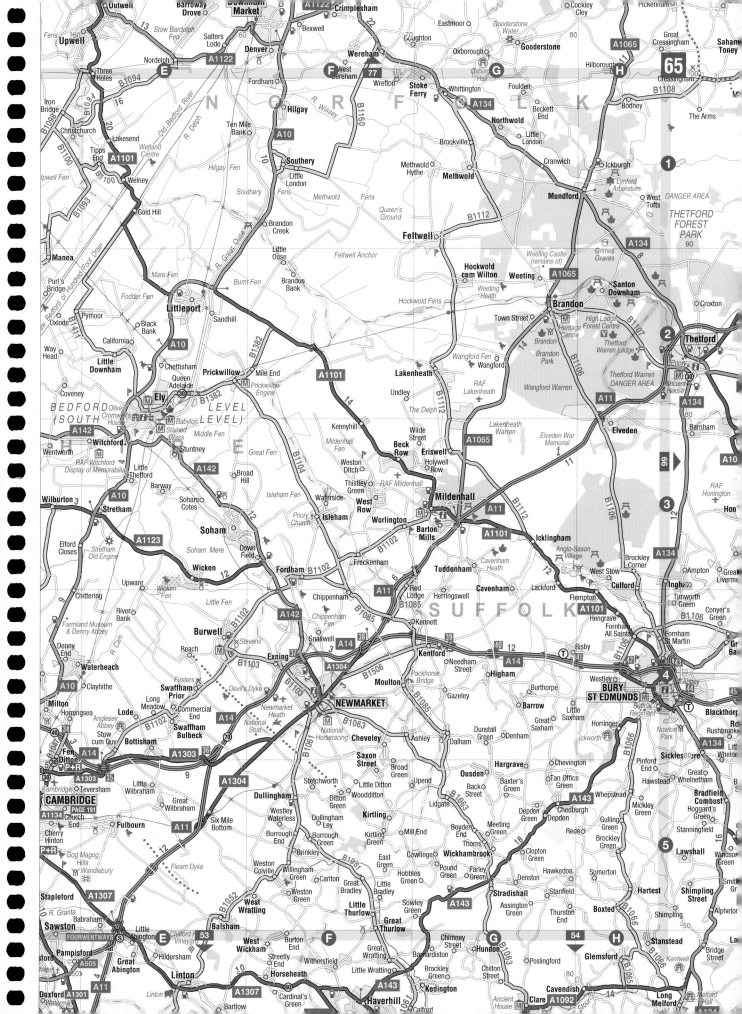

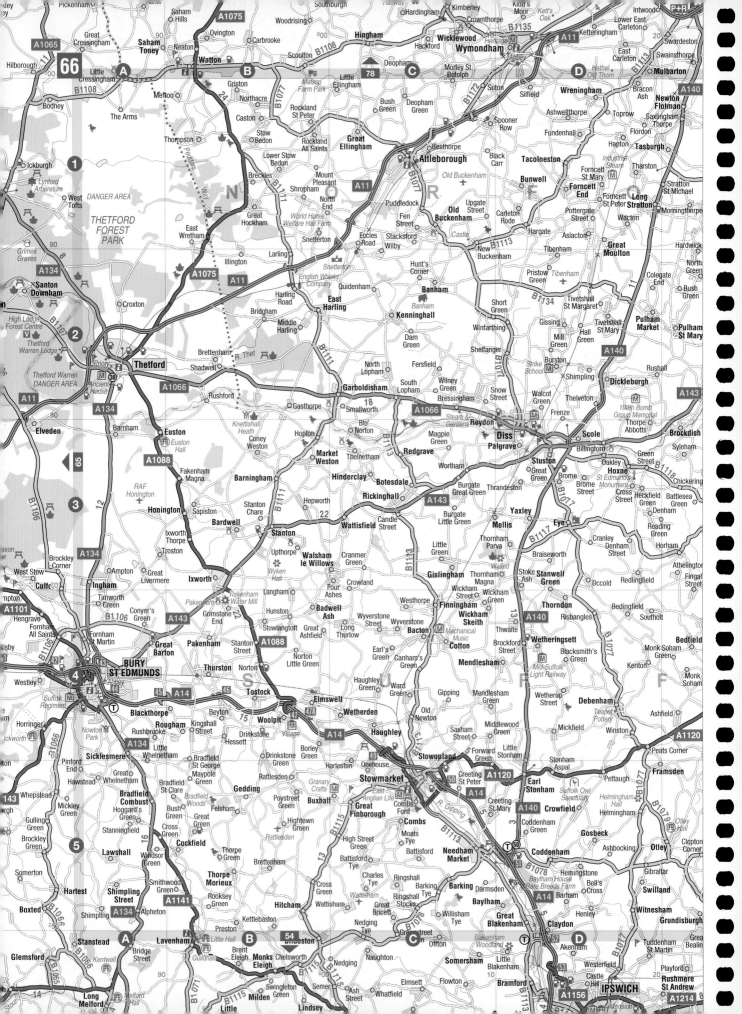

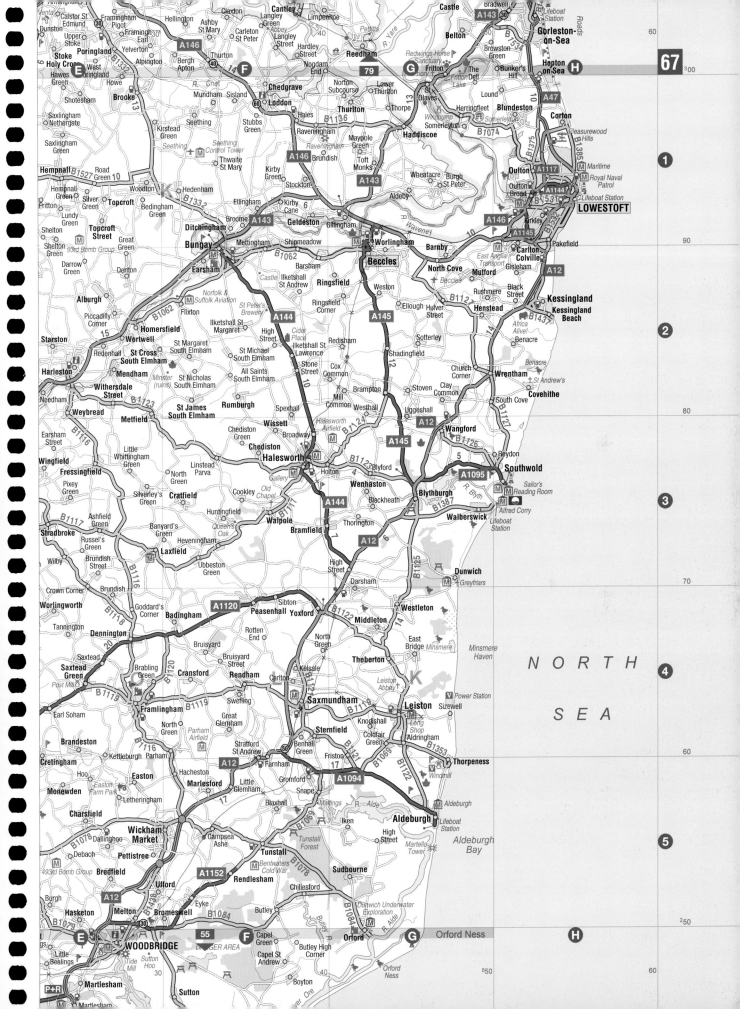

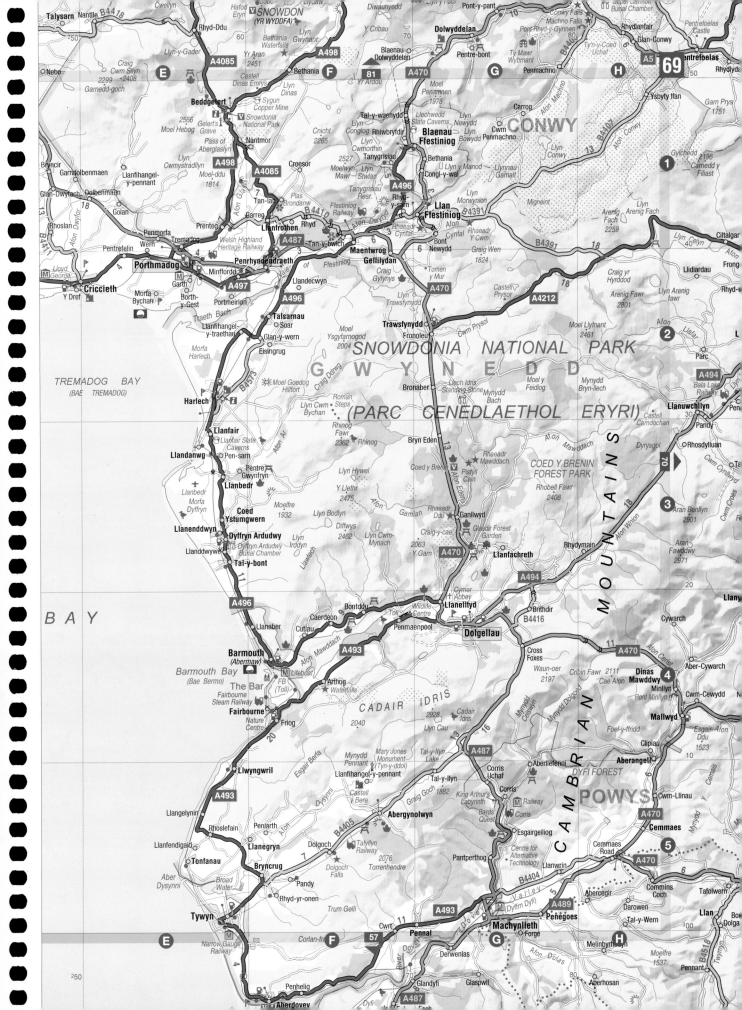

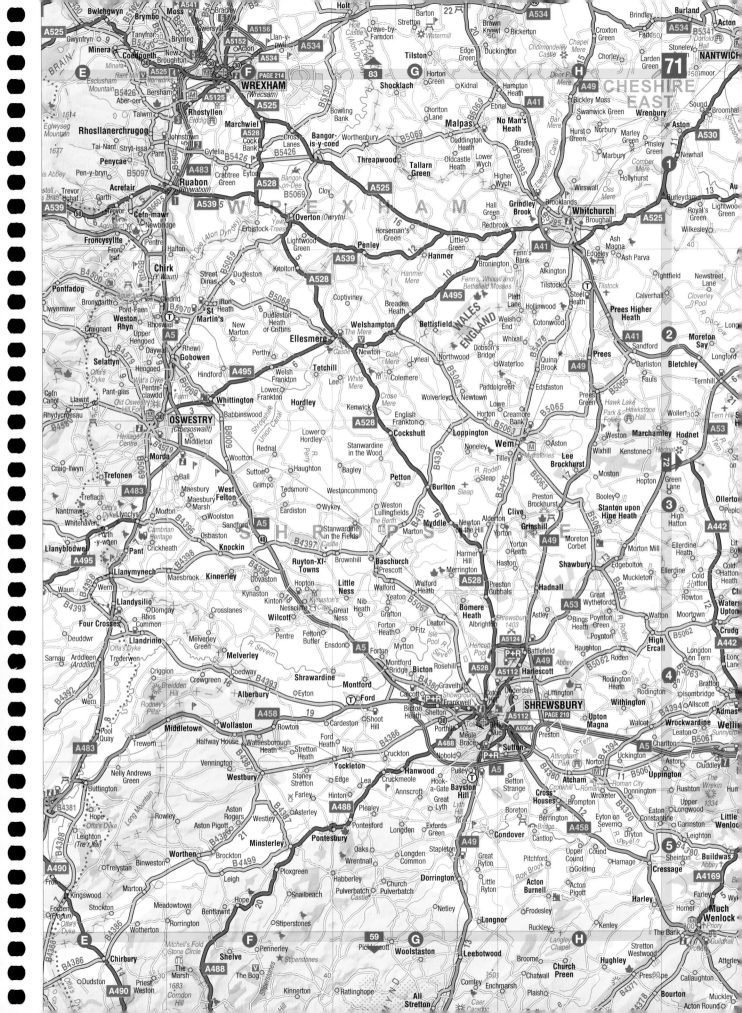

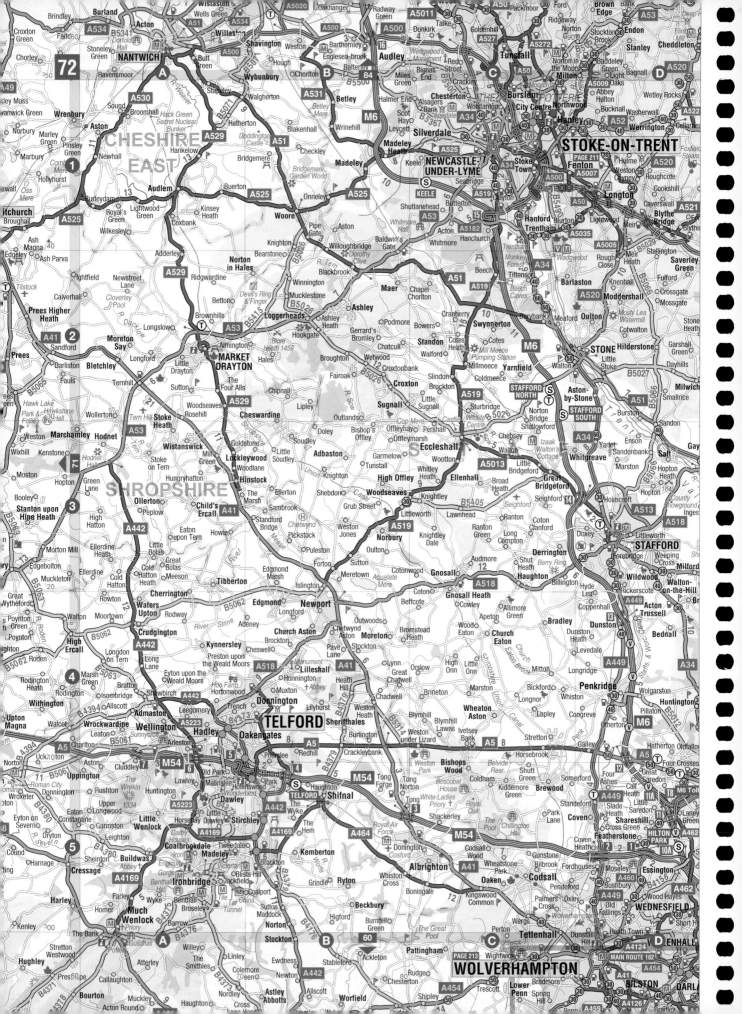

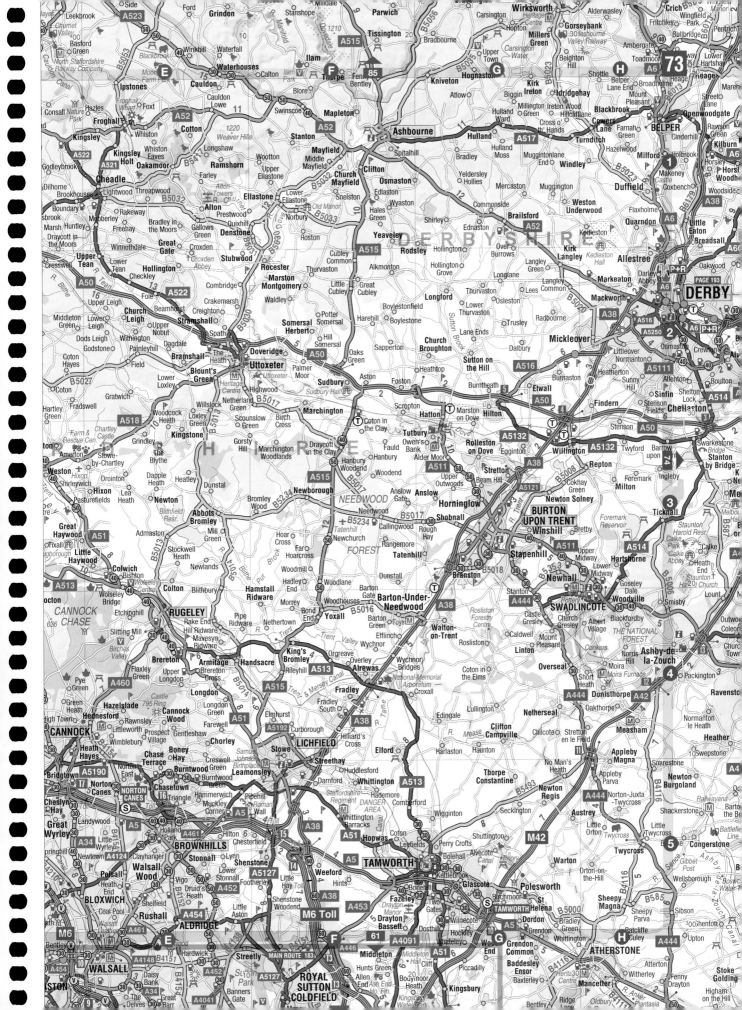

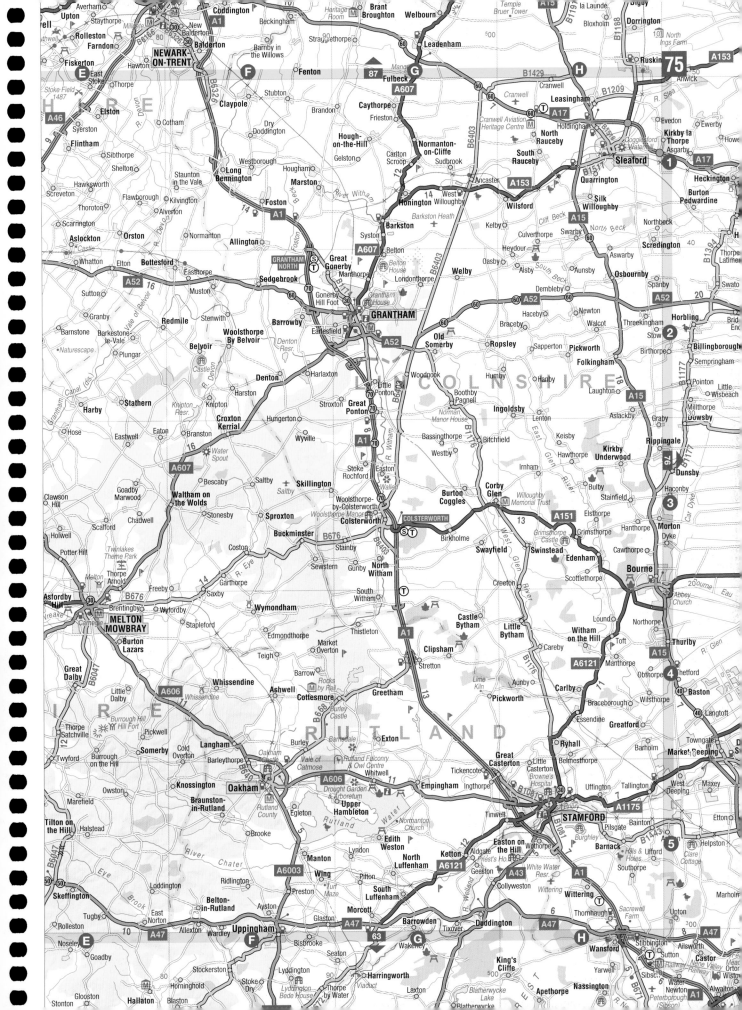

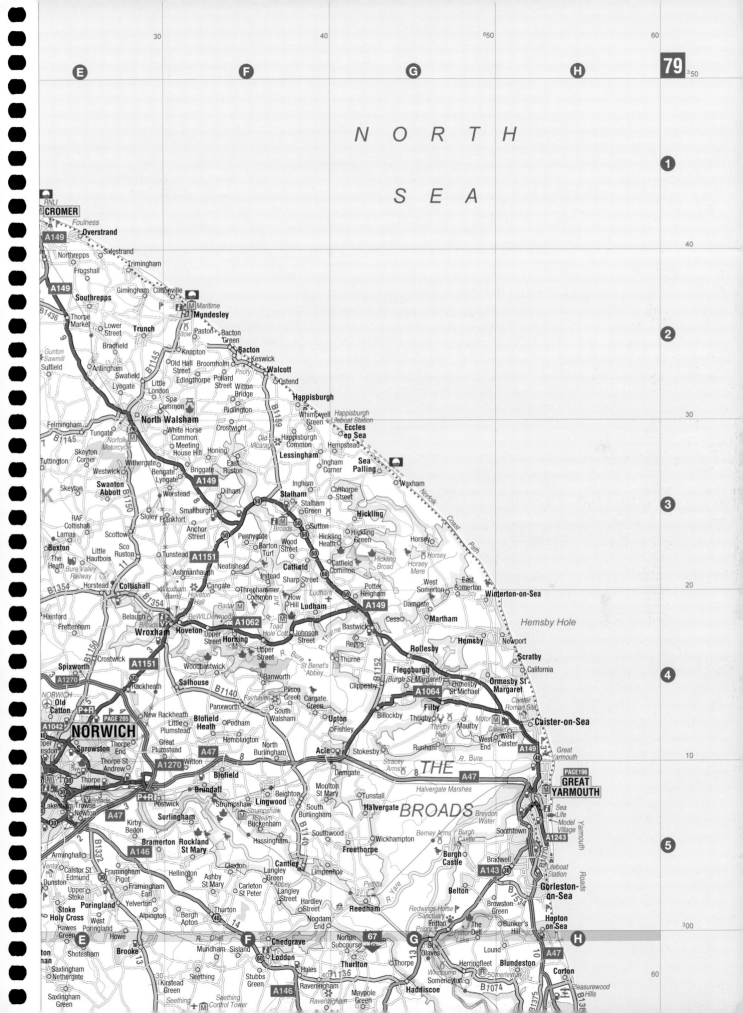

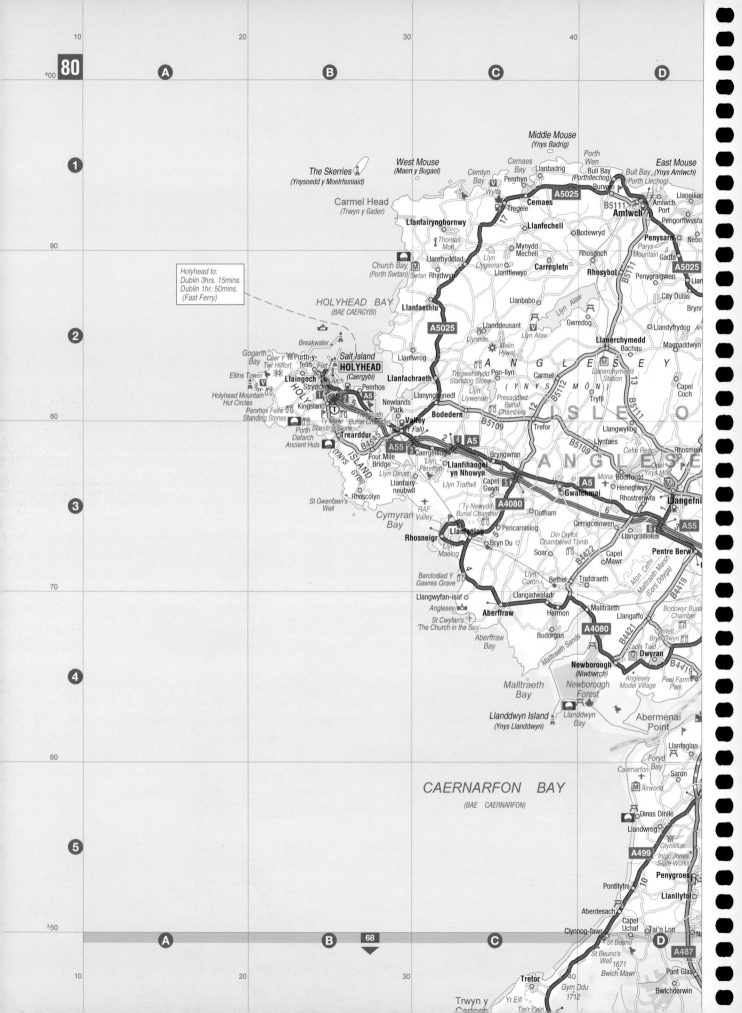

Holyhead to:
Dublin 3hrs. 15mins.
Dublin 1hr. 50mins.
(Fast Ferry)

Middle Mouse
(Ynys Badrig)

West Mouse
(Maen y Bugael)

The Skerries
(Ynysoedd y Moelrhoniaid)

Carmel Head
(Trwyn y Gader)

East Mouse
(Ynys Amlwch)

Cemaes
Bay

Porth
Wen

Bull Bay
(Porth Llechog)

Llanbadrig
Penrhyn

Cemlyn
Bay

Wylfa

Burwen

Amlwch
Port

Amlwch

Llaneilian

Pengorffwysfa

Nebo

Tregele

Cemaes

Llanfairynghornwy

Llanfechell

Bodewryd

B5111

Penysarn

Parys
Mountain

Gadfa

Thomas
Mon

Mynydd
Mechell

Rhosgoch

Carreglefn

Rhosybol

Penygraigwen

City Dulas

Brynr

Church Bay
(Porth Swtan)

Swtan

Rhydwyn

Llanrhyddlad

Llanfflewyn

Llanddeusant

Llanfaethlu

HOLYHEAD BAY
(BAE CAERGYBI)

A5025

Llyn Alaw

Gwredog

Llandyfrydog

Magnaddwyn

Melin
Hywel

Llyn Alaw

Llynnon

Llanerchymedd

Bachau

A N G L E S E Y

Capel
Coch

Gogarth
Bay

Caer Y
Twr Hillfort

Porth-y-
Felin

Salt Island

HOLYHEAD
(Caergybi)

Llanfwrog

Tregwehelydd
Standing Stone

Pen-llyn

Llanerchymedd
Station

Carmel

(Y N Y S   M Ô N)

Tryfil

Ellins Tower

Fort

Arch

Strydo

Penrhos

Llanfachraeth

Llanynghenedl

Presaddfed
Burial
Chambers

I S L E   O

Holyhead Mountain
Hut Circles

Kingsland

Newlands
Park

Bodedern

Trefor

Llangwyllog

Llynfaes

Cefni Resr

Rhosmeir

Penrhos Feilw
Standing Stones

Ty Mawr
Burial Chamber

Trefignath
Standing Stone

Valley
(Y Fali)

B5109

A N G L E S E

Porth
Dafarch
Ancient Huts

Trearddur

A5

Caergeiliog

Bryngwran

Mona

Bodffordd

Oriel
Ynys Mon

B5109

Four Mile
Bridge

A55

Llyn
Penrhyn

A5

Heneglwys

Llangefni

Llanfairy-
neubwll

Llyn Dinam

Llanfihangel
yn Nhowyn

Capel
Gwyn

Rhostrenwfa

A55

St Gwenfaen's
Well

Llyn Traffwll

Gwalchmai

A55

Rhoscolyn

YNYS
GYBI

RAF
Valley

Ty Newydd
Burial Chamber

Dotham

Cerrigceinwen

Llangristiolus

Pentre Berw

Cymyran
Bay

A4080

Pencarnisiog

Din Dryfol
Chambered Tomb

Soar

Capel
Mawr

Rhosneigr

Llanfaelog

Bryn Du

B4422

Afon Cefni

Maltraeth Marsh
(Cors Ddyga)

B4419

Llyn
Maelog

Llyn
Coron

Bethel

Trefdraeth

Bodowyr Burial
Chamber

Barclodiad Y
Gawres Grave

Llangwyfan-isaf

Llangadwaladr

Hermon

Malltraeth

Llangaffo

Castell
Bryn Gwyn

Anglesey

St Cwyfan's
'The Church in the Sea'

Aberffraw

Bodorgan

A4080

Lada Tad

Dwyran

B4419

Aberffraw
Bay

Malltraeth Sands

Newborough
(Niwbwrch)

Anglesey
Model Village

Foel Farm
Park

Malltraeth
Bay

Newborough
Forest

Llanfaglan

Llanddwyn Island
(Ynys Llanddwyn)

Llanddwyn
Bay

Abermenai
Point

Foryd
Bay

Caernarfon
Bay

Saron

Airworld

CAERNARFON   BAY

(BAE   CAERNARFON)

Dinas Dinlle

Llandwrog

Glynllifon

A499

Inigo Jones
Slate Works

Penygroes

Pontllyfni

Llanllyfni

Aberdesach

Capel
Uchaf

Tai'n Lon

Clynnog-fawr

St Beuno

St Beuno's
Well

1671

Bwlch Mawr

A487

Trefor

Gym Ddu
1712

Pant Glas

Bwlchderwin

Trwyn y
Gorlech

Yr Eifl

Tre'r Ceiri

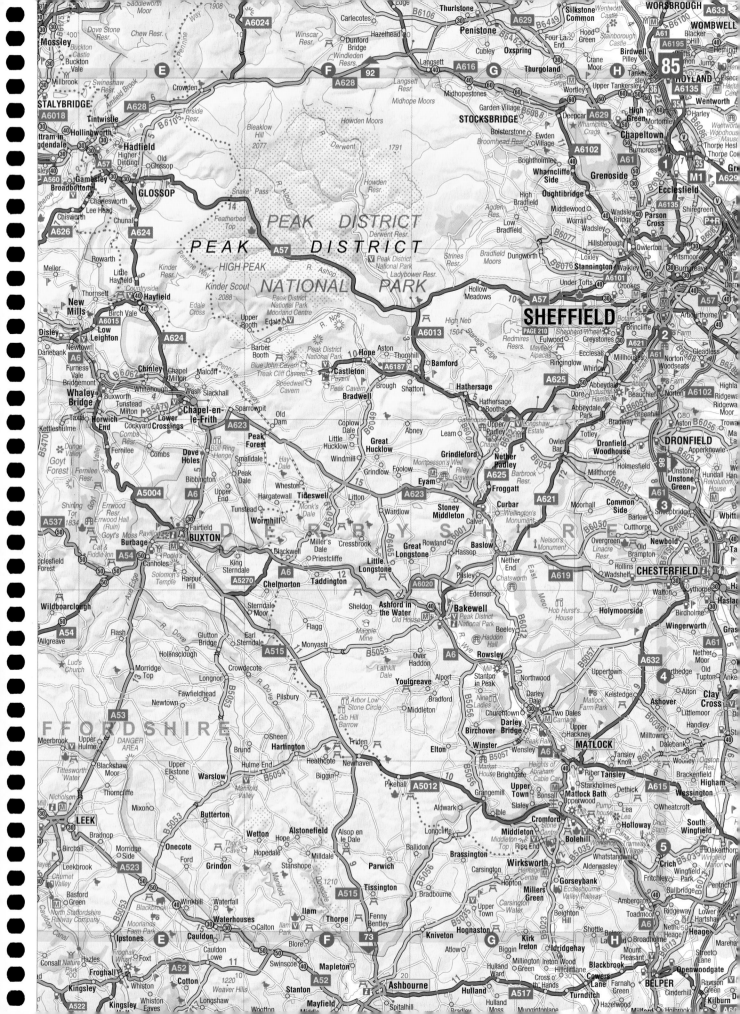

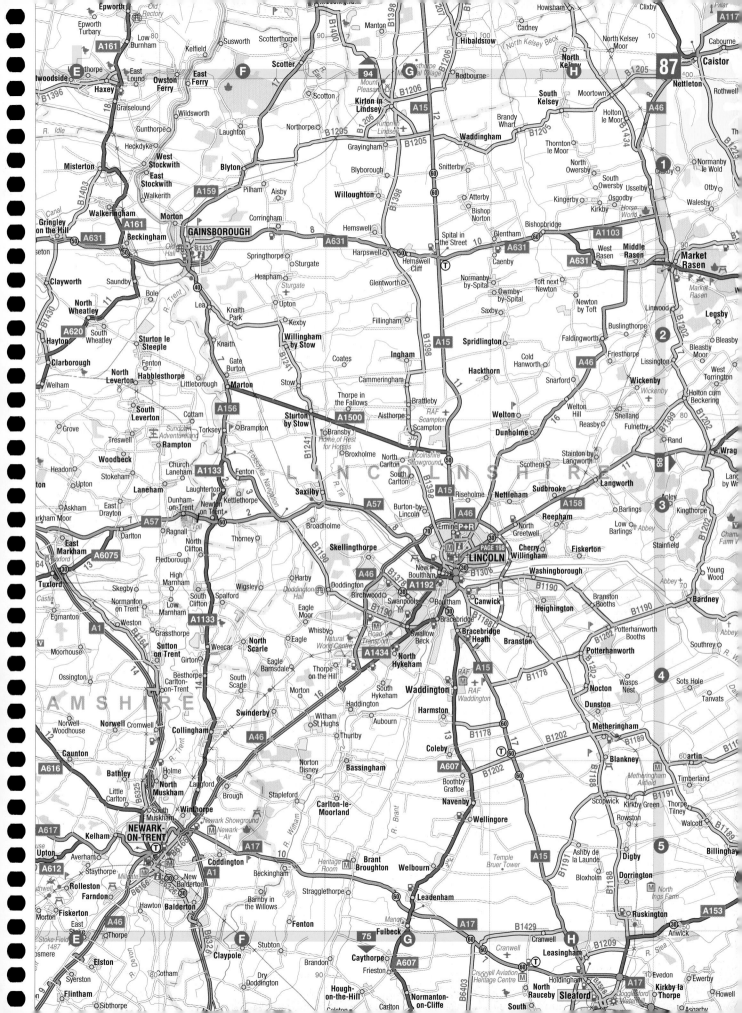

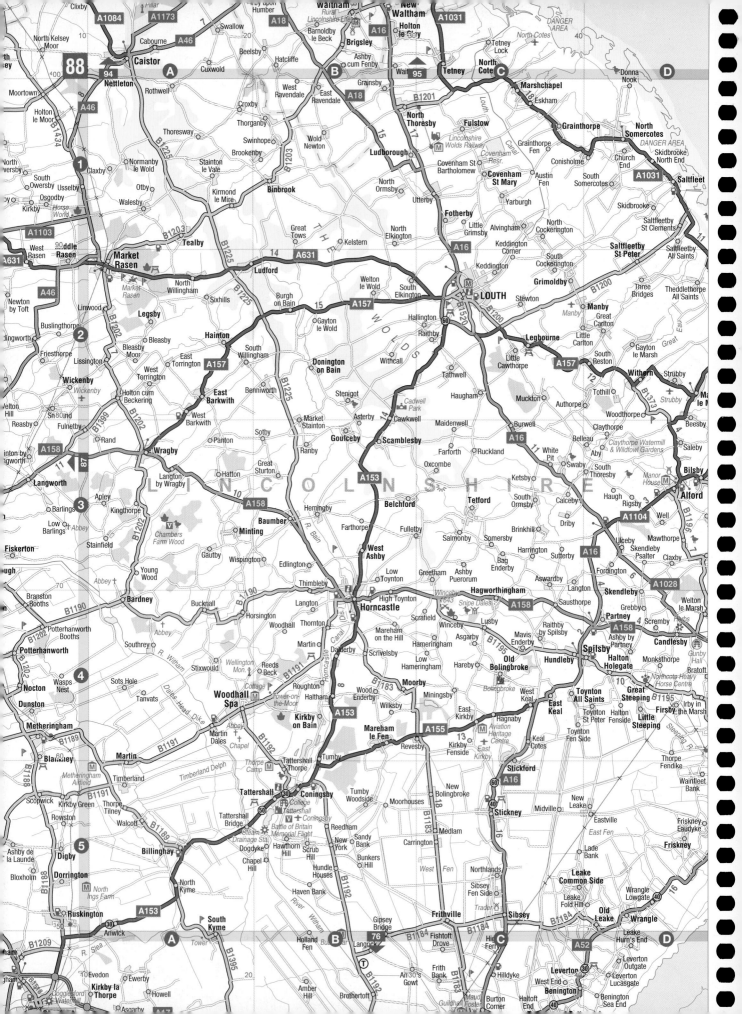

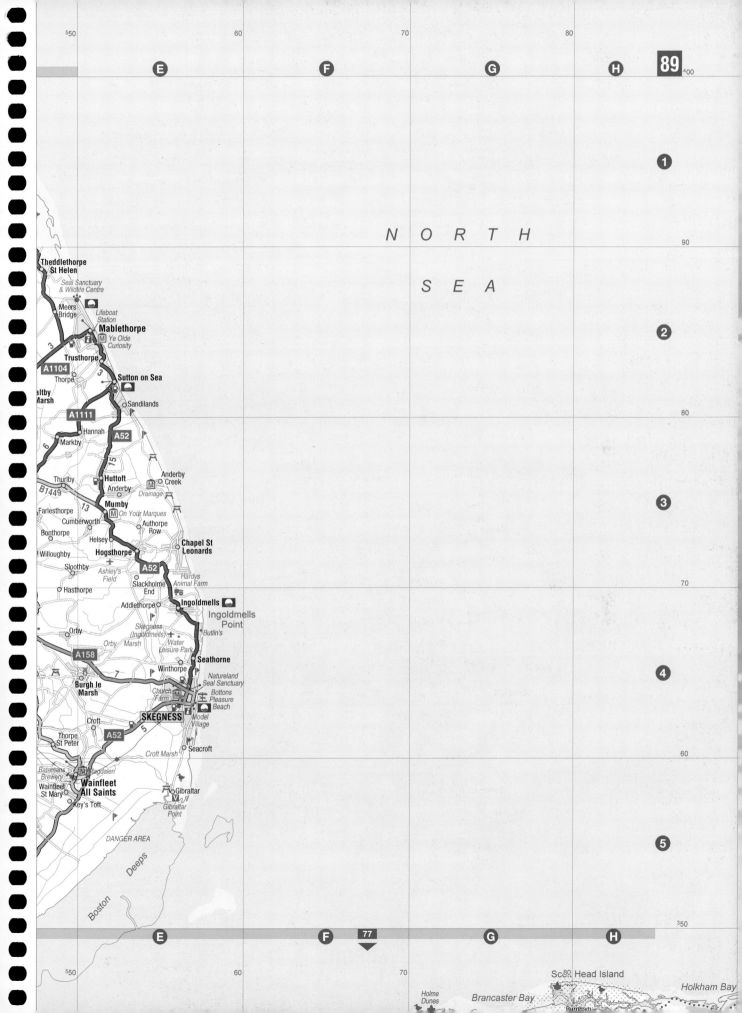

N O R T H

S E A

Theddlethorpe
St Helen
*Seal Sanctuary
& Wildlife Centre*
Meers
Bridge
*Lifeboat
Station*
Mablethorpe
M *Ye Olde
Curiosity*
Trusthorpe
A1104
Thorpe
Sutton on Sea
altby
Marsh
Sandilands
A1111
Hannah
A52
Markby
15
Thurlby **Huttoft** Anderby
Creek
B1449 Anderby
Drainage
Mumby
Farlesthorpe 13 M *On Your Marques*
Cumberworth Authorpe
Row
Bonthorpe
Helsey **Chapel St
Leonards**
Willoughby **Hogsthorpe**
Sloothby A52
*Ashley's
Field* *Hardys
Animal Farm*
Hasthorpe Slackholme
End
Addlethorpe **Ingoldmells**
Orby Ingoldmells
Point
*Orby
Marsh* *Skegness
(Ingoldmells)* *Butlin's*
A158 *Water
Leisure Park*
7 **Seathorne**
Winthorpe
**Burgh le
Marsh** *Naturland
Seal Sanctuary*
Church M *Bottons
Pleasure
Beach*
SKEGNESS *Model
Village*
Croft 5
Thorpe
St Peter A52
Croft Marsh Seacroft
*Batemans
Brewery* M *Magdalen*
**Wainfleet
All Saints** Gibraltar
Wainfleet V
St Mary *Gibraltar
Point*
Key's Toft

DANGER AREA

Deeps

Boston

Sc. Head Island *Holkham Bay*
Holme *Brancaster Bay*
Dunes Burnham

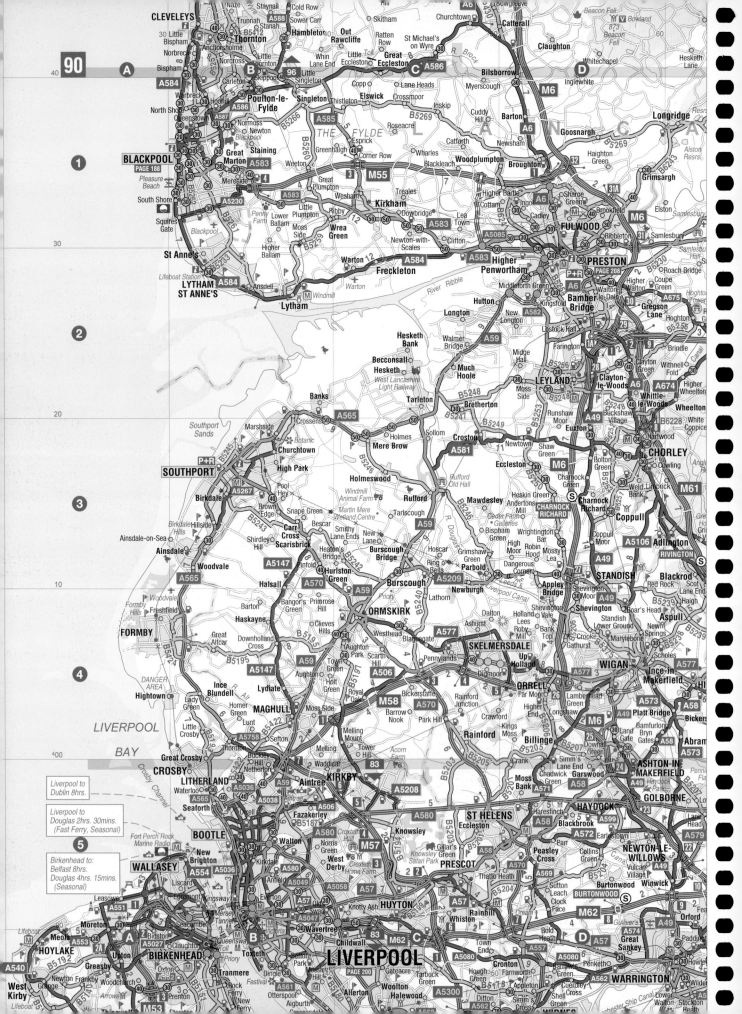

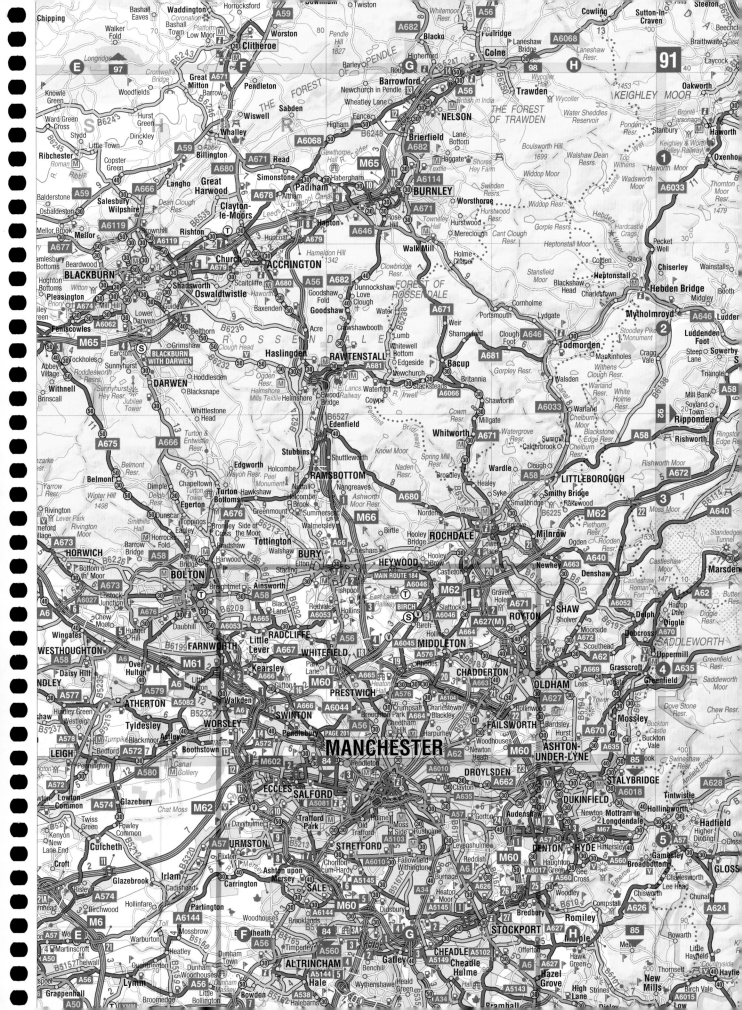

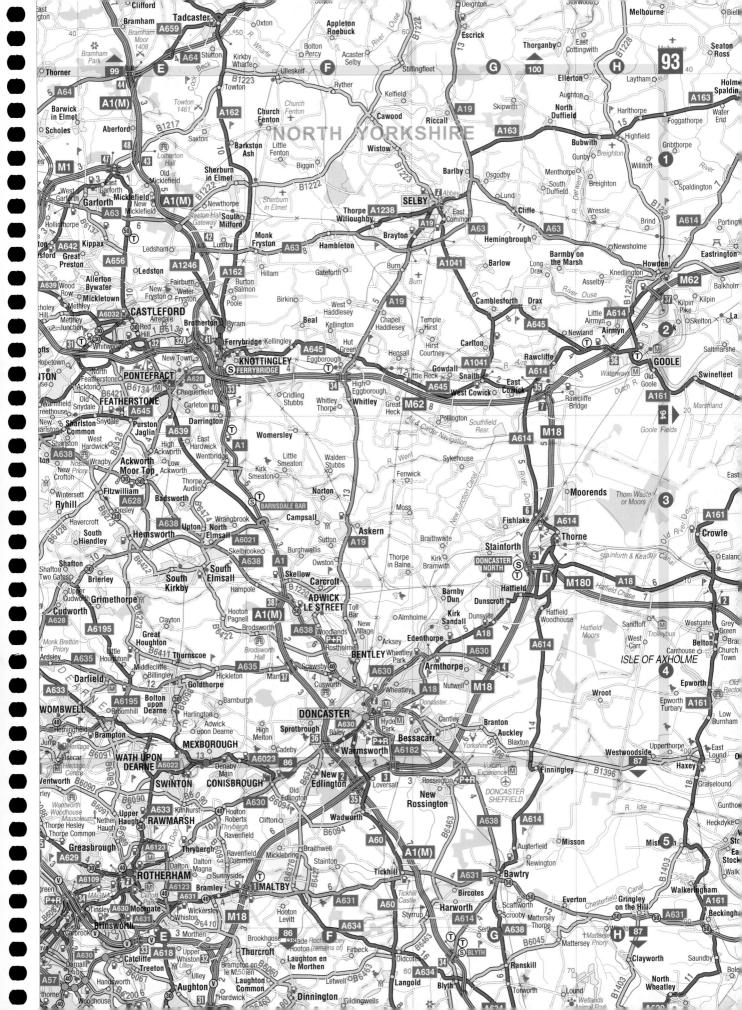

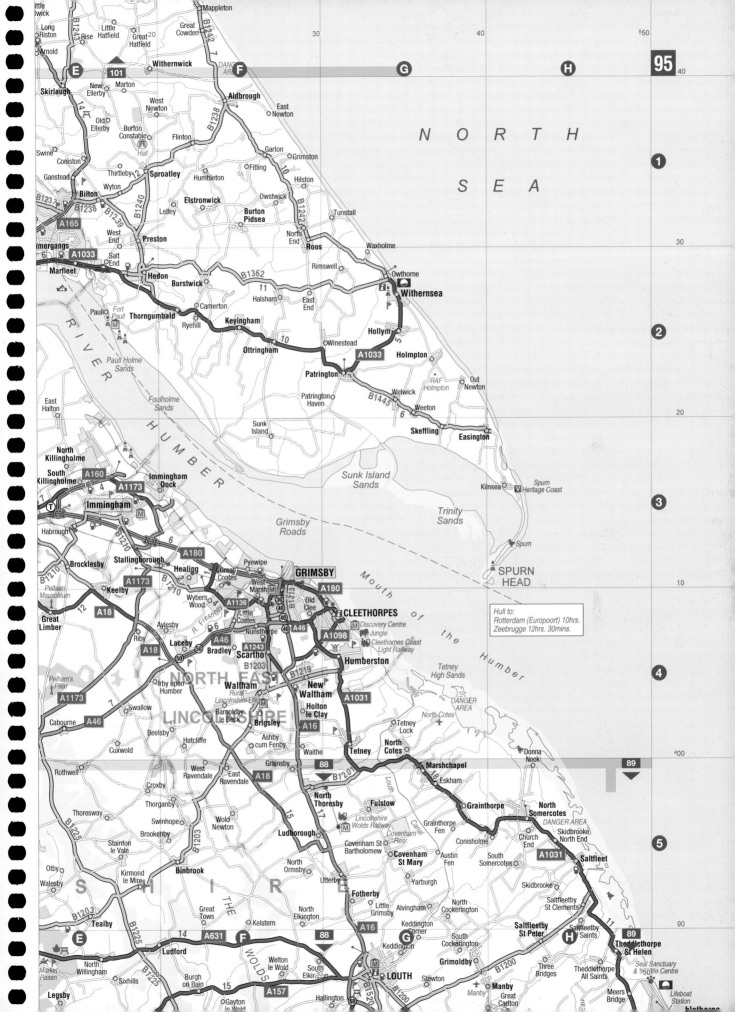

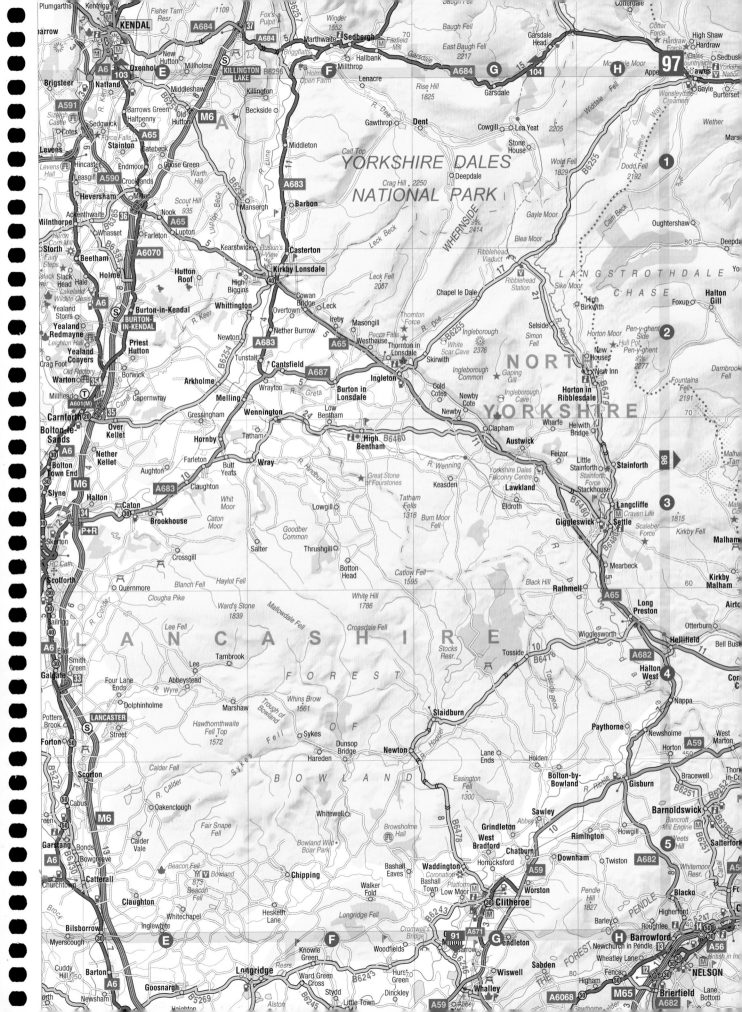

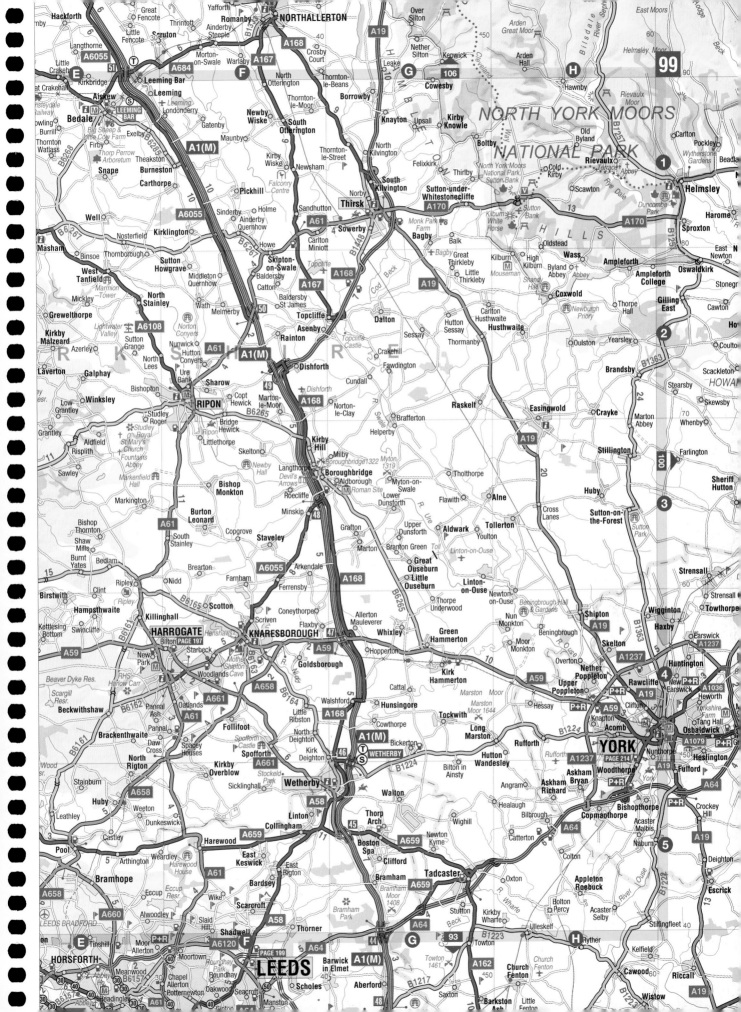

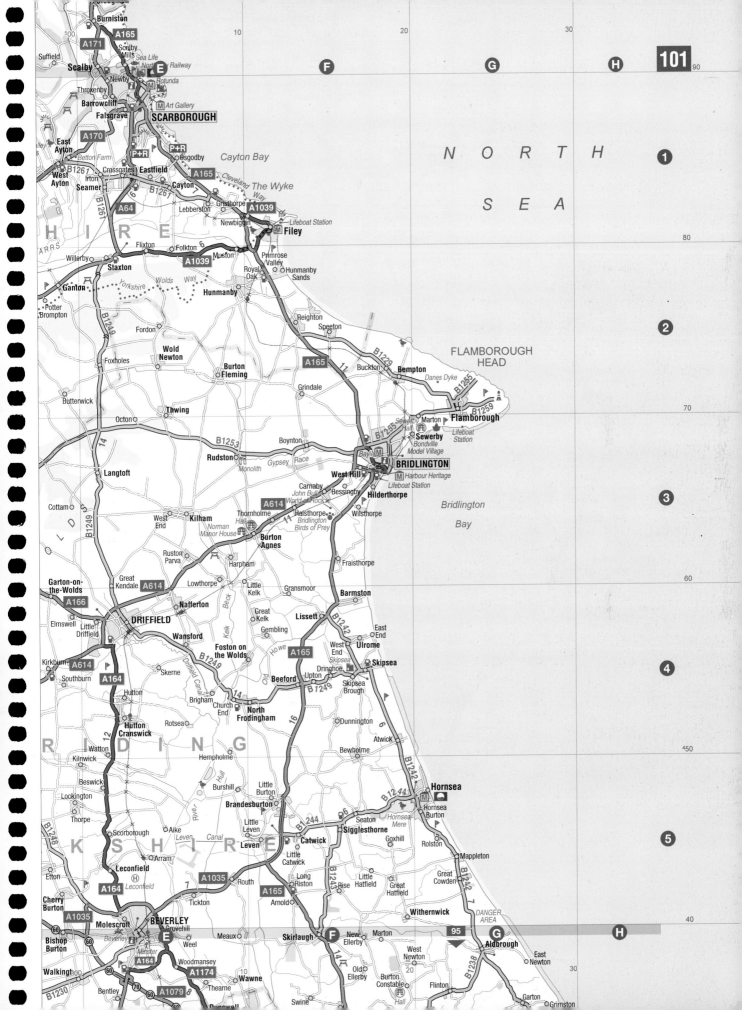

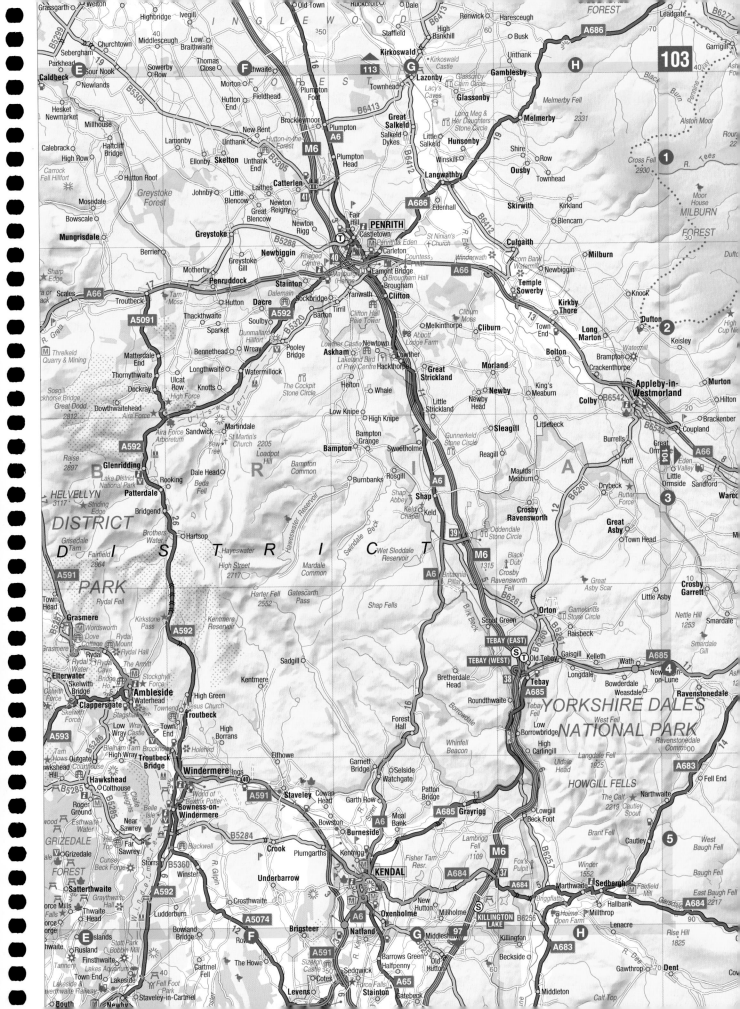

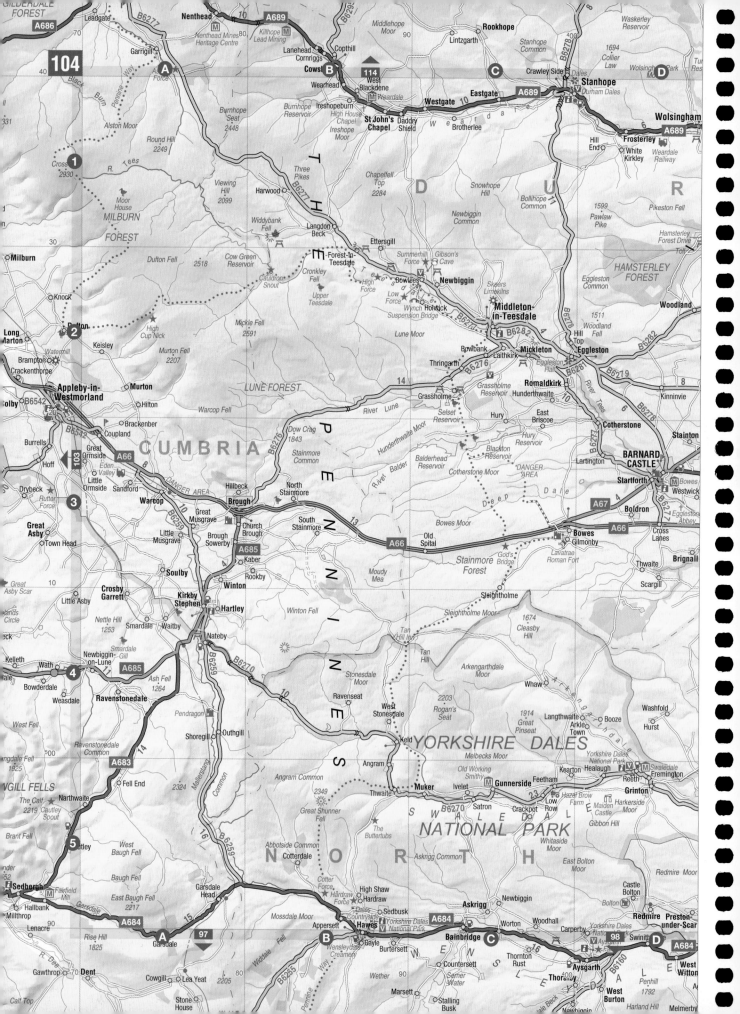

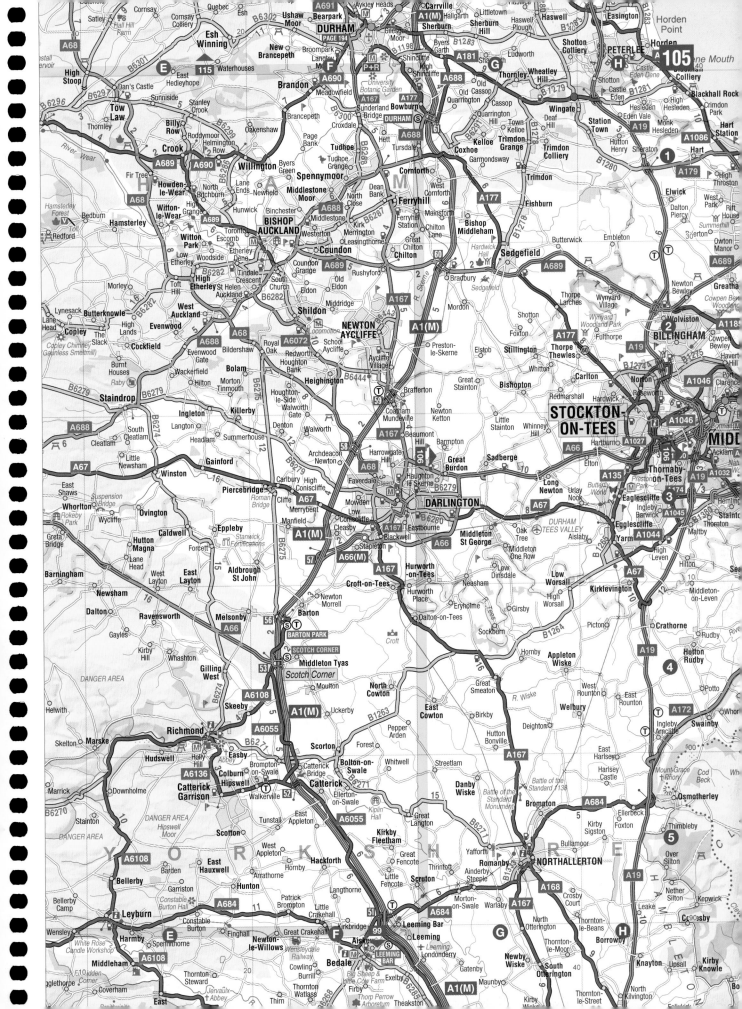

NORTH

SEA

70   80   90   500   40

E   F   G   H

Brotton   Skinningrove   *Boulby Cliffs*   *Lifeboat Station*   *Captain Cook & Staithes Heritage*
North Skelton   Carlin How   **Loftus** A174   *Cleveland Ironstone Mining*   Boulby   **Staithes**   Cowbar
R &   Kilton Thorpe   Liverton Mines   **Easington**   Dalehouse   Port Mulgrave
Stanghow   **Liverton**   Roxby   **Hinderwell**   Borrowby   **Runswick**   *Runswick Bay*
L A N D   Newton Mulgrave   Kettleness   Goldsborough
Moorsholm   B1266   Scaling   Scaling   Ellerby   14 A174 **Lythe**   **Sandsend**
Moorsholm Moor   A171   Scaling Dam   21   *Scaling Dam Reservoir*   Mickleby   West Barnby   East Barnby   East Row   *Dracula Experience*
Roxby High Moor   Ugthorpe   Raithwaite   **WHITBY**   *Abbey*
Danby Low Moor   *Lealholm Moor*   *Danby Beacon 981*   Dunsley   Castle Park   *Captain Cook Memorial*
Danby   *Moors Centre*   Stonegate   Hutton Mulgrave   Newholm   **Ruswarp**   *Saltwick Bay*
Castleton   Ainthorpe   Houlsyke   **Briggswath**   Golden Grove   Long Lease
Danby Botton   *Duck Bridge*   **Lealholm**   **Aislaby**   Iburndale   A171   Stainsacre   *Cleveland Way*   High Hawsker
Botton   Street   *Victorian Science*   **Sleights**   Ugglebarnby   Sneaton   Low Hawsker   **Ness Point or North Cheek**
Glaisdale Rigg   **Egton**   Egton Bridge   B1410   Sneatonthorpe   Raw   **Robin Hood's Bay**
Glaisdale   Key Green   Lease Rigg   A169   *The Hermitage*   A171   Fylingthorpe   *Old Coastguard Station*
Loose Howe   **Grosmont**   Esk Valley   Green End   *Falling Foss (Waterfall)*   *Robin Hood's Bay & Fylingdales*   Boggle Hole
NORTH YORK MOORS   Beck Hole   *Thomason Foss Waterfall*   **Old Peak or South Cheek**
Rosedale Moor   *Mallyan Spout*   **Goathland**   *Peak Alum Works*   **Ravenscar**
Pike Hill Moor   *Fylingdales Moor*
NATIONAL PARK   *Nelly Ayre Foss Waterfall*
YORK   Low Bell End   *Wheeldale Roman Road*   959   *Lilla Cross*   **Staintondale**
Thorgill   **MOORS**   *Wheeldale Moor*   *North Yorkshire Moors Railway*   *Burn Howe Rigg*   Crowdon   *Staintondale Shire Horse Farm*
Rosedale Abbey   R K S H I R E   *Newton Dale Spring*   *Goathland Moor*   *Harwood Dale Forest*   Cloughton Newlands
Rosedale Chimney Ironworks   Toll   *Mauley Cross*   Saltergate   *Malo Cross*   **LANGDALE FOREST**   *Harwood Dale*   **Cloughton**
Blakey Ridge   *River Seven*   Stape   *Hole of Horcum*   *Blakey Topping*   **Burniston**
Spaunton Moor   Hartoft End   *Skelton Tower*   Bridestones   Bickley   Broxa   Silpho   A165   Scalby Mills
Gillamoor   Ryedale Folk   **Lastingham**   *Cawthorne Roman Camps*   **Levisham**   Toll   Langdale End   Suffield   *Sea Life*   *North Bay Railway*
Hutton-le-Hole   Spaunton   E   100   **Newton-on-Rawcliffe**   *Dalby Forest Drive*   Hackness   **Scalby**   Rotunda
Cropton Brewery   Cropton   Cawthorne   **Lockton**   F   Low Dalby   **Dalby Forest**   Everley   G   Throxenby   101 H   *Art Gallery*
Kirkbymoorside   Keldholme   **Appleton-le-Moors**   Wrelton   *North Yorkshire Moors Railway*   *Wykeham Forest*   **Barrowcliff**   *Art Gallery*
Kirkby   **Sinnington**   Aislaby   *Beck Isle Rural Life*   90   North Moor   East Ayton   A170   Falsgrave   **SCARBOROUGH**
Forge Valley Woods   Betton Farm   P+R   P+R

1   2   3   4   5

30

20

10

500

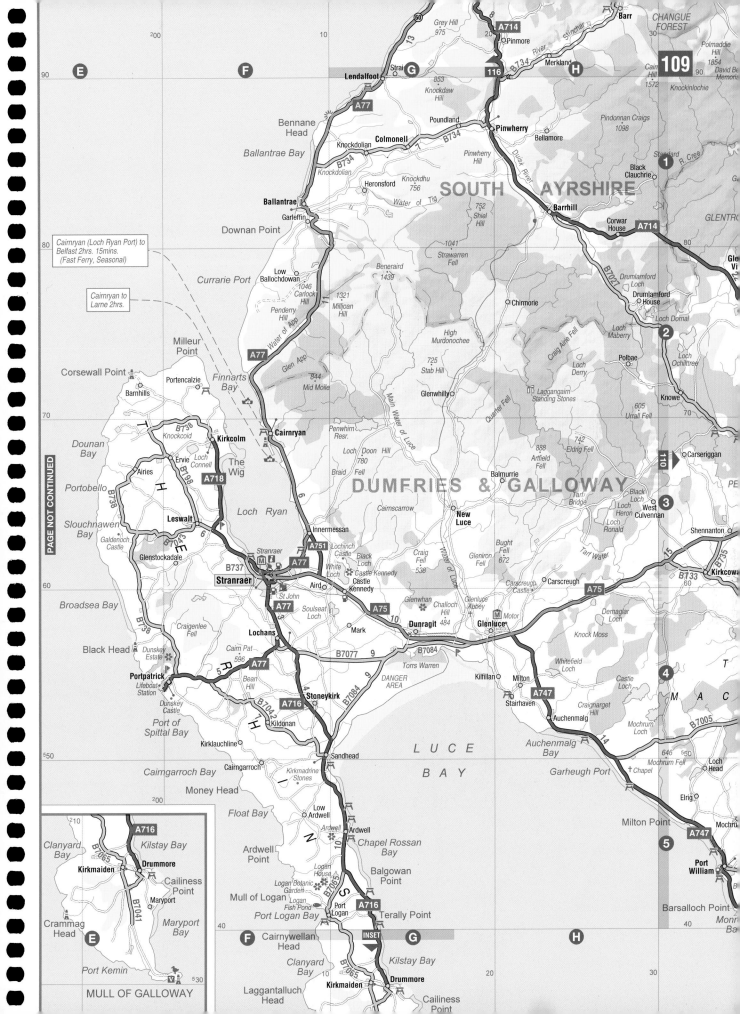

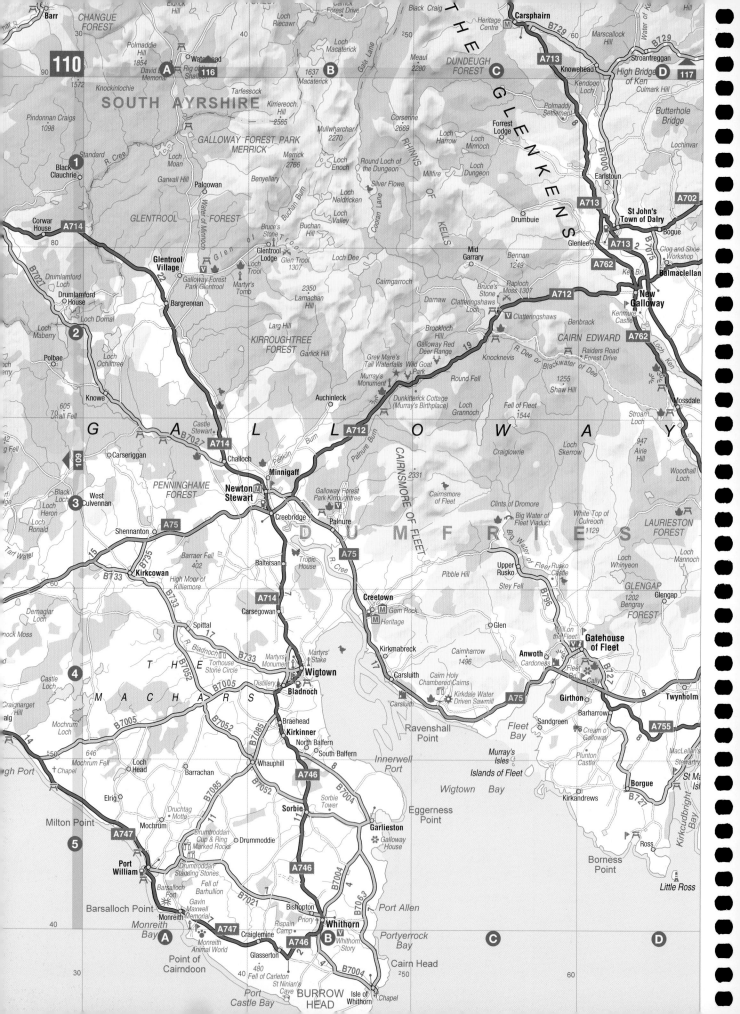

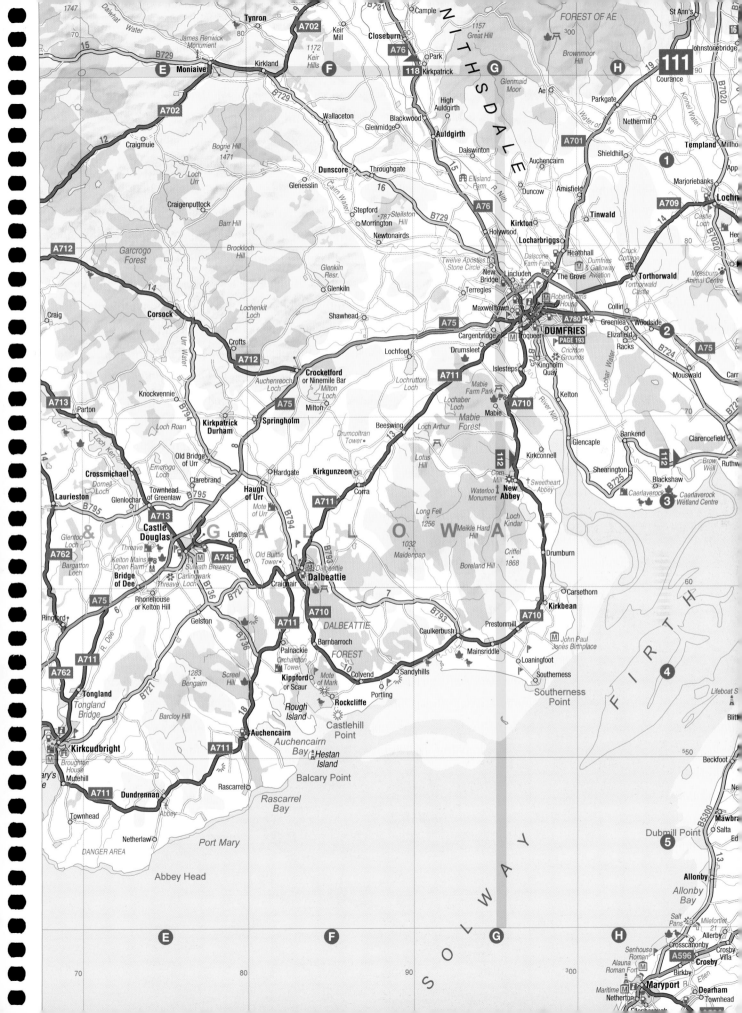

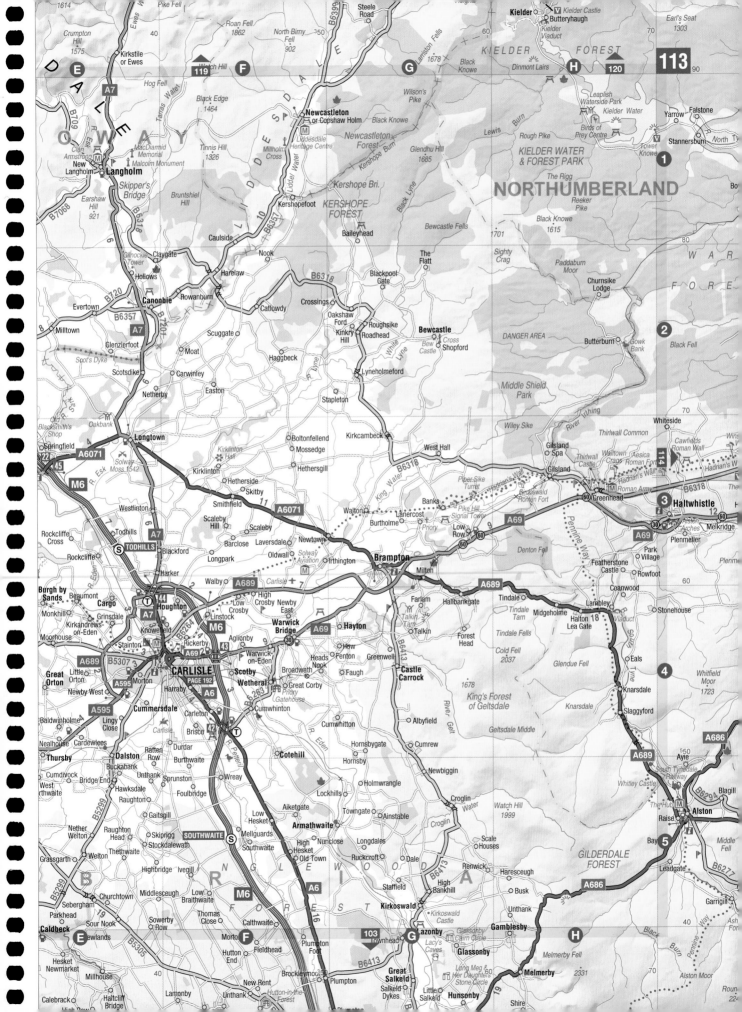

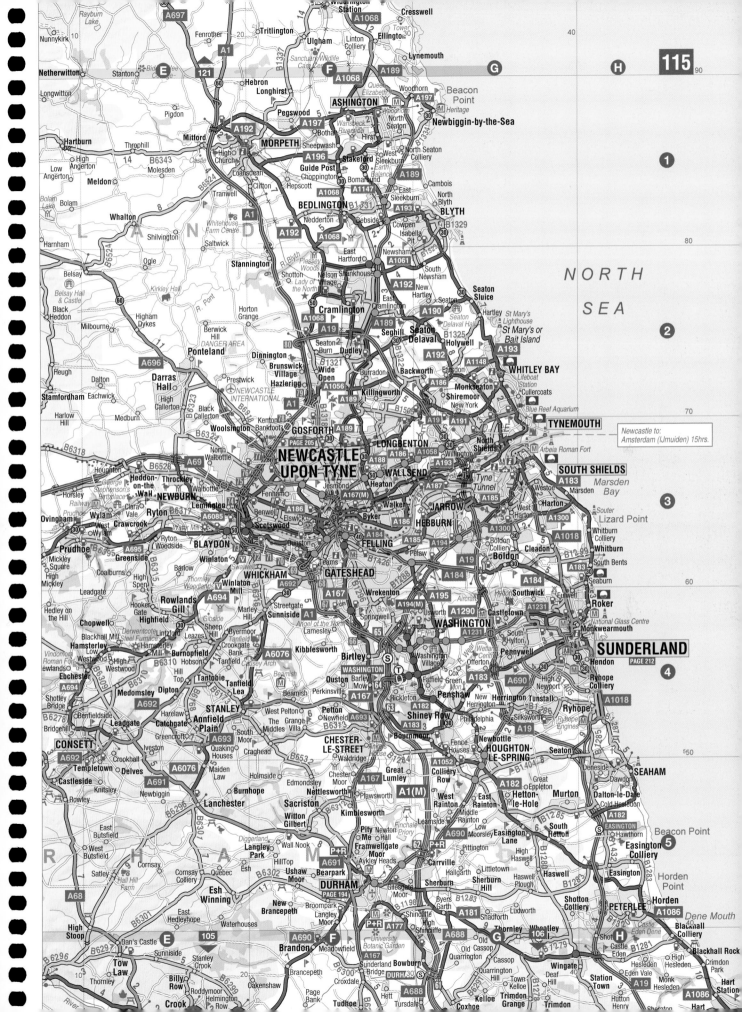

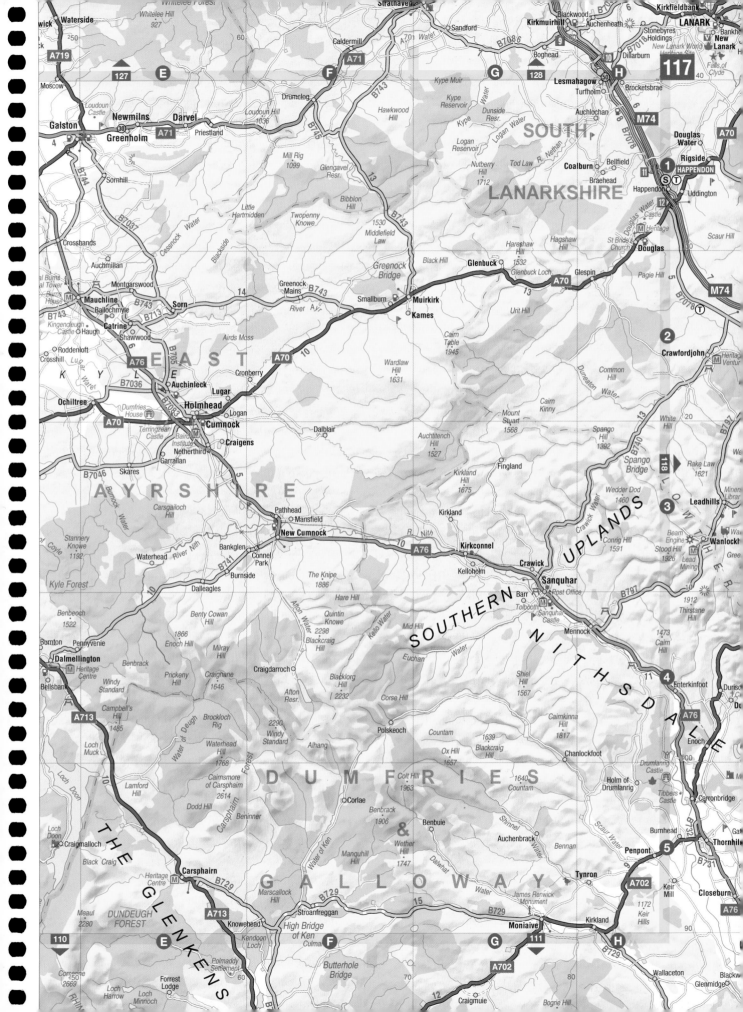

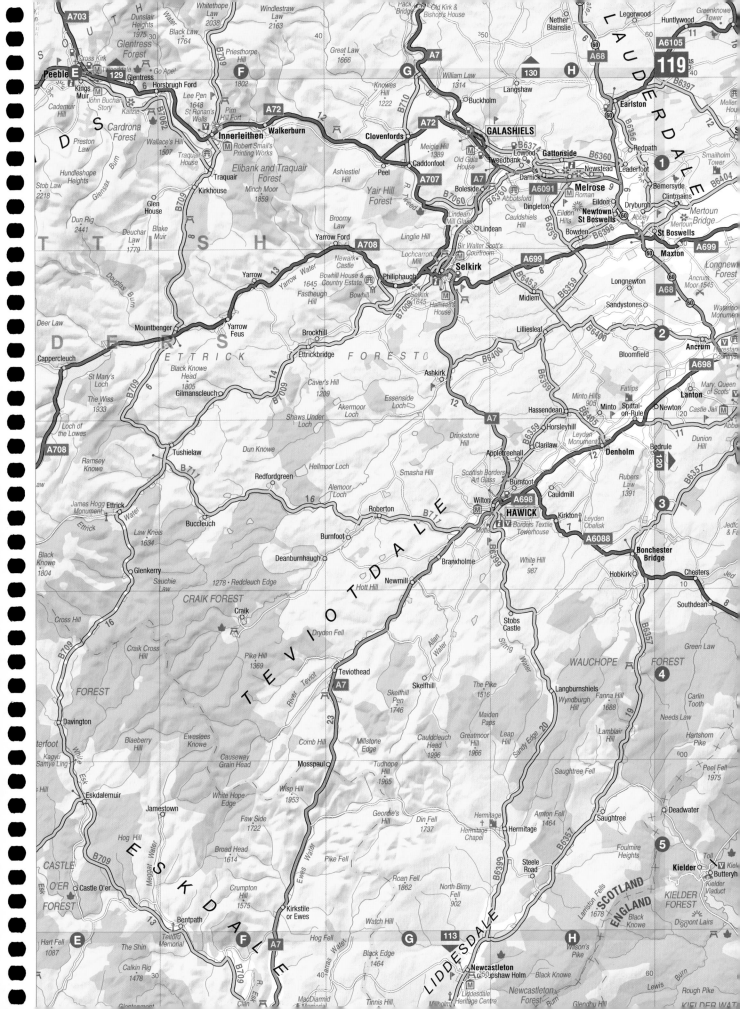

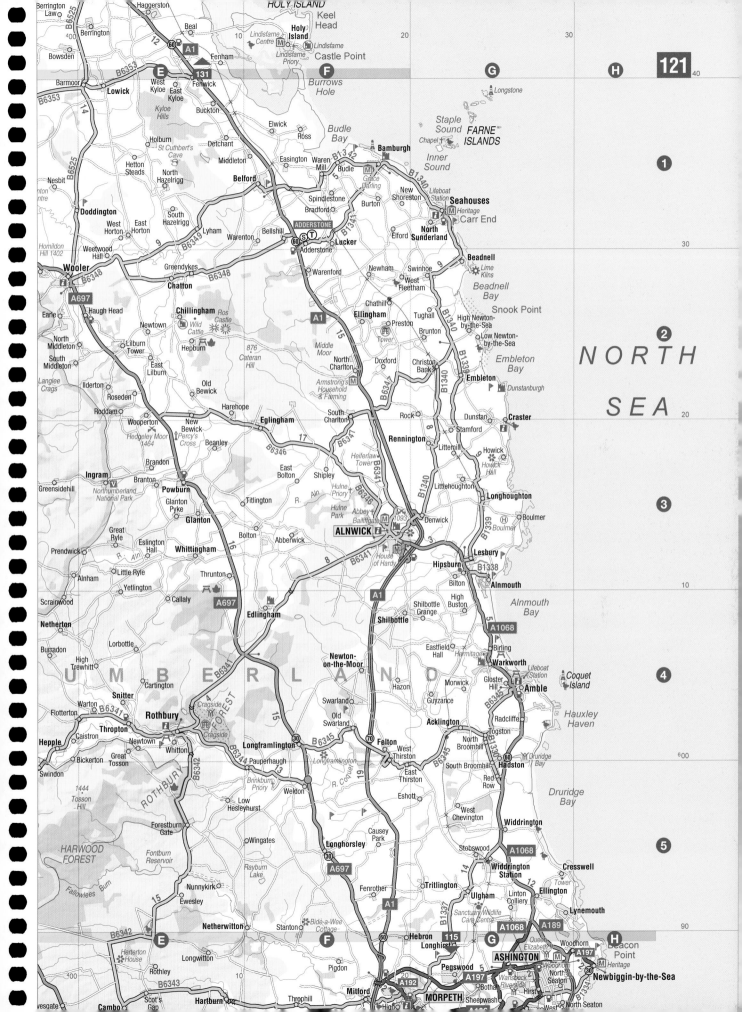

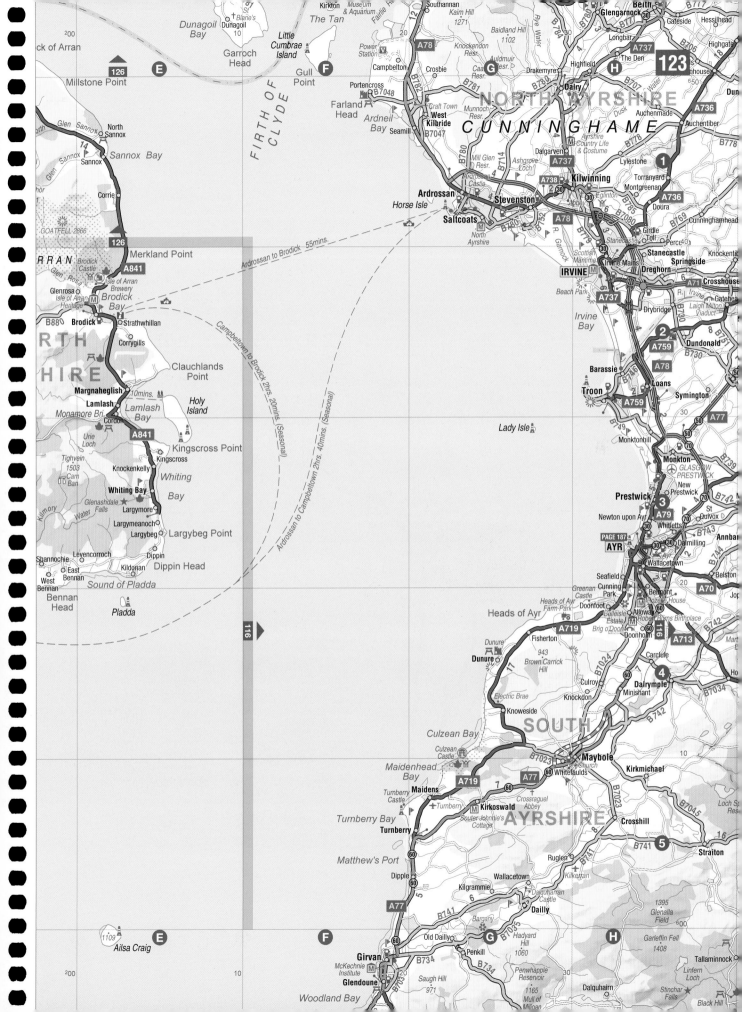

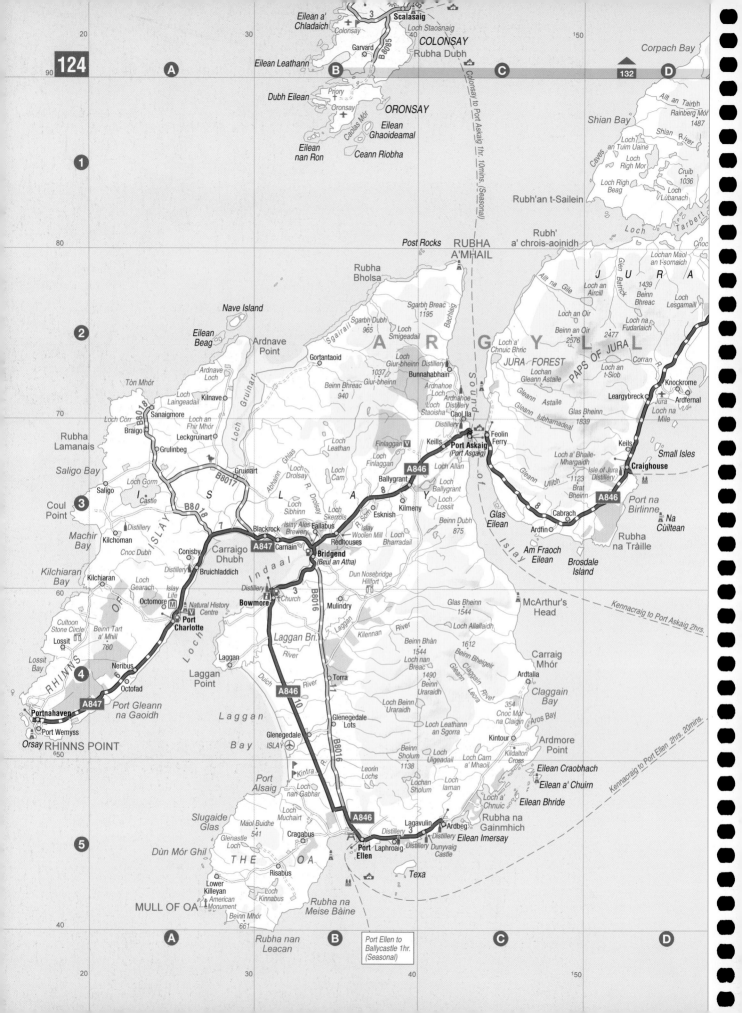

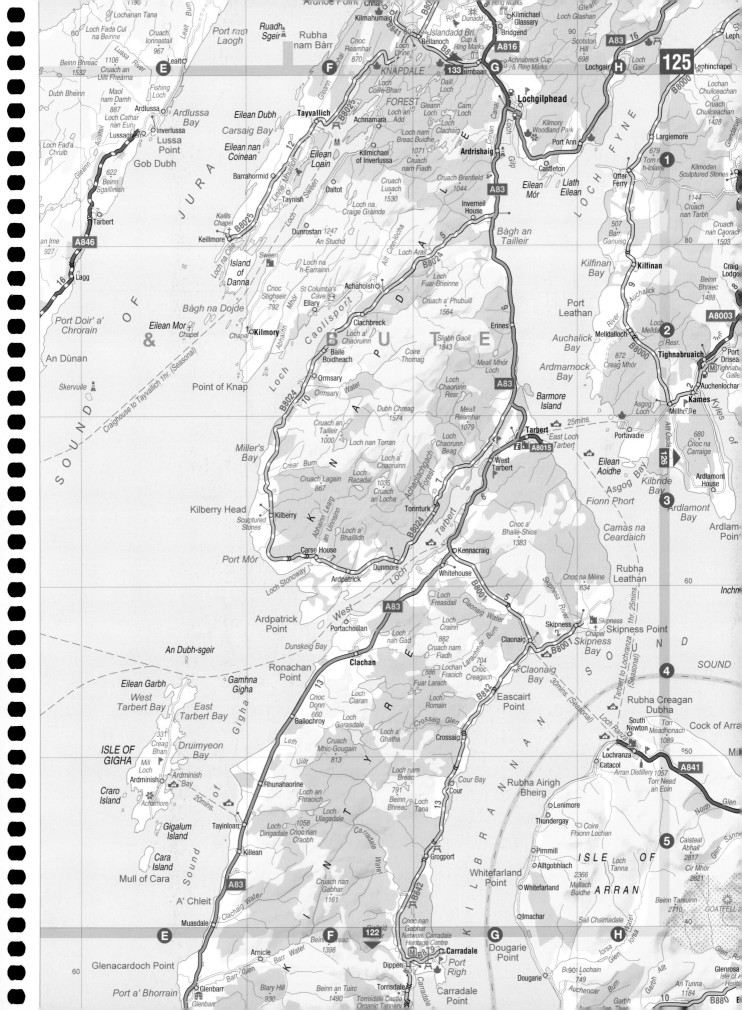

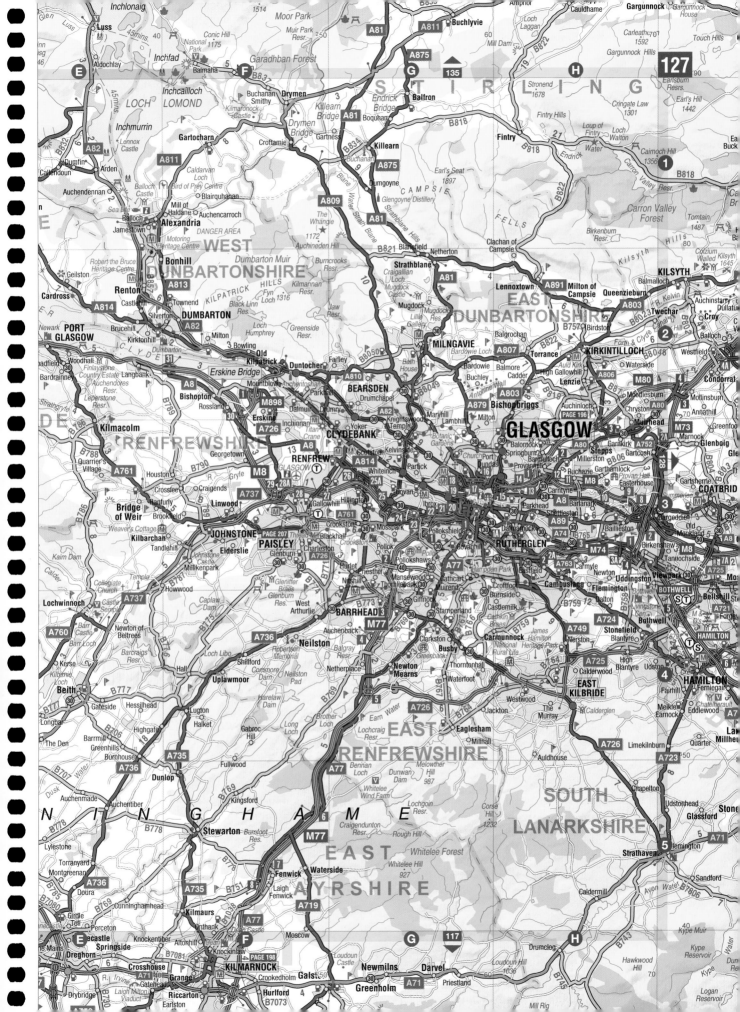

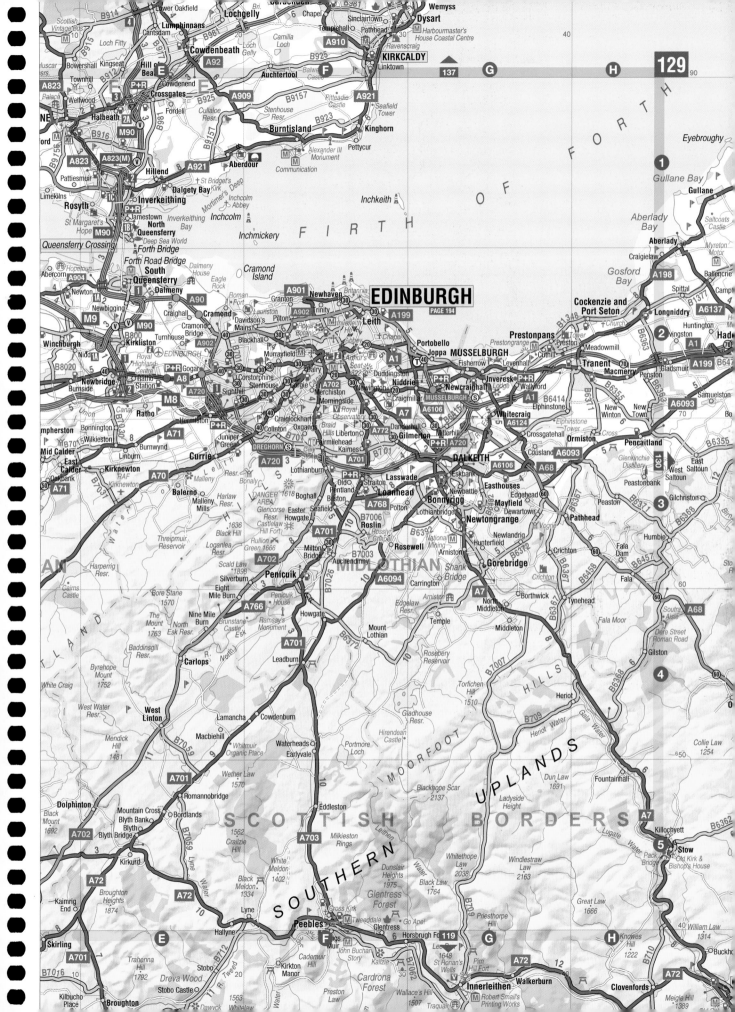

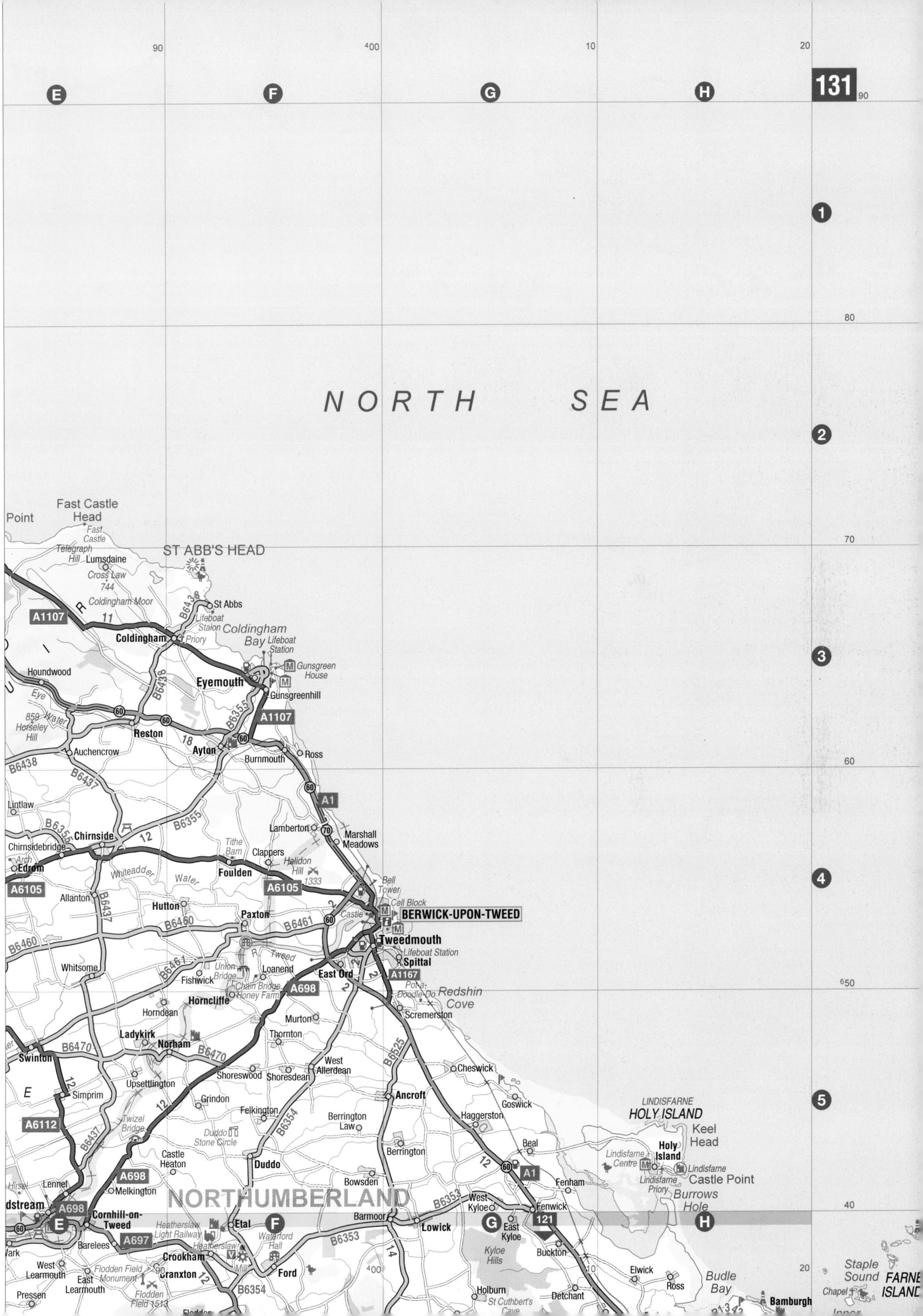

E   F   G   H

1

80

N O R T H   S E A

2

70

Point

Fast Castle
Head

Fast
Castle
Telegraph
Hill Lumsdaine
Cross Law
744

ST ABB'S HEAD

St Abbs

Lifeboat
Station

B6438

A1107

11

Coldingham Moor

Coldingham

Priory

Coldingham
Bay Lifeboat
Station

Houndwood

B6438

Eyemouth

M Gunsgreen
House

3

Eye Water

859
Horseley
Hill

60

Reston

60

18

B6355

Ayton

60

Gunsgreenhill

M
M

Auchencrow

B6437

Burnmouth

Ross

A1107

60

Lintlaw

B6355

Chirnside

12

B6355

Lamberton

70

Marshall
Meadows

60

Chirnsidebridge

Arch

Edrom

Whiteadder   Water

Tithe
Barn

Clappers

Helidon
Hill
1333

A1

A6105

Allanton

B6437

Hutton

Foulden

A6105

Bell
Tower
Cell Block

60

BERWICK-UPON-TWEED

4

60

A6105

B6460

Paxton

B6461

60

Castle

M

B6460

Whitsome

B6461

Fishwick

Union
Bridge

Loanend

Tweed

Chain Bridge
Honey Farm

East Ord

A698

Tweedmouth

Lifeboat Station

Spittal

A1167

Poka-
Doodle-Do

Redshin
Cove

50

Horncliffe

Horndean

Murton

Thornton

Scremerston

Ladykirk

Norham

B6470

West
Allerdean

B6525

Cheswick

5

Swinton

B6470

Shoreswood

Shoresdean

Ancroft

Goswick

LINDISFARNE
HOLY ISLAND

Keel
Head

E

Simprim

Upsettlington

Grindon

Felkington

B6354

Berrington
Law

Haggerston

12

Holy
Island

Lindisfarne
Centre

M

Lindisfarne
Priory

Castle Point

A6112

Twizel
Bridge

B6437

Duddo
Stone Circle

Berrington

Beal

60

A1

Fenham

Lindisfarne
Priory

Burrows
Hole

40

Castle
Heaton

Duddo

Bowsden

NORTHUMBERLAND

B6353

West
Kyloe

Fenwick

121

H

A698

Melkington

Lennel

Heatherslaw
Light Railway

Barmoor

Lowick

G

East
Kyloe

60

dstream

E

Cornhill-on-
Tweed

Etal

F

Waterford
Hall

B6353

Kyloe
Hills

Buckton

Staple
Sound

FARN
ISLAND

A698

A697

Bareless

Crookham

Heatherslaw
Mill

Ford

B6354

Holburn

Elwick

Ross

Budle
Bay

West
Learmouth

Flodden Field
Monument
East
Learmouth

Cranxton

Detchant

Chapel

Inner

Pressen

Flodden
Field 1513

B6354

St Cuthbert's
Cave

Bamburgh

20

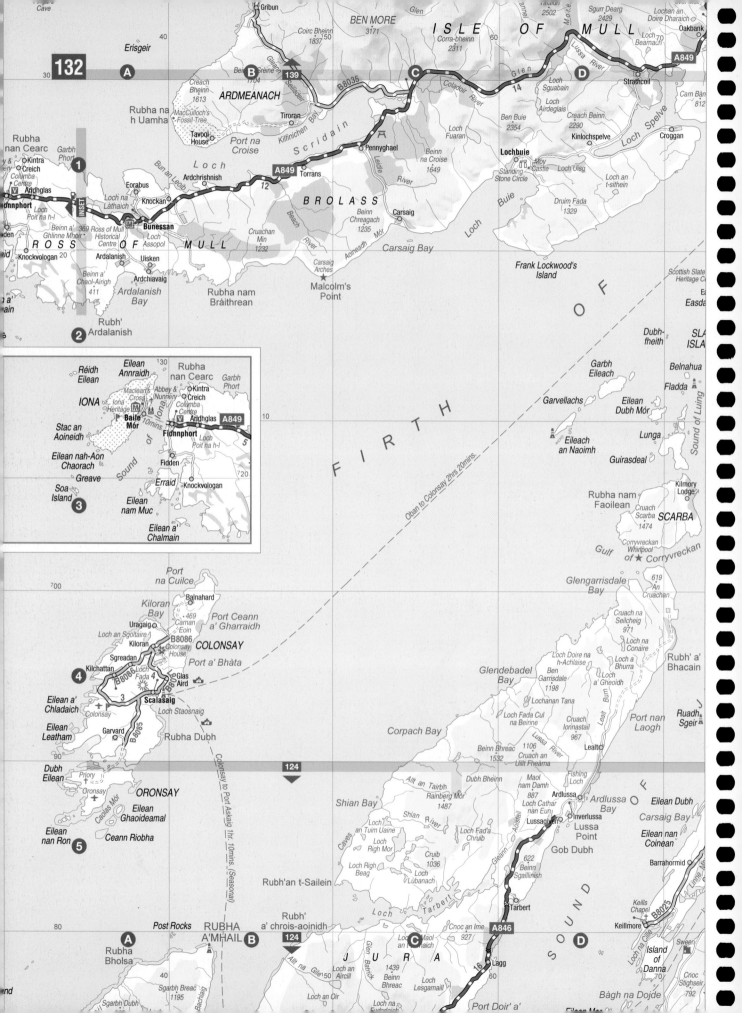

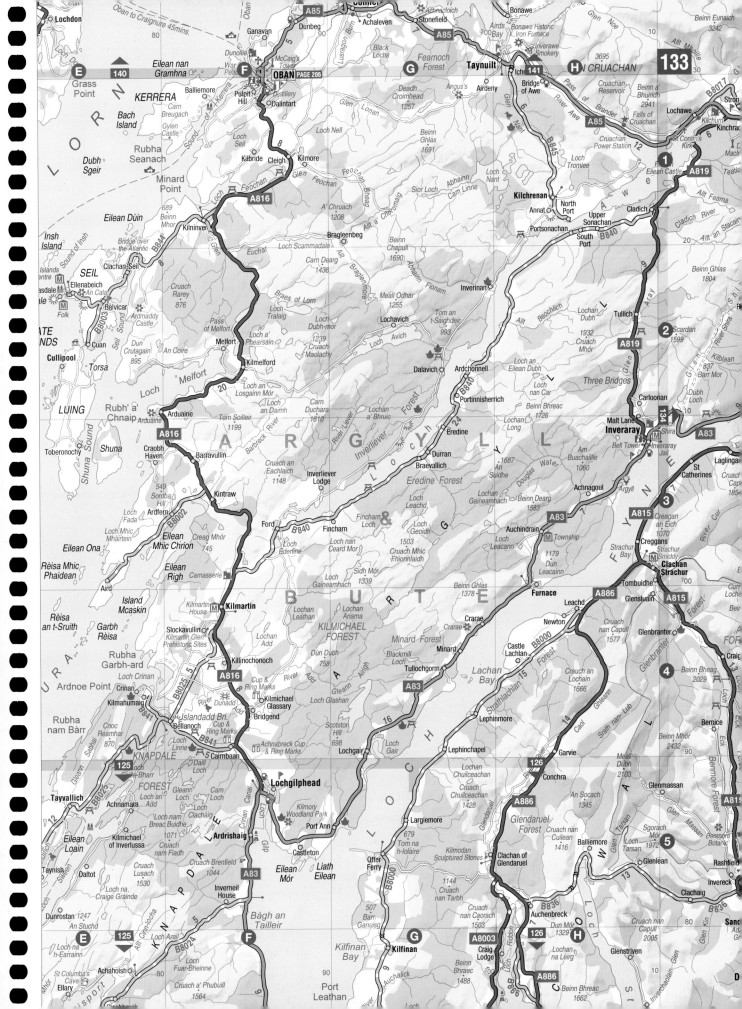

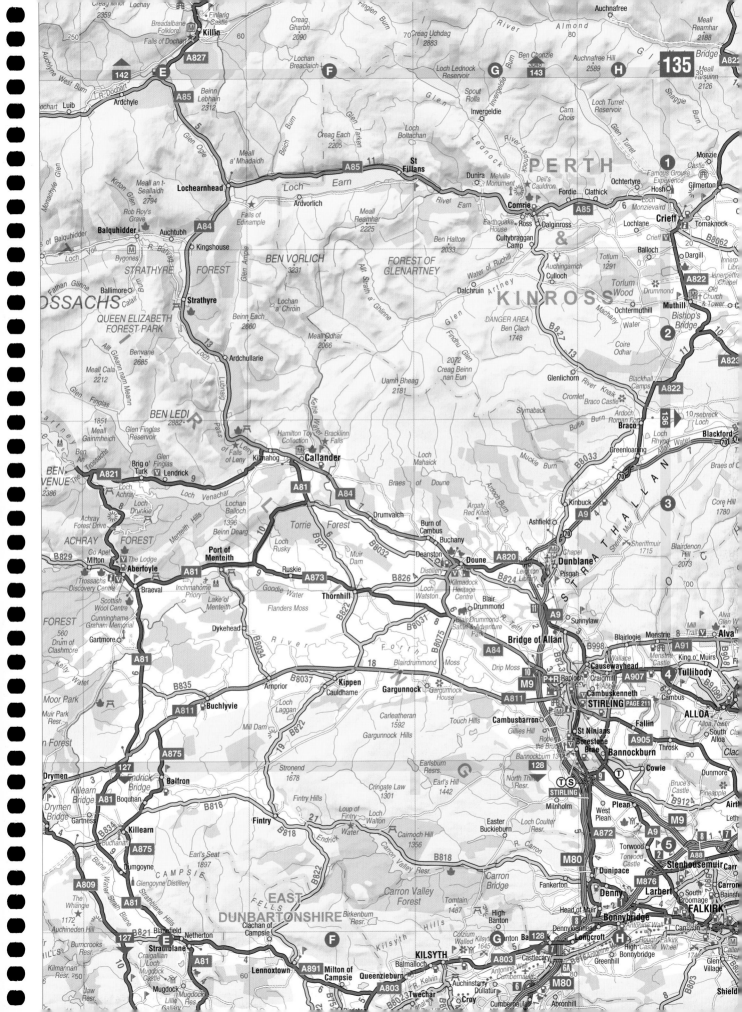

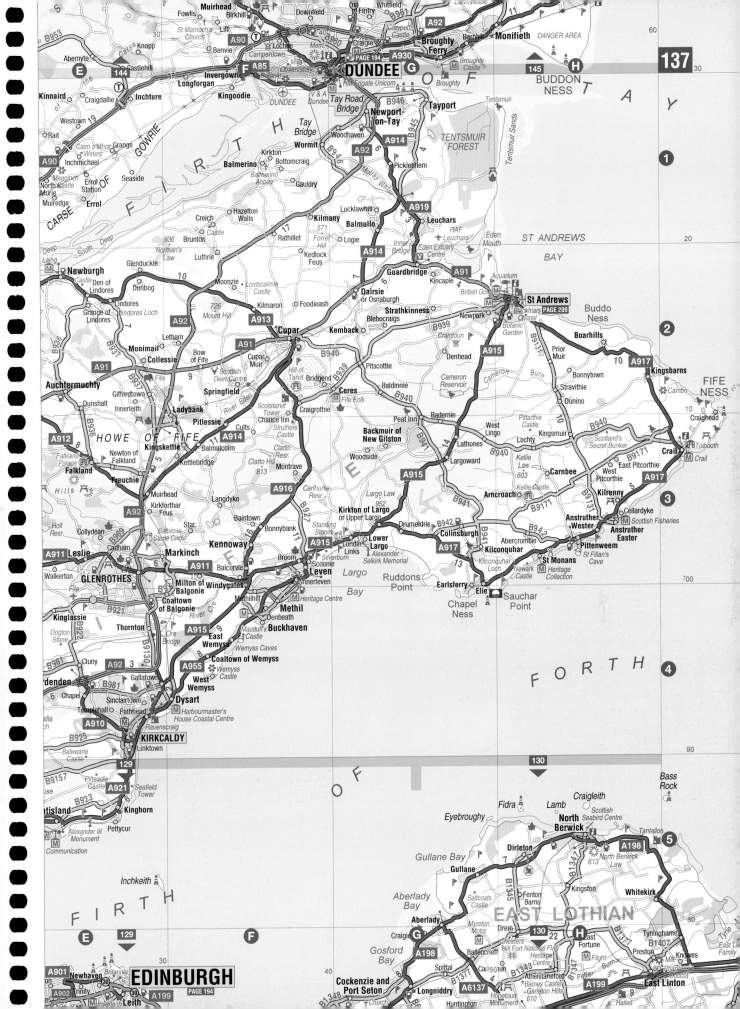

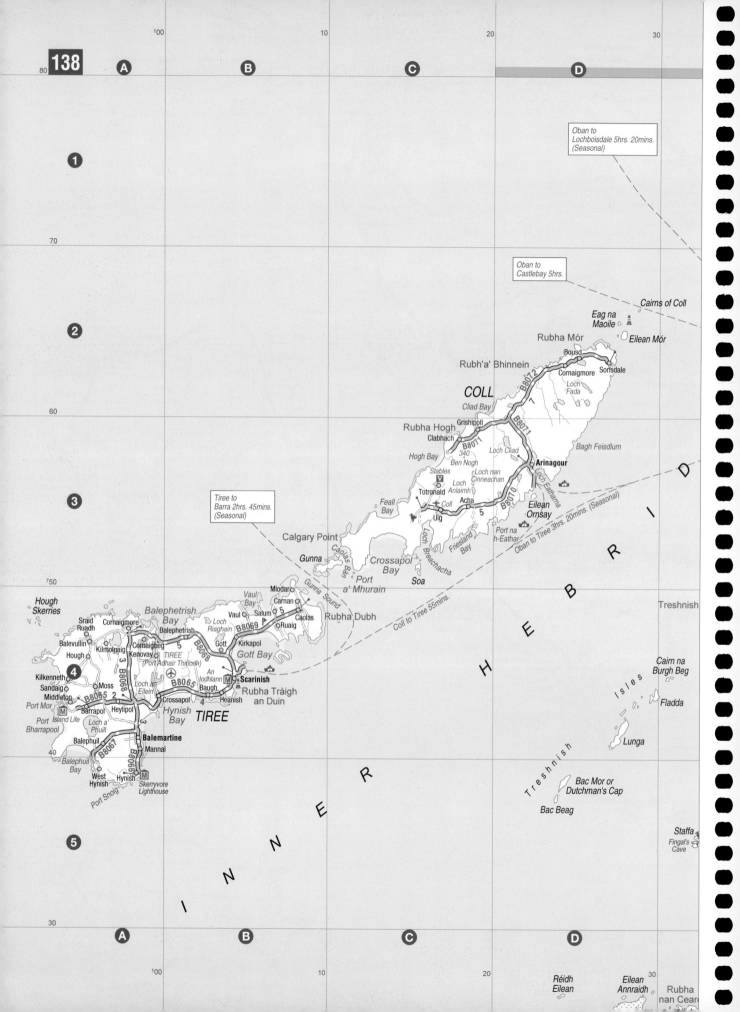

100   10   20   30

A   B   C   D

1

Oban to
Lochboisdale 5hrs. 20mins.
(Seasonal)

70

Oban to
Castlebay 5hrs.

Cairns of Coll

Eag na
Maoile

2

Rubha Mór

Eilean Mór

Rubh'a' Bhinnein

Bousd

Cornaigmore   Sorisdale

COLL

B8072

Loch
Fada

60

Cliad Bay

Rubha Hogh   Grishipoll

Bagh Feisdlum

Clabhach   B8071

Loch Cliad

Hogh Bay   340
Ben Nogh

Arinagour

Stables   Loch nan
Cinneachan

3

Totronald   Loch
Anlaimh

Feall
Bay   Coll   Acha

Eilean
Ornsay

Uig   5

Tiree to
Barra 2hrs. 45mins.
(Seasonal)

Port na
h-Eathar

Calgary Point   Friesland
Bay

Gunna   Crossapol
Bay   Oban to Tiree 3hrs. 20mins. (Seasonal)

Soa

Port
a' Mhurain

750

Hough
Skerries   Miodar   *H*

Vaul
Bay   Carnan   Coll to Tiree 55mins.

Balephetrish   Vaul   Salum   5

Sraid   Bay   Loch   Caolas   Treshnish
Ruadh   Cornaigmore   Riaghain   Ruaig

Balevullin   Balephetrish   B8069   Rubha Dubh   *E*

Kilmoluaig   Cornaigbeg   Gott   Kirkapol
Hough   Kenovay   5   *B*

TIREE   Gott Bay   *R*
(Port Adhair Thiriodh)

B8068

4   An   *I*   Cairn na
Iodhlann   *D*   Burgh Beg

Moss   B8065   **Scarinish**

Kilkenneth   Loch an   Baugh   *E*   Fladda
Sandaig   Eilein   Rubha Tràigh
Middleton   B8065   Crossapol   Heanish   an Duin

Port Mor   Barrapol   Heylipol   *Isles*
Island Life   Hynish   *S*   Lunga
Port   Bay   *H*
Bharrapool   Loch a'   **TIREE**
Phuill

Balephuill   B8067   **Balemartine**   *N*
Mannal   Staffa

40   B8068   *T*   Fingal's
Balephuil   West   Bac Mor or   Cave
Bay   Hynish   Hynish   Dutchman's Cap   *N*

Skerryvore   Bac Beag   *I*
Lighthouse   *S*

Port Snolg   *H*

5   *I*
N
N
E

R

30

A   B   C   D

Réidh   Eilean
100   10   20   Eilean   Annraidh   Rubha
30   nan Cearc

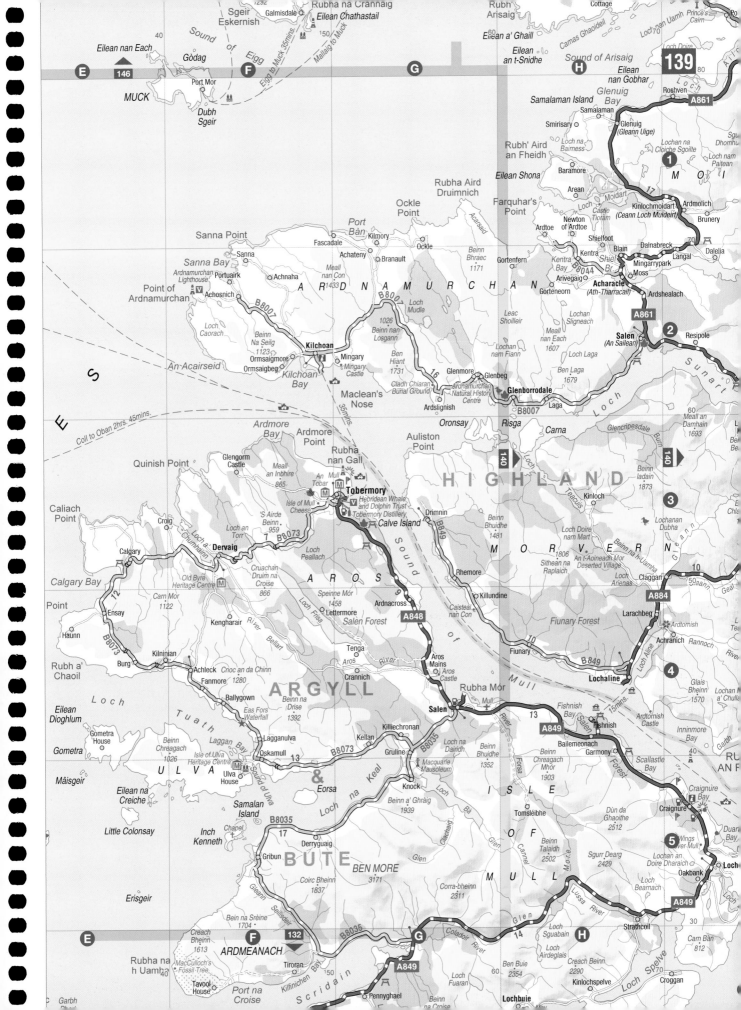

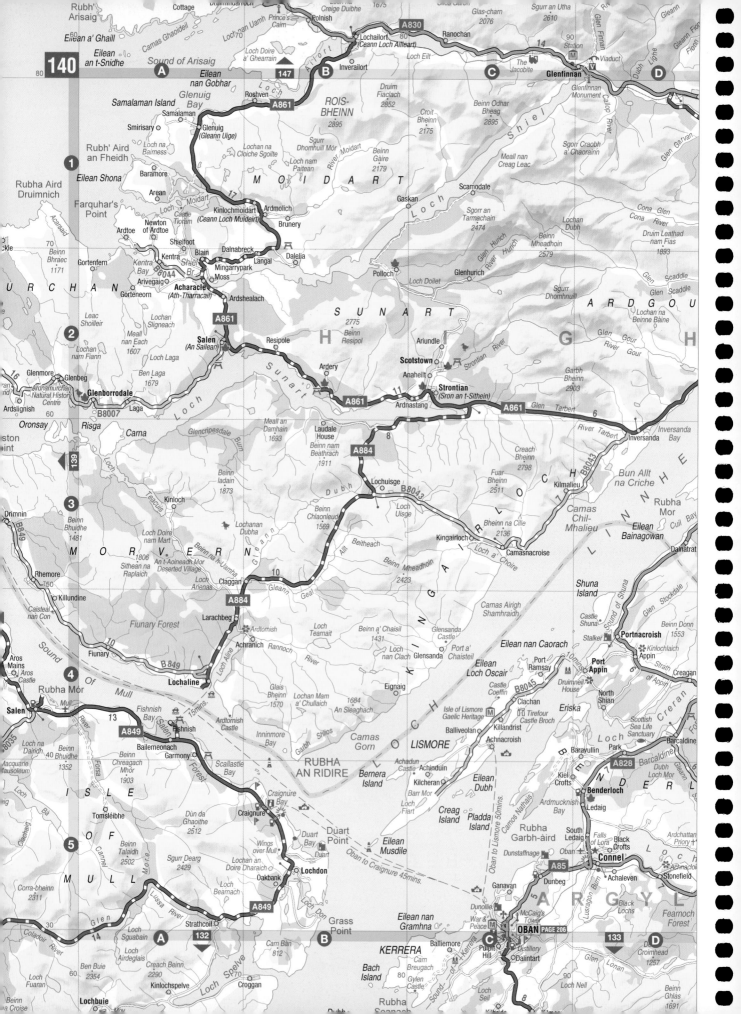

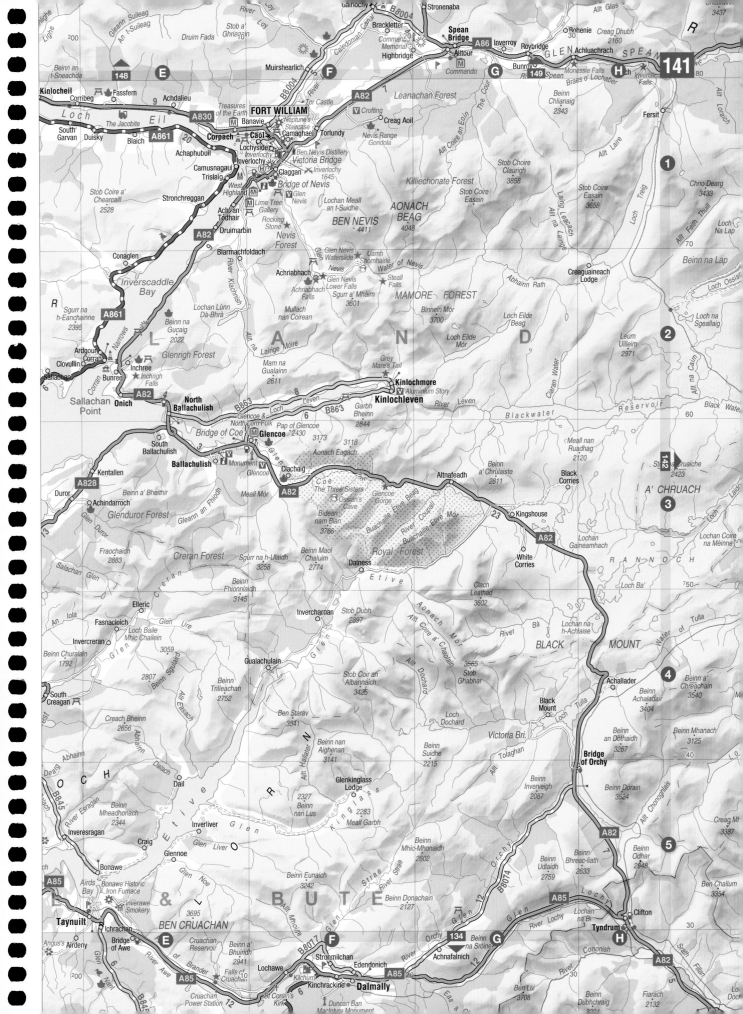

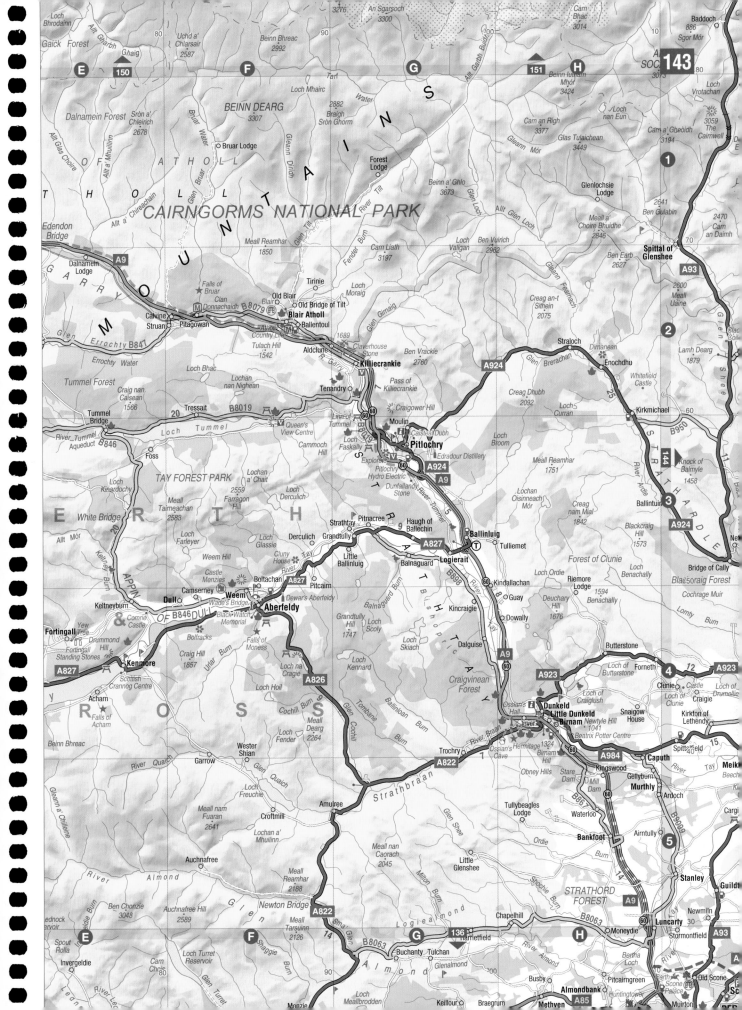

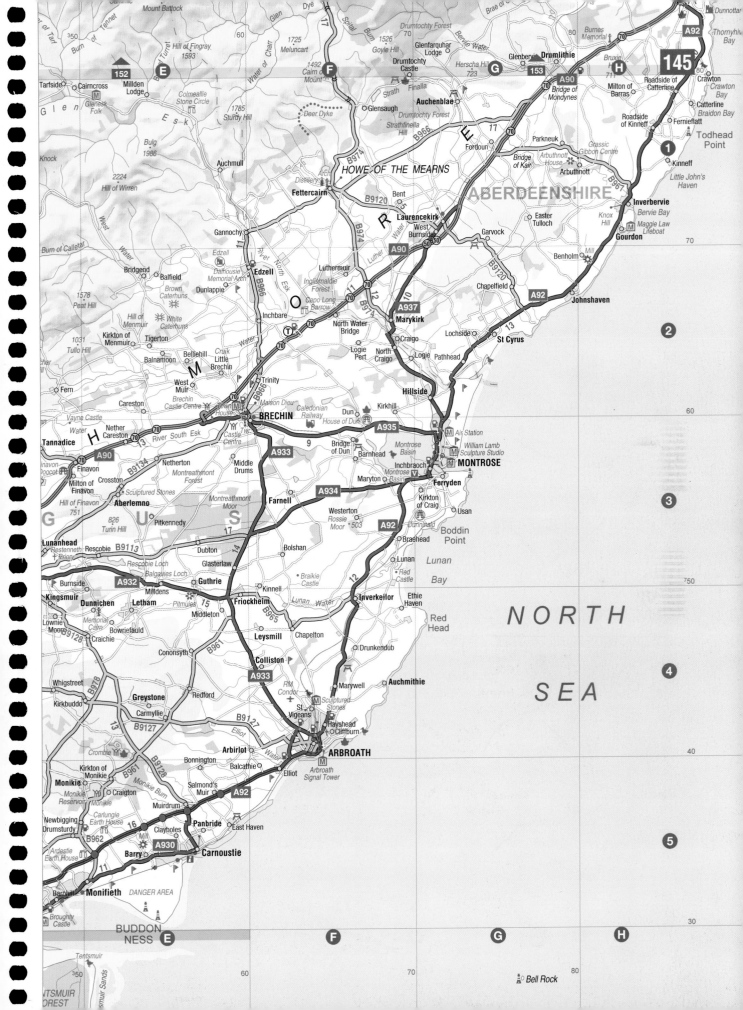

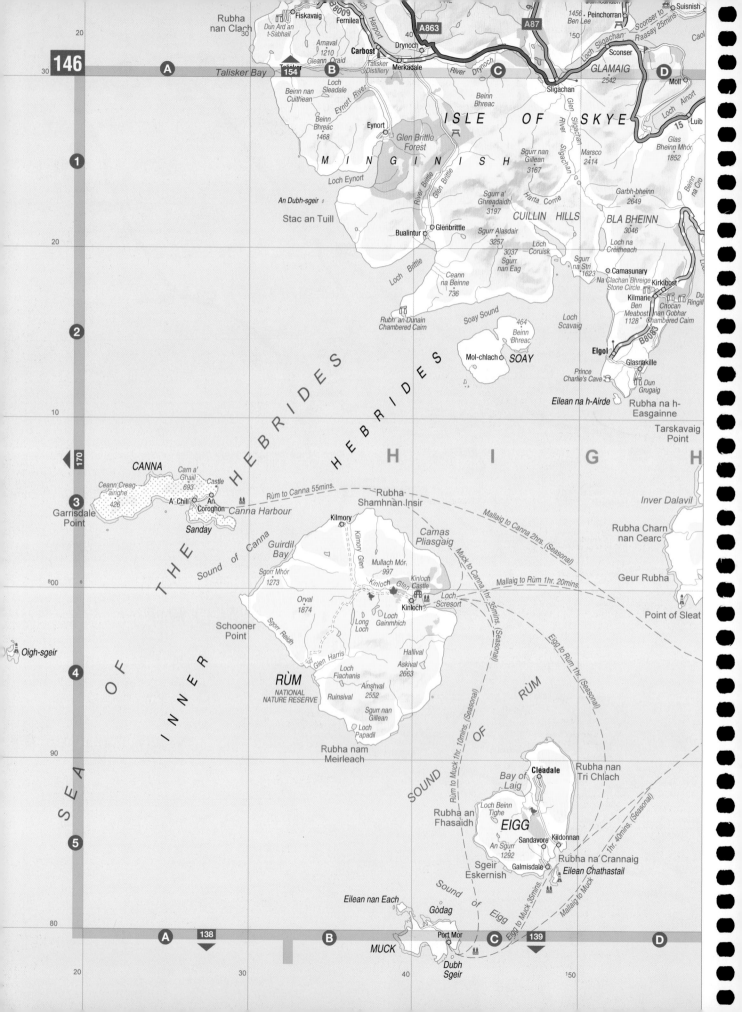

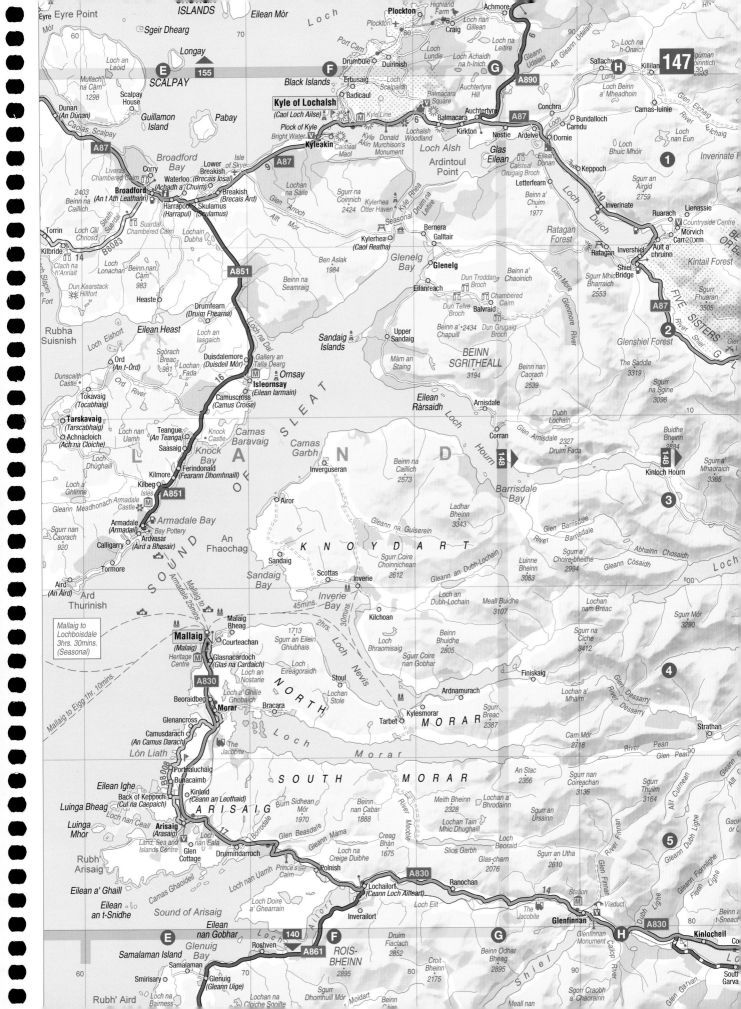

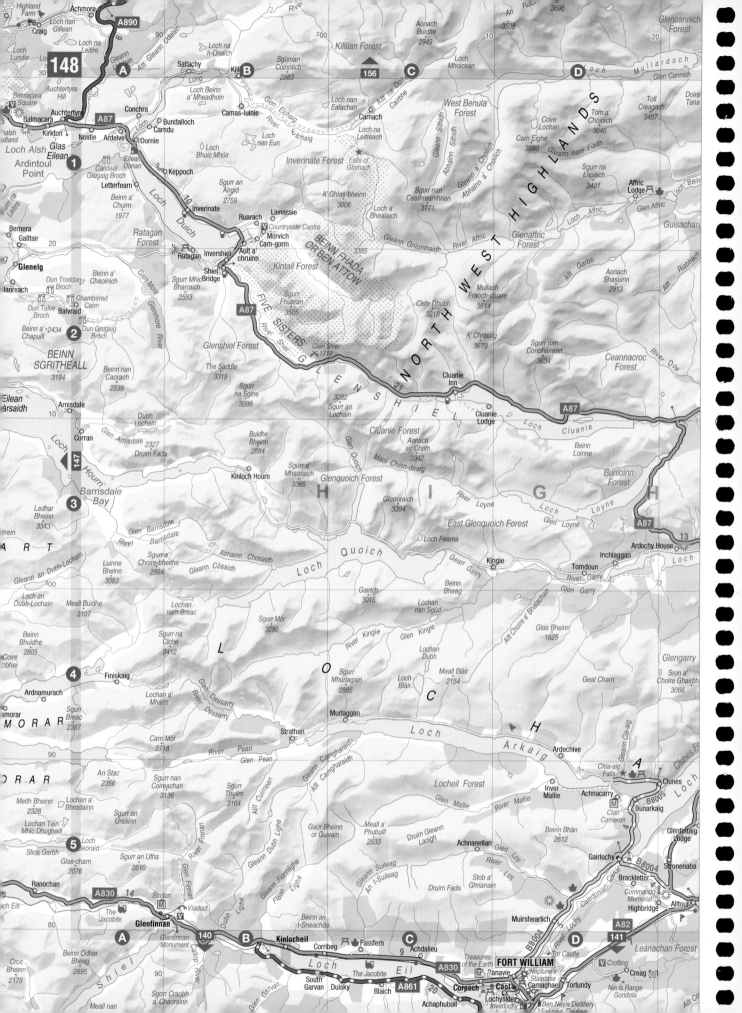

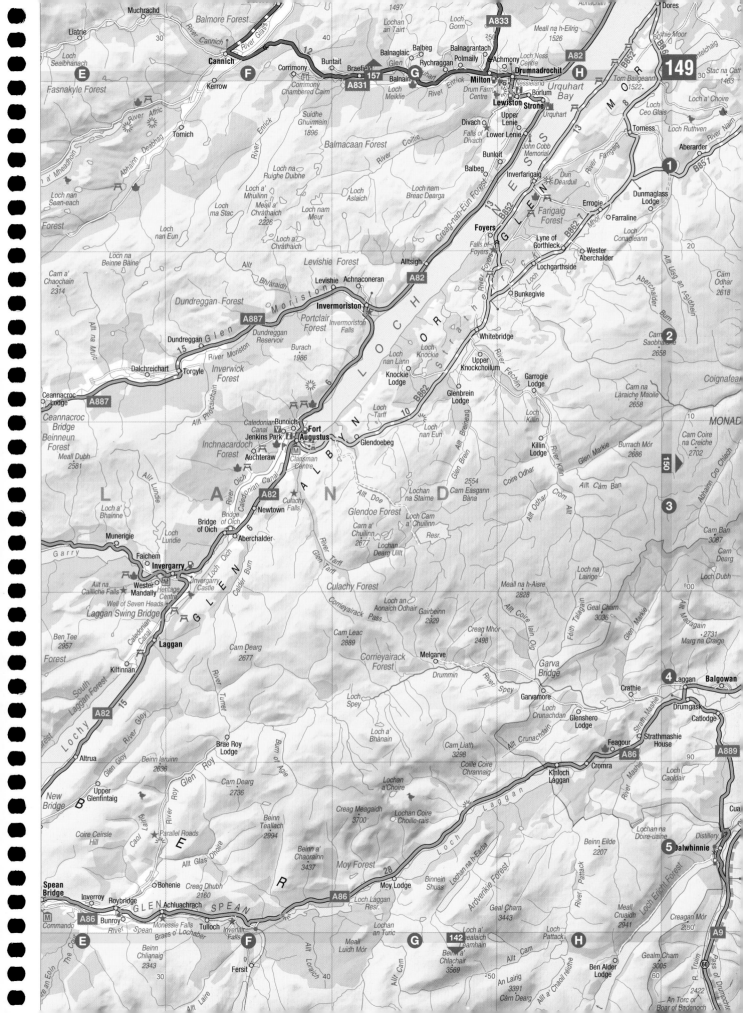

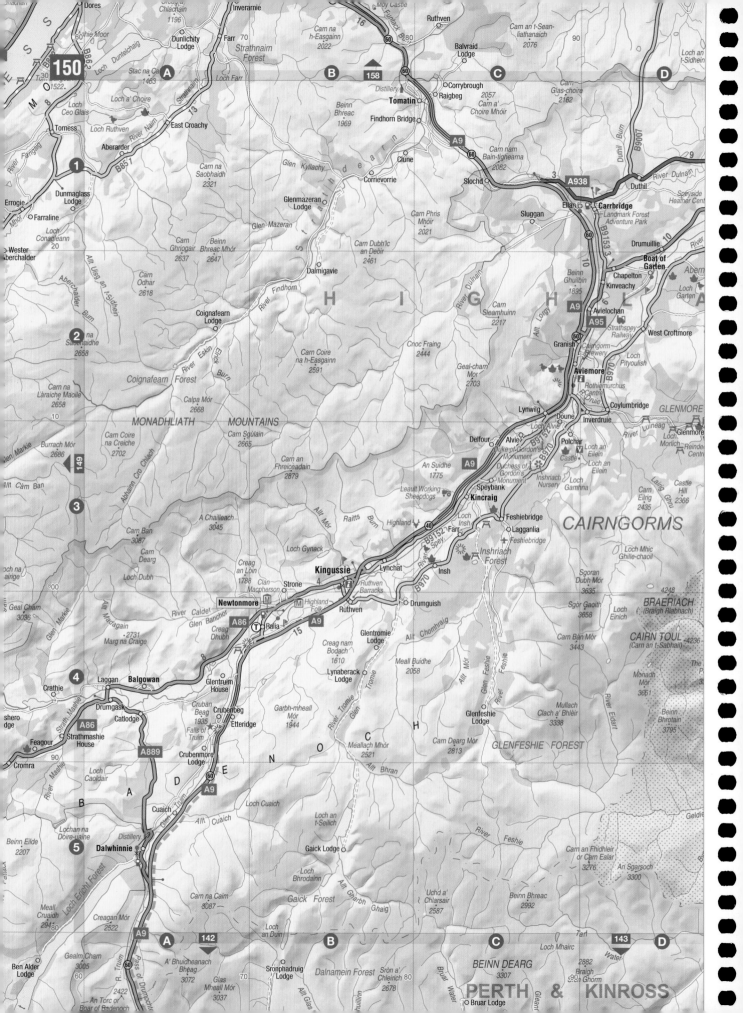

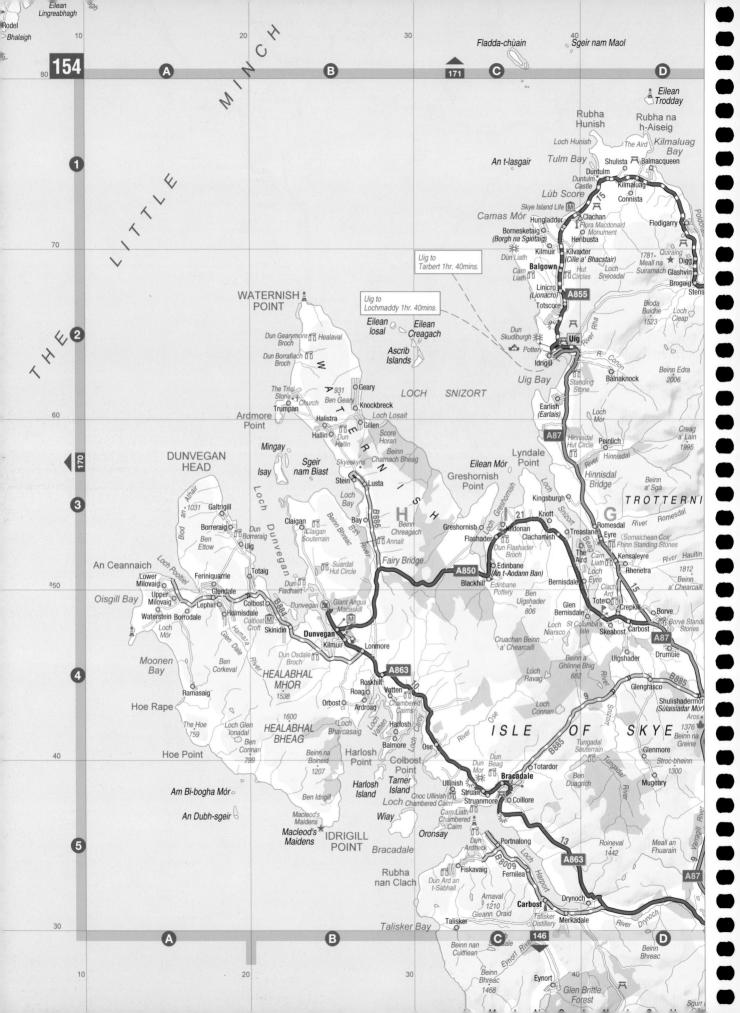

Peterburn

Naast · Inverewe

Port Erradale · North Erradale · **G** · Loch nan Liagh · 80 · **H** · **Poolew** · Inverewe · 155

Big Sand · Loch na Curra · A832 · Loch Kernsary

Longa Island · Caolas Beag · Mial · Heritage · Strath · 5 · Loch Tollaidh · Tollie Farm

B8021 · Smithstown · **Gairloch** · Loch Airigh a' Phuill · Meall an Doirein · 381

Loch Gairloch · Eilean Horrisdale · Gairloch Marine · Charlestown · **1**

Port Henderson · Aird · 9 · Life Centre

Sgeir Eirin · B8056 · Badachro · Loch Shieldaig

Eilean Flodigarry · Opinan · Loch nan Eun · Shieldaig · River Kerry · A832

Staffin Bay · South Erradale · Loch Clàir · Loch Braigh Horrisdale · Loch Bad 'an Sgalaig

Staffin Island · Redpoint · River Erradale · Allt a' Ghiubhais · **W E S T E R** · **R O S S** · Loch Gaineamhach

Carn Ban · Sgeir Ghlas · Meall na h-Uamha · Shieldaig Forest · Baosbheinn 2869 · **2**

choll · **Staffin** (Stafainn) · Sgeir na Trian · Craig · Craig River · Lochan Sgeireach · Beinn Bhreac 2031 · Loch a' Bhealaich · Beinn Alligin 3232

Clachan · Staffin **M** · Kilt Rock · Mealt Falls · Loch na h-Uamhaig · 60

Ellishadder · Dun Grianan · **Kilt Rock** · Rubha na Fearn · **Lower Diabaig** · Upper Diabaig

Maligar · Loch Mealt · Valtos · Fearnmore · Loch Diabaigas Airde · Alligin Shuas · Torridon For

Marishader · Garros · Rubha nam Brathairean · Port an Fhearainn · Fearnbeg · Loch Torridon · **156** · chullin · Fasag

Grealin · A855 · Culnacnoc · Loch a' Bhràige · Rubha Chuaig · Arinacrinachd · **Inveralligin** · Upper Loch Torridon · **Torridon**

Lealt · Lealt River · **RONA** · Kenmore · Loch a' Chracaich · Loch Shieldaig · Deer **M**

Lealt Falls · Port an Fhearainn · Cuaig · Abhainn Chuaig · Shieldaig Island · **3**

Loch Liuravay · **S** · Eilean Garbh · Ardheslaig · Balgy · Falls of Balgy

THE STORR · Leac Tressirnish · **O** · **L** · Callakille · Allt an t-Strathain · **Shieldaig** · 1692 · Ben-damph Forest

Old Man of Storr 2358 · **H** · **U** · Eilean Tigh · Caol Rona · Garbh Eilean · **N** · Lonbain · Loch Gaineamhach · Cròic-bheinn 1619 · Beinn Damh 2957

Bearreraig Bay · **N** · Eilean Fladday · Loch a' Squirr · **D** · Abhainn Dubh · Glenshieldaig Forest · 50

Loch Leathan · Holm Island · Loch nan Eun · An Dubh-loch · Loch Lundie

Loch Fada · **D** · Manish Point · Torran · Loch Applecross · Beinn Damh 2957

A855 · **O** · Arnish · Loch Arnish · Heritage Centre **M** · Applecross Forest · Loch Coultrie · **4** · Sgurr a' Gharaidh 2396

Achachork · Dun Gerashader · **F** · Brochel · Brochel Castle · River Applecross · Loch Gaineamhach · A896

Torvaig · **R** · **RAASAY** · **Applecross** · Milton · Beinn Bhan 2938 · Rassal Ashwood · Smith Heritage

Portree (Port Righ) · Glame · Camusteel · Camusterrach · Sgurr a' Chaorachain 2539 · Loch Coire nan Arr · 40

Loch Portree · Penifiler · 1355 · Ben Tianavaig · Glame · Ard-dhubh · Culduie · Bealach na Bà · Kishorn · Ardarroch

Heatherfield · Balachuirn · Dun Caan 1455 · Meall Gorm · Loch Braigh an Achaidh · **Lochcarr**

Camastianavaig · Holoman Bay · Rubha ná Leac · Loch Maol Fharochach · Loch Kishorn · Achintraid

Conordan · B883 · Tianavaig Bay · Eilean na Bà · Kishorn Island · Bad a' Chreamha 1296

Lower Ollach · Oskaig · St Moluag's Chapel · Toscaig · River Toscaig · Stromemore

Upper Ollach · Clachan · North Fearns · Meall Loch Airigh Alasdair · Ardaneaskan · Ströme Castle

Gedintailor · Inverarish · Eilean Beag · Caolas Mòr · **Stromeferry** · **5** · Achmore · Ard

Balmeanach · Suisnish Hill · Suisnish · Uags · Plockton · Highland Farm · Loch nan Leitire

1456 · Peinchorran · Ben Lee · Eyre · Eyre Point · **CROWLIN ISLANDS** · Eilean Mòr · **Plockton** · Loch Carron · Loch na Craig

Sconser · Moll · Sgeir Dhearg · Longay · Plockton · Loch Lundie · Loch Achaidh na h-Inich · A890

GLAMAIG 2542 · **E** · Mullach na Càrn 1298 · **F** · 147 · **G** · Black Island · Drumbuie · Duirinish · Gleann Udalain

Sligachan · Loch Ainort · Dunan (An Dunan) · Scalpay House · **SCALPAY** · Erbusaig · **H** · Auchtertyre Hill · Aiff Gleann

Marsco · Luib · 15 · A87 · Guillamon Island · Pabay · 70 · **Kyle of Lochalsh** (Caol Loch Ailse) · Badicaul · Balmacara Square · A87

Glas Bheinn Mhór 1852 · Glas Scalpay · Plock of Kyle · Bright Water **V** · Kyle Line · Balmacara · Auchtertyre · Conchra

Kyleakin · Kyle Donald · Lochalsh Woodland · Kirkton · Nostie · Ardelve · Dornie

Caisteal Maol · Akin Murchison's Monument · Loch Alsh · Glas

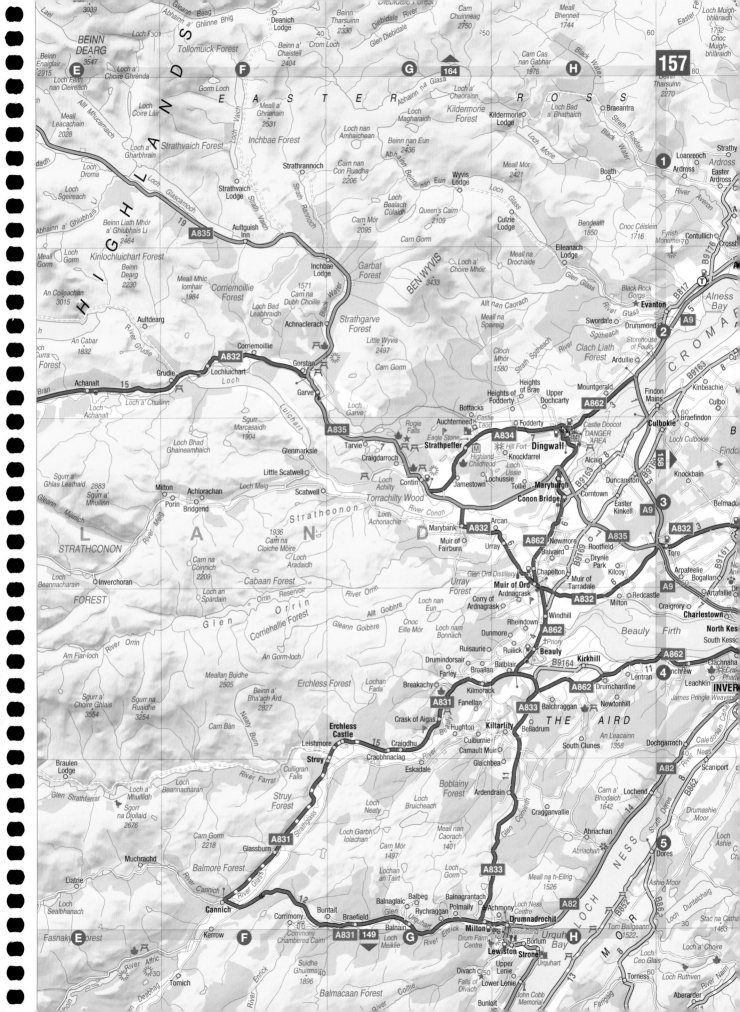

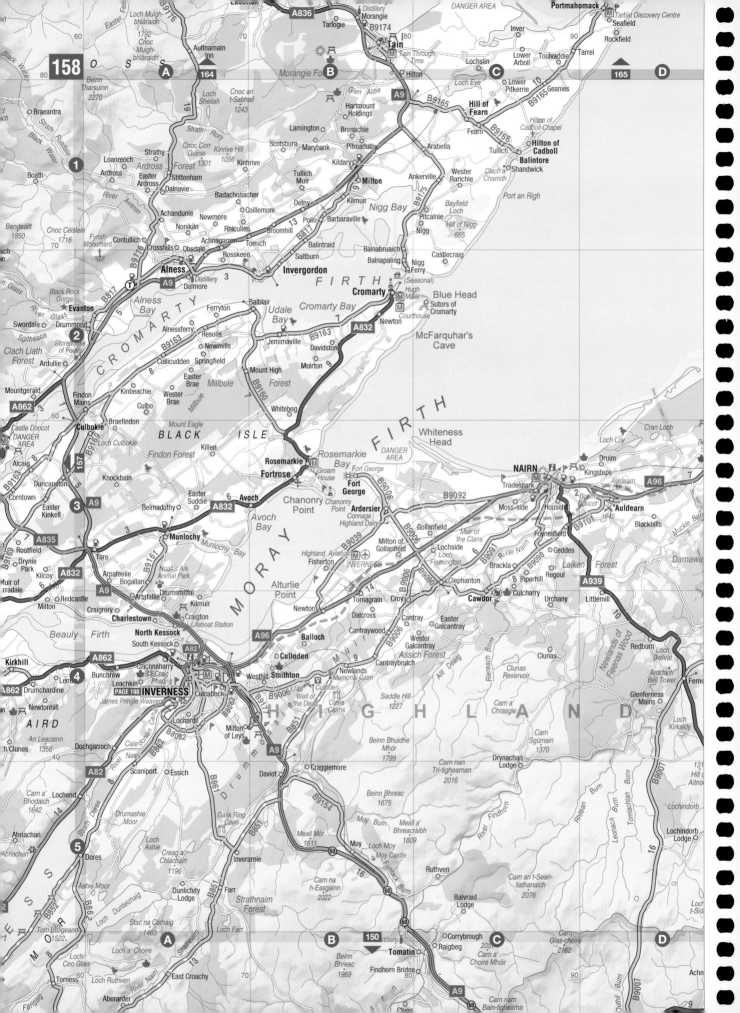

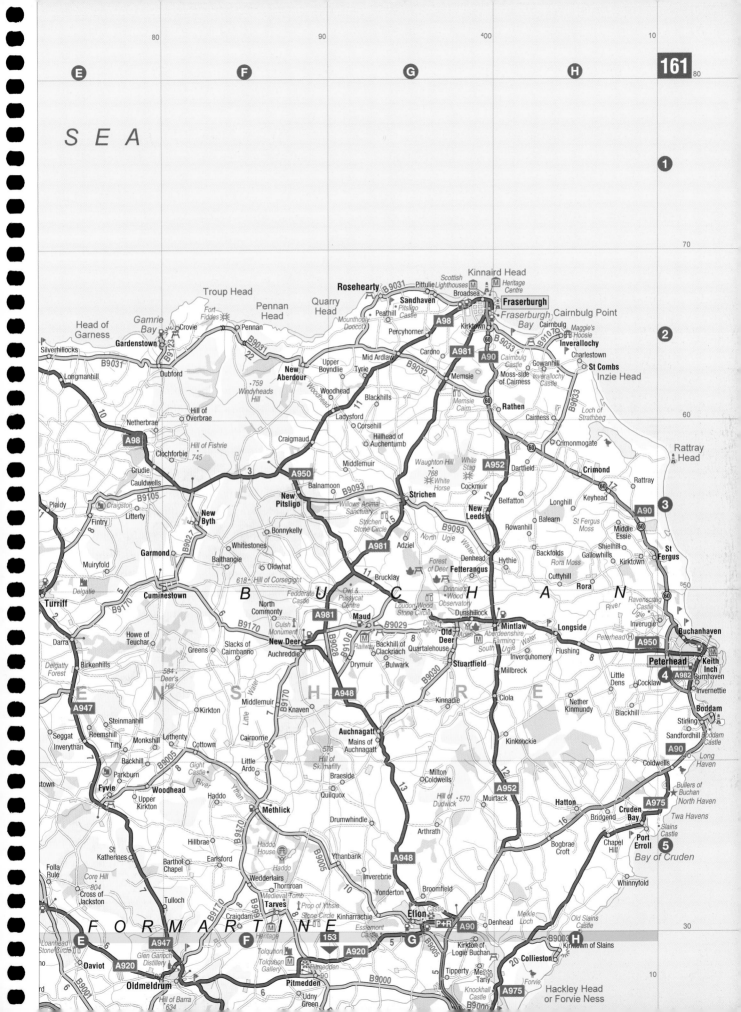

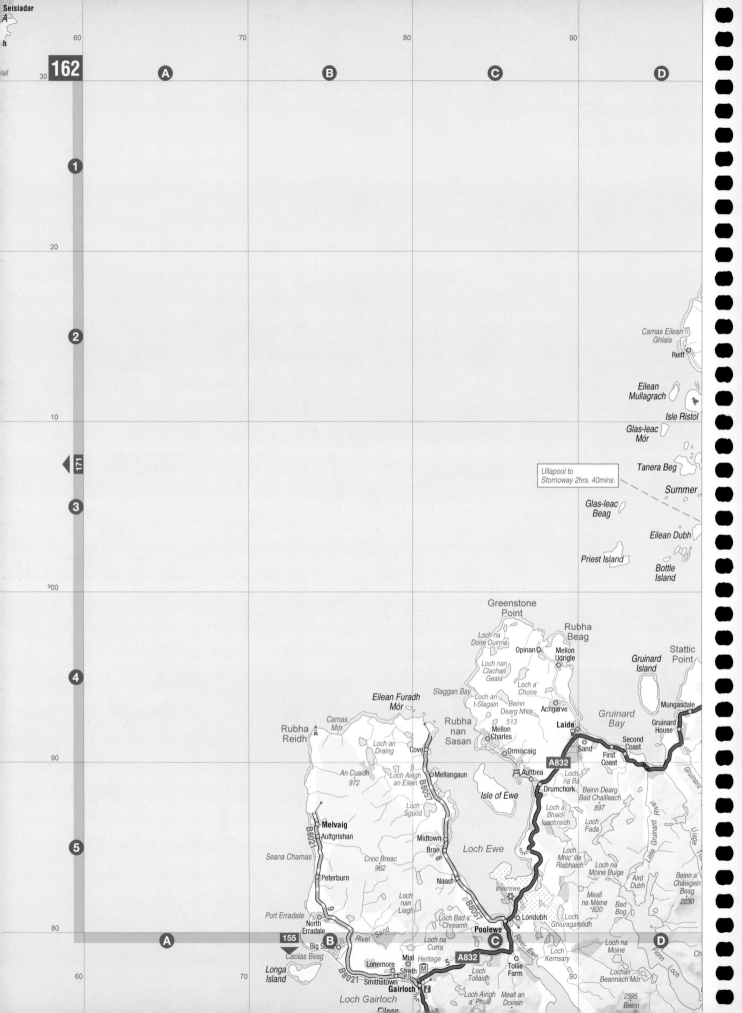

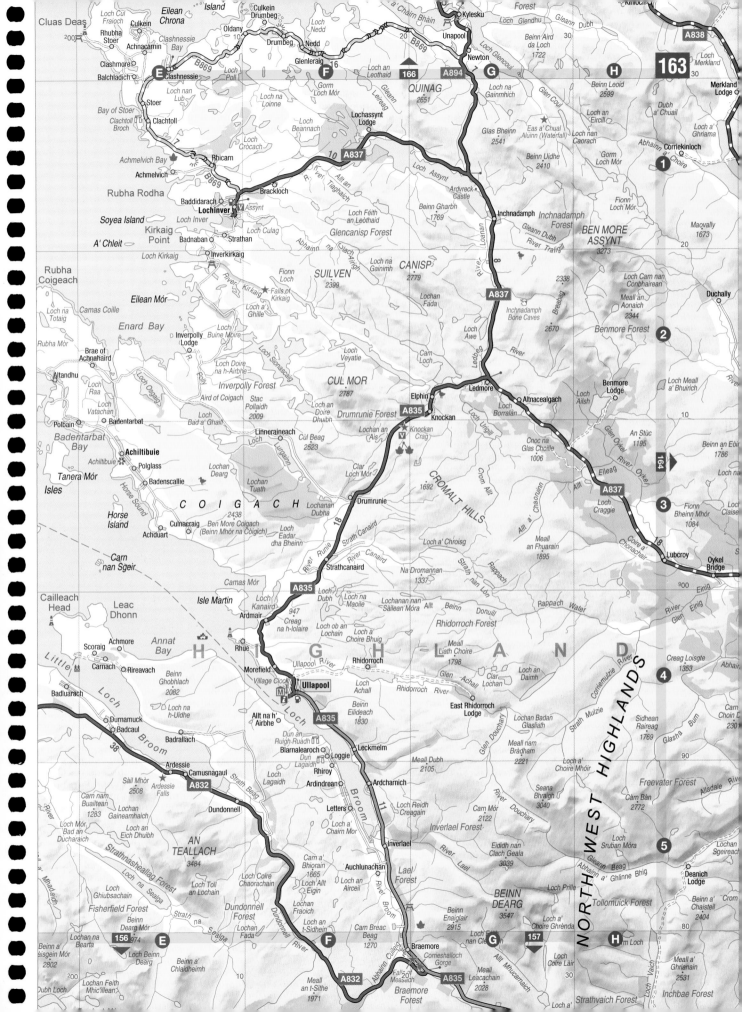

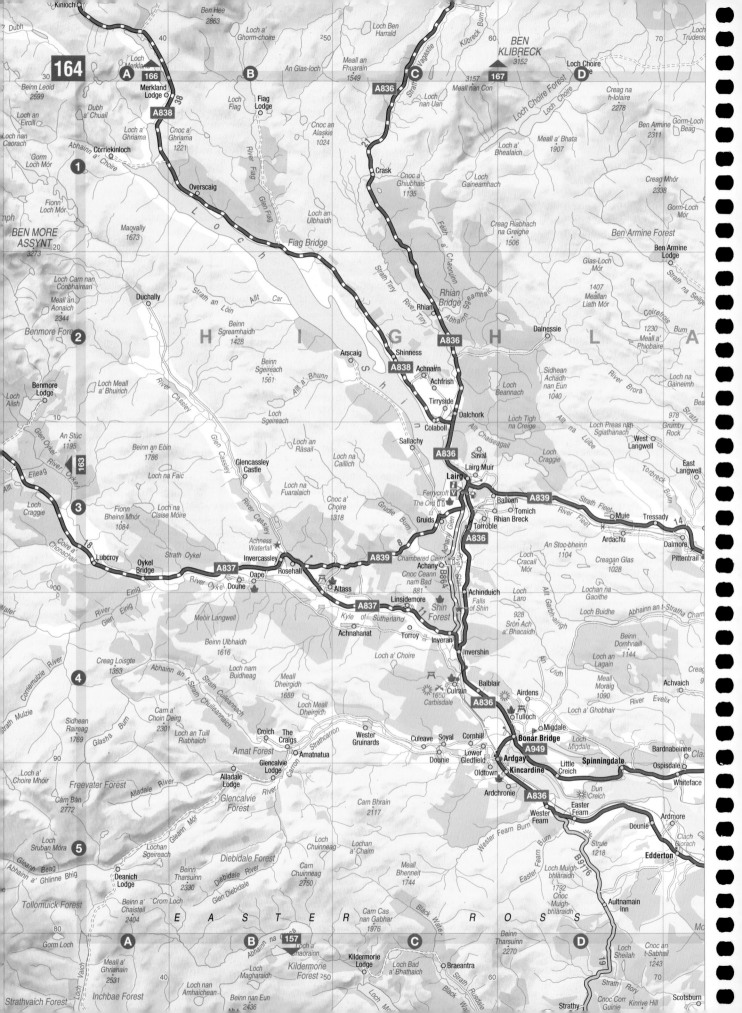

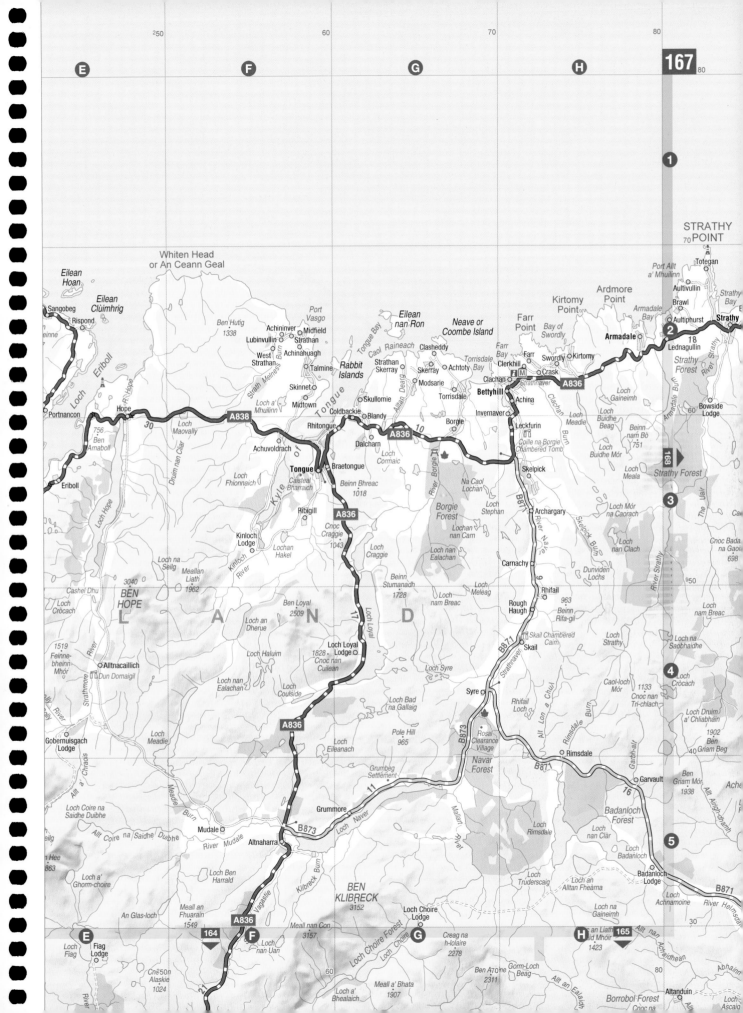

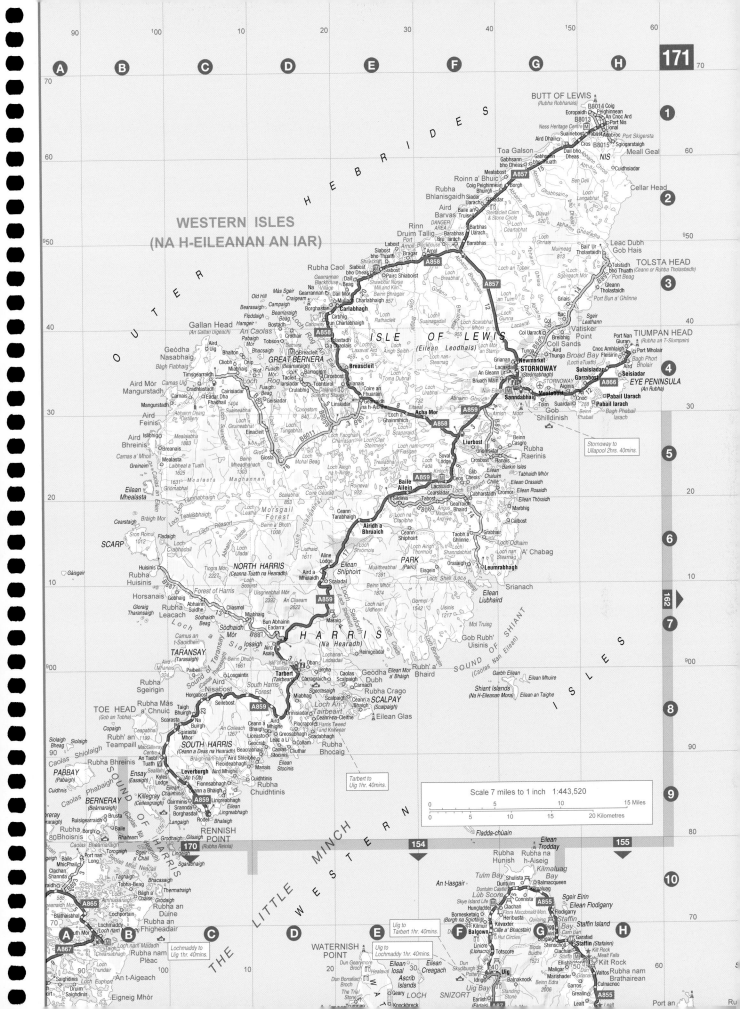

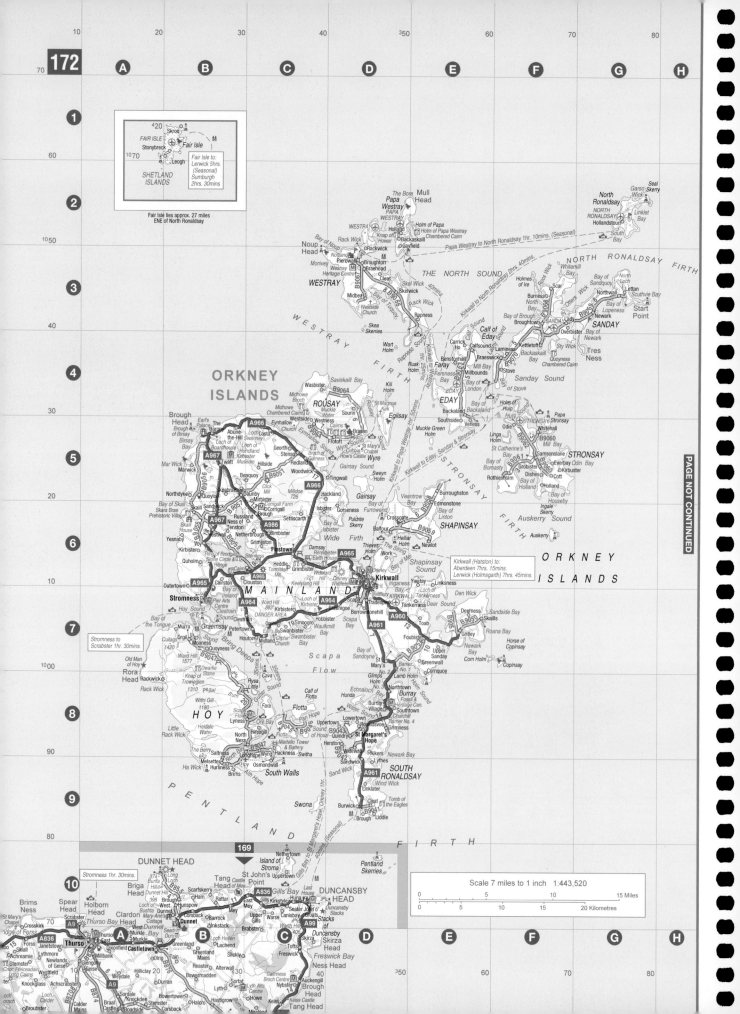

ORKNEY
ISLANDS

ORKNEY
ISLANDS

MAINLAND

WESTRAY

PAPA
WESTRAY

NORTH
RONALDSAY

SANDAY

EDAY

STRONSAY

ROUSAY

SHAPINSAY

HOY

SOUTH
RONALDSAY

Kirkwall

Stromness

St Margaret's Hope

WESTRAY FIRTH

THE NORTH SOUND

NORTH RONALDSAY FIRTH

STRONSAY FIRTH

AUSKERRY SOUND

Scapa Flow

PENTLAND FIRTH

DUNNET HEAD

DUNCANSBY HEAD

Thurso

Castletown

Dunnet

Fair Isle to:
Lerwick 5hrs.
(Seasonal)
Sumburgh
2hrs. 30mins.

Fair Isle lies approx. 27 miles
ENE of North Ronaldsay

FAIR ISLE
Stonybreck
Leogh
Skroo
Fair Isle

SHETLAND
ISLANDS

Papa Westray to North Ronaldsay 1hr. 10mins. (Seasonal)

Kirkwall to North Ronaldsay 2hrs 40mins.

Kirkwall (Hatston) to:
Aberdeen 7hrs. 15mins.
Lerwick (Holmsgarth) 7hrs. 45mins.

Stromness to
Scrabster 1hr. 30mins.

Stromness 1hr. 30mins.

169

Scale 7 miles to 1 inch   1:443,520
0   5   10   15 Miles
0   5   10   15   20 Kilometres

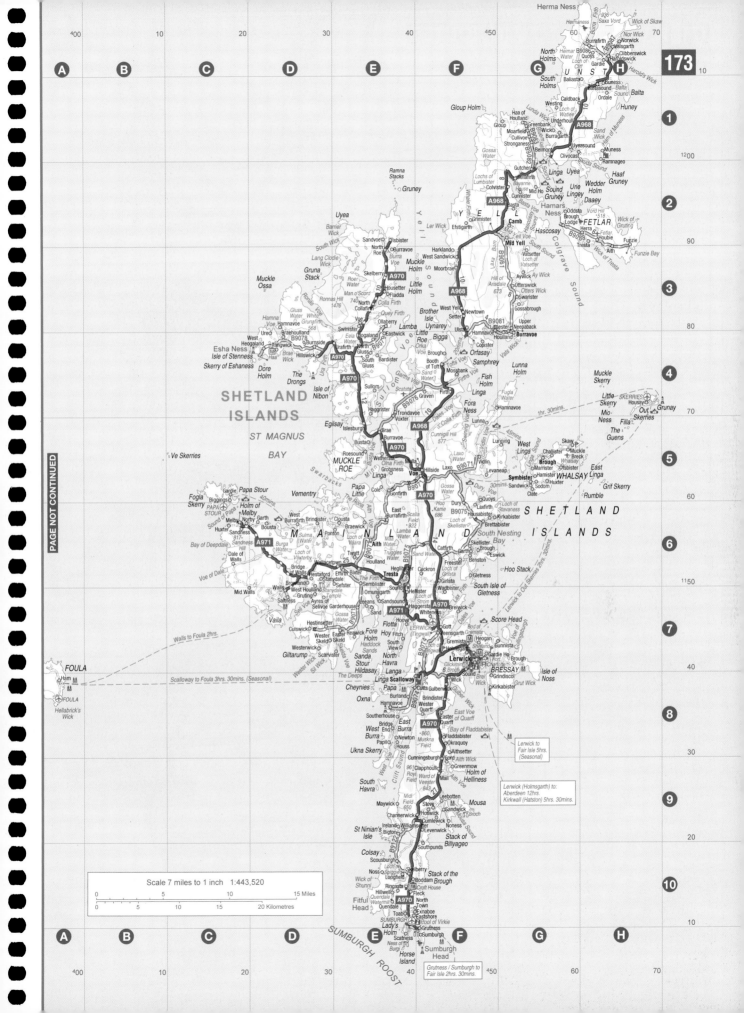

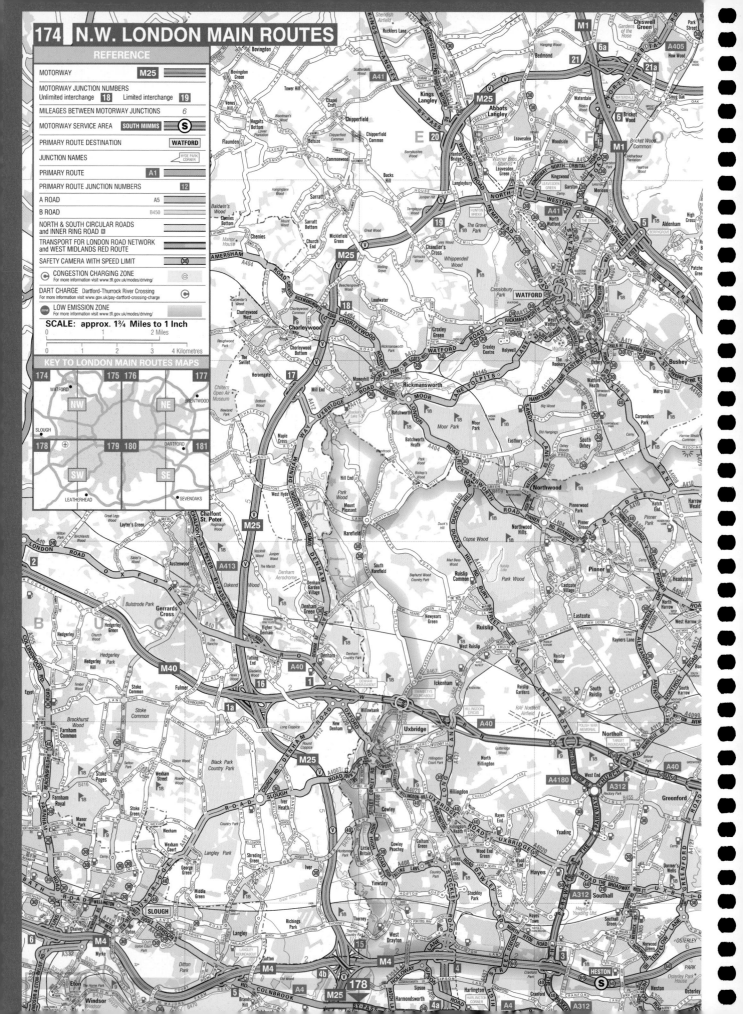

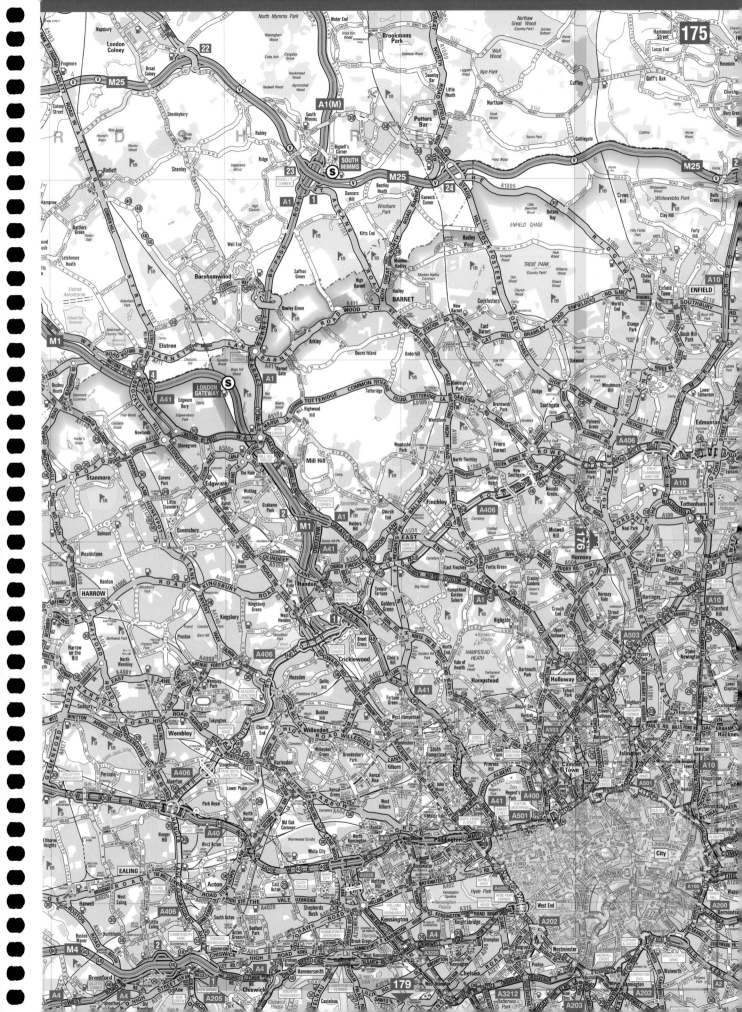

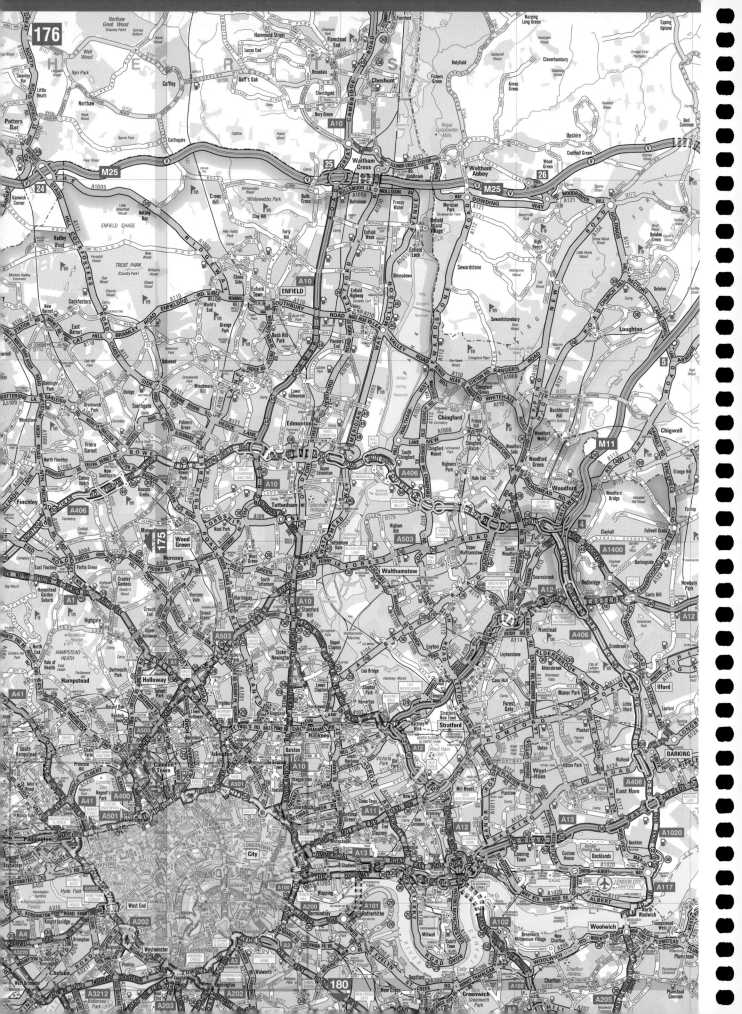

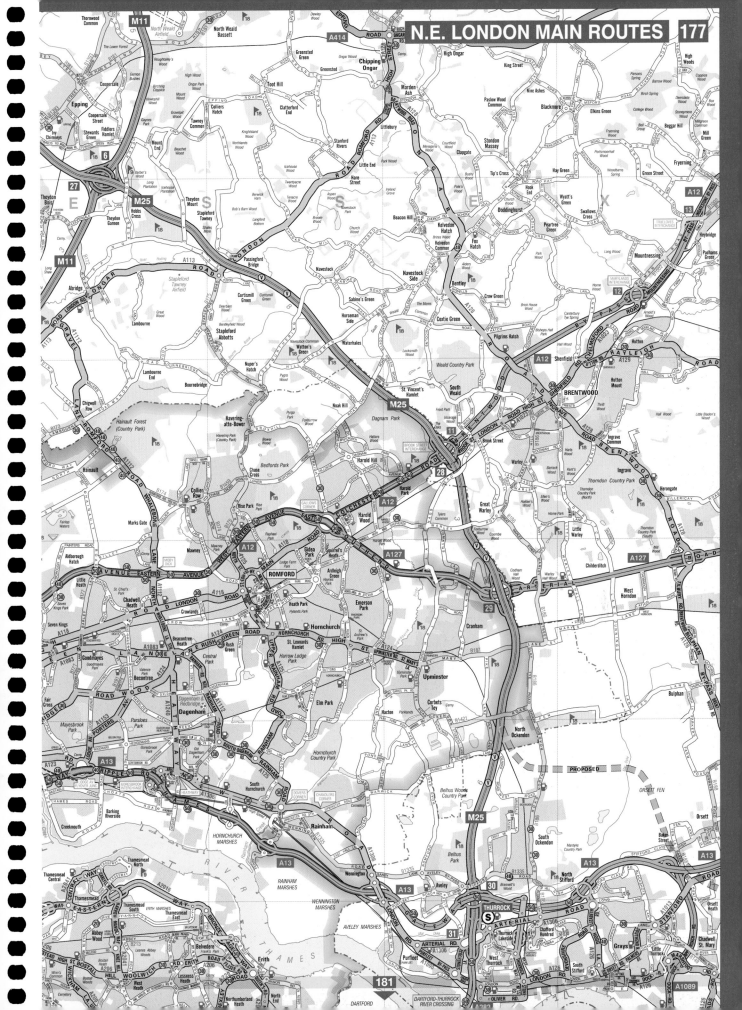

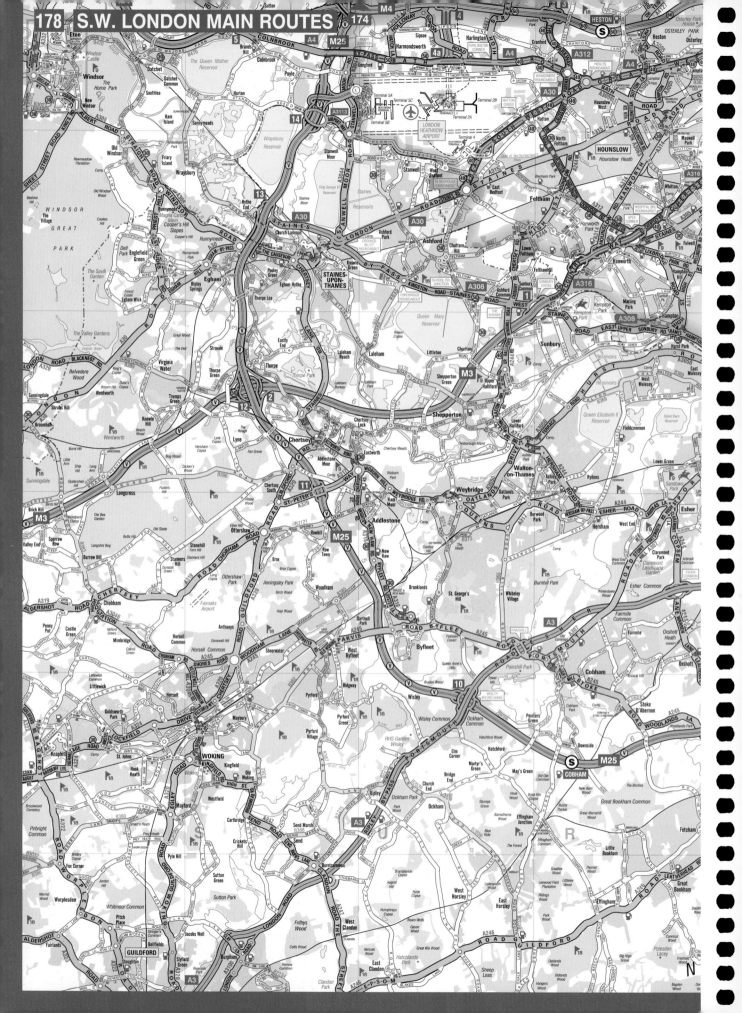

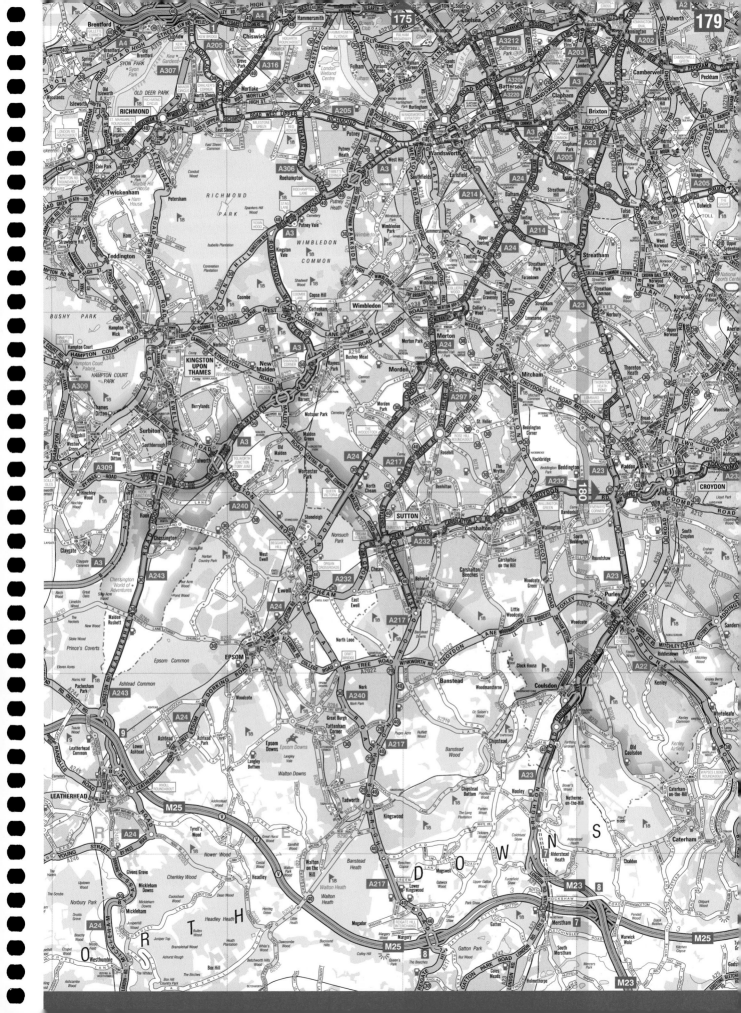

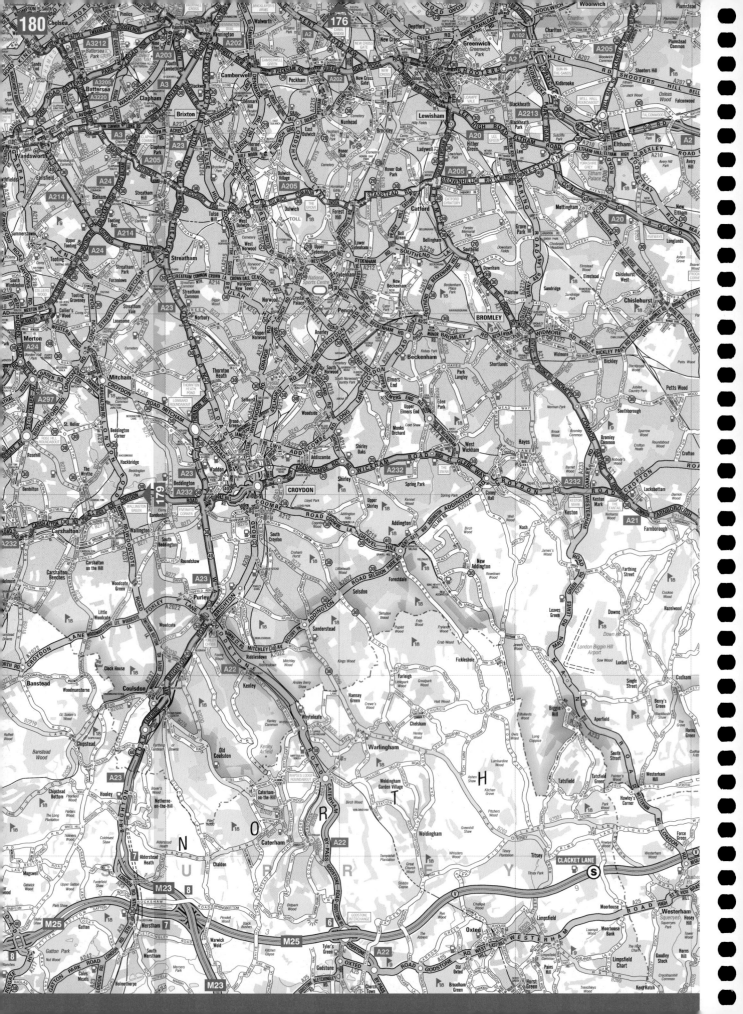

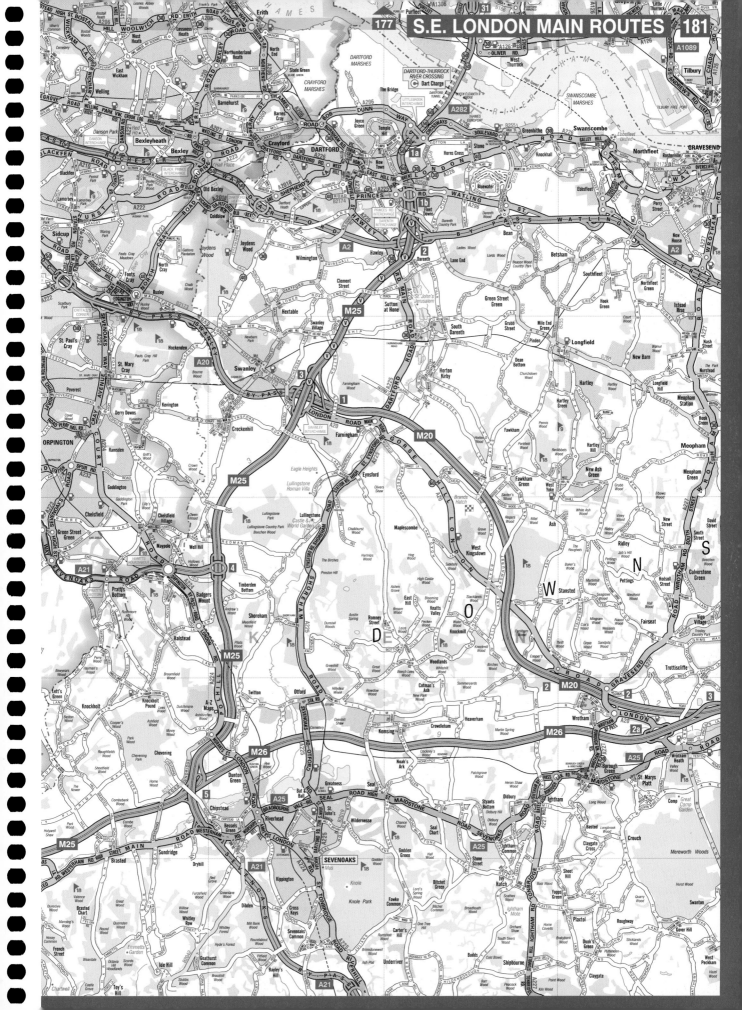

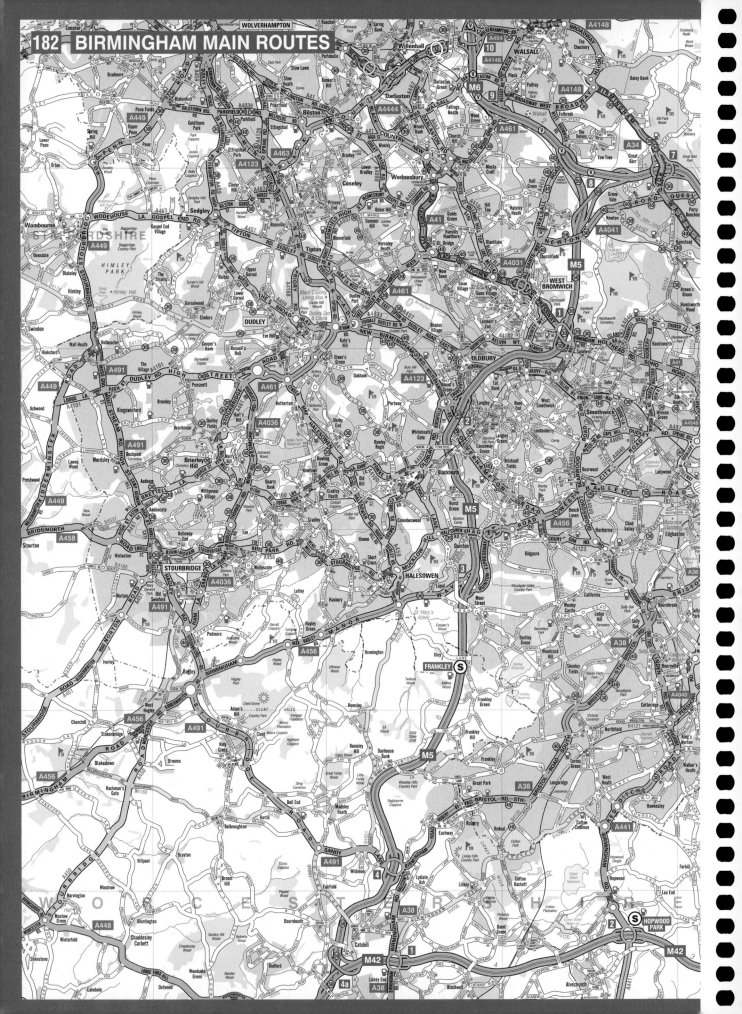

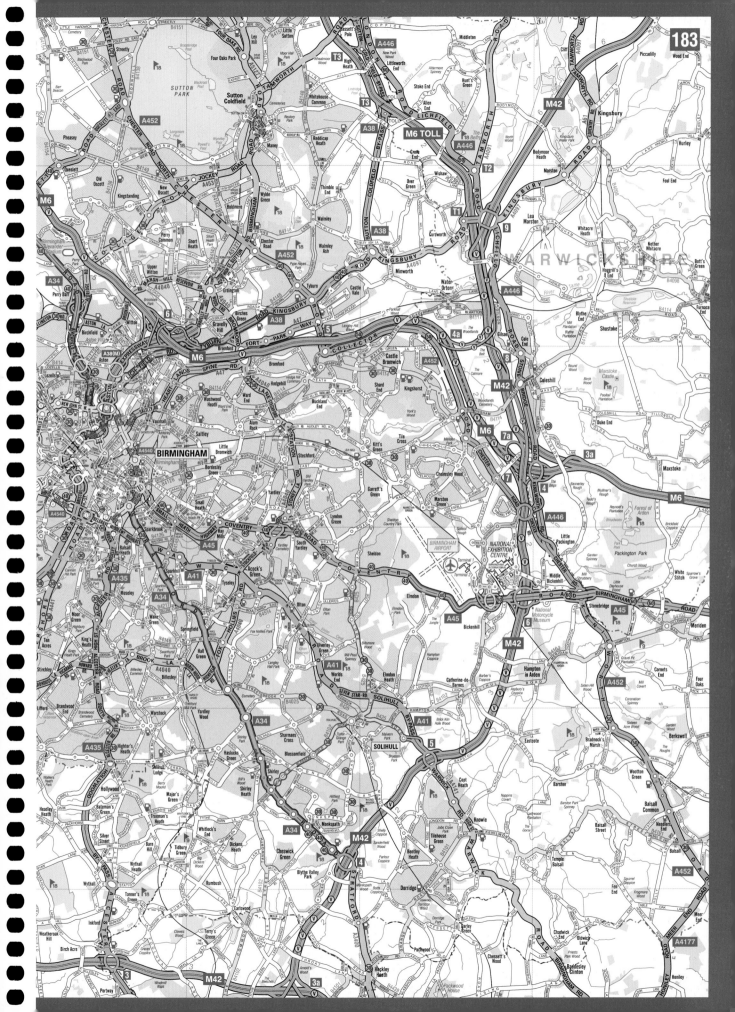

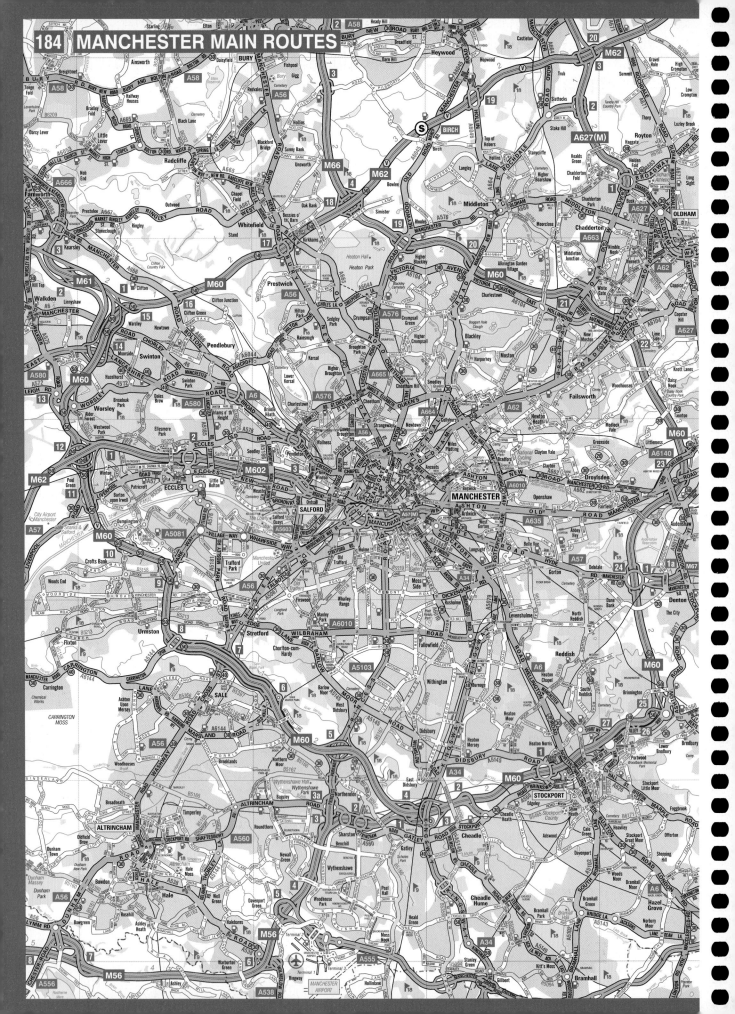

Town Plans

Port Plans 🛥

Airport Plans ✈

Motorway
Autoroute
Autobahn

Motorway Under Construction
Autoroute en construction
Autobahn im Bau

Motorway Proposed
Autoroute prévue
Geplante Autobahn

Motorway Junctions with Numbers
Unlimited Interchange 4
Limited Interchange 5

Autoroute échangeur numéroté
Echangeur complet
Echangeur partiel

Autobahnanschlußstelle mit Nummer
Unbeschränkter Fahrtrichtungswechsel
Beschränkter Fahrtrichtungswechsel

Primary Route
Route à grande circulation
Hauptverkehrsstraße

Dual Carriageways (A & B roads)
Route à double chaussées séparées (route A & B)
Zweispurige Schnellstraße (A- und B- Straßen)

Class A Road
Route de type A
A-Straße

Class B Road
Route de type B
B-Straße

Major Roads Under Construction
Route prioritaire en construction
Hauptverkehrsstaße im Bau

Major Roads Proposed
Route prioritaire prévue
Geplante Hauptverkehrsstaße

Minor Roads
Route secondaire
Nebenstraße

Safety Camera
Radars de contrôle de vitesse
Sicherheitskamera

Restricted Access
Accès réglementé
Beschränkte Zufahrt

Pedestrianized Road & Main Footway
Rue piétonne et chemin réservé aux piétons
Fußgängerstraße und Fußweg

One Way Streets
Sens unique
Einbahnstraße

Fuel Station
Station service
Tankstelle

Toll
Barrière de péage
Gebührenpflichtig

Railway & Station
Voie ferrée et gare
Eisenbahnlinie und Bahnhof

Underground / Metro & DLR Station
Station de métro et DLR
U-Bahnstation und DLR-Station

Level Crossing & Tunnel
Passage à niveau et tunnel
Bahnübergang und Tunnel

Tram Stop & One Way Tram Stop
Arrêt de tramway
Straßenbahnhaltestelle

Built-up Area
Agglomération
Geschloßene Ortschaft

Abbey, Cathedral, Priory etc
Abbaye, cathédrale, prieuré etc
Abtei, Kathedrale, Kloster usw

Airport
Aéroport
Flughafen

Bus Station
Gare routière
Bushaltestelle

Car Park (selection of)
Sélection de parkings
Auswahl von Parkplatz

Church
Eglise
Kirche

City Wall
Murs d'enceinte
Stadtmauer

Congestion Charging Zone
Zone de péage urbain
City-Maut Zone

Ferry (vehicular)
        (foot only)

Bac (véhicules)
    (piétons)

Fähre (autos)
    (nur für Personen)

Golf Course
Terrain de golf
Golfplatz

Heliport
Héliport
Hubschrauberlandeplatz

Hospital
Hôpital
Krankenhaus

Lighthouse
Phare
Leuchtturm

Market
Marché
Markt

National Trust Property
        (open)
        (restricted opening)
        (National Trust for Scotland)
National Trust Property
    (ouvert)
    (heures d'ouverture)
    (National Trust for Scotland)
National Trust- Eigentum
    (geöffnet)
    (beschränkte Öffnungszeit)
    (National Trust for Scotland)

NT
NT
NTS   NTS

Park & Ride
Parking relais
Auswahl von Parkplatz

Place of Interest
Curiosité
Sehenswürdigkeit

Police Station
Commissariat de police
Polizeirevier

Post Office
Bureau de poste
Postamt

Shopping Area (main street & precinct)
Quartier commerçant (rue et zone principales)
Einkaufsviertel (hauptgeschäftsstraße, fußgängerzone)

Shopmobility
Shopmobility
Shopmobility

Toilet
Toilettes
Toilette

Tourist Information Centre
Syndicat d'initiative
Information

Viewpoint
Vue panoramique
Aussichtspunkt

Visitor Information Centre
Centre d'information touristique
Besucherzentrum

Please note: symbols have been enlarged for clarity

ABERDEEN

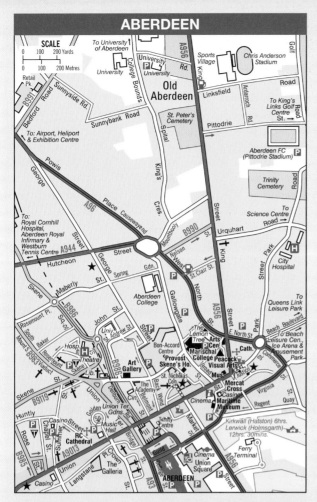

ABERYSTWYTH

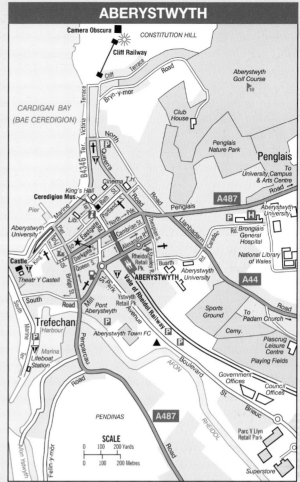

AYR

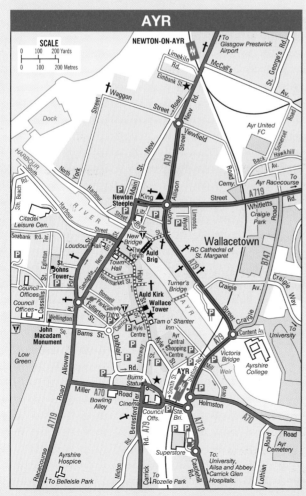

BATH

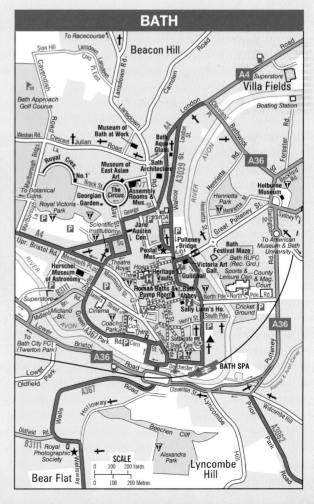

BEDFORD

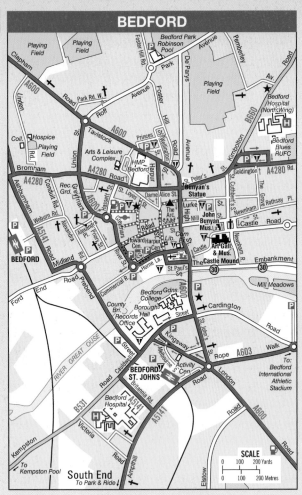

BLACKPOOL

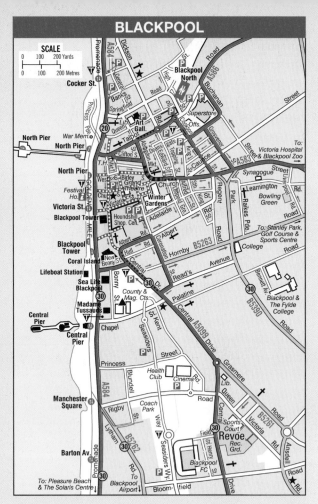

BIRMINGHAM (CITY CENTRE)

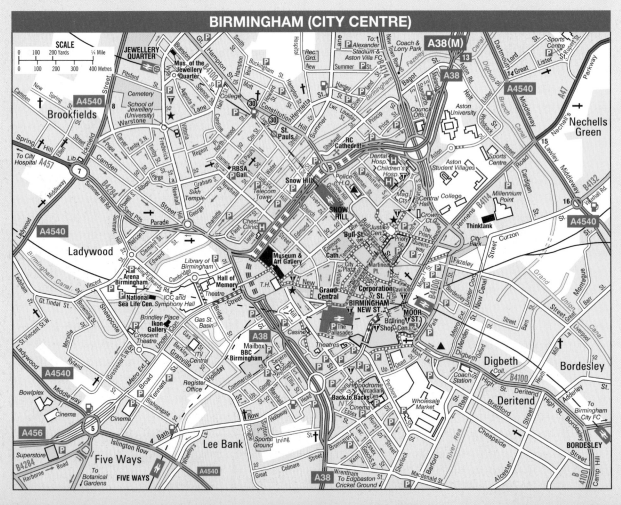

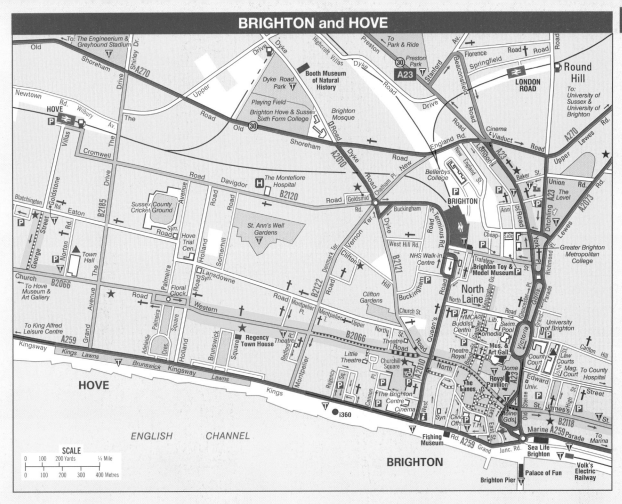

BRISTOL

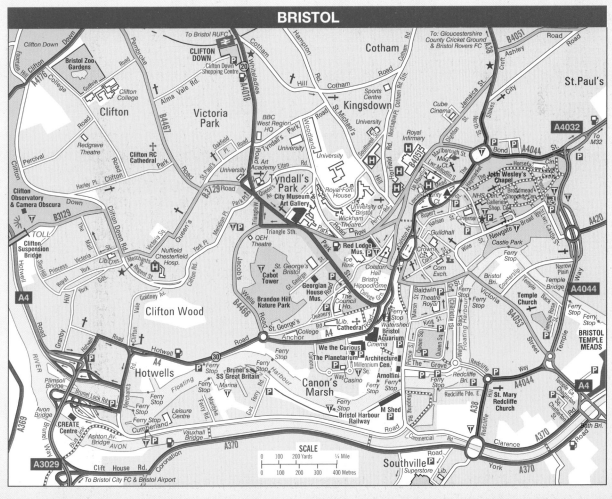

BOURNEMOUTH

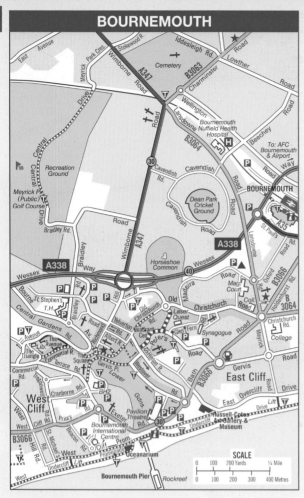

BRADFORD

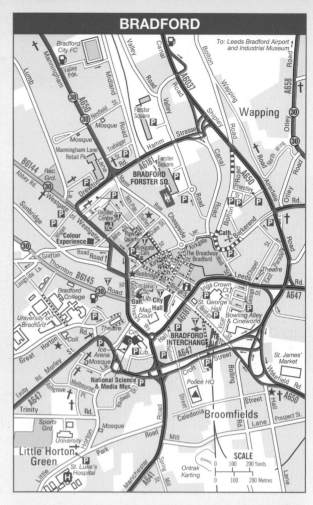

CAERNARFON

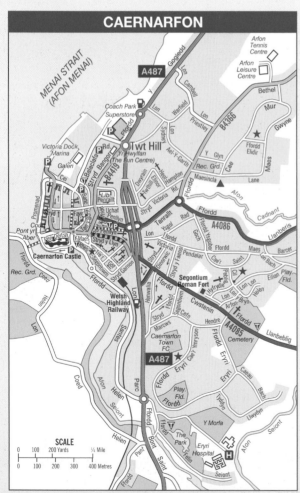

CANTERBURY

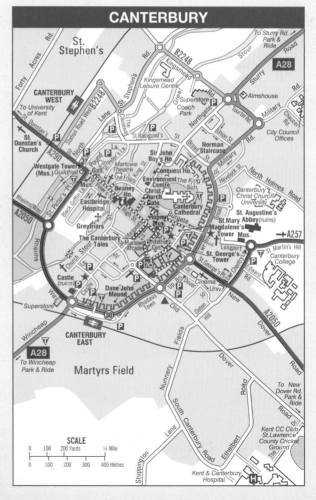

CAMBRIDGE

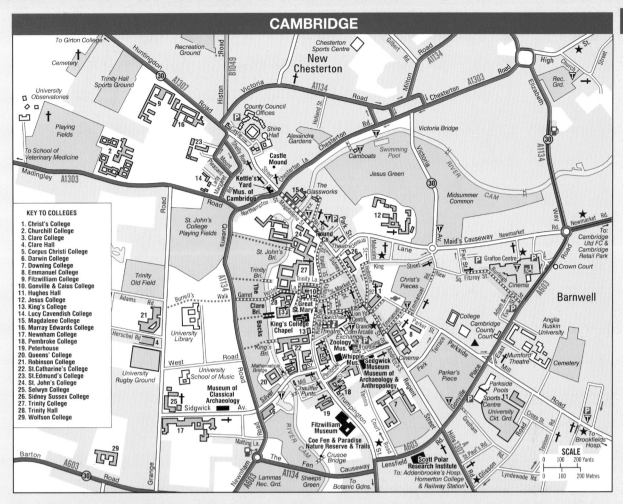

KEY TO COLLEGES
1. Christ's College
2. Churchill College
3. Clare College
4. Clare Hall
5. Corpus Christi College
6. Darwin College
7. Downing College
8. Emmanuel College
9. Fitzwilliam College
10. Gonville & Caius College
11. Hughes Hall
12. Jesus College
13. King's College
14. Lucy Cavendish College
15. Magdalene College
16. Murray Edwards College
17. Newnham College
18. Pembroke College
19. Peterhouse
20. Queens' College
21. Robinson College
22. St.Catharine's College
23. St.Edmund's College
24. St. John's College
25. Selwyn College
26. Sidney Sussex College
27. Trinity College
28. Trinity Hall
29. Wolfson College

CARDIFF (CAERDYDD)

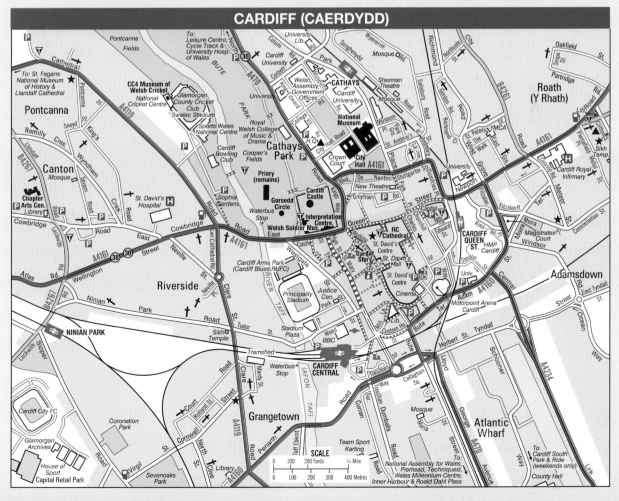

CARLISLE

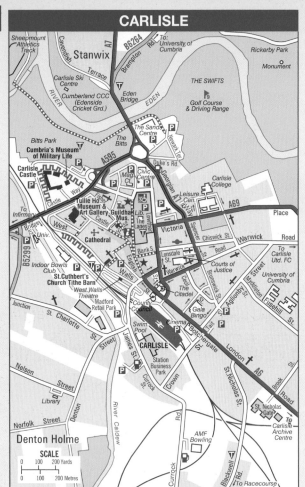

CHELTENHAM

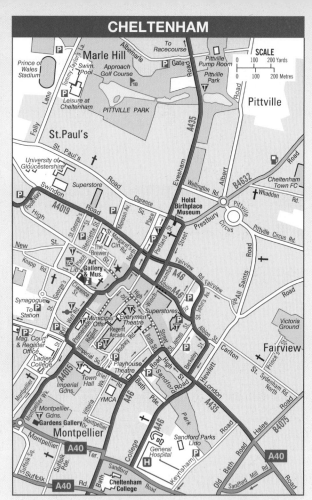

CHESTER

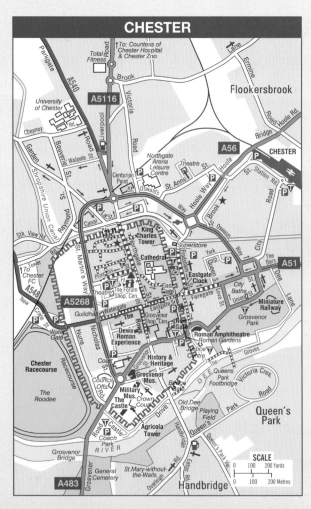

COVENTRY

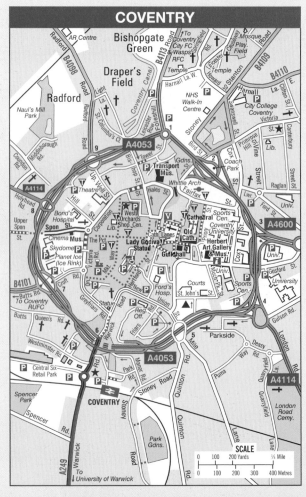

DERBY

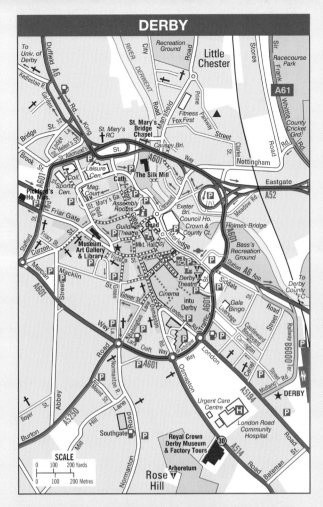

DUMFRIES

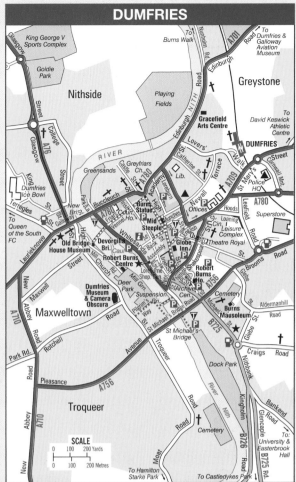

DOVER

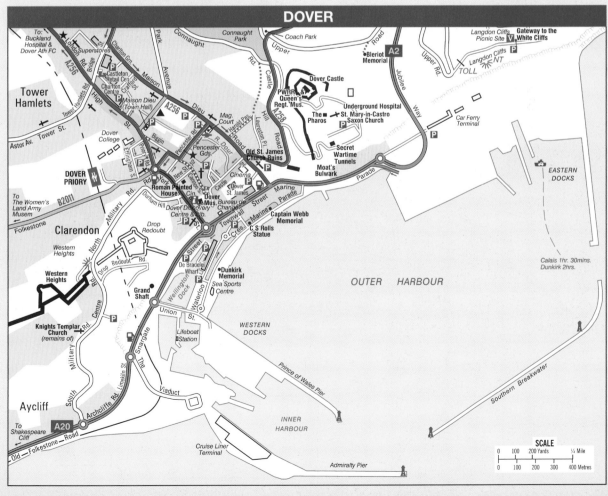

DUNDEE

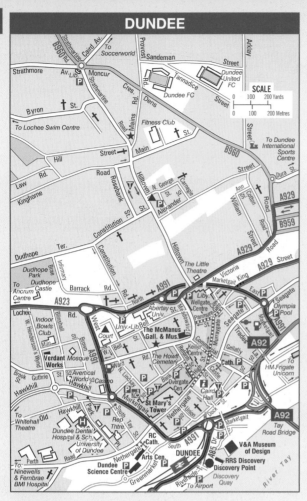

DURHAM

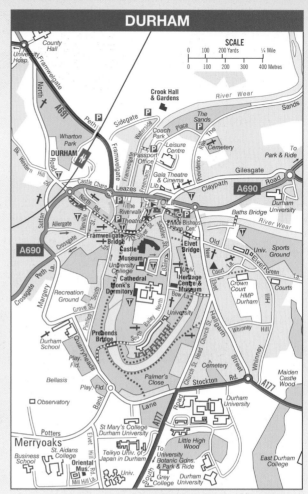

EDINBURGH

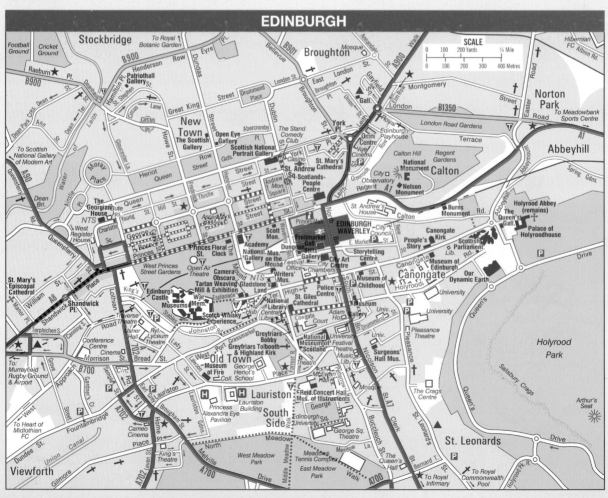

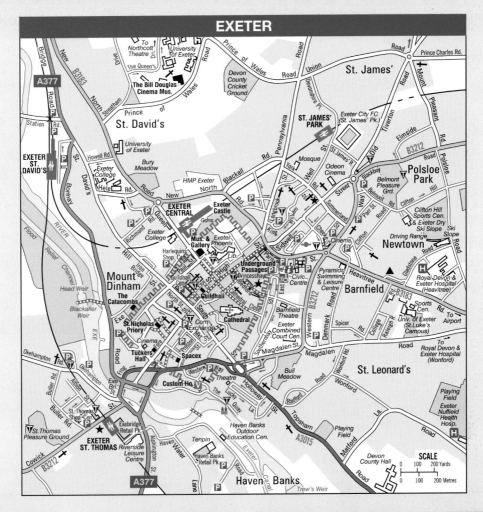

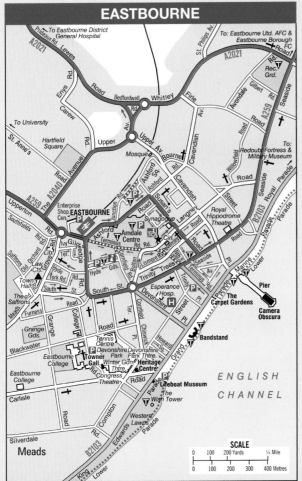

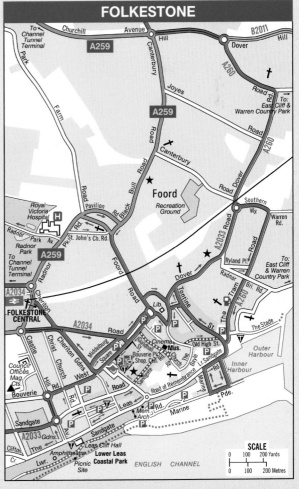

GLASGOW

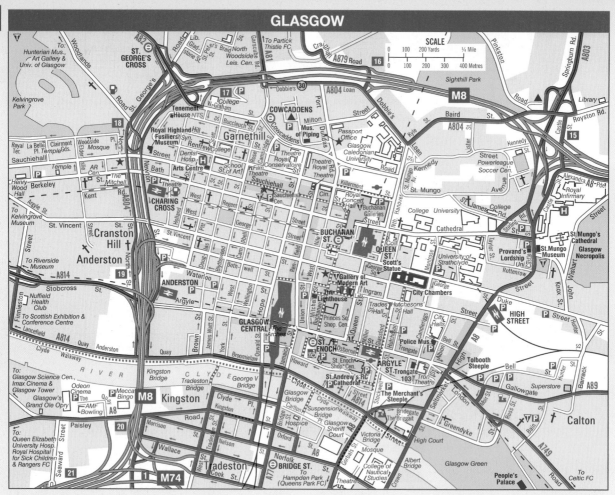

GLOUCESTER

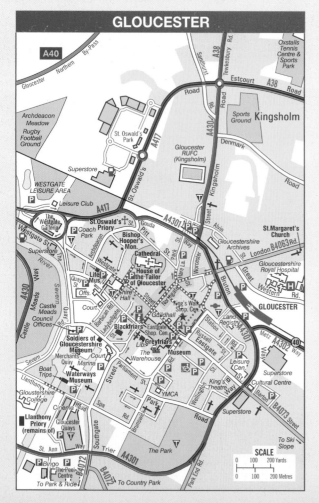

GREAT YARMOUTH

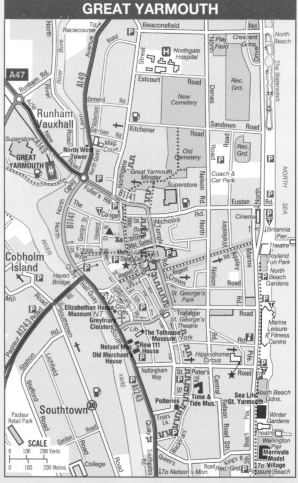

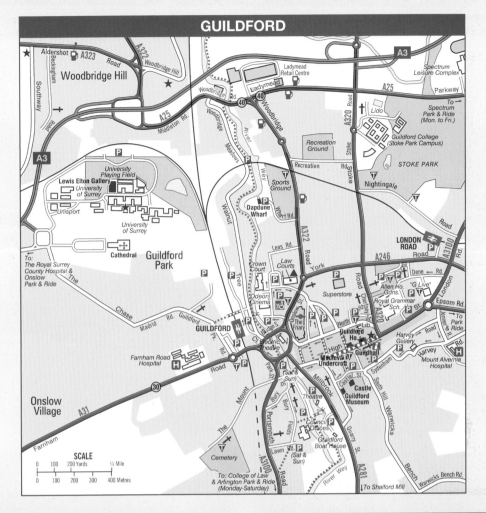

SCALE
0   100   200 Yards   ¼ Mile
0   100   200   300   400 Metres

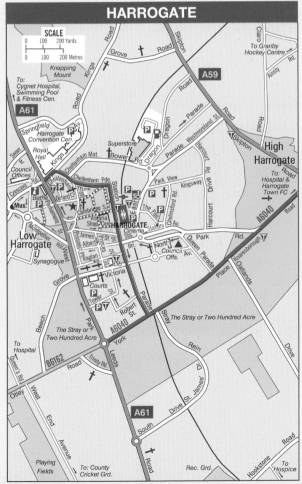

HARROGATE

SCALE
0   100   200 Yards
0   100   200 Metres

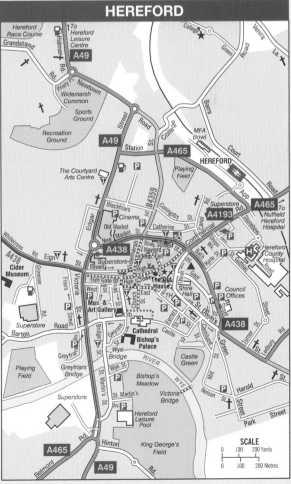

HEREFORD

SCALE
0   100   200 Yards
0   100   200 Metres

INVERNESS

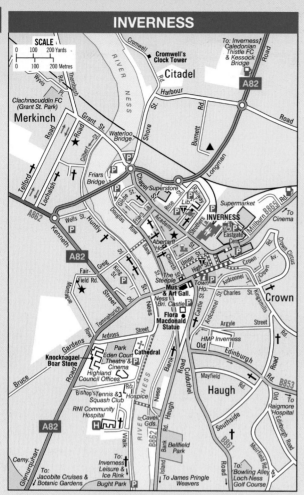

IPSWICH

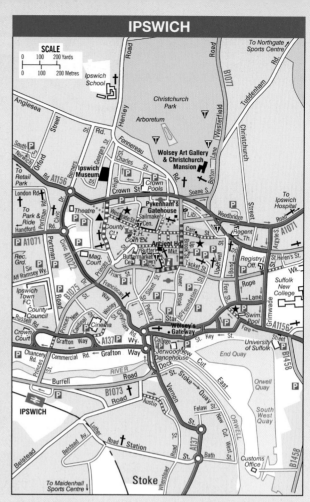

KILMARNOCK

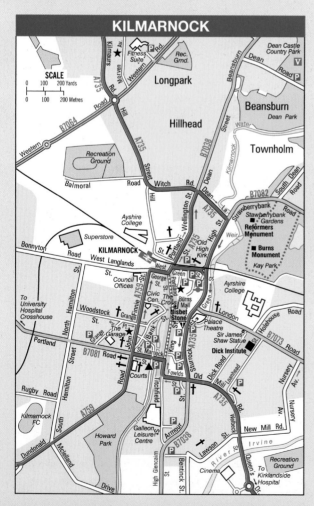

LINCOLN

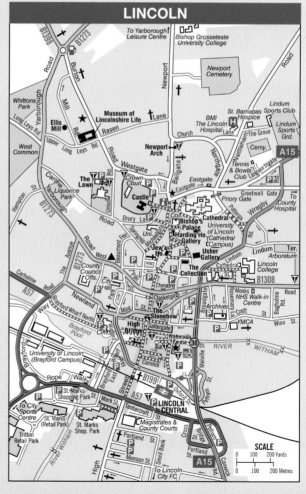

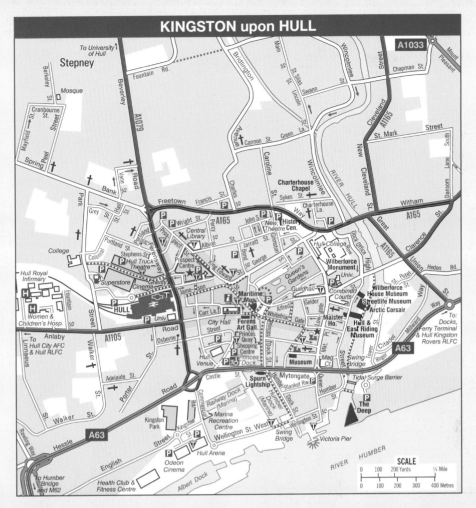

KINGSTON upon HULL

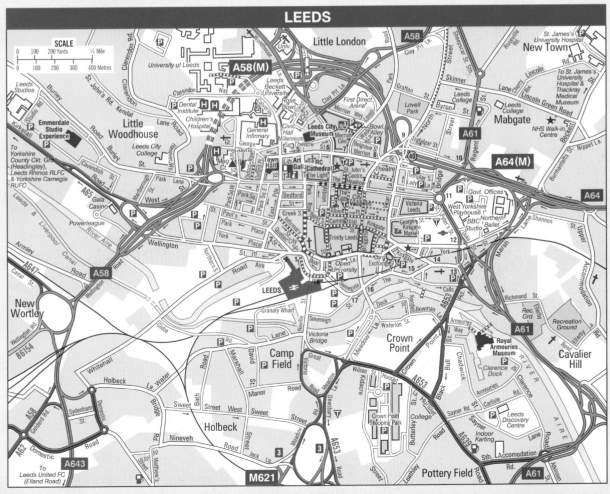

LEEDS

LEICESTER

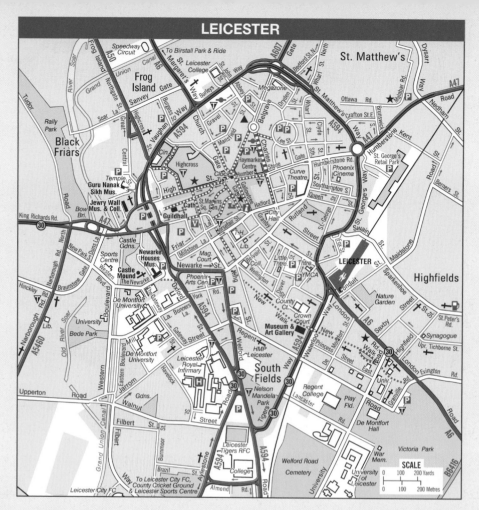

LIVERPOOL

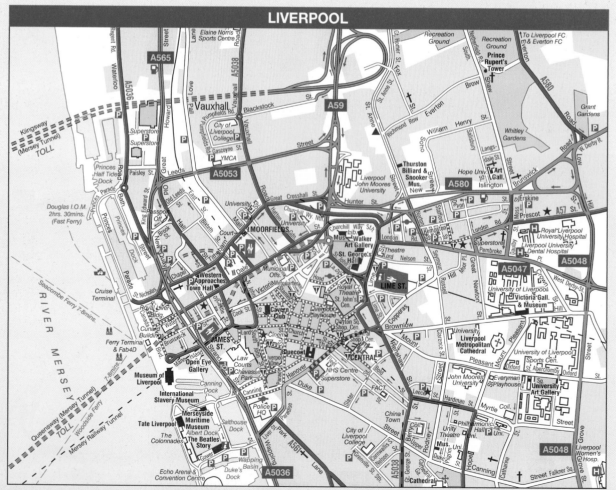

LUTON

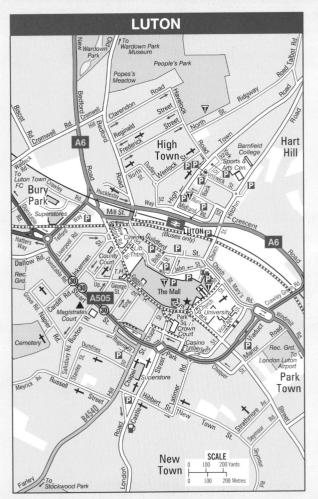

MIDDLESBROUGH

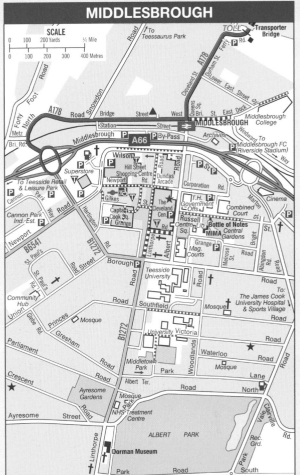

MANCHESTER (CITY CENTRE)

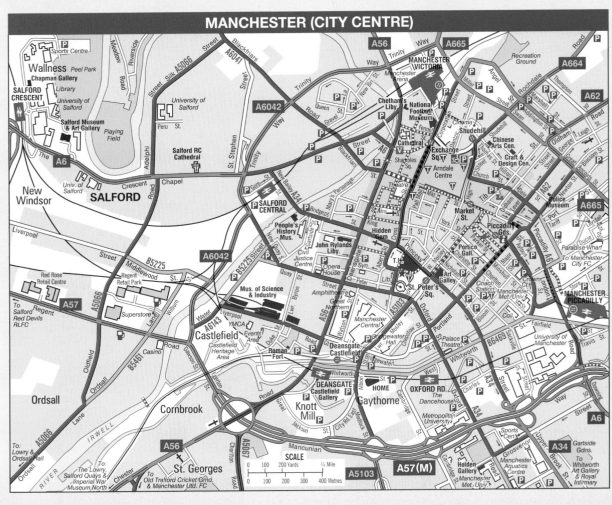

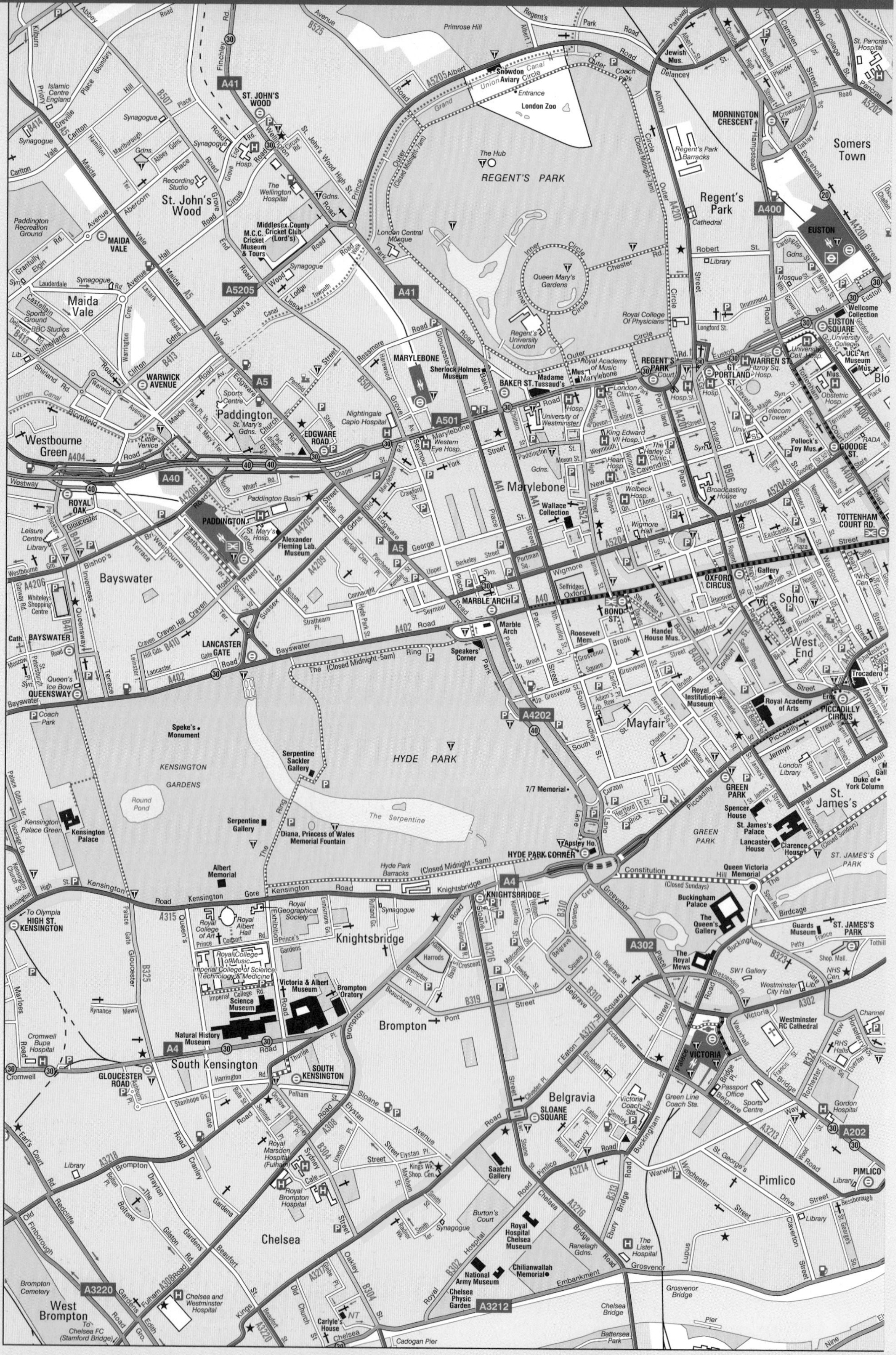

REGENT'S PARK

Primrose Hill

London Zoo

Snowdon Aviary

Union Canal

The Hub

Queen Mary's Gardens

Regent's University London

Royal Academy of Music

Regent's Park Barracks

MORNINGTON CRESCENT

Somers Town

Regent's Park Cathedral

EUSTON

EUSTON SQUARE

Wellcome Collection

UCL Art Museum

WARREN ST.

PORTLAND ST.

GOODGE ST.

TOTTENHAM COURT RD.

Broadcasting House

Pollock's Toy Mus.

St. John's Wood

MAIDA VALE

Maida Vale

WARWICK AVENUE

Lord's M.C.C. Cricket Club (Lord's)

London Central Mosque

Middlesex County Cricket Club Museum & Tours

The Wellington Hospital

MARYLEBONE

Sherlock Holmes Museum

BAKER ST.

Madame Tussaud's

Wallace Collection

Marylebone

Westbourne Green

ROYAL OAK

PADDINGTON

Bayswater

BAYSWATER

QUEENSWAY

LANCASTER GATE

Marble Arch

MARBLE ARCH

BOND ST.

Selfridges

OXFORD CIRCUS

Soho

WEST END

Trocadero

Handel House Mus.

Speakers' Corner

Speke's Monument

Serpentine Sackler Gallery

KENSINGTON GARDENS

Round Pond

Serpentine Gallery

The Serpentine

HYDE PARK

7/7 Memorial

Royal Institution Museum

Royal Academy of Arts

PICCADILLY CIRCUS

Mayfair

GREEN PARK

St. James's

Duke of York Column

Kensington Palace

Kensington Palace Green

Diana, Princess of Wales Memorial Fountain

Hyde Park Barracks

HYDE PARK CORNER

Apsley Ho.

Constitution Hill

Spencer House

St. James's Palace

Lancaster House

Clarence House

ST. JAMES'S PARK

Queen Victoria Memorial

Buckingham Palace

The Queen's Gallery

Guards Museum

ST. JAMES'S PARK

HIGH ST. KENSINGTON

To Olympia

Royal Albert Hall

Royal Geographical Society

Royal College of Art

Royal College of Music

Knightsbridge

KNIGHTSBRIDGE

Harrods

Belgravia

The Royal Mews

SW1 Gallery

Westminster City Hall

Westminster RC Cathedral

Imperial College of Science, Technology & Medicine

Victoria & Albert Museum

Brompton Oratory

Science Museum

Natural History Museum

Brompton

SOUTH KENSINGTON

South Kensington

GLOUCESTER ROAD

Royal Marsden Hospital (Fulham)

VICTORIA

Victoria Coach Sta.

Green Line Coach Sta.

SLOANE SQUARE

Belgrave Sports Centre

PIMLICO

Pimlico

Cromwell Bupa Hospital

Saatchi Gallery

Chelsea and Westminster Hospital

Chelsea

West Brompton

Brompton Cemetery

To Chelsea FC (Stamford Bridge)

Carlyle's House

National Army Museum

Chilianwallah Memorial

Royal Hospital Chelsea Museum

Chelsea Physic Garden

The Lister Hospital

Grosvenor Bridge

Chelsea Bridge

Battersea Park

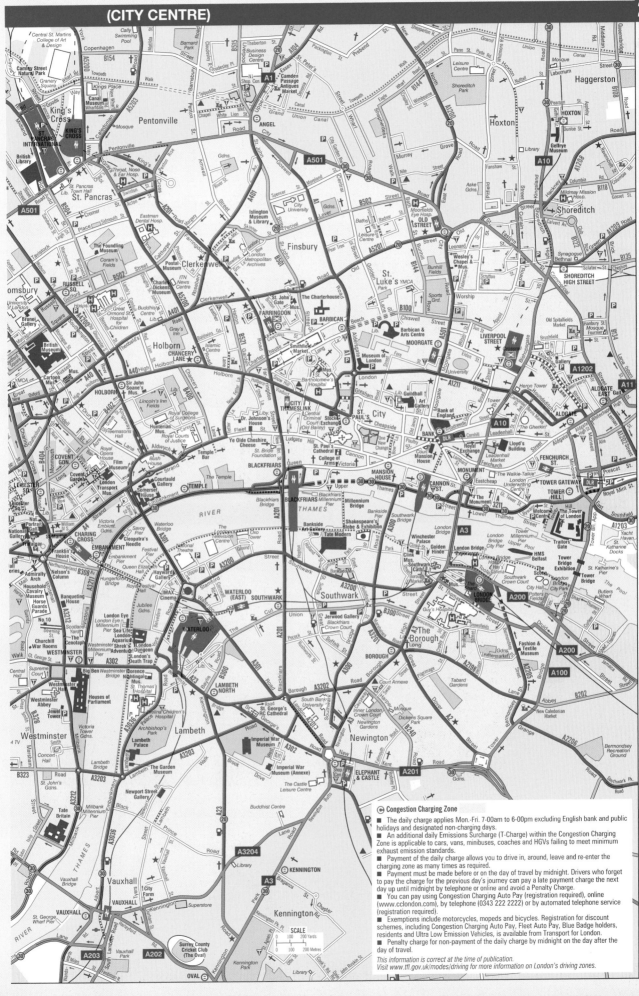

SCALE
0   100   200 Yards
0   100   200 Metres

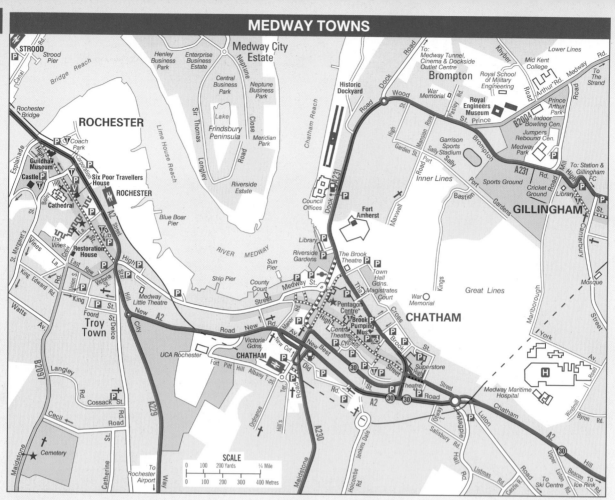

MILTON KEYNES

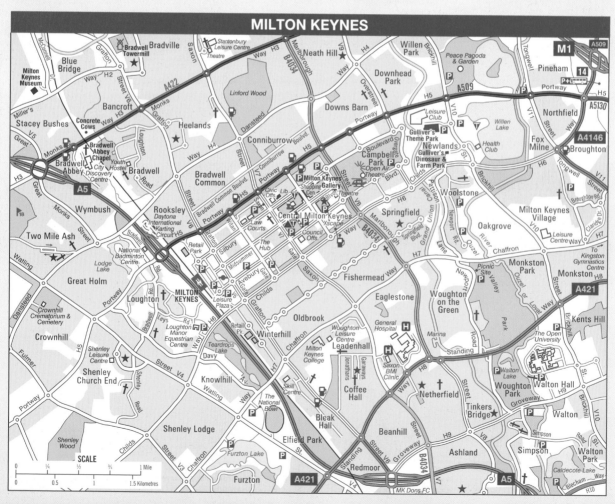

NORWICH

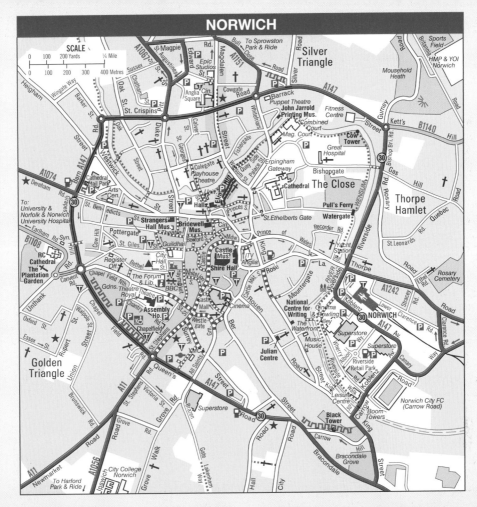

NEWCASTLE UPON TYNE

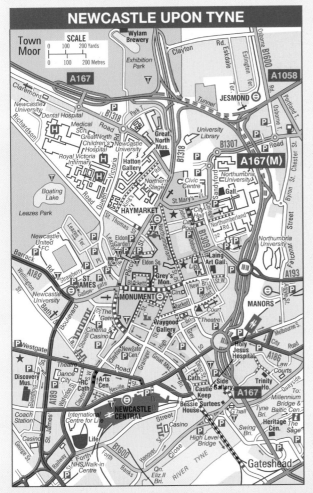

NEWPORT (CASNEWYDD)

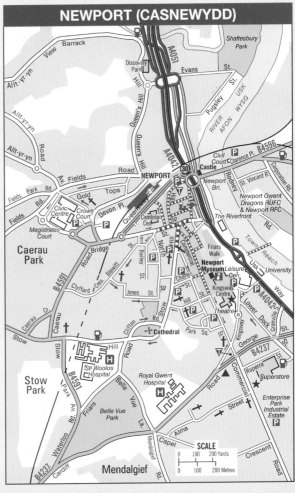

NOTTINGHAM

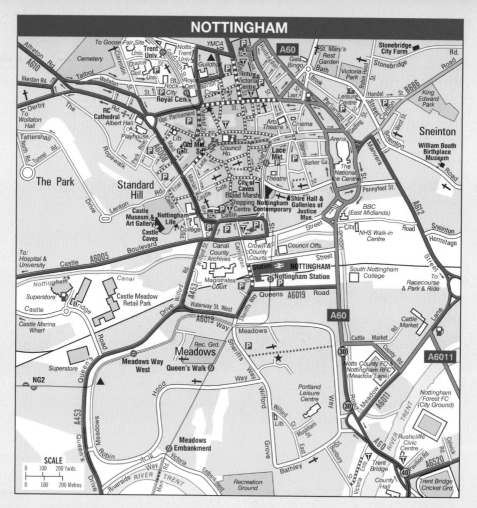

NORTHAMPTON

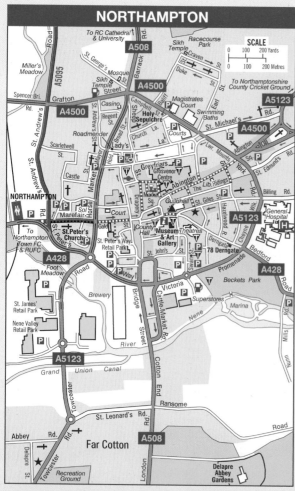

OBAN

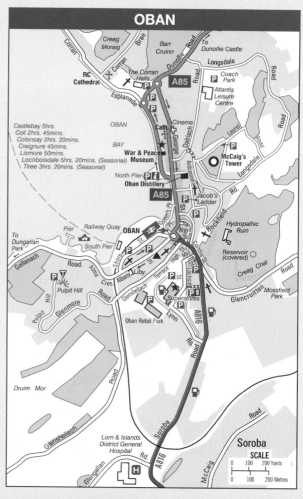

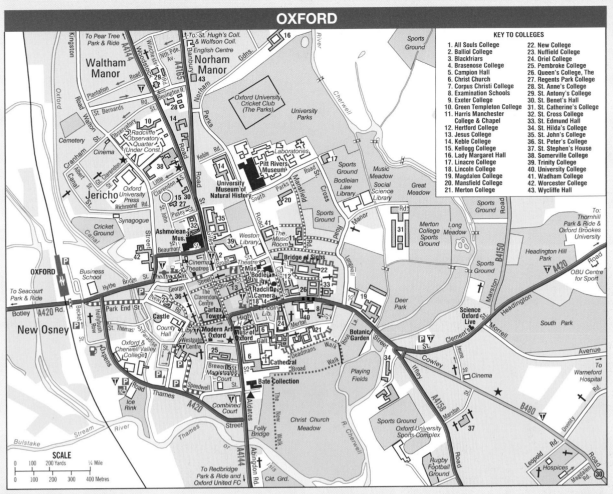

KEY TO COLLEGES

1. All Souls College
2. Balliol College
3. Blackfriars
4. Brasenose College
5. Campion Hall
6. Christ Church
7. Corpus Christi College
8. Examination Schools
9. Exeter College
10. Green Templeton College
11. Harris Manchester College & Chapel
12. Hertford College
13. Jesus College
14. Keble College
15. Kellogg College
16. Lady Margaret Hall
17. Linacre College
18. Lincoln College
19. Magdalen College
20. Mansfield College
21. Merton College
22. New College
23. Nuffield College
24. Oriel College
25. Pembroke College
26. Queen's College, The
27. Regents Park College
28. St. Anne's College
29. St. Antony's College
30. St. Benet's Hall
31. St. Catherine's College
32. St. Cross College
33. St. Edmund Hall
34. St. Hilda's College
35. St. John's College
36. St. Peter's College
37. St. Stephen's House
38. Somerville College
39. Trinity College
40. University College
41. Wadham College
42. Worcester College
43. Wycliffe Hall

SCALE
0   100   200 Yards   ¼ Mile
0   100   200   300   400 Metres

PAISLEY

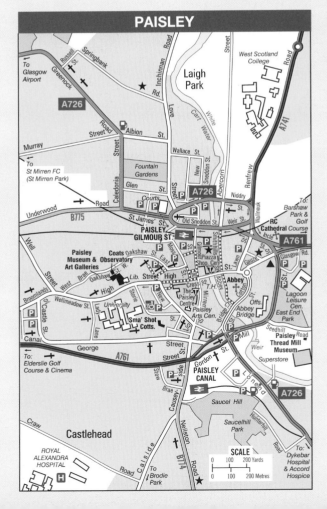

SCALE
0   100   200 Yards
0   100   200 Metres

PERTH

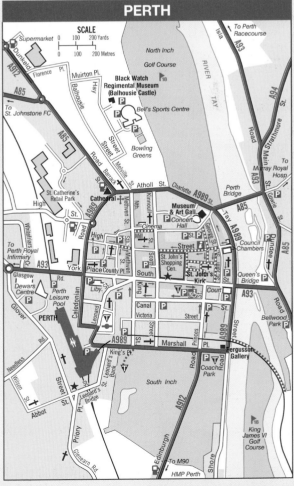

SCALE
0   100   200 Yards
0   100   200 Metres

PLYMOUTH

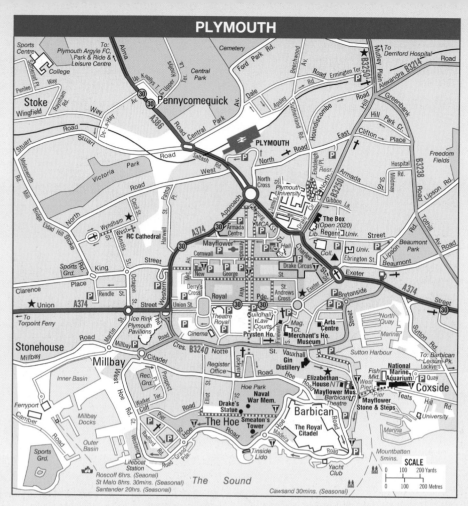

PETERBOROUGH

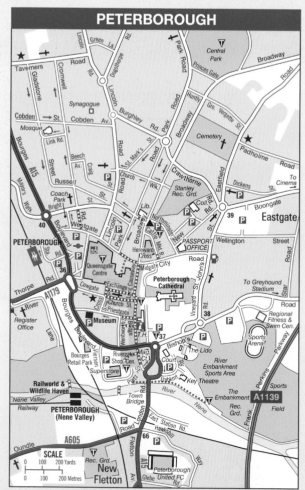

PRESTON

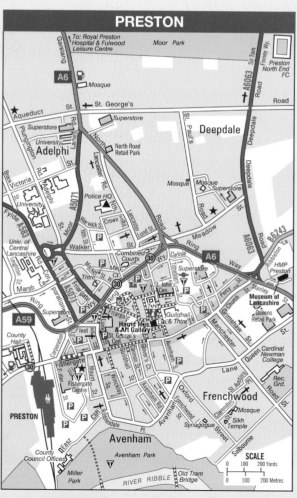

PORTSMOUTH

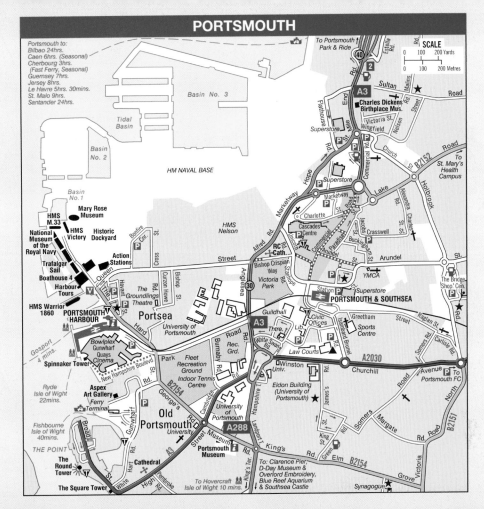

Portsmouth to:
Bilbao 24hrs.
Caen 6hrs. (Seasonal)
Cherbourg 3hrs.
(Fast Ferry, Seasonal)
Guernsey 7hrs.
Jersey 8hrs.
Le Havre 5hrs. 30mins.
St. Malo 9hrs.
Santander 24hrs.

To Portsmouth Park & Ride

SCALE
0   100   200 Yards
0   100   200 Metres

Basin No. 3

Tidal Basin

HM NAVAL BASE

Basin No. 2

Basin No.1

Mary Rose Museum
HMS M.33
HMS Victory
National Museum of the Royal Navy
Historic Dockyard
Action Stations
Trafalgar Sail
Boathouse 4
Harbour Tours
HMS Warrior 1860
PORTSMOUTH HARBOUR

HMS Nelson

Charles Dickens Birthplace Mus.
Superstore
Victoria St.
Wingfield
Superstore
Cascades Centre
Charlotte
RC Cath.
Bishop Crispian Way
Victoria Park
YMCA
The Bridge Shop' Cen.
Station
Superstore
PORTSMOUTH & SOUTHSEA

Portsea
University of Portsmouth
The Groundlings Theatre
Guildhall
Civic Offices
Greetham
Sports Centre
Law Courts
Winston Univ.
Eldon Building (University of Portsmouth)
A2030
Churchill
To Portsmouth FC

Bowlplex
Gunwharf Quays Cinema
Spinnaker Tower
New Hampshire Boulevd.
Fleet Recreation Ground
Indoor Tennis Centre
University of Portsmouth

Ryde Isle of Wight 22mins.
Aspex Art Gallery
Ferry Terminal
Fishbourne Isle of Wight 40mins.
Old Portsmouth
University
THE POINT
The Round Tower
The Square Tower
Cathedral
Portsmouth Museum
King's
To: Clarence Pier, D-Day Museum & Overlord Embroidery, Blue Reef Aquarium & Southsea Castle
To Hovercraft Isle of Wight 10 mins.
Synagogue

Gosport 4 mins.

READING

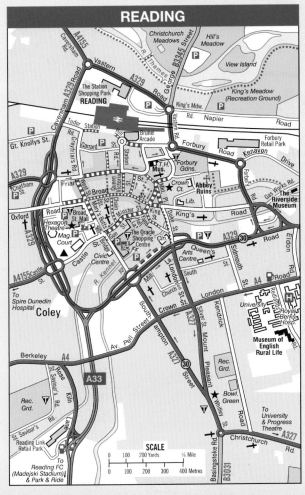

Christchurch Meadows
Hill's Meadow
View Island
King's Meadow (Recreation Ground)
The Station Shopping Park
READING
Tudor Station
Brunel Arcade
Forbury
Forbury Retail Park
Napier
Forbury Gdns.
Crown Ct.
Abbey Ruins
Lib.
The Riverside Museum
Gas Works Rd.
Gt. Knollys St.
Chatham
Oxford Road
Hexagon Theatre
Mag. Court
The Oracle Shopping Centre
Civic Centre
Arts Centre
Queen's
Coley
Royal Berks. Hosp.
Museum of English Rural Life
Berkeley
Spire Dunedin Hospital
Rec. Grd.
Bowl. Green
To University & Progress Theatre
Christchurch Rd.
Reading Link Retail Park
To Reading FC (Madejski Stadium) & Park & Ride

SCALE
0   100   200 Yards   ¼ Mile
0   100   200   300   400 Metres

ST ANDREWS

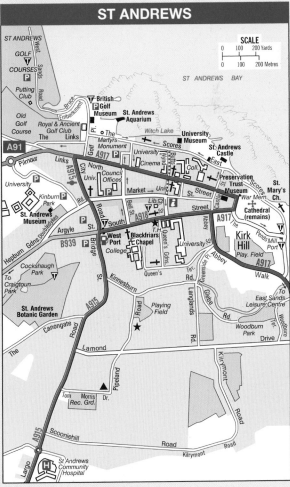

SCALE
0   100   200 Yards
0   100   200 Metres

ST ANDREWS
GOLF COURSES
Putting Club
Old Golf Course
ST ANDREWS BAY
British Golf Museum
St. Andrews Aquarium
University Museum
Royal & Ancient Golf Club
The Links
Witch Lake
The Scores
St. Andrews Castle
The Martyrs' Monument
University
Cinema
Preservation Trust Museum
St. Mary's Ch.
A91
Pilmour
Links
North
City Univ.
Council Offices
University
War Mem.
Market
Kinburn Park
St. Andrews Museum
South
Lib.
Cathedral (remains)
Argyle
West Port
Blackfriars' Chapel
College
Queen's Gdns.
University
Kirk Hill
Play. Field
A917
Hepburn Gdns
B939
Bridge
Queen's
Cockshaugh Park
To Craigtoun Park
St. Andrews Botanic Garden
Kinnesburn
Playing Field
Canongate
The
Lamond
East Sands Leisure Centre
Woodburn Park
Langlands
Pipeland
Tom Morris Rec. Grd.
St Andrews Community Hospital
Largo
Scooniehill
Kilrymont

SALISBURY

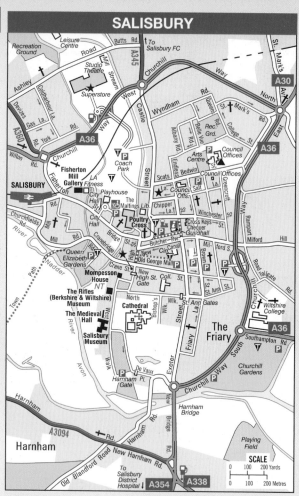

SHREWSBURY

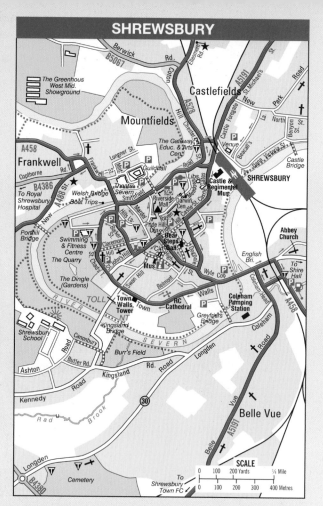

SHEFFIELD

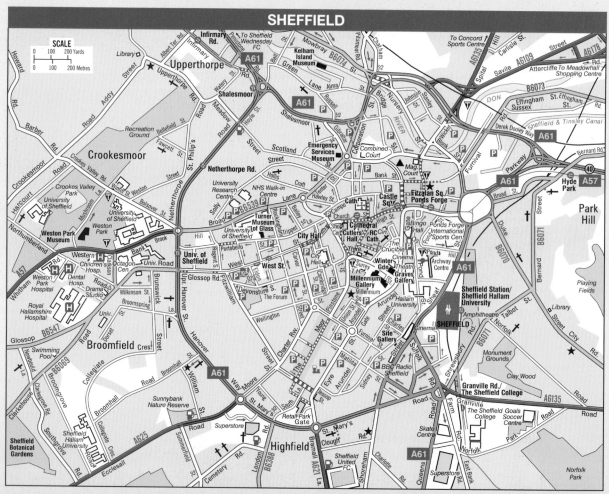

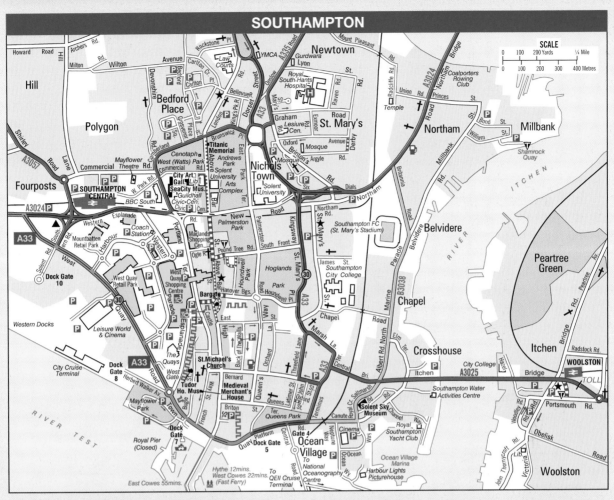

STIRLING

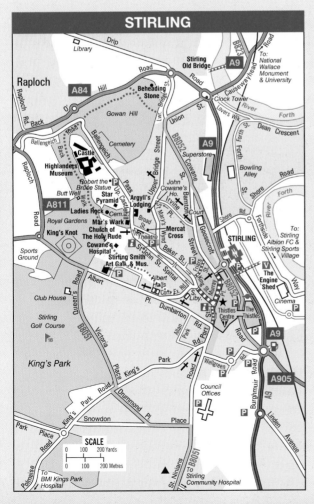

STOKE-ON-TRENT

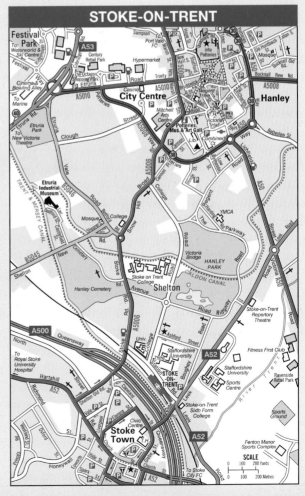

STRATFORD upon AVON

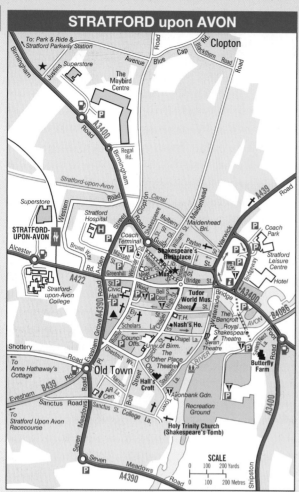

SUNDERLAND

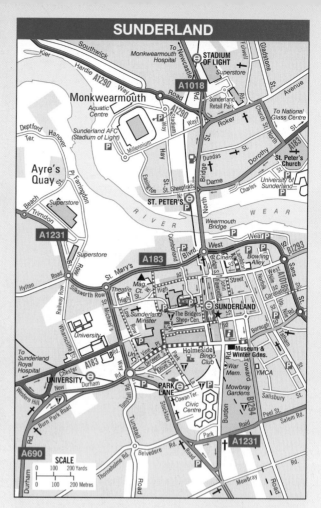

SWANSEA (ABERTAWE)

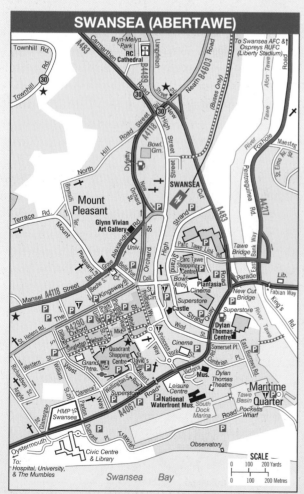

SWINDON

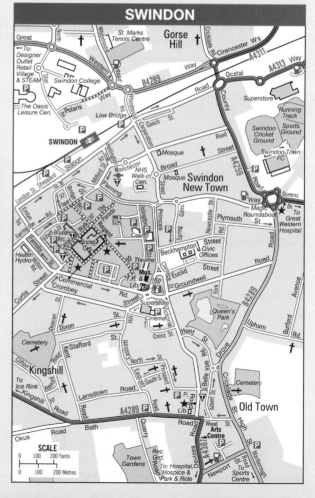

TAUNTON

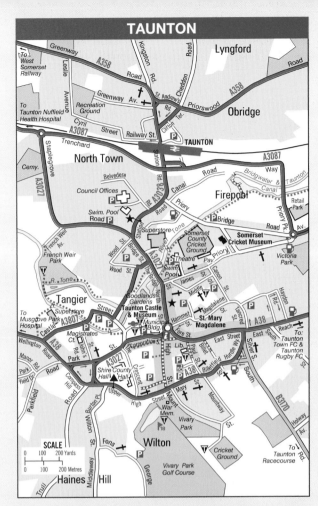

WINCHESTER

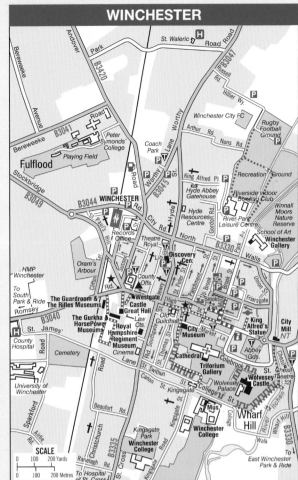

WINDSOR

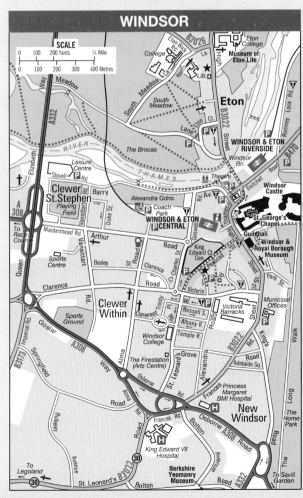

WOLVERHAMPTON

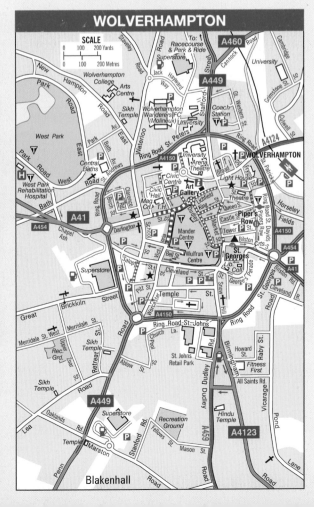

WORCESTER

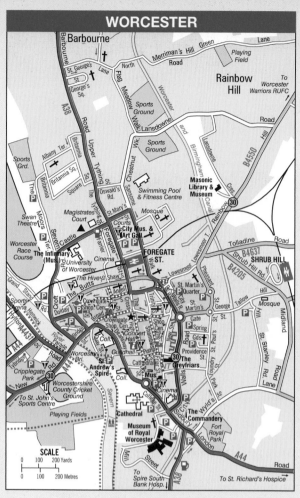

WREXHAM (WRECSAM)

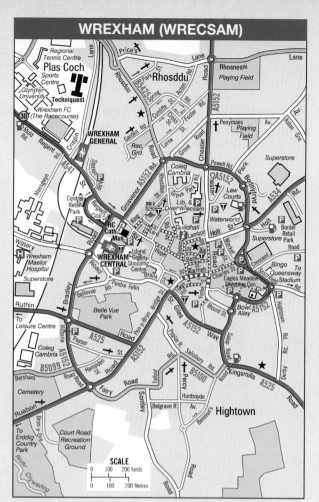

YORK

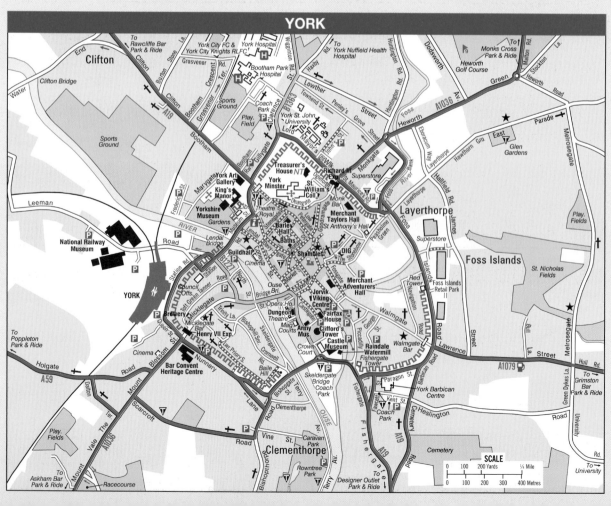

HARWICH

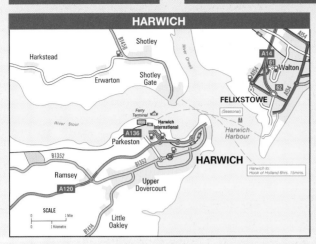

KINGSTON UPON HULL

NEWCASTLE UPON TYNE

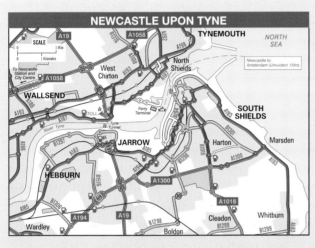

NEWHAVEN

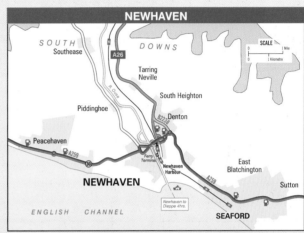

PEMBROKE DOCK (DOC PENFRO)

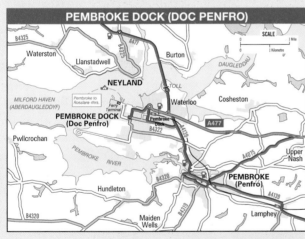

POOLE

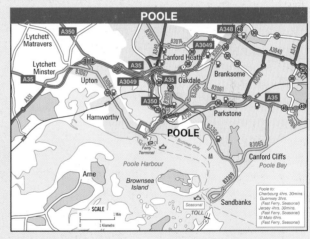

PORTSMOUTH

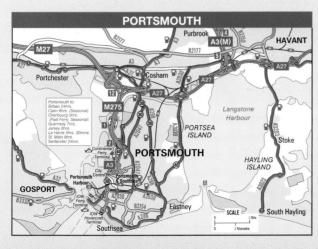

WEYMOUTH

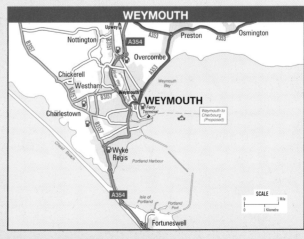

BIRMINGHAM
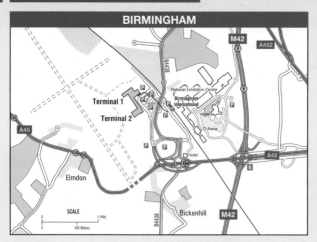

EAST MIDLANDS
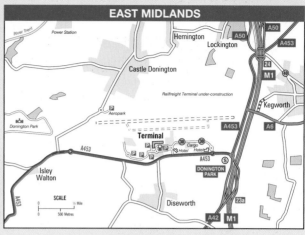

GLASGOW
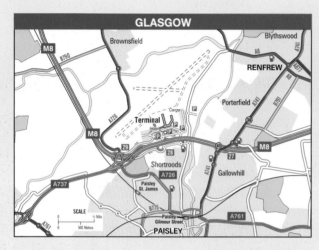

LONDON GATWICK
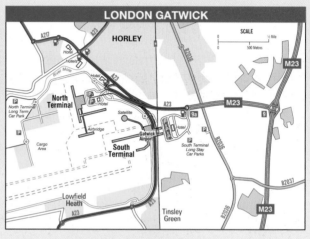

LONDON HEATHROW
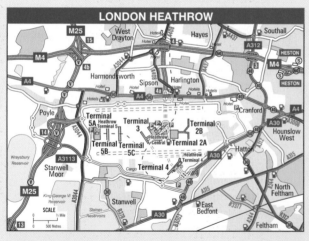

LONDON LUTON
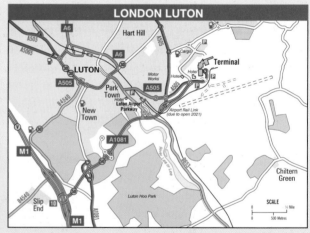

LONDON STANSTED
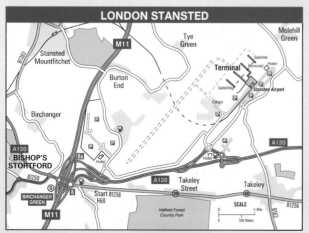

MANCHESTER
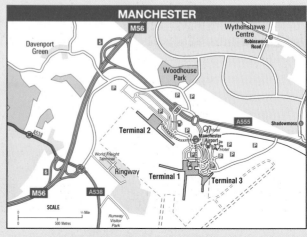

INDEX TO CITIES, TOWNS, VILLAGES, HAMLETS, LOCATIONS, AIRPORTS & PORTS

(1) A strict alphabetical order is used e.g. An Dùnan follows Andreas but precedes Andwell.

(2) The map reference given refers to the actual map square in which the town spot or built-up area is located and not to the place name.

(3) Major towns and destinations are shown in bold, i.e. **Aberdeen.** *Aber* . . . .**187** (3G **153**) Page references for Town Plan entries are shown first.

(4) Where two or more places of the same name occur in the same County or Unitary Authority, the nearest large town is also given; e.g. Achiemore. *High nr. Durness* . . . .2D **166** indicates that Achiemore is located in square 2D on page **166** and is situated near Durness in the Unitary Authority of Highland.

(5) Only one reference is given although due to page overlaps the place may appear on more than one page.

COUNTIES and UNITARY AUTHORITIES with the abbreviations used in this index

Aberdeen : *Aber*
Aberdeenshire : *Abers*
Angus : *Ang*
Argyll & Bute : *Arg*
Bath & N E Somerset : *Bath*
Bedford : *Bed*
Blackburn with Darwen : *Bkbn*
Blackpool : *Bkpl*
Blaenau Gwent : *Blae*
Bournemouth : *Bour*
Bracknell Forest : *Brac*
Bridgend : *B'end*
Brighton & Hove : *Brig*
Bristol : *Bris*
Buckinghamshire : *Buck*
Caerphilly : *Cphy*
Cambridgeshire : *Cambs*
Cardiff : *Card*
Carmarthenshire : *Carm*
Central Bedfordshire : *C Beds*
Ceredigion : *Cdgn*
Cheshire East : *Ches E*
Cheshire West & Chester : *Ches W*
Clackmannanshire : *Clac*
Conwy : *Cnwy*
Cornwall : *Corn*
Cumbria : *Cumb*
Darlington : *Darl*
Denbighshire : *Den*
Derby : *Derb*
Derbyshire : *Derbs*
Devon : *Devn*
Dorset : *Dors*
Dumfries & Galloway : *Dum*
Dundee : *D'dee*
Durham : *Dur*
East Ayrshire : *E Ayr*
East Dunbartonshire : *E Dun*
East Lothian : *E Lot*
East Renfrewshire : *E Ren*
East Riding of Yorkshire : *E Yor*
East Sussex : *E Sus*
Edinburgh : *Edin*
Essex : *Essx*
Falkirk : *Falk*
Fife : *Fife*
Flintshire : *Flin*
Glasgow : *Glas*
Gloucestershire : *Glos*
Greater London : *G Lon*
Greater Manchester : *G Man*
Gwynedd : *Gwyn*
Halton : *Hal*
Hampshire : *Hants*
Hartlepool : *Hart*
Herefordshire : *Here*
Hertfordshire : *Herts*
Highland : *High*
Inverclyde : *Inv*
Isle of Anglesey : *IOA*
Isle of Man : *IOM*
Isle of Wight : *IOW*
Isles of Scilly : *IOS*
Kent : *Kent*
Kingston upon Hull : *Hull*
Lancashire : *Lanc*
Leicester : *Leic*
Leicestershire : *Leics*
Lincolnshire : *Linc*
Luton : *Lutn*
Medway : *Medw*
Merseyside : *Mers*
Merthyr Tydfil : *Mer T*
Middlesbrough : *Midd*
Midlothian : *Midl*
Milton Keynes : *Mil*
Monmouthshire : *Mon*
Moray : *Mor*
Neath Port Talbot : *Neat*
Newport : *Newp*
Norfolk : *Norf*
Northamptonshire : *Nptn*
North Ayrshire : *N Ayr*
North East Lincolnshire : *NE Lin*
North Lanarkshire : *N Lan*
North Lincolnshire : *N Lin*
North Somerset : *N Som*
Northumberland : *Nmbd*
North Yorkshire : *N Yor*
Nottingham : *Nott*
Nottinghamshire : *Notts*
Orkney : *Orkn*
Oxfordshire : *Oxon*
Pembrokeshire : *Pemb*
Perth & Kinross : *Per*
Peterborough : *Pet*
Plymouth : *Plym*
Poole : *Pool*
Portsmouth : *Port*
Powys : *Powy*
Reading : *Read*
Redcar & Cleveland : *Red C*
Renfrewshire : *Ren*
Rhondda Cynon Taff : *Rhon*
Rutland : *Rut*
Scottish Borders : *Bord*
Shetland : *Shet*
Shropshire : *Shrp*
Slough : *Slo*
Somerset : *Som*
Southampton : *Sotn*
South Ayrshire : *S Ayr*
Southend-on-Sea : *S'end*
South Gloucestershire : *S Glo*
South Lanarkshire : *S Lan*
South Yorkshire : *S Yor*
Staffordshire : *Staf*
Stirling : *Stir*
Stockton-on-Tees : *Stoc T*
Stoke-on-Trent : *Stoke*
Suffolk : *Suff*
Surrey : *Surr*
Swansea : *Swan*
Swindon : *Swin*
Telford & Wrekin : *Telf*
Thurrock : *Thur*
Torbay : *Torb*
Torfaen : *Torf*
Tyne & Wear : *Tyne*
Vale of Glamorgan, The : *V Glam*
Warrington : *Warr*
Warwickshire : *Warw*
West Berkshire : *W Ber*
West Dunbartonshire : *W Dun*
Western Isles : *W Isl*
West Lothian : *W Lot*
West Midlands : *W Mid*
West Sussex : *W Sus*
West Yorkshire : *W Yor*
Wiltshire : *Wilts*
Windsor & Maidenhead : *Wind*
Wokingham : *Wok*
Worcestershire : *Worc*
Wrexham : *Wrex*
York : *York*

INDEX

A

Abbas Combe. *Som* 4C **22**
Abberley. *Worc* 4B **60**
Abberley Common. *Worc* 4B **60**
Abberton. *Essx* 4D **54**
Abberton. *Worc* 5D **61**
Abberwick. *Nmbd* 3F **121**
Abbess Roding. *Essx* 4F **53**
Abbey. *Devn* 1E **13**
Abbey-cwm-hir. *Powy* 3C **58**
Abbeydale. *S Yor* 2H **85**
Abbeydale Park. *S Yor* 2H **85**
Abbey Dore. *Here* 2G **47**
Abbey Gate. *Devn* 3F **13**
Abbey Hulton. *Stoke* 1D **72**
Abbey St Bathans. *Bord* 3D **130**
Abbeystead. *Lanc* 4E **97**
Abbeytown. *Cumb* 4C **112**
Abbey Village. *Lanc* 2E **91**
Abbey Wood. *G Lon* 3F **39**
Abbots Bickington. *Devn* 1D **11**
Abbots Bromley. *Staf* 3E **73**
Abbotsbury. *Dors* 4A **14**
Abbotsham. *Devn* 4E **19**
Abbotskerswell. *Devn* 2E **9**
Abbots Langley. *Herts* 5A **52**
Abbots Leigh. *N Som* 4A **34**
Abbotsley. *Cambs* 5B **64**
Abbots Morton. *Worc* 5E **61**
Abbots Ripton. *Cambs* 3B **64**
Abbot's Salford. *Warw* 5E **61**
Abbotstone. *Hants* 3D **24**
Abbots Worthy. *Hants* 3C **24**
Abbotts Ann. *Hants* 2B **24**
Abcott. *Shrp* 3F **59**
Abdon. *Shrp* 2H **59**
Abenhall. *Glos* 4B **48**
Aber. *Cdgn* 1E **45**
Aberaeron. *Cdgn* 4D **56**
Aberafan. *Neat* 3G **31**
Aberaman. *Rhon* 5D **46**
Aberangell. *Gwyn* 4H **69**
Aberarad. *Carm* 1H **43**
Aberarder. *High* 1A **150**
Aberargie. *Per* 2D **136**
Aberarth. *Cdgn* 4D **57**
Aberavon. *Neat* 3G **31**
Aber-banc. *Cdgn* 1D **44**
Aberbargoed. *Cphy* 2E **33**
Aberbechan. *Powy* 1D **58**
Aberbeeg. *Blae* 5F **47**
Aberbowlan. *Carm* 2G **45**
Aberbran. *Powy* 3C **46**
Abercanaid. *Mer T* 5D **46**
Abercarn. *Cphy* 2F **33**
Abercastle. *Pemb* 1C **42**
Abercegir. *Powy* 5H **69**
Aberchalder. *High* 3F **149**
Aberchirder. *Abers* 3D **160**
Aberchwiler. *Den* 4C **82**
Abercorn. *W Lot* 2D **129**
Abercraf. *Powy* 4B **46**
Abercregan. *Neat* 2B **32**
Abercrombie. *Fife* 3H **137**
Abercwmboi. *Rhon* 2D **32**
Abercych. *Pemb* 1C **44**
Abercynon. *Rhon* 2D **32**
Aber-Cywarch. *Gwyn* 4A **70**
Aberdalgie. *Per* 1C **136**
Aberdar. *Rhon* 5C **46**
Aberdare. *Rhon* 5C **46**
Aberdaron. *Gwyn* 3A **68**
Aberdaugleddau. *Pemb* 4D **42**
Aberdeen. *Aber* **187** (3G **153**)
Aberdeen International Airport. *Aber* 2F **153**
Aberdesach. *Gwyn* 5D **80**
Aberdour. *Fife* 1E **129**
Aberdovey. *Gwyn* 1F **57**
Aberdulais. *Neat* 5A **46**
Aberdyfi. *Gwyn* 1F **57**
Aberedw. *Powy* 1D **46**
Abereiddy. *Pemb* 1B **42**
Abererch. *Gwyn* 2C **68**
Aberfan. *Mer T* 5D **46**
Aberfeldy. *Per* 4F **143**
Aberffraw. *IOA* 4C **80**
Aberffrwd. *Cdgn* 3F **57**
Aberford. *W Yor* 1E **93**
Aberfoyle. *Stir* 3E **135**
Abergarw. *B'end* 3C **32**
Abergarwed. *Neat* 5B **46**
Abergavenny. *Mon* 4G **47**
Abergele. *Cnwy* 3B **82**
Aber-Giâr. *Carm* 1F **45**
Abergorlech. *Carm* 2F **45**
Abergwaun. *Pemb* 1D **42**
Abergwesyn. *Powy* 5A **58**
Abergwili. *Carm* 3E **45**
Abergwynfi. *Neat* 2B **32**
Abergwyngregyn. *Gwyn* 3F **81**
Abergynolwyn. *Gwyn* 5F **69**
Aberhafesp. *Powy* 1C **58**
Aberhonddu. *Powy* 3D **46**
Aberhosan. *Powy* 1H **57**
Aberkenfig. *B'end* 3B **32**
Aberlady. *E Lot* 1A **130**
Aberlemno. *Ang* 3E **145**
Aberllefenni. *Gwyn* 5G **69**
Abermaw. *Gwyn* 4F **69**
Abermeurig. *Cdgn* 5E **57**
Aber-miwl. *Powy* 1D **58**
Abermule. *Powy* 1D **58**
Abernant. *Carm* 2H **43**
Abernant. *Rhon* 5D **46**
Abernethy. *Per* 2D **136**
Abernyte. *Per* 5B **144**
Aber-oer. *Wrex* 1E **71**
Aberpennar. *Rhon* 2D **32**
Aberporth. *Cdgn* 5B **56**
Aberriw. *Powy* 5D **70**
Abersoch. *Gwyn* 3C **68**
Abersychan. *Torf* 5F **47**
Abertawe. *Swan* **212** (3F **31**)
Aberteifi. *Cdgn* 1B **44**
Aberthin. *V Glam* 4D **32**
Abertillery. *Blae* 5F **47**
Abertridwr. *Cphy* 3E **32**
Abertridwr. *Powy* 4C **70**
Abertyleri. *Blae* 5F **47**
Abertysswg. *Cphy* 5E **47**
Aberuthven. *Per* 2B **136**
Aber Village. *Powy* 3E **46**
Aberwheeler. *Den* 4C **82**
Aberyscir. *Powy* 3C **46**
Aberystwyth. *Cdgn* **187** (2E **57**)
Abhainn Suidhe. *W Isl* 7C **171**
Abingdon-on-Thames. *Oxon* 2C **36**
Abinger Common. *Surr* 1C **26**
Abinger Hammer. *Surr* 1B **26**
Abington. *S Lan* 2B **118**
Abington Pigotts. *Cambs* 1D **52**
Ab Kettleby. *Leics* 3E **74**
Ab Lench. *Worc* 5E **61**
Ablington. *Glos* 5G **49**
Ablington. *Wilts* 2G **23**
Abney. *Derbs* 3F **85**
Aboyne. *Abers* 4C **152**
Abram. *G Man* 4E **90**
Abriachan. *High* 5H **157**
Abridge. *Essx* 1F **39**
Abronhill. *N Lan* 2A **128**
Abson. *S Glo* 4C **34**
Abthorpe. *Nptn* 1E **51**
Abune-the-Hill. *Orkn* 5B **172**
Aby. *Linc* 3D **88**
Acairseid. *W Isl* 8C **170**
Acaster Malbis. *York* 5H **99**
Acaster Selby. *N Yor* 5H **99**
Accott. *Devn* 3G **19**
Accrington. *Lanc* 2F **91**
Acha. *Arg* 3C **138**
Achachork. *High* 4D **155**
Achadh a' Chuirn. *High* 1E **147**
Achahoish. *Arg* 2F **125**
Achaleven. *Arg* 5D **140**
Achallader. *Arg* 4H **141**
Acha Mor. *W Isl* 5F **171**
Achanalt. *High* 2E **157**
Achandunie. *High* 1A **158**
Ach' an Todhair. *High* 1E **141**
Achany. *High* 3C **164**
Achaphubuil. *High* 1E **141**
Acharacle. *High* 2A **140**
Acharn. *Ang* 1B **144**
Acharn. *Per* 4E **143**
Acharole. *High* 3E **169**
Achateny. *High* 2G **139**
Achavanich. *High* 4D **169**
Achdalieu. *High* 1E **141**
Achduart. *High* 3E **163**
Achentoul. *High* 5A **168**
Achfary. *High* 5C **166**
Achfrish. *High* 2C **164**
Achgarve. *High* 4C **162**
Achiemore. *High*
nr. Durness 2D **166**
nr. Thurso 3A **168**
A' Chill. *High* 3A **146**
Achiltibuie. *High* 3E **163**
Achina. *High* 2H **167**
Achinahuagh. *High* 2F **167**
Achindarroch. *High* 3E **141**
Achinduich. *High* 3C **164**
Achinduin. *Arg* 5C **140**
Achininver. *High* 2F **167**
Achintee. *High* 4B **156**
Achintraid. *High* 5H **155**
Achleck. *Arg* 4F **139**
Achlorachan. *High* 3F **157**
Achluachrach. *High* 5E **149**
Achlyness. *High* 3C **166**
Achmelvich. *High* 1E **163**
Achmony. *High* 5H **157**
Achmore. *High*
nr. Stromeferry 5A **156**
nr. Ullapool 4E **163**
Achnacarnin. *High* 1E **163**
Achnacarry. *High* 5D **148**
Achnaclerach. *High* 2G **157**
Achnacloich. *High* 3D **147**
Ach na Cloiche. *High* 3D **147**
Achnaconeran. *High* 2G **149**
Achnacroish. *Arg* 4C **140**
Achnafalnich. *Arg* 1B **134**
Achnagarron. *High* 1A **158**
Achnagoul. *Arg* 3H **133**
Achnaha. *High* 2F **139**
Achnahanat. *High* 4C **164**
Achnahannet. *High* 1D **151**
Achnairn. *High* 2C **164**
Achnamara. *Arg* 1F **125**
Achnanellan. *High* 5C **148**
Achnasheen. *High* 3D **156**
Achnashellach. *High* 4C **156**
Achosnich. *High* 2F **139**
Achow. *High* 5E **169**
Achranich. *High* 4B **140**
Achreamie. *High* 2C **168**
Achriabhach. *High* 2F **141**
Achriesgill. *High* 3C **166**
Achrimsdale. *High* 3G **165**
Achscrabster. *High* 2C **168**
Achtoty. *High* 2G **167**
Achurch. *Nptn* 2H **63**
Achuvoldrach. *High* 3F **167**
Achvaich. *High* 4E **164**
Achvoan. *High* 3E **165**
Ackenthwaite. *Cumb* 1E **97**
Ackergill. *High* 3F **169**
Ackergillshore. *High* 3F **169**
Acklam. *Midd* 3B **106**
Acklam. *N Yor* 3B **100**
Ackleton. *Shrp* 1B **60**
Acklington. *Nmbd* 4G **121**
Ackton. *W Yor* 2E **93**
Ackworth Moor Top. *W Yor* 3E **93**
Acle. *Norf* 4G **79**
Acocks Green. *W Mid* 2F **61**
Acol. *Kent* 4H **41**
Acomb. *Nmbd* 3C **114**
Acomb. *York* 4H **99**
Aconbury. *Here* 2A **48**
Acre. *G Man* 4H **91**
Acre. *Lanc* 2F **91**
Acrefair. *Wrex* 1E **71**
Acrise. *Kent* 1F **29**
Acton. *Ches E* 5A **84**
Acton. *Dors* 5E **15**
Acton. *G Lon* 2C **38**
Acton. *Shrp* 2F **59**
Acton. *Staf* 1C **72**
Acton. *Suff* 1B **54**
Acton. *Worc* 4C **60**
Acton. *Wrex* 5F **83**
Acton Beauchamp. *Here* 5A **60**
Acton Bridge. *Ches W* 3H **83**
Acton Burnell. *Shrp* 5H **71**
Acton Green. *Here* 5A **60**
Acton Pigott. *Shrp* 5H **71**
Acton Round. *Shrp* 1A **60**
Acton Scott. *Shrp* 2G **59**
Acton Trussell. *Staf* 4D **72**
Acton Turville. *S Glo* 3D **34**
Adabroc. *W Isl* 1H **171**
Adam's Hill. *Worc* 3D **60**
Adbaston. *Staf* 3B **72**
Adber. *Dors* 4B **22**
Adderbury. *Oxon* 2C **50**
Adderley. *Shrp* 2A **72**
Adderstone. *Nmbd* 1F **121**
Addiewell. *W Lot* 3C **128**
Addingham. *W Yor* 5C **98**
Addington. *Buck* 3F **51**
Addington. *G Lon* 4E **39**
Addington. *Kent* 5A **40**
Addinston. *Bord* 4B **130**
Addiscombe. *G Lon* 4E **39**
Addlestone. *Surr* 4B **38**
Addlethorpe. *Linc* 4E **89**
Adeney. *Telf* 4B **72**
Adfa. *Powy* 5C **70**
Adforton. *Here* 3G **59**
Adgestone. *IOW* 4D **16**
Adisham. *Kent* 5G **41**
Adlestrop. *Glos* 3H **49**
Adlingfleet. *E Yor* 2B **94**
Adlington. *Ches E* 2D **84**
Adlington. *Lanc* 3E **90**
Admaston. *Staf* 3E **73**
Admaston. *Telf* 4A **72**
Admington. *Warw* 1H **49**
Adpar. *Cdgn* 1D **44**
Adsborough. *Som* 4F **21**
Adstock. *Buck* 2F **51**
Adstone. *Nptn* 5C **62**
Adversane. *W Sus* 3B **26**
Advie. *High* 5F **159**
Adwalton. *W Yor* 2C **92**
Adwell. *Oxon* 2E **37**
Adwick le Street. *S Yor* 4F **93**
Adwick upon Dearne. *S Yor* 4E **93**
Adziel. *Abers* 3G **161**
Ae. *Dum* 1A **112**
Affleck. *Abers* 1F **153**
Affpuddle. *Dors* 3D **14**
Affric Lodge. *High* 1D **148**
Afon-wen. *Flin* 3D **82**
Agglethorpe. *N Yor* 1C **98**
Aglionby. *Cumb* 4F **113**
Aigburth. *Mers* 2F **83**
Aiginis. *W Isl* 4G **171**
Aike. *E Yor* 5E **101**
Aikers. *Orkn* 8D **172**
Aiketgate. *Cumb* 5F **113**
Aikhead. *Cumb* 5D **112**
Aikton. *Cumb* 4D **112**
Ailey. *Here* 1G **47**
Ailsworth. *Pet* 1A **64**
Ainderby Quernhow. *N Yor* 1F **99**
Ainderby Steeple. *N Yor* 5A **106**
Aingers Green. *Essx* 3E **54**
Ainsdale. *Mers* 3B **90**
Ainsdale-on-Sea. *Mers* 3B **90**
Ainstable. *Cumb* 5G **113**
Ainsworth. *G Man* 3F **91**
Ainthorpe. *N Yor* 4E **107**
Aintree. *Mers* 1F **83**
Aird. *Arg* 3E **133**
Aird. *Dum* 3F **109**
Aird. *High*
nr. Port Henderson 1G **155**
nr. Tarskavaig 3D **147**
Aird, The. *High* 3D **154**
Aird. *W Isl*
on Benbecula 3C **170**
on Isle of Lewis 4H **171**
Àird a Bhasair. *High* 3E **147**
Aird a Mhachair. *W Isl* 4C **170**
Aird a Mhulaidh. *W Isl* 6D **171**
Aird Asaig. *W Isl* 7D **171**
Aird Dhail. *W Isl* 1G **171**
Airdens. *High* 4D **164**
Airdeny. *Arg* 1G **133**
Aird Mhidhinis. *W Isl* 8C **170**
Aird Mhighe. *W Isl*
nr. Ceann a Bhaigh 8D **171**
nr. Fionnsabhagh 9C **171**
Aird Mhor. *W Isl*
on Barra 8C **170**
on South Uist 4D **170**
Airdrie. *N Lan* 3A **128**
Aird Shleibhe. *W Isl* 9D **171**
Aird Thunga. *W Isl* 4G **171**
Aird Uig. *W Isl* 4C **171**
Airedale. *W Yor* 2E **93**
Airidh a Bhruaich. *W Isl* 6E **171**
Airies. *Dum* 3E **109**
Airmyn. *E Yor* 2H **93**
Airntully. *Per* 5H **143**
Airor. *High* 3F **147**
Airth. *Falk* 1C **128**
Airton. *N Yor* 4B **98**
Aisby. *Linc*
nr. Gainsborough 1F **87**
nr. Grantham 2H **75**
Aisgernis. *W Isl* 6C **170**
Aish. *Devn*
nr. Buckfastleigh 2C **8**
nr. Totnes 3E **9**
Aisholt. *Som* 3E **21**
Aiskew. *N Yor* 1E **99**
Aislaby. *N Yor*
nr. Pickering 1B **100**
nr. Whitby 4F **107**
Aislaby. *Stoc T* 3B **106**
Aisthorpe. *Linc* 2G **87**

Aith—Ashbury

Aith. *Shet*
on Fetlar 3H 173
on Mainland 6E 173
Aithsetter. *Shet* 8F 173
Akeld. *Nmbd* 2D 120
Akeley. *Buck* 2F 51
Akenham. *Suff* 1E 55
Albaston. *Corn* 5E 11
Alberbury. *Shrp* 4F 71
Albert Town. *Pemb* 3D 42
Albert Village. *Leics* 4H 73
Albourne. *W Sus* 4D 26
Albrighton. *Shrp*
nr. Shrewsbury 4G 71
nr. Telford 5C 72
Alburgh. *Norf* 2E 67
Albury. *Herts* 3E 53
Albury. *Surr* 1B 26
Albyfield. *Cumb* 4G 113
Alby Hill. *Norf* 2D 78
Alcaig. *High* 3H 157
Alcaston. *Shrp* 2G 59
Alcester. *Warw* 5E 61
Alciston. *E Sus* 5G 27
Alcombe. *Som* 2C 20
Alconbury. *Cambs* 3A 64
Alconbury Weston. *Cambs* 3A 64
Aldborough. *Norf* 2D 78
Aldborough. *N Yor* 3G 99
Aldbourne. *Wilts* 4A 36
Aldbrough. *E Yor* 1F 95
Aldbrough St John. *N Yor* 3F 105
Aldbury. *Herts* 4H 51
Aldcliffe. *Lanc* 3D 96
Aldclune. *Per* 2G 143
Aldeburgh. *Suff* 5G 67
Aldeby. *Norf* 1G 67
Aldenham. *Herts* 1C 38
Alderbury. *Wilts* 4G 23
Aldercar. *Derbs* 1B 74
Alderford. *Norf* 4D 78
Alderholt. *Dors* 1G 15
Alderley. *Glos* 2C 34
Alderley Edge. *Ches E* 3C 84
Aldermaston. *W Ber* 5D 36
Aldermaston Soke. *Hants* 5E 36
Aldermaston Wharf. *W Ber* 5E 36
Alderminster. *Warw* 1H 49
Alder Moor. *Staf* 3G 73
Aldersey Green. *Ches W* 5G 83
Aldershot. *Hants* 1G 25
Alderton. *Glos* 2F 49
Alderton. *Nptn* 1F 51
Alderton. *Shrp* 3G 71
Alderton. *Suff* 1G 55
Alderton. *Wilts* 3D 34
Alderton Fields. *Glos* 2F 49
Alderwasley. *Derbs* 5H 85
Aldfield. *N Yor* 3E 99
Aldford. *Ches W* 5G 83
Aldgate. *Rut* 5G 75
Aldham. *Essx* 3C 54
Aldham. *Suff* 1D 54
Aldingbourne. *W Sus* 5A 26
Aldingham. *Cumb* 2B 96
Aldington. *Kent* 2E 29
Aldington. *Worc* 1F 49
Aldington Frith. *Kent* 2E 29
Aldochlay. *Arg* 4C 134
Aldon. *Shrp* 3G 59
Aldoth. *Cumb* 5C 112
Aldreth. *Cambs* 3D 64
Aldridge. *W Mid* 5E 73
Aldringham. *Suff* 4G 67
Aldsworth. *Glos* 4G 49
Aldsworth. *W Sus* 2F 17
Aldwark. *Derbs* 5G 85
Aldwark. *N Yor* 3G 99
Aldwick. *W Sus* 3H 17
Aldwincle. *Nptn* 2H 63
Aldworth. *W Ber* 4D 36
Alexandria. *W Dun* 1E 127
Aley. *Som* 3E 21
Aley Green. *C Beds* 4A 52
Alfardisworthy. *Devn* 1C 10
Alfington. *Devn* 3E 12
Alfold. *Surr* 2B 26
Alfold Bars. *W Sus* 2B 26
Alfold Crossways. *Surr* 2B 26
Alford. *Abers* 2C 152
Alford. *Linc* 3D 88
Alford. *Som* 3B 22
Alfreton. *Derbs* 5B 86
Alfrick. *Worc* 5B 60
Alfrick Pound. *Worc* 5B 60
Alfriston. *E Sus* 5G 27
Algarkirk. *Linc* 2B 76
Alhampton. *Som* 3B 22
Aline Lodge. *W Isl* 6D 171
Alkborough. *N Lin* 2B 94
Alkerton. *Oxon* 1B 50
Alkham. *Kent* 1G 29
Alkington. *Shrp* 2H 71
Alkmonton. *Derbs* 2F 73
Alladale Lodge. *High* 5B 164
Allaleigh. *Devn* 3E 9
Allanbank. *N Lan* 4B 128
Allanton. *N Lan* 4B 128
Allanton. *Bord* 4E 131
Allaston. *Glos* 5B 48
Allbrook. *Hants* 4C 24
All Cannings. *Wilts* 5F 35
Allendale Town. *Nmbd* 4B 114
Allen End. *Warw* 1F 61
Allenheads. *Nmbd* 5B 114
Allensford. *Dur* 5D 115
Allen's Green. *Herts* 4E 53
Allensmore. *Here* 2H 47
Allenton. *Derb* 2A 74
Aller. *Som* 4H 21
Allerby. *Cumb* 1B 102
Allercombe. *Devn* 3D 12
Allerford. *Som* 2C 20
Allerston. *N Yor* 1C 100
Allerthorpe. *E Yor* 5B 100
Allerton. *Mers* 2G 83
Allerton. *W Yor* 1B 92
Allerton Bywater. *W Yor* 2E 93
Allerton Mauleverer. *N Yor* 4G 99
Allesley. *W Mid* 2G 61
Allestree. *Derb* 2H 73
Allet. *Corn* 4B 6
Allexton. *Leics* 5F 75
Allgreave. *Ches E* 4D 84
Allhallows. *Medw* 3C 40
Allhallows-on-Sea. *Medw* 3C 40
Alligin Shuas. *High* 3H 155
Allimore Green. *Staf* 4C 72
Allington. *Kent* 5B 40
Allington. *Linc* 1F 75
Allington. *Wilts*
nr. Amesbury 3H 23
nr. Devizes 5F 35
Allithwaite. *Cumb* 2C 96
Alloa. *Clac* 4A 136
Allonby. *Cumb* 5B 112
Allostock. *Ches W* 3B 84
Alloway. *S Ayr* 3C 116
Allowenshay. *Som* 1G 13
All Saints South Elmham.
Suff 2F 67
Allscott. *Shrp* 1B 60
Allscott. *Telf* 4A 72
All Stretton. *Shrp* 1G 59
Allt. *Carm* 5F 45
Alltami. *Flin* 4E 83
Alltgobhlach. *N Ayr* 5G 125
Alltmawr. *Powy* 1D 46
Alltnacaillich. *High* 4E 167
Allt na h' Airbhe. *High* 4F 163
Alltour. *High* 5E 148
Alltsigh. *High* 2G 149
Alltwalis. *Carm* 2E 45
Alltwen. *Neat* 5H 45
Alltyblacca. *Cdgn* 1F 45
Allt-y-goed. *Pemb* 1B 44
Almeley. *Here* 5F 59
Almeley Wooton. *Here* 5F 59
Almer. *Dors* 3E 15
Almholme. *S Yor* 4F 93
Almington. *Staf* 2B 72
Alminstone Cross. *Devn* 4D 18
Almodington. *W Sus* 3G 17
Almondbank. *Per* 1C 136
Almondbury. *W Yor* 3B 92
Almondsbury. *S Glo* 3B 34
Alne. *N Yor* 3G 99
Alness. *High* 2A 158
Alnessferry. *High* 2A 158
Alnham. *Nmbd* 3D 121
Alnmouth. *Nmbd* 3G 121
Alnwick. *Nmbd* 3F 121
Alphamstone. *Essx* 2B 54
Alpheton. *Suff* 5A 66
Alphington. *Devn* 3C 12
Alpington. *Norf* 5E 79
Alport. *Derbs* 4G 85
Alport. *Powy* 1E 59
Alpraham. *Ches E* 5H 83
Alresford. *Essx* 3D 54
Alrewas. *Staf* 4F 73
Alsager. *Ches E* 5B 84
Alsagers Bank. *Staf* 1C 72
Alsop en le Dale. *Derbs* 5F 85
Alston. *Cumb* 5A 114
Alston. *Devn* 2G 13
Alstone. *Glos* 2E 49
Alstone. *Som* 2G 21
Alstonefield. *Staf* 5F 85
Alston Sutton. *Som* 1H 21
Alswear. *Devn* 4H 19
Altandhu. *High* 2D 163
Altanduin. *High* 1F 165
Altarnun. *Corn* 4C 10
Altass. *High* 3B 164
Alterwall. *High* 2E 169
Altgaltraig. *Arg* 2B 126
Altham. *Lanc* 1F 91
Althorne. *Essx* 1D 40
Althorpe. *N Lin* 4B 94
Altnabreac. *High* 4C 168
Altnacealgach. *High* 2G 163
Altnafeadh. *High* 3G 141
Altnaharra. *High* 5F 167
Altofts. *W Yor* 2D 93
Alton. *Derbs* 4A 86
Alton. *Hants* 3F 25
Alton. *Staf* 1E 73
Alton Barnes. *Wilts* 5G 35
Altonhill. *E Ayr* 1D 116
Alton Pancras. *Dors* 2C 14
Alton Priors. *Wilts* 5G 35
Altrincham. *G Man* 2B 84
Altrua. *High* 4E 149
Alva. *Clac* 4A 136
Alvanley. *Ches W* 3G 83
Alvaston. *Derb* 2A 74
Alvechurch. *Worc* 3E 61
Alvecote. *Warw* 5G 73
Alvediston. *Wilts* 4E 23
Alveley. *Shrp* 2B 60
Alverdiscott. *Devn* 4F 19
Alverstoke. *Hants* 3D 16
Alverstone. *IOW* 4D 16
Alverthorpe. *W Yor* 2D 92
Alverton. *Notts* 1E 75
Alves. *Mor* 2F 159
Alvescot. *Oxon* 5A 50
Alveston. *S Glo* 3B 34
Alveston. *Warw* 5G 61
Alvie. *High* 3C 150
Alvingham. *Linc* 1C 88
Alvington. *Glos* 5B 48
Alwalton. *Cambs* 1A 64
Alweston. *Dors* 1B 14
Alwington. *Devn* 4E 19
Alwinton. *Nmbd* 4D 120
Alwoodley. *W Yor* 5E 99
Alyth. *Per* 4B 144
Amatnatua. *High* 4B 164
Am Baile. *W Isl* 7C 170
Ambaston. *Derbs* 2B 74
Ambergate. *Derbs* 5H 85
Amber Hill. *Linc* 1B 76
Amberley. *Glos* 5D 48
Amberley. *W Sus* 4B 26
Amble. *Nmbd* 4G 121
Amblecote. *W Mid* 2C 60
Ambler Thorn. *W Yor* 2A 92
Ambleside. *Cumb* 4E 103
Ambleston. *Pemb* 2E 43
Ambrosden. *Oxon* 4E 50
Amcotts. *N Lin* 3B 94
Amersham. *Buck* 1A 38
Amerton. *Staf* 3D 73
Amesbury. *Wilts* 2G 23
Amisfield. *Dum* 1B 112
Amlwch. *IOA* 1D 80
Amlwch Port. *IOA* 1D 80
Ammanford. *Carm* 4G 45
Amotherby. *N Yor* 2B 100
Ampfield. *Hants* 4B 24
Ampleforth. *N Yor* 2H 99
Ampleforth College. *N Yor* 2H 99
Ampney Crucis. *Glos* 5F 49
Ampney St Mary. *Glos* 5F 49
Ampney St Peter. *Glos* 5F 49
Amport. *Hants* 2A 24
Ampthill. *C Beds* 2A 52
Ampton. *Suff* 3A 66
Amroth. *Pemb* 4F 43
Amulree. *Per* 5G 143
Amwell. *Herts* 4B 52
Anaheilt. *High* 2C 140
An Aird. *High* 3D 147
An Camus Darach. *High* 4E 147
Ancaster. *Linc* 1G 75
Anchor. *Shrp* 2D 58
Anchorsholme. *Lanc* 5C 96
Anchor Street. *Norf* 3F 79
An Cnoc. *W Isl* 4G 171
An Cnoc Ard. *W Isl* 1H 171
An Coroghon. *High* 3A 146
Ancroft. *Nmbd* 5G 131
Ancrum. *Bord* 2A 120
Ancton. *W Sus* 5A 26
Anderby. *Linc* 3E 89
Anderby Creek. *Linc* 3E 89
Anderson. *Dors* 3D 15
Anderton. *Ches W* 3A 84
Andertons Mill. *Lanc* 3D 90
Andover. *Hants* 2B 24
Andover Down. *Hants* 2B 24
Andoversford. *Glos* 4F 49
Andreas. *IOM* 2D 108
An Dùnan. *High* 1D 147
Andwell. *Hants* 1E 25
Anelog. *Gwyn* 3A 68
Anfield. *Mers* 1F 83
Angarrack. *Corn* 3C 4
Angelbank. *Shrp* 3H 59
Angersleigh. *Som* 1E 13
Angerton. *Cumb* 4D 112
Angle. *Pemb* 4C 42
An Gleann Ur. *W Isl* 4G 171
Angmering. *W Sus* 5B 26
Angmering-on-Sea. *W Sus* 5B 26
Angram. *N Yor*
nr. Keld 5B 104
nr. York 5H 99
Anick. *Nmbd* 3C 114
Ankerbold. *Derbs* 4A 86
Ankerville. *High* 1C 158
Anlaby. *E Yor* 2D 94
Anlaby Park. *Hull* 2D 94
An Leth Meadhanach. *W Isl* 7C 170
Anmer. *Norf* 3G 77
Anmore. *Hants* 1E 17
Annan. *Dum* 3D 112
Annaside. *Cumb* 1A 96
Annat. *Arg* 1H 133
Annat. *High* 3A 156
Annathill. *N Lan* 2A 128
Anna Valley. *Hants* 2B 24
Annbank. *S Ayr* 2D 116
Annesley. *Notts* 5C 86
Annesley Woodhouse. *Notts* 5C 86
Annfield Plain. *Dur* 4E 115
Annscroft. *Shrp* 5G 71
An Sailean. *High* 2A 140
Ansdell. *Lanc* 2B 90
Ansford. *Som* 3B 22
Ansley. *Warw* 1G 61
Anslow. *Staf* 3G 73
Anslow Gate. *Staf* 3F 73
Ansteadbrook. *Surr* 2A 26
Anstey. *Herts* 2E 53
Anstey. *Leics* 5C 74
Anston. *S Lan* 5D 128
Anstruther Easter. *Fife* 3H 137
Anstruther Wester. *Fife* 3H 137
Ansty. *Warw* 2A 62
Ansty. *W Sus* 3D 27
Ansty. *Wilts* 4E 23
An Taobh Tuath. *W Isl* 1E 170
An t-Aodann Ban. *High* 3C 154
An t Ath Leathann. *High* 1E 147
An Teanga. *High* 3E 147
Anthill Common. *Hants* 1E 17
Anthorn. *Cumb* 4C 112
Antingham. *Norf* 2E 79
An t-Ob. *W Isl* 9C 171
Anton's Gowt. *Linc* 1B 76
Antony. *Corn* 3A 8
An t-Òrd. *High* 2E 147
Antrobus. *Ches W* 3A 84
Anvil Corner. *Devn* 2D 10
Anwick. *Linc* 5A 88
Anwoth. *Dum* 4C 110
Apethorpe. *Nptn* 1H 63
Apeton. *Staf* 4C 72
Apley. *Linc* 3A 88
Apperknowle. *Derbs* 3A 86
Apperley. *Glos* 3D 48
Apperley Dene. *Nmbd* 4D 114
Appersett. *N Yor* 5B 104
Appin. *Arg* 4D 140
Appleby. *N Lin* 3C 94
Appleby-in-Westmorland.
Cumb 2H 103
Appleby Magna. *Leics* 5H 73
Appleby Parva. *Leics* 5H 73
Applecross. *High* 4G 155
Appledore. *Devn*
nr. Bideford 3E 19
nr. Tiverton 1D 12
Appledore. *Kent* 3D 28
Appledore Heath. *Kent* 2D 28
Appleford. *Oxon* 2D 36
Applegarthtown. *Dum* 1C 112
Applemore. *Hants* 2B 16
Appleshaw. *Hants* 2B 24
Applethwaite. *Cumb* 2D 102
Appleton. *Hal* 2H 83
Appleton. *Oxon* 5C 50
Appleton-le-Moors. *N Yor* 1B 100
Appleton-le-Street. *N Yor* 2B 100
Appleton Roebuck. *N Yor* 5H 99
Appleton Thorn. *Warr* 2A 84
Appleton Wiske. *N Yor* 4A 106
Appletree. *Nptn* 1C 50
Appletreehall. *Bord* 3H 119
Appletreewick. *N Yor* 3C 98
Appley. *Som* 4D 20
Appley Bridge. *Lanc* 3D 90
Apse Heath. *IOW* 4D 16
Apsley End. *C Beds* 2B 52
Apuldram. *W Sus* 2G 17
Arabella. *High* 1C 158
Arasaig. *High* 5E 147
Arbeadie. *Abers* 4D 152
Arberth. *Pemb* 3F 43
Arbirlot. *Ang* 4F 145
Arborfield. *Wok* 5F 37
Arborfield Cross. *Wok* 5F 37
Arborfield Garrison. *Wok* 5F 37
Arbourthorne. *S Yor* 2A 86
Arbroath. *Ang* 4F 145
Arbuthnott. *Abers* 1H 145
Arcan. *High* 3H 157
Archargary. *High* 3H 167
Archdeacon Newton. *Darl* 3F 105
Archiestown. *Mor* 4G 159
Arclid. *Ches E* 4B 84
Arclid Green. *Ches E* 4B 84
Ardachu. *High* 3D 164
Ardalanish. *Arg* 2A 132
Ardaneaskan. *High* 5H 155
Ardarroch. *High* 5H 155
Ardbeg. *Arg*
nr. Dunoon 1C 126
on Islay 5C 124
on Isle of Bute 3B 126
Ardcharnich. *High* 5F 163
Ardchiavaig. *Arg* 2A 132
Ardchonnell. *Arg* 2G 133
Ardchrishnish. *Arg* 1B 132
Ardchronie. *High* 5D 164
Ardchullarie. *Stir* 2E 135
Ardchyle. *Stir* 1E 135
Ard-dhubh. *High* 4G 155
Arddleen. *Powy* 4E 71
Arddlîn. *Powy* 4E 71
Ardechive. *High* 4D 148
Ardeley. *Herts* 3D 52
Ardelve. *High* 1A 148
Arden. *Arg* 1E 127
Ardendrain. *High* 5H 157
Arden Hall. *N Yor* 5C 106
Ardens Grafton. *Warw* 5F 61
Ardentinny. *Arg* 1C 126
Ardeonaig. *Stir* 5D 142
Ardersier. *High* 3B 158
Ardery. *High* 2B 140
Ardessie. *High* 5E 163
Ardfern. *Arg* 3F 133
Ardfernal. *Arg* 2D 124
Ardfin. *Arg* 3C 124
Ardgartan. *Arg* 3B 134
Ardgay. *High* 4D 164
Ardgour. *High* 2E 141
Ardheslaig. *High* 3G 155
Ardindrean. *High* 5F 163
Ardingly. *W Sus* 3E 27
Ardington. *Oxon* 3C 36
Ardlamont House. *Arg* 3A 126
Ardleigh. *Essx* 3D 54
Ardler. *Per* 4B 144
Ardley. *Oxon* 3D 50
Ardlui. *Arg* 2C 134
Ardlussa. *Arg* 1E 125
Ardmair. *High* 4F 163
Ardmay. *Arg* 3B 134
Ardminish. *Arg* 5E 125
Ardmolich. *High* 1B 140
Ardmore. *High*
nr. Kinlochbervie 3C 166
nr. Tain 5E 164
Ardnacross. *Arg* 4G 139
Ardnadam. *Arg* 1C 126
Ardnagrask. *High* 4H 157
Ardnamurach. *High* 4G 147
Ardnarff. *High* 5A 156
Ardnastang. *High* 2C 140
Ardoch. *Per* 5H 143
Ardochy House. *High* 3E 148
Ardpatrick. *Arg* 3F 125
Ardrishaig. *Arg* 1G 125
Ardroag. *High* 4B 154
Ardross. *High* 1A 158
Ardrossan. *N Ayr* 5D 126
Ardshealach. *High* 2A 140
Ardsley. *S Yor* 4D 93
Ardslignish. *High* 2G 139
Ardtalla. *Arg* 4C 124
Ardtalnaig. *Per* 5E 142
Ardtoe. *High* 1A 140
Arduaine. *Arg* 2E 133
Ardullie. *High* 2H 157
Ardvasar. *High* 3E 147
Ardvorlich. *Per* 1F 135
Ardwell. *Dum* 5G 109
Ardwell. *Mor* 5A 160
Arean. *High* 1A 140
Areley Common. *Worc* 3C 60
Areley Kings. *Worc* 3C 60
Arford. *Hants* 3G 25
Argoed. *Cphy* 2E 33
Argoed Mill. *Powy* 4B 58
Aridhglas. *Arg* 2B 132
Arinacrinachd. *High* 3G 155
Arinagour. *Arg* 3D 138
Arisaig. *High* 5E 147
Ariundle. *High* 2C 140
Arivegaig. *High* 2A 140
Arkendale. *N Yor* 3F 99
Arkesden. *Essx* 2E 53
Arkholme. *Lanc* 2E 97
Arkle Town. *N Yor* 4D 104
Arkley. *G Lon* 1D 38
Arksey. *S Yor* 4F 93
Arkwright Town. *Derbs* 3B 86
Arlecdon. *Cumb* 3B 102
Arlescote. *Warw* 1B 50
Arlesey. *C Beds* 2B 52
Arleston. *Telf* 4A 72
Arley. *Ches E* 2A 84
Arlingham. *Glos* 4C 48
Arlington. *Devn* 2G 19
Arlington. *E Sus* 5G 27
Arlington. *Glos* 5G 49
Arlington Beccott. *Devn* 2G 19
Armadail. *High* 3E 147
Armadale. *High*
nr. Isleornsay 3E 147
nr. Strathy 2H 167
Armadale. *W Lot* 3C 128
Armathwaite. *Cumb* 5G 113
Arminghall. *Norf* 5E 79
Armitage. *Staf* 4E 73
Armitage Bridge. *W Yor* 3B 92
Armley. *W Yor* 1C 92
Arms, The. *Norf* 1A 66
Armscote. *Warw* 1H 49
Armston. *Nptn* 2H 63
Armthorpe. *S Yor* 4G 93
Arncliffe. *N Yor* 2B 98
Arncliffe Cote. *N Yor* 2B 98
Arncroach. *Fife* 3H 137
Arne. *Dors* 4E 15
Arnesby. *Leics* 1D 62
Arnicle. *Arg* 2B 122
Arnisdale. *High* 2G 147
Arnish. *High* 4E 155
Arniston. *Midl* 3G 129
Arnol. *W Isl* 3F 171
Arnold. *E Yor* 5F 101
Arnold. *Notts* 1C 74
Arnprior. *Stir* 4F 135
Arnside. *Cumb* 2D 96
Aros Mains. *Arg* 4G 139
Arpafeelie. *High* 3A 158
Arrad Foot. *Cumb* 1C 96
Arram. *E Yor* 5E 101
Arras. *E Yor* 5D 100
Arrathorne. *N Yor* 5E 105
Arreton. *IOW* 4D 16
Arrington. *Cambs* 5C 64
Arrochar. *Arg* 3B 134
Arrow. *Warw* 5E 61
Arscaig. *High* 2C 164
Artafallie. *High* 4A 158
Arthington. *W Yor* 5E 99
Arthingworth. *Nptn* 2E 63
Arthog. *Gwyn* 4F 69
Arthrath. *Abers* 5G 161
Arthurstone. *Per* 4B 144
Artington. *Surr* 1A 26
Arundel. *W Sus* 5B 26
Asby. *Cumb* 2B 102
Ascog. *Arg* 3C 126
Ascot. *Wind* 4A 38
Ascott-under-Wychwood.
Oxon 4B 50
Asenby. *N Yor* 2F 99
Asfordby. *Leics* 4E 74
Asfordby Hill. *Leics* 4E 74
Asgarby. *Linc*
nr. Horncastle 4C 88
nr. Sleaford 1A 76
Ash. *Devn* 4E 9
Ash. *Dors* 1D 14
Ash. *Kent*
nr. Sandwich 5G 41
nr. Swanley 4H 39
Ash. *Som* 4H 21
Ash. *Surr* 1G 25
Ashampstead. *W Ber* 4D 36
Ashbocking. *Suff* 5D 66
Ashbourne. *Derbs* 1F 73
Ashbrittle. *Som* 4D 20
Ashbrook. *Shrp* 1G 59
Ashburton. *Devn* 2D 8
Ashbury. *Devn* 3F 11
Ashbury. *Oxon* 3A 36

Ashby. N Lin 4B 94
Ashby by Partney. Linc 4D 88
Ashby cum Fenby. NE Lin 4F 95
Ashby de la Launde. Linc 5H 87
Ashby-de-la-Zouch. Leics 4A 74
Ashby Folville. Leics 4E 74
Ashby Magna. Leics 1C 62
Ashby Parva. Leics 2C 62
Ashby Puerorum. Linc 3C 88
Ashby St Ledgars. Nptn 4C 62
Ashby St Mary. Norf 5F 79
Ashchurch. Glos 2E 49
Ashcombe. Devn 5C 12
Ashcott. Som 3H 21
Ashdon. Essx 1F 53
Ashe. Hants 2D 24
Asheldham. Essx 5C 54
Ashen. Essx 1H 53
Ashendon. Buck 4F 51
Ashey. IOW 4D 16
Ashfield. Hants 1B 16
Ashfield. Here 3A 48
Ashfield. Shrp 2H 59
Ashfield. Stir 3G 135
Ashfield. Suff 4E 66
Ashfield Green. Suff 3E 67
Ashfold Crossways. W Sus 3D 26
Ashford. Devn
nr. Barnstaple 3F 19
nr. Kingsbridge 4C 8
Ashford. Hants 1G 15
Ashford. Kent 1E 28
Ashford. Surr 3B 38
Ashford Bowdler. Shrp 3H 59
Ashford Carbonel. Shrp 3H 59
Ashford Hill. Hants 5D 36
Ashford in the Water. Derbs 4F 85
Ashgill. S Lan 5A 128
Ash Green. Warw 2H 61
Ashgrove. Mor 2G 159
Ashill. Devn 1D 12
Ashill. Norf 5A 78
Ashill. Som 1G 13
Ashingdon. Essx 1C 40
Ashington. Nmbd 1F 115
Ashington. W Sus 4C 26
Ashkirk. Bord 2G 119
Ashleworth. Glos 3D 48
Ashley. Cambs 4F 65
Ashley. Ches E 2B 84
Ashley. Dors 2G 15
Ashley. Glos 2E 35
Ashley. Hants
nr. New Milton 3A 16
nr. Winchester 3B 24
Ashley. Kent 1H 29
Ashley. Nptn 1E 63
Ashley. Staf 2B 72
Ashley. Wilts 5D 34
Ashley Green. Buck 5H 51
Ashley Heath. Dors 2G 15
Ashley Heath. Staf 2B 72
Ashley Moor. Here 4G 59
Ash Magna. Shrp 2H 71
Ashmanhaugh. Norf 3F 79
Ashmansworth. Hants 1C 24
Ashmansworthy. Devn 1D 10
Ashmead Green. Glos 2C 34
Ash Mill. Devn 4A 20
Ashmill. Devn 3D 11
Ashmore. Dors 1E 15
Ashmore Green. W Ber 5D 36
Ashorne. Warw 5H 61
Ashover. Derbs 4A 86
Ashow. Warw 3H 61
Ash Parva. Shrp 2H 71
Ashperton. Here 1B 48
Ashprington. Devn 3E 9
Ash Priors. Som 4E 21
Ashreigney. Devn 1G 11
Ash Street. Suff 1D 54
Ashtead. Surr 5C 38
Ash Thomas. Devn 1D 12
Ashton. Corn 4D 4
Ashton. Here 4H 59
Ashton. Inv 2D 126
Ashton. Nptn
nr. Oundle 2H 63
nr. Roade 1F 51
Ashton. Pet 5A 76
Ashton Common. Wilts 1D 23
Ashton Hayes. Ches W 4H 83
Ashton-in-Makerfield. G Man 1H 83
Ashton Keynes. Wilts 2F 35
Ashton under Hill. Worc 2E 49
Ashton-under-Lyne. G Man 1D 84
Ashton upon Mersey. G Man 1B 84
Ashurst. Hants 1B 16
Ashurst. Kent 2G 27
Ashurst. Lanc 4C 90
Ashurst. W Sus 4C 26
Ashurst Wood. W Sus 2F 27
Ash Vale. Surr 1G 25
Ashwater. Devn 3D 11
Ashwell. Herts 2C 52
Ashwell. Rut 4F 75
Ashwellthorpe. Norf 1D 66
Ashwick. Som 2B 22
Ashwicken. Norf 4G 77
Ashwood. Staf 2C 60
Askam in Furness. Cumb 2B 96
Askern. S Yor 3F 93
Askerswell. Dors 3A 14
Askett. Buck 5G 51
Askham. Cumb 2G 103
Askham. Notts 3E 87
Askham Bryan. York 5H 99
Askham Richard. York 5H 99
Askrigg. N Yor 5C 104
Askwith. N Yor 5D 98
Aslackby. Linc 2H 75
Aslacton. Norf 1D 66
Aslockton. Notts 1E 75
Aspatria. Cumb 5C 112
Aspenden. Herts 3D 52
Asperton. Linc 2B 76
Aspley Guise. C Beds 2H 51
Aspley Heath. C Beds 2H 51
Aspull. G Man 4E 90
Asselby. E Yor 2H 93
Assington. Suff 2C 54
Assington Green. Suff 5G 65
Astbury. Ches E 4C 84
Astcote. Nptn 5D 62
Asterby. Linc 3B 88
Asterley. Shrp 5F 71
Asterton. Shrp 1F 59
Asthall. Oxon 4A 50
Asthall Leigh. Oxon 4B 50
Astle. High 4E 165
Astley. G Man 4F 91
Astley. Shrp 4H 71
Astley. Warw 2H 61
Astley. Worc 4B 60
Astley Abbotts. Shrp 1B 60
Astley Bridge. G Man 3F 91
Astley Cross. Worc 4C 60
Aston. Ches E 1A 72
Aston. Ches W 3H 83
Aston. Derbs
nr. Hope 2F 85
nr. Sudbury 2F 73
Aston. Flin 4F 83
Aston. Here 4G 59
Aston. Herts 3C 52
Aston. Oxon 5B 50
Aston. Shrp
nr. Bridgnorth 1C 60
nr. Wem 3H 71
Aston. S Yor 2B 86
Aston. Staf 1B 72
Aston. Telf 5A 72
Aston. W Mid 1E 61
Aston. Wok 3F 37
Aston Abbotts. Buck 3G 51
Aston Botterell. Shrp 2A 60
Aston-by-Stone. Staf 2D 72
Aston Cantlow. Warw 5F 61
Aston Clinton. Buck 4G 51
Aston Crews. Here 3B 48
Aston Cross. Glos 2E 49
Aston End. Herts 3C 52
Aston Eyre. Shrp 1A 60
Aston Fields. Worc 4D 60
Aston Flamville. Leics 1B 62
Aston Ingham. Here 3B 48
Aston juxta Mondrum. Ches E 5A 84
Astonlane. Shrp 1A 60
Aston le Walls. Nptn 5B 62
Aston Magna. Glos 2G 49
Aston Munslow. Shrp 2H 59
Aston on Carrant. Glos 2E 49
Aston on Clun. Shrp 2F 59
Aston-on-Trent. Derbs 3B 74
Aston Pigott. Shrp 5F 71
Aston Rogers. Shrp 5F 71
Aston Rowant. Oxon 2F 37
Aston Sandford. Buck 5F 51
Aston Somerville. Worc 2F 49
Aston Subedge. Glos 1G 49
Aston Tirrold. Oxon 3D 36
Aston Upthorpe. Oxon 3D 36
Astrop. Nptn 2D 50
Astwick. C Beds 2C 52
Astwood. Mil 1H 51
Astwood Bank. Worc 4E 61
Aswarby. Linc 2H 75
Aswardby. Linc 3C 88
Atcham. Shrp 5H 71
Atch Lench. Worc 5E 61
Athelhampton. Dors 3C 14
Athelington. Suff 3E 66
Athelney. Som 4G 21
Athelstaneford. E Lot 2B 130
Atherfield Green. IOW 5C 16
Atherington. Devn 4F 19
Atherington. W Sus 5B 26
Athersley. S Yor 4D 92
Atherstone. Warw 1H 61
Atherstone on Stour. Warw 5G 61
Atherton. G Man 4E 91
Ath-Tharracail. High 2A 140
Atlow. Derbs 1G 73
Attadale. High 5B 156
Attenborough. Notts 2C 74
Atterby. Linc 1G 87
Atterley. Shrp 1A 60
Atterton. Leics 1A 62
Attleborough. Norf 1C 66
Attleborough. Warw 1A 62
Attlebridge. Norf 4D 78
Atwick. E Yor 4F 101
Atworth. Wilts 5D 34
Auberrow. Here 1H 47
Aubourn. Linc 4G 87
Aucharnie. Abers 4D 160
Auchattie. Abers 4D 152
Auchavan. Ang 2A 144
Auchbreck. Mor 1G 151
Auchenback. E Ren 4G 127
Auchenblae. Abers 1G 145
Auchenbrack. Dum 5G 117
Auchenbreck. Arg 1B 126
Auchencairn. Dum
nr. Dalbeattie 4E 111
nr. Dumfries 1A 112
Auchencarroch. W Dun 1F 127
Auchencrow. Bord 3E 131
Auchendennan. Arg 1E 127
Auchendinny. Midl 3F 129
Auchengray. S Lan 4C 128
Auchenhalrig. Mor 2A 160
Auchenheath. S Lan 5B 128
Auchenlochan. Arg 2A 126
Auchenmade. N Ayr 5E 127
Auchenmalg. Dum 4H 109
Auchentiber. N Ayr 5E 127
Auchenvennel. Arg 1D 126
Auchindrain. Arg 3H 133
Auchininna. Abers 4D 160
Auchinleck. Dum 2B 110
Auchinleck. E Ayr 2E 117
Auchinloch. N Lan 2H 127
Auchinstarry. N Lan 2A 128
Auchleven. Abers 1D 152
Auchlochan. S Lan 1H 117
Auchlunachan. High 5F 163
Auchmillan. E Ayr 2E 117
Auchmithie. Ang 4F 145
Auchmuirbridge. Fife 3E 136
Auchmull. Ang 1E 145
Auchnacree. Ang 2D 144
Auchnafree. Per 5F 143
Auchnagallin. High 5E 159
Auchnagatt. Abers 4G 161
Aucholzie. Abers 4H 151
Auchreddie. Abers 4F 161
Auchterarder. Per 2B 136
Auchteraw. High 3F 149
Auchterderran. Fife 4E 136
Auchterhouse. Ang 5C 144
Auchtermuchty. Fife 2E 137
Auchterneed. High 3G 157
Auchtertool. Fife 4E 136
Auchtertyre. High 1G 147
Auchtubh. Stir 1E 135
Auckengill. High 2F 169
Auckley. S Yor 4G 93
Audenshaw. G Man 1D 84
Audlem. Ches E 1A 72
Audley. Staf 5B 84
Audley End. Essx 2F 53
Audmore. Staf 3C 72
Auds. Abers 2D 160
Aughertree. Cumb 1D 102
Aughton. E Yor 1H 93
Aughton. Lanc
nr. Lancaster 3E 97
nr. Ormskirk 4B 90
Aughton. S Yor 2B 86
Aughton. Wilts 1H 23
Aughton Park. Lanc 4C 90
Auldearn. High 3D 158
Aulden. Here 5G 59
Auldgirth. Dum 1G 111
Auldhouse. S Lan 4H 127
Ault a' chruinn. High 1B 148
Aultbea. High 5C 162
Aultdearg. High 2E 157
Aultgrishan. High 5B 162
Aultguish Inn. High 1F 157
Ault Hucknall. Derbs 4B 86
Aultibea. High 1H 165
Aultiphurst. High 2A 168
Aultivullin. High 2A 168
Aultmore. Mor 3B 160
Aultnamain Inn. High 5D 164
Aunby. Linc 4H 75
Aunsby. Linc 2H 75
Aust. S Glo 3A 34
Austerfield. S Yor 1D 86
Austin Fen. Linc 1C 88
Austrey. Warw 5G 73
Austwick. N Yor 3G 97
Authorpe. Linc 2D 88
Authorpe Row. Linc 3E 89
Avebury. Wilts 5G 35
Avebury Trusloe. Wilts 5F 35
Aveley. Thur 2G 39
Avening. Glos 2D 35
Averham. Notts 5E 87
Aveton Gifford. Devn 4C 8
Avielochan. High 2D 150
Aviemore. High 2C 150
Avington. Hants 3D 24
Avoch. High 3B 158
Avon. Hants 3G 15
Avonbridge. Falk 2C 128
Avon Dassett. Warw 5B 62
Avonmouth. Bris 4A 34
Avonwick. Devn 3D 8
Awbridge. Hants 4B 24
Awliscombe. Devn 2E 13
Awre. Glos 5C 48
Awsworth. Notts 1B 74
Axbridge. Som 1H 21
Axford. Hants 2E 24
Axford. Wilts 5H 35
Axminster. Devn 3G 13
Axmouth. Devn 3F 13
Aycliffe Village. Dur 2F 105
Aydon. Nmbd 3D 114
Aykley Heads. Dur 5F 115
Aylburton. Glos 5B 48
Aylburton Common. Glos 5B 48
Ayle. Nmbd 5A 114
Aylesbeare. Devn 3D 12
Aylesbury. Buck 4G 51
Aylesby. NE Lin 4F 95
Aylescott. Devn 1G 11
Aylesford. Kent 5B 40
Aylesham. Kent 5G 41
Aylestone. Leic 5C 74
Aylmerton. Norf 2D 78
Aylsham. Norf 3D 78
Aylton. Here 2B 48
Aylworth. Glos 3G 49
Aymestrey. Here 4G 59
Aynho. Nptn 2D 50
Ayot Green. Herts 4C 52
Ayot St Lawrence. Herts 4B 52
Ayot St Peter. Herts 4C 52
Ayr. S Ayr 187 (2C 116)
Ayres of Selivoe. Shet 7D 173
Ayreville. Torb 2E 9
Aysgarth. N Yor 1C 98
Ayshford. Devn 1D 12
Ayside. Cumb 1C 96
Ayston. Rut 5F 75
Ayton. Bord 3F 131
Aywick. Shet 3G 173
Azerley. N Yor 2E 99

B

Babbacombe. Torb 2F 9
Babbinswood. Shrp 2F 71
Babbs Green. Herts 4D 53
Babcary. Som 4A 22
Babel. Carm 2B 46
Babell. Flin 3D 82
Babingley. Norf 3F 77
Bablock Hythe. Oxon 5C 50
Babraham. Cambs 5E 65
Babworth. Notts 2D 86
Bac. W Isl 3G 171
Bachau. IOA 2D 80
Bacheldre. Powy 1E 59
Bachymbyd Fawr. Den 4C 82
Backaland. Orkn 4E 172
Backaskaill. Orkn 2D 172
Backbarrow. Cumb 1C 96
Backe. Carm 3G 43
Backfolds. Abers 3H 161
Backford. Ches W 3G 83
Backhill. Abers 5E 161
Backhill of Clackriach.
Abers 4G 161
Backies. High 3F 165
Backmuir of New Gilston.
Fife 3G 137
Back of Keppoch. High 5E 147
Back Street. Suff 5G 65
Backwell. N Som 5H 33
Backworth. Tyne 2G 115
Bacon End. Essx 4G 53
Baconsthorpe. Norf 2D 78
Bacton. Here 2G 47
Bacton. Norf 2F 79
Bacton. Suff 4C 66
Bacton Green. Norf 2F 79
Bacup. Lanc 2G 91
Badachonacher. High 1A 158
Badachro. High 1G 155
Badanloch Lodge. High 5H 167
Badavanich. High 3D 156
Badbury. Swin 3G 35
Badby. Nptn 5C 62
Badcall. High 3C 166
Badcaul. High 4E 163
Baddeley Green. Stoke 5D 84
Baddesley Clinton. W Mid 3G 61
Baddesley Ensor. Warw 1G 61
Baddidarach. High 1E 163
Baddoch. Abers 5F 151
Badenscallie. High 3E 163
Badenscoth. Abers 5E 160
Badentarbat. High 2E 163
Badgall. Corn 4C 10
Badgers Mount. Kent 4F 39
Badgeworth. Glos 4E 49
Badgworth. Som 1G 21
Badicaul. High 1F 147
Badingham. Suff 4F 67
Badlesmere. Kent 5E 40
Badlipster. High 4E 169
Badluarach. High 4D 163
Badminton. S Glo 3D 34
Badnaban. High 1E 163
Badnabay. High 4C 166
Badnagie. High 5D 168
Badnellan. High 3F 165
Badninish. High 4E 165
Badrallach. High 4E 163
Badsey. Worc 1F 49
Badshot Lea. Surr 2G 25
Badsworth. W Yor 3E 93
Badwell Ash. Suff 4B 66
Bae Cinmel. Cnwy 2B 82
Bae Colwyn. Cnwy 3A 82
Bae Penrhyn. Cnwy 2H 81
Bagby. N Yor 1G 99
Bag Enderby. Linc 3C 88
Bagendon. Glos 5F 49
Bagginswood. Shrp 2A 60
Bàgh a Chàise. W Isl 1E 170
Bàgh a' Chaisteil. W Isl 9B 170
Bagham. Kent 5E 41
Baghasdal. W Isl 7C 170
Bagh Mor. W Isl 3D 170
Bagh Shiarabhagh. W Isl 8C 170
Bagillt. Flin 3E 82
Baginton. Warw 3H 61
Baglan. Neat 2A 32
Bagley. Shrp 3G 71
Bagley. Som 2H 21
Bagnall. Staf 5D 84
Bagnor. W Ber 5C 36
Bagshot. Surr 4A 38
Bagshot. Wilts 5B 36
Bagstone. S Glo 3B 34
Bagthorpe. Norf 2G 77
Bagthorpe. Notts 5B 86
Bagworth. Leics 5B 74
Bagwy Llydiart. Here 3H 47
Baildon. W Yor 1B 92
Baildon Green. W Yor 1B 92
Baile. W Isl 1E 170
Baile Ailein. W Isl 5E 171
Baile an Truiseil. W Isl 2F 171
Baile Boidheach. Arg 2F 125
Baile Glas. W Isl 3D 170
Bailemeonach. Arg 4A 140
Baile Mhanaich. W Isl 3C 170
Baile Mhartainn. W Isl 1C 170
Baile MhicPhail. W Isl 1D 170
Baile Mór. Arg 2A 132
Baile Mor. W Isl 2C 170
Baile nan Cailleach. W Isl 3C 170
Baile Raghaill. W Isl 2C 170
Bailey Green. Hants 4E 25
Baileyhead. Cumb 1G 113
Bailiesward. Abers 5B 160
Bail' Iochdrach. W Isl 3D 170
Baillieston. Glas 3H 127
Bailrigg. Lanc 4D 97
Bail Uachdraich. W Isl 2D 170
Bail' Ur Tholastaidh. W Isl 3H 171
Bainbridge. N Yor 5C 104
Bainsford. Falk 1B 128
Bainshole. Abers 5D 160
Bainton. E Yor 4D 100
Bainton. Oxon 3D 50
Bainton. Pet 5H 75
Baintown. Fife 3F 137
Baker Street. Thur 2H 39
Bakewell. Derbs 4G 85
Bala. Gwyn 2B 70
Y Bala. Gwyn 2B 70
Balachuirn. High 4E 155
Balbeg. High
nr. Cannich 5G 157
nr. Loch Ness 1G 149
Balbeggie. Per 1D 136
Balblair. High
nr. Bonar Bridge 4C 164
nr. Invergordon 2B 158
nr. Inverness 4H 157
Balby. S Yor 4F 93
Balcathie. Ang 5F 145
Balchladich. High 1E 163
Balchraggan. High 4H 157
Balchrick. High 3B 166
Balcombe. W Sus 2E 27
Balcombe Lane. W Sus 2E 27
Balcurvie. Fife 3F 137
Baldersby. N Yor 2F 99
Baldersby St James. N Yor 2F 99
Balderstone. Lanc 1E 91
Balderton. Ches W 4F 83
Balderton. Notts 5F 87
Baldinnie. Fife 2G 137
Baldock. Herts 2C 52
Baldrine. IOM 3D 108
Baldslow. E Sus 4C 28
Baldwin. IOM 3C 108
Baldwinholme. Cumb 4E 113
Baldwin's Gate. Staf 2B 72
Bale. Norf 2C 78
Balearn. Abers 3H 161
Balemartine. Arg 4A 138
Balephetrish. Arg 4B 138
Balephuil. Arg 4A 138
Balerno. Edin 3E 129
Balevullin. Arg 4A 138
Balfield. Ang 2E 145
Balfour. Orkn 6D 172
Balfron. Stir 1G 127
Balgaveny. Abers 4D 160
Balgonar. Fife 4C 136
Balgowan. High 4A 150
Balgown. High 2C 154
Balgrochan. E Dun 2H 127
Balgy. High 3H 155
Balhalgardy. Abers 1E 153
Baliasta. Shet 1H 173
Baligill. High 2A 168
Balintore. Ang 3B 144
Balintore. High 1C 158
Balintraid. High 1B 158
Balk. N Yor 1G 99
Balkeerie. Ang 4C 144
Balkholme. E Yor 2A 94
Ball. Shrp 3F 71
Ballabeg. IOM 4B 108
Ballacannell. IOM 3D 108
Ballacarnane Beg. IOM 3C 108
Ballachulish. High 3E 141
Ballagyr. IOM 3B 108
Ballajora. IOM 2D 108
Ballaleigh. IOM 3C 108
Ballamodha. IOM 4B 108
Ballantrae. S Ayr 1F 109
Ballards Gore. Essx 1D 40
Ballasalla. IOM
nr. Castletown 4B 108
nr. Kirk Michael 2C 108
Ballater. Abers 4A 152
Ballaugh. IOM 2C 108
Ballencrieff. E Lot 2A 130
Ballencrieff Toll. W Lot 2C 128
Ballentoul. Per 2F 143
Ball Hill. Hants 5C 36
Ballidon. Derbs 5G 85
Balliemore. Arg
nr. Dunoon 1B 126
nr. Oban 1F 133
Ballieward. High 5E 159
Ballig. IOM 3B 108
Ballimore. Stir 2E 135
Ballingdon. Suff 1B 54
Ballinger Common. Buck 5H 51
Ballingham. Here 2A 48
Ballingry. Fife 4D 136
Ballinluig. Per 3G 143
Ballintuim. Per 3A 144
Balliveolan. Arg 4C 140
Balloan. High 3C 164
Balloch. High 4B 158
Balloch. N Lan 2A 128
Balloch. Per 2H 135
Balloch. W Dun 1E 127
Ballochan. Abers 4C 152
Ballochgoy. Arg 3B 126

Ballochmyle—Bellerby

Ballochmyle. E Ayr 2E 117
Ballochroy. Arg 4F 125
Balls Cross. W Sus 3A 26
Ball's Green. E Sus 2F 27
Ballygown. Arg 4F 139
Ballygrant. Arg 3B 124
Ballymichael. N Ayr 2D 122
Balmacara. High 1G 147
Balmaclellan. Dum 2D 110
Balmacqueen. High 1D 154
Balmaha. Stir 4D 134
Balmalcolm. Fife 3F 137
Balmalloch. N Lan 2A 128
Balmeanach. High 5E 155
Balmedie. Abers 2G 153
Balmerino. Fife 1F 137
Balmerlawn. Hants 2B 16
Balmore. E Dun 2H 127
Balmore. High 4B 154
Balmullo. Fife 1G 137
Balmurrie. Dum 3H 109
Balnaboth. Ang 2C 144
Balnabruaich. High 1B 158
Balnabruich. High 5D 168
Balnacoil. High 2F 165
Balnacra. High 4B 156
Balnacroft. Abers 4G 151
Balnageith. Mor 3E 159
Balnaglaic. High 5G 157
Balnagrantach. High 5G 157
Balnaguard. Per 3G 143
Balnahard. Arg 4B 132
Balnain. High 5G 157
Balnakeil. High 2D 166
Balnaknock. High 2D 154
Balnamoon. Abers 3G 161
Balnamoon. Ang 2E 145
Balnapaling. High 2B 158
Balornock. Glas 3H 127
Balquhidder. Stir 1E 135
Balsall. W Mid 3G 61
Balsall Common. W Mid 3G 61
Balscote. Oxon 1B 50
Balsham. Cambs 5E 65
Balstonia. Thur 2A 40
Baltasound. Shet 1H 173
Balterley. Staf 5B 84
Baltersan. Dum 3B 110
Balthangie. Abers 3F 161
Baltonsborough. Som 3A 22
Balvaird. High 3H 157
Balvaird. Per 2D 136
Balvenie. Mor 4H 159
Balvicar. Arg 2E 133
Balvraid. High 2G 147
Balvraid Lodge. High 5C 158
Bamber Bridge. Lanc 2D 90
Bamber's Green. Essx 3F 53
Bamburgh. Nmbd 1F 121
Bamford. Derbs 2G 85
Bamfurlong. G Man 4D 90
Bampton. Cumb 3G 103
Bampton. Devn 4C 20
Bampton. Oxon 5B 50
Bampton Grange. Cumb 3G 103
Banavie. High 1F 141
Banbury. Oxon 1C 50
Bancffosfelen. Carm 4E 45
Banchory. Abers 4D 152
Banchory-Devenick. Abers 3G 153
Bancycapel. Carm 4E 45
Bancyfelin. Carm 3H 43
Banc-y-ffordd. Carm 2E 45
Banff. Abers 2D 160
Bangor. Gwyn 3E 81
Bangor-is-y-coed. Wrex 1F 71
Bangors. Corn 3C 10
Bangor's Green. Lanc 4B 90
Banham. Norf 2C 66
Bank, The. Ches E 5C 84
Bank. Hants 2A 16
Bank, The. Shrp 1A 60
Bankend. Dum 3B 112
Bankfoot. Per 5H 143
Bankglen. E Ayr 3F 117
Bankhead. Aber 2F 153
Bankhead. Abers 3D 152
Bankhead. S Lan 5B 128
Bankland. Som 4G 21
Bank Newton. N Yor 4B 98
Banknock. Falk 2A 128
Banks. Cumb 3G 113
Banks. Lanc 2B 90
Bankshill. Dum 1C 112
Bank Street. Worc 4A 60
Bank Top. Lanc 4D 90
Banners Gate. W Mid 1E 61
Banningham. Norf 3E 78
Banniskirk. High 3D 168
Bannister Green. Essx 3G 53
Bannockburn. Stir 4H 135
Banstead. Surr 5D 38
Bantham. Devn 4C 8
Banton. N Lan 2A 128
Banwell. N Som 1G 21
Banyard's Green. Suff 3F 67
Bapchild. Kent 4D 40
Bapton. Wilts 3E 23
Barabhas. W Isl 2F 171
Barabhas Iarach. W Isl 3F 171
Baramore. High 1A 140
Barassie. S Ayr 1C 116
Baravullin. Arg 4D 140
Barbaraville. High 1B 158
Barber Booth. Derbs 2F 85
Barber Green. Cumb 1C 96
Barbhas Uarach. W Isl 2F 171
Barbieston. S Ayr 3D 116
Barbon. Cumb 1F 97
Barbourne. Worc 5C 60
Barbridge. Ches E 5A 84
Barbrook. Devn 2H 19
Barby. Nptn 3C 62
Barby Nortoft. Nptn 3C 62
Barcaldine. Arg 4D 140
Barcheston. Warw 2A 50
Barclose. Cumb 3F 113
Barcombe. E Sus 4F 27
Barcombe Cross. E Sus 4F 27
Barden. N Yor 5E 105
Barden Scale. N Yor 4C 98
Bardfield End Green. Essx 2G 53
Bardfield Saling. Essx 3G 53
Bardister. Shet 4E 173
Bardnabeinne. High 4E 164
Bardney. Linc 4A 88
Bardon. Leics 4B 74
Bardon Mill. Nmbd 3A 114
Bardowie. E Dun 2G 127
Bardrainney. Inv 2E 127
Bardsea. Cumb 2C 96
Bardsey. W Yor 5F 99
Bardsley. G Man 4H 91
Bardwell. Suff 3B 66
Bare. Lanc 3D 96
Barelees. Nmbd 1C 120
Barewood. Here 5F 59
Barford. Hants 3G 25
Barford. Norf 5D 78
Barford. Warw 4G 61
Barford St John. Oxon 2C 50
Barford St Martin. Wilts 3F 23
Barford St Michael. Oxon 2C 50
Barfrestone. Kent 5G 41
Bargeddie. N Lan 3H 127
Bargod. Cphy 2E 33
Bargoed. Cphy 2E 33
Bargrennan. Dum 2A 110
Barham. Cambs 3A 64
Barham. Kent 5G 41
Barham. Suff 5D 66
Barharrow. Dum 4D 110
Bar Hill. Cambs 4C 64
Barholm. Linc 4H 75
Barkby. Leics 5D 74
Barkestone-le-Vale. Leics 2E 75
Barkham. Wok 5F 37
Barking. G Lon 2F 39
Barking. Suff 5C 66
Barkingside. G Lon 2F 39
Barking Tye. Suff 5C 66
Barkisland. W Yor 3A 92
Barkston. Linc 1G 75
Barkston Ash. N Yor 1E 93
Barkway. Herts 2D 53
Barlanark. Glas 3H 127
Barlaston. Staf 2C 72
Barlavington. W Sus 4A 26
Barlborough. Derbs 3B 86
Barlby. N Yor 1G 93
Barlestone. Leics 5B 74
Barley. Herts 2D 53
Barley. Lanc 5H 97
Barley Mow. Tyne 4F 115
Barleythorpe. Rut 5F 75
Barling. Essx 2D 40
Barlings. Linc 3H 87
Barlow. Derbs 3H 85
Barlow. N Yor 2G 93
Barlow. Tyne 3E 115
Barmby Moor. E Yor 5B 100
Barmby on the Marsh. E Yor 2G 93
Barmer. Norf 2H 77
Barming. Kent 5B 40
Barming Heath. Kent 5B 40
Barmoor. Nmbd 1E 121
Barmouth. Gwyn 4F 69
Barmpton. Darl 3A 106
Barmston. E Yor 4F 101
Barmulloch. Glas 3H 127
Barnack. Pet 5H 75
Barnacle. Warw 2A 62
Barnard Castle. Dur 3D 104
Barnard Gate. Oxon 4C 50
Barnardiston. Suff 1H 53
Barnbarroch. Dum 4F 111
Barnburgh. S Yor 4E 93
Barnby. Suff 2G 67
Barnby Dun. S Yor 4G 93
Barnby in the Willows. Notts 5F 87
Barnby Moor. Notts 2D 86
Barnes. G Lon 3D 38
Barnes Street. Kent 1H 27
Barnet. G Lon 1D 38
Barnetby le Wold. N Lin 4D 94
Barney. Norf 2B 78
Barnham. Suff 3A 66
Barnham. W Sus 5A 26
Barnham Broom. Norf 5C 78
Barnhead. Ang 3F 145
Barnhill. D'dee 5D 145
Barnhill. Mor 3F 159
Barnhill. Per 1D 136
Barnhills. Dum 2E 109
Barningham. Dur 3D 105
Barningham. Suff 3B 66
Barnoldby le Beck. NE Lin 4F 95
Barnoldswick. Lanc 5A 98
Barns Green. W Sus 3C 26
Barnsley. Glos 5F 49
Barnsley. Shrp 1B 60
Barnsley. S Yor 4D 92
Barnstaple. Devn 3F 19
Barnston. Essx 4G 53
Barnston. Mers 2E 83
Barnstone. Notts 2E 75
Barnt Green. Worc 3E 61
Barnton. Ches W 3A 84
Barnwell. Cambs 5D 64
Barnwell. Nptn 2H 63
Barnwood. Glos 4D 48
Barons Cross. Here 5G 59
Barony, The. Orkn 5B 172
Barr. Dum 4G 117
Barr. S Ayr 5B 116
Barra Airport. W Isl 8B 170
Barrachan. Dum 5A 110
Barraglom. W Isl 4D 171
Barrahormid. Arg 1F 125
Barrapol. Arg 4A 138
Barrasford. Nmbd 2C 114
Barravullin. Arg 3F 133
Barregarrow. IOM 3C 108
Barrhead. E Ren 4G 127
Barrhill. S Ayr 1H 109
Barri. V Glam 5E 32
Barrington. Cambs 1D 53
Barrington. Som 1G 13
Barripper. Corn 3D 4
Barrmill. N Ayr 4E 127
Barrock. High 1E 169
Barrow. Lanc 1F 91
Barrow. Rut 4F 75
Barrow. Shrp 5A 72
Barrow. Som 3C 22
Barrow. Suff 4G 65
Barroway Drove. Norf 5E 77
Barrow Bridge. G Man 3E 49
Barrowburn. Nmbd 3C 120
Barrowby. Linc 2F 75
Barrowcliff. N Yor 1E 101
Barrow Common. N Som 5A 34
Barrowden. Rut 5G 75
Barrowford. Lanc 1G 91
Barrow Gurney. N Som 5A 34
Barrow Haven. N Lin 2D 94
Barrow Hill. Derbs 3B 86
Barrow-in-Furness. Cumb 3B 96
Barrow Nook. Lanc 4C 90
Barrows Green. Cumb 1E 97
Barrow's Green. Hal 2H 83
Barrow Street. Wilts 3D 22
Barrow upon Humber. N Lin 2D 94
Barrow upon Soar. Leics 4C 74
Barrow upon Trent. Derbs 3A 74
Barry. Ang 5E 145
Barry. V Glam 5E 32
Barry Island. V Glam 5E 32
Barsby. Leics 4D 74
Barsham. Suff 2F 67
Barston. W Mid 3G 61
Bartestree. Here 1A 48
Barthol Chapel. Abers 5F 161
Bartholomew Green. Essx 3H 53
Barthomley. Ches E 5B 84
Bartley. Hants 1B 16
Bartley Green. W Mid 2E 61
Bartlow. Cambs 1F 53
Barton. Cambs 5D 64
Barton. Ches W 5G 83
Barton. Cumb 2F 103
Barton. Glos 3G 49
Barton. IOW 4D 16
Barton. Lanc
nr. Ormskirk 4B 90
nr. Preston 1D 90
Barton. N Som 1G 21
Barton. N Yor 4F 105
Barton. Oxon 5D 50
Barton. Torb 2F 9
Barton. Warw 5F 61
Barton Bendish. Norf 5G 77
Barton Gate. Staf 4F 73
Barton Green. Staf 4F 73
Barton Hartshorn. Buck 2E 51
Barton Hill. N Yor 3B 100
Barton in Fabis. Notts 2C 74
Barton in the Beans. Leics 5A 74
Barton-le-Clay. C Beds 2A 52
Barton-le-Street. N Yor 2B 100
Barton-le-Willows. N Yor 3B 100
Barton Mills. Suff 3G 65
Barton on Sea. Hants 3H 15
Barton-on-the-Heath. Warw 2A 50
Barton St David. Som 3A 22
Barton Seagrave. Nptn 3F 63
Barton Stacey. Hants 2C 24
Barton Town. Devn 2G 19
Barton Turf. Norf 3F 79
Barton-Under-Needwood. Staf 4F 73
Barton-upon-Humber. N Lin 2D 94
Barton Waterside. N Lin 2D 94
Barugh Green. S Yor 4D 92
Barway. Cambs 3E 65
Barwell. Leics 1B 62
Barwick. Herts 4D 53
Barwick. Som 1A 14
Barwick in Elmet. W Yor 1D 93
Baschurch. Shrp 3G 71
Bascote. Warw 4B 62
Basford Green. Staf 5D 85
Bashall Eaves. Lanc 5F 97
Bashall Town. Lanc 5G 97
Bashley. Hants 3H 15
Basildon. Essx 2B 40
Basingstoke. Hants 1E 25
Baslow. Derbs 3G 85
Bason Bridge. Som 2G 21
Bassaleg. Newp 3F 33
Bassendean. Bord 5C 130
Bassenthwaite. Cumb 1D 102
Bassett. Sotn 1C 16
Bassingbourn. Cambs 1D 52
Bassingfield. Notts 2D 74
Bassingham. Linc 4G 87
Bassingthorpe. Linc 3G 75
Bassus Green. Herts 3D 52
Basta. Shet 2G 173
Baston. Linc 4A 76
Bastonford. Worc 5C 60
Bastwick. Norf 4G 79
Batchley. Worc 4E 61
Batchworth. Herts 1B 38
Batcombe. Dors 2B 14
Batcombe. Som 3B 22
Bate Heath. Ches E 3A 84
Bath. Bath 187 (5C 34)
Bathampton. Bath 5C 34
Bathealton. Som 4D 20
Batheaston. Bath 5C 34
Bathford. Bath 5C 34
Bathgate. W Lot 3C 128
Bathley. Notts 5E 87
Bathpool. Corn 5C 10
Bathpool. Som 4F 21
Bathville. W Lot 3C 128
Bathway. Som 1A 22
Batley. W Yor 2C 92
Batsford. Glos 2G 49
Batson. Devn 5D 8
Battersby. N Yor 4C 106
Battersea. G Lon 3D 39
Battisborough Cross. Devn 4C 8
Battisford. Suff 5C 66
Battisford Tye. Suff 5C 66
Battle. E Sus 4B 28
Battle. Powy 2D 46
Battleborough. Som 1G 21
Battledown. Glos 3E 49
Battlefield. Shrp 4H 71
Battlesbridge. Essx 1B 40
Battlesden. C Beds 3H 51
Battlesea Green. Suff 3E 66
Battleton. Som 4C 20
Battram. Leics 5B 74
Battramsley. Hants 3B 16
Batt's Corner. Surr 2G 25
Bauds of Cullen. Mor 2B 160
Baugh. Arg 4B 138
Baughton. Worc 1D 49
Baughurst. Hants 5D 36
Baulking. Oxon 2B 36
Baumber. Linc 3B 88
Baunton. Glos 5F 49
Baverstock. Wilts 3F 23
Bawburgh. Norf 5D 78
Bawdeswell. Norf 3C 78
Bawdrip. Som 3G 21
Bawdsey. Suff 1G 55
Bawsey. Norf 4F 77
Bawtry. S Yor 1D 86
Baxenden. Lanc 2F 91
Baxterley. Warw 1G 61
Baxter's Green. Suff 5G 65
Bay. High 3B 154
Baybridge. Hants 4D 24
Baybridge. Nmbd 4C 114
Baycliff. Cumb 2B 96
Baydon. Wilts 4A 36
Bayford. Herts 5D 52
Bayford. Som 4C 22
Bayles. Cumb 5A 114
Baylham. Suff 5D 66
Baynard's Green. Oxon 3D 50
Bayston Hill. Shrp 5G 71
Baythorne End. Essx 1H 53
Baythorpe. Linc 1B 76
Bayton. Worc 3A 60
Bayton Common. Worc 3B 60
Bayworth. Oxon 5D 50
Beach. S Glo 4C 34
Beachampton. Buck 2F 51
Beachamwell. Norf 5G 77
Beachley. Glos 2A 34
Beacon. Devn 2E 13
Beacon End. Essx 3C 54
Beacon Hill. Surr 3G 25
Beacon's Bottom. Buck 2F 37
Beaconsfield. Buck 1A 38
Beacrabhaic. W Isl 8D 171
Beadlam. N Yor 1A 100
Beadnell. Nmbd 2G 121
Beaford. Devn 1F 11
Beal. Nmbd 5G 131
Beal. N Yor 2F 93
Bealsmill. Corn 5D 10
Beam Hill. Staf 3G 73
Beamhurst. Staf 2E 73
Beaminster. Dors 2H 13
Beamish. Dur 4F 115
Beamond End. Buck 1A 38
Beamsley. N Yor 4C 98
Bean. Kent 3G 39
Beanacre. Wilts 5E 35
Beanley. Nmbd 3E 121
Beaquoy. Orkn 5C 172
Beardwood. Bkbn 2E 91
Beare Green. Surr 1C 26
Bearley. Warw 4F 61
Bearpark. Dur 5F 115
Bearsbridge. Nmbd 4A 114
Bearsden. E Dun 2G 127
Bearsted. Kent 5B 40
Bearstone. Shrp 2B 72
Bearwood. Pool 3F 15
Bearwood. W Mid 2E 61
Beattock. Dum 4C 118
Beauchamp Roding. Essx 4F 53
Beauchief. S Yor 2H 85
Beaufort. Blae 4E 47
Beaulieu. Hants 2B 16
Beauly. High 4H 157
Beaumaris. IOA 3F 81
Beaumont. Cumb 4E 113
Beaumont. Essx 3E 55
Beaumont Hill. Darl 3F 105
Beaumont Leys. Leic 5C 74
Beausale. Warw 3G 61
Beauvale. Notts 1B 74
Beauworth. Hants 4D 24
Beaworthy. Devn 3E 11
Beazley End. Essx 3H 53
Bebington. Mers 2F 83
Bebside. Nmbd 1F 115
Beccles. Suff 2G 67
Becconsall. Lanc 2C 90
Beckbury. Shrp 5B 72
Beckenham. G Lon 4E 39
Beckermet. Cumb 4B 102
Beckett End. Norf 1G 65
Beck Foot. Cumb 5H 103
Beckfoot. Cumb
nr. Broughton in Furness 1A 96
nr. Seascale 4C 102
nr. Silloth 5B 112
Beckford. Worc 2E 49
Beckhampton. Wilts 5F 35
Beck Hole. N Yor 4F 107
Beckingham. Linc 5F 87
Beckingham. Notts 1E 87
Beckington. Som 1D 22
Beckley. E Sus 3C 28
Beckley. Hants 3H 15
Beckley. Oxon 4D 50
Beck Row. Suff 3F 65
Beck Side. Cumb
nr. Cartmel 1C 96
nr. Ulverston 1B 96
Beckside. Cumb 1F 97
Beckton. G Lon 2F 39
Beckwithshaw. N Yor 4E 99
Becontree. G Lon 2F 39
Bedale. N Yor 1E 99
Bedburn. Dur 1E 105
Bedchester. Dors 1D 14
Beddau. Rhon 3D 32
Beddgelert. Gwyn 1E 69
Beddingham. E Sus 5F 27
Beddington. G Lon 4E 39
Bedfield. Suff 4E 66
Bedford. Bed 188 (1A 52)
Bedford. G Man 1A 84
Bedham. W Sus 3B 26
Bedhampton. Hants 2F 17
Bedingfield. Suff 4D 66
Bedingham Green. Norf 1E 67
Bedlam. N Yor 3E 99
Bedlar's Green. Essx 3F 53
Bedlington. Nmbd 1F 115
Bedlinog. Mer T 5D 46
Bedminster. Bris 4A 34
Bedmond. Herts 5A 52
Bednall. Staf 4D 72
Bedrule. Bord 3A 120
Bedstone. Shrp 3F 59
Bedwas. Cphy 3E 33
Bedwellty. Cphy 5E 47
Bedworth. Warw 2A 62
Beeby. Leics 5D 74
Beech. Hants 3E 25
Beech. Staf 2C 72
Beechcliffe. W Yor 5C 98
Beech Hill. W Ber 5E 37
Beechingstoke. Wilts 1F 23
Beedon. W Ber 4C 36
Beeford. E Yor 4F 101
Beeley. Derbs 4G 85
Beelsby. NE Lin 4F 95
Beenham. W Ber 5D 36
Beeny. Corn 3B 10
Beer. Devn 4F 13
Beer. Som 3H 21
Beercrocombe. Som 4G 21
Beer Hackett. Dors 1B 14
Beesands. Devn 4E 9
Beesby. Linc 2D 88
Beeson. Devn 4E 9
Beeston. C Beds 1B 52
Beeston. Ches W 5H 83
Beeston. Norf 4B 78
Beeston. Notts 2C 74
Beeston. W Yor 1C 92
Beeston Regis. Norf 1D 78
Beeswing. Dum 3F 111
Beetham. Cumb 2D 97
Beetham. Som 1F 13
Beetley. Norf 4B 78
Beffcote. Staf 4C 72
Began. Card 3F 33
Begbroke. Oxon 4C 50
Begdale. Cambs 5D 76
Begelly. Pemb 4F 43
Beggar Hill. Essx 5G 53
Beggar's Bush. Powy 4E 59
Beggearn Huish. Som 3D 20
Beguildy. Powy 3D 58
Beighton. Norf 5F 79
Beighton. S Yor 2B 86
Beighton Hill. Derbs 5G 85
Beinn Casgro. W Isl 5G 171
Beith. N Ayr 4E 127
Bekesbourne. Kent 5F 41
Belaugh. Norf 4E 79
Belbroughton. Worc 3D 60
Belchalwell. Dors 2C 14
Belchalwell Street. Dors 2C 14
Belchamp Otten. Essx 1B 54
Belchamp St Paul. Essx 1A 54
Belchamp Walter. Essx 1B 54
Belchford. Linc 3B 88
Belfatton. Abers 3H 161
Belford. Nmbd 1F 121
Belgrano. Cnwy 3B 82
Belhaven. E Lot 2C 130
Belhelvie. Abers 2G 153
Belhinnie. Abers 1B 152
Bellabeg. Abers 2A 152
Belladrum. High 4H 157
Bellamore. S Ayr 1H 109
Bellanoch. Arg 4F 133
Bell Busk. N Yor 4B 98
Belleau. Linc 3D 88
Belleheiglash. Mor 5F 159
Bell End. Worc 3D 60
Bellerby. N Yor 5E 105

Blackwater—Bradford Abbas

Blackwater. *Corn* 4B 6
Blackwater. *Hants* 1G 25
Blackwater. *IOW* 4D 16
Blackwater. *Som* 1F 13
Blackwaterfoot. *N Ayr* 3C 122
Blackwell. *Darl* 3F 105
Blackwell. *Derbs*
nr. Alfreton 5B 86
nr. Buxton 3F 85
Blackwell. *Som* 4D 20
Blackwell. *Warw* 1H 49
Blackwell. *Worc* 3D 61
Blackwood. *Cphy* 2E 33
Blackwood. *Dum* 1G 111
Blackwood. *S Lan* 5A 128
Blackwood Hill. *Staf* 5D 84
Blacon. *Ches W* 4F 83
Bladnoch. *Dum* 4B 110
Bladon. *Oxon* 4C 50
Blaenannerch. *Cdgn* 1C 44
Blaenau Dolwyddelan. *Cnwy* 5F 81
Blaenau Ffestiniog. *Gwyn* 1G 69
Blaenavon. *Torf* 5F 47
Blaenawey. *Mon* 4F 47
Blaen Celyn. *Cdgn* 5C 56
Blaen Clydach. *Rhon* 2C 32
Blaencwm. *Rhon* 2C 32
Blaendulais. *Neat* 5B 46
Blaenffos. *Pemb* 1F 43
Blaengarw. *B'end* 2C 32
Blaen-geuffordd. *Cdgn* 2F 57
Blaengwrach. *Neat* 5B 46
Blaengwynfi. *Neat* 2B 32
Blaenllechau. *Rhon* 2C 32
Blaenpennal. *Cdgn* 4F 57
Blaenplwyf. *Cdgn* 3E 57
Blaenporth. *Cdgn* 1C 44
Blaenrhondda. *Rhon* 5C 46
Blaenwaun. *Carm* 2G 43
Blaen-y-coed. *Carm* 2H 43
Blagdon. *N Som* 1A 22
Blagdon. *Torb* 2E 9
Blagdon Hill. *Som* 1F 13
Blagill. *Cumb* 5A 114
Blaguegate. *Lanc* 4C 90
Blaich. *High* 1E 141
Blain. *High* 2A 140
Blaina. *Blae* 5F 47
Blair Atholl. *Per* 2F 143
Blair Drummond. *Stir* 4G 135
Blairgowrie. *Per* 4A 144
Blairhall. *Fife* 1D 128
Blairingone. *Per* 4B 136
Blairlogie. *Stir* 4H 135
Blairmore. *Abers* 5B 160
Blairmore. *Arg* 1C 126
Blairmore. *High* 3B 166
Blairquhanan. *W Dun* 1F 127
Blaisdon. *Glos* 4C 48
Blakebrook. *Worc* 3C 60
Blakedown. *Worc* 3C 60
Blake End. *Essx* 3H 53
Blakemere. *Here* 1G 47
Blakeney. *Glos* 5B 48
Blakeney. *Norf* 1C 78
Blakenhall. *Ches E* 1B 72
Blakeshall. *Worc* 2C 60
Blakesley. *Nptn* 5D 62
Blanchland. *Nmbd* 4C 114
Blandford Camp. *Dors* 2E 15
Blandford Forum. *Dors* 2D 15
Blandford St Mary. *Dors* 2D 15
Bland Hill. *N Yor* 4E 98
Blandy. *High* 2G 167
Blanefield. *Stir* 2G 127
Blankney. *Linc* 4H 87
Blantyre. *S Lan* 4H 127
Blarmachfoldach. *High* 2E 141
Blarnalearoch. *High* 4F 163
Blashford. *Hants* 2G 15
Blaston. *Leics* 1F 63
Blatchbridge. *Som* 2C 22
Blathaisbhal. *W Isl* 1D 170
Blatherwycke. *Nptn* 1G 63
Blawith. *Cumb* 1B 96
Blaxhall. *Suff* 5F 67
Blaxton. *S Yor* 4G 93
Blaydon. *Tyne* 3E 115
Bleadney. *Som* 2H 21
Bleadon. *N Som* 1G 21
Blean. *Kent* 4F 41
Bleasby. *Linc* 2A 88
Bleasby. *Notts* 1E 74
Bleasby Moor. *Linc* 2A 88
Blebocraigs. *Fife* 2G 137
Bleddfa. *Powy* 4E 58
Bledington. *Glos* 3H 49
Bledlow. *Buck* 5F 51
Bledlow Ridge. *Buck* 2F 37
Blencarn. *Cumb* 1H 103
Blencogo. *Cumb* 5C 112
Blendworth. *Hants* 1F 17
Blennerhasset. *Cumb* 5C 112
Bletchingdon. *Oxon* 4D 50
Bletchingley. *Surr* 5E 39
Bletchley. *Mil* 2G 51
Bletchley. *Shrp* 2A 72
Bletherston. *Pemb* 2E 43
Bletsoe. *Bed* 5H 63
Blewbury. *Oxon* 3D 36
Blickling. *Norf* 3D 78
Blidworth. *Notts* 5C 86
Blindburn. *Nmbd* 3C 120
Blindcrake. *Cumb* 1C 102
Blindley Heath. *Surr* 1E 27
Blindmoor. *Som* 1F 13
Blisland. *Corn* 5B 10
Blissford. *Hants* 1G 15
Bliss Gate. *Worc* 3B 60
Blists Hill. *Telf* 5A 72
Blisworth. *Nptn* 5E 63
Blithbury. *Staf* 3E 73
Blitterlees. *Cumb* 4C 112
Blockley. *Glos* 2G 49
Blofield. *Norf* 5F 79
Blofield Heath. *Norf* 4F 79
Blo' Norton. *Norf* 3C 66
Bloomfield. *Bord* 2H 119
Blore. *Staf* 1F 73
Blount's Green. *Staf* 2E 73
Bloxham. *Oxon* 2C 50
Bloxholm. *Linc* 5H 87
Bloxwich. *W Mid* 5D 73
Bloxworth. *Dors* 3D 15
Blubberhouses. *N Yor* 4D 98
Blue Anchor. *Som* 2D 20
Blue Anchor. *Swan* 3E 31
Blue Bell Hill. *Kent* 4B 40
Blue Row. *Essx* 4D 54
Bluetown. *Kent* 5D 40
Blundeston. *Suff* 1H 67
Blunham. *C Beds* 5A 64
Blunsdon St Andrew. *Swin* 3G 35
Bluntington. *Worc* 3C 60
Bluntisham. *Cambs* 3C 64
Blunts. *Corn* 2H 7
Blurton. *Stoke* 1C 72
Blyborough. *Linc* 1G 87
Blyford. *Suff* 3G 67
Blymhill. *Staf* 4C 72
Blymhill Lawns. *Staf* 4C 72
Blyth. *Nmbd* 1G 115
Blyth. *Notts* 2D 86
Blyth. *Bord* 5E 129
Blyth Bank. *Bord* 5E 129
Blyth Bridge. *Bord* 5E 129
Blythburgh. *Suff* 3G 67
Blythe, The. *Staf* 3E 73
Blythe Bridge. *Staf* 1D 72
Blythe Marsh. *Staf* 1D 72
Blyton. *Linc* 1F 87
Boarhills. *Fife* 2H 137
Boarhunt. *Hants* 2E 16
Boarshead. *E Sus* 2G 27
Boar's Head. *G Man* 4D 90
Boars Hill. *Oxon* 5C 50
Boarstall. *Buck* 4E 51
Boasley Cross. *Devn* 3E 11
Boath. *High* 1H 157
Boat of Garten. *High* 2D 150
Bobbing. *Kent* 4C 40
Bobbington. *Staf* 1C 60
Bobbingworth. *Essx* 5F 53
Bocaddon. *Corn* 3F 7
Bocking. *Essx* 3A 54
Bocking Churchstreet. *Essx* 3A 54
Boddam. *Abers* 4H 161
Boddam. *Shet* 10E 173
Boddington. *Glos* 3D 49
Bodedern. *IOA* 2C 80
Bodelwyddan. *Den* 3C 82
Bodenham. *Here* 5H 59
Bodenham. *Wilts* 4G 23
Bodewryd. *IOA* 1C 80
Bodfari. *Den* 3C 82
Bodffordd. *IOA* 3D 80
Bodham. *Norf* 1D 78
Bodiam. *E Sus* 3B 28
Bodicote. *Oxon* 2C 50
Bodieve. *Corn* 1D 6
Bodinnick. *Corn* 3F 7
Bodle Street Green. *E Sus* 4A 28
Bodmin. *Corn* 2E 7
Bodnant. *Cnwy* 3H 81
Bodney. *Norf* 1H 65
Bodorgan. *IOA* 4C 80
Bodrane. *Corn* 2G 7
Bodsham. *Kent* 1F 29
Boduan. *Gwyn* 2C 68
Bodymoor Heath. *Warw* 1F 61
Bog, The. *Shrp* 1F 59
Bogallan. *High* 3A 158
Bogbrae Croft. *Abers* 5H 161
Bogend. *S Ayr* 1C 116
Boghall. *Midl* 3F 129
Boghall. *W Lot* 3C 128
Boghead. *S Lan* 5A 128
Bogindollo. *Ang* 3D 144
Bogmoor. *Mor* 2A 160
Bogniebrae. *Abers* 4C 160
Bognor Regis. *W Sus* 3H 17
Bograxie. *Abers* 2E 152
Bogside. *N Lan* 4B 128
Bogton. *Abers* 3D 160
Bogue. *Dum* 1D 110
Bohenie. *High* 5E 149
Bohortha. *Corn* 5C 6
Boirseam. *W Isl* 9C 171
Bokiddick. *Corn* 2E 7
Bolam. *Dur* 2E 105
Bolam. *Nmbd* 1D 115
Bolberry. *Devn* 5C 8
Bold Heath. *Mers* 2H 83
Boldon. *Tyne* 3G 115
Boldon Colliery. *Tyne* 3G 115
Boldre. *Hants* 3B 16
Boldron. *Dur* 3D 104
Bole. *Notts* 2E 87
Bolehall. *Staf* 5G 73
Bolehill. *Derbs* 5G 85
Bolenowe. *Corn* 5A 6
Boleside. *Bord* 1G 119
Bolham. *Devn* 1C 12
Bolham Water. *Devn* 1E 13
Bolingey. *Corn* 3B 6
Bollington. *Ches E* 3D 84
Bolney. *W Sus* 3D 26
Bolnhurst. *Bed* 5H 63
Bolshan. *Ang* 3F 145
Bolsover. *Derbs* 3B 86
Bolsterstone. *S Yor* 1G 85
Bolstone. *Here* 2A 48
Boltachan. *Per* 3F 143
Boltby. *N Yor* 1G 99
Bolton. *Cumb* 2H 103
Bolton. *E Lot* 2B 130
Bolton. *E Yor* 4B 100
Bolton. *G Man* 4F 91
Bolton. *Nmbd* 3F 121
Bolton Abbey. *N Yor* 4C 98
Bolton-by-Bowland. *Lanc* 5G 97
Boltonfellend. *Cumb* 3F 113
Boltongate. *Cumb* 5D 112
Bolton Green. *Lanc* 3D 90
Bolton-le-Sands. *Lanc* 3D 97
Bolton Low Houses. *Cumb* 5D 112
Bolton New Houses. *Cumb* 5D 112
Bolton-on-Swale. *N Yor* 5F 105
Bolton Percy. *N Yor* 5H 99
Bolton Town End. *Lanc* 3D 97
Bolton upon Dearne. *S Yor* 4E 93
Bolton Wood Lane. *Cumb* 5D 112
Bolventor. *Corn* 5B 10
Bomarsund. *Nmbd* 1F 115
Bomere Heath. *Shrp* 4G 71
Bonar Bridge. *High* 4D 164
Bonawe. *Arg* 5E 141
Bonby. *N Lin* 3D 94
Boncath. *Pemb* 1G 43
Bonchester Bridge. *Bord* 3H 119
Bonchurch. *IOW* 5D 16
Bond End. *Staf* 4F 73
Bondleigh. *Devn* 2G 11
Bonds. *Lanc* 5D 97
Bonehill. *Devn* 5H 11
Bonehill. *Staf* 5F 73
Bo'ness. *Falk* 1C 128
Boney Hay. *Staf* 4E 73
Bonham. *Wilts* 3C 22
Bonhill. *W Dun* 2E 127
Boningale. *Shrp* 5C 72
Bonjedward. *Bord* 2A 120
Bonkle. *N Lan* 4B 128
Bonnington. *Ang* 5E 145
Bonnington. *Edin* 3E 129
Bonnington. *Kent* 2E 29
Bonnybank. *Fife* 3F 137
Bonnybridge. *Falk* 1B 128
Bonnykelly. *Abers* 3F 161
Bonnyrigg. *Midl* 3G 129
Bonnyton. *Ang* 5C 144
Bonnytown. *Fife* 2H 137
Bonsall. *Derbs* 5G 85
Bont. *Mon* 4G 47
Bontddu. *Gwyn* 4F 69
Bont Dolgadfan. *Powy* 5A 70
Y Bont-Faen. *V Glam* 4C 32
Bontgoch. *Cdgn* 2F 57
Bonthorpe. *Linc* 3D 89
Bontnewydd. *Cdgn* 4F 57
Bont-newydd. *Cnwy* 3C 82
Bont Newydd. *Gwyn* 1G 69
Bontnewydd. *Gwyn* 4D 81
Bontuchel. *Den* 5C 82
Bonvilston. *V Glam* 4D 32
Bon-y-maen. *Swan* 3F 31
Booker. *Buck* 2G 37
Booley. *Shrp* 3H 71
Boorley Green. *Hants* 1D 16
Boosbeck. *Red C* 3D 106
Boot. *Cumb* 4C 102
Booth. *W Yor* 2A 92
Boothby Graffoe. *Linc* 5G 87
Boothby Pagnell. *Linc* 2G 75
Booth Green. *Ches E* 2D 84
Booth of Toft. *Shet* 4F 173
Boothstown. *G Man* 4F 91
Boothville. *Nptn* 4E 63
Bootle. *Cumb* 1A 96
Bootle. *Mers* 1F 83
Booton. *Norf* 3D 78
Booze. *N Yor* 4D 104
Boquhan. *Stir* 1G 127
Boraston. *Shrp* 3A 60
Borden. *Kent* 4C 40
Borden. *W Sus* 4G 25
Bordlands. *Bord* 5E 129
Bordley. *N Yor* 3B 98
Bordon. *Hants* 3F 25
Boreham. *Essx* 5A 54
Boreham. *Wilts* 2D 23
Boreham Street. *E Sus* 4A 28
Borehamwood. *Herts* 1C 38
Boreland. *Dum* 5D 118
Boreston. *Devn* 3D 8
Borestone Brae. *Stir* 4G 135
Boreton. *Shrp* 5H 71
Borgh. *W Isl*
on Barra 8B 170
on Benbecula 3C 170
on Berneray 1E 170
on Isle of Lewis 2G 171
Borghasdal. *W Isl* 9C 171
Borghastan. *W Isl* 3D 171
Borgh na Sgiotaig. *High* 1C 154
Borgie. *High* 3G 167
Borgue. *Dum* 5D 110
Borgue. *High* 1H 165
Borley. *Essx* 1B 54
Borley Green. *Essx* 1B 54
Borley Green. *Suff* 4B 66
Borlum. *High* 1H 149
Bornais. *W Isl* 6C 170
Bornesketaig. *High* 1C 154
Boroughbridge. *N Yor* 3F 99
Borough Green. *Kent* 5H 39
Borreraig. *High* 3A 154
Borrobol Lodge. *High* 1F 165
Borrodale. *High* 4A 154
Borrowash. *Derbs* 2B 74
Borrowby. *N Yor*
nr. Northallerton 1G 99
nr. Whitby 3E 107
Borrowston. *High* 4F 169
Borrowstonehill. *Orkn* 7D 172
Borrowstoun. *Falk* 1C 128
Borstal. *Medw* 4B 40
Borth. *Cdgn* 2F 57
Borthwick. *Midl* 4G 129
Borth-y-Gest. *Gwyn* 2E 69
Borve. *High* 4D 154
Borwick. *Lanc* 2E 97
Bosbury. *Here* 1B 48
Boscastle. *Corn* 3A 10
Boscombe. *Bour* 3G 15
Boscombe. *Wilts* 3H 23
Boscoppa. *Corn* 3E 7
Bosham. *W Sus* 2G 17
Bosherston. *Pemb* 5D 42
Bosley. *Ches E* 4D 84
Bossall. *N Yor* 3B 100
Bossiney. *Corn* 4A 10
Bossingham. *Kent* 1F 29
Bossington. *Som* 2B 20
Bostadh. *W Isl* 3D 171
Bostock Green. *Ches W* 4A 84
Boston. *Linc* 1C 76
Boston Spa. *W Yor* 5G 99
Boswarthen. *Corn* 3B 4
Boswinger. *Corn* 4D 6
Botallack. *Corn* 3A 4
Botany Bay. *G Lon* 1D 39
Botcheston. *Leics* 5B 74
Botesdale. *Suff* 3C 66
Bothal. *Nmbd* 1F 115
Bothampstead. *W Ber* 4D 36
Bothamsall. *Notts* 3D 86
Bothel. *Cumb* 1C 102
Bothenhampton. *Dors* 3H 13
Bothwell. *S Lan* 4A 128
Botley. *Buck* 5H 51
Botley. *Hants* 1D 16
Botley. *Oxon* 5C 50
Botloe's Green. *Glos* 3C 48
Botolph Claydon. *Buck* 3F 51
Botolphs. *W Sus* 5C 26
Bottacks. *High* 2G 157
Bottesford. *Leics* 2F 75
Bottesford. *N Lin* 4B 94
Bottisham. *Cambs* 4E 65
Bottlesford. *Wilts* 1G 23
Bottomcraig. *Fife* 1F 137
Bottom o' th' Moor. *G Man* 3E 91
Botton. *N Yor* 4D 107
Botton Head. *Lanc* 3F 97
Bottreaux Mill. *Devn* 4B 20
Botus Fleming. *Corn* 2A 8
Botwnnog. *Gwyn* 2B 68
Bough Beech. *Kent* 1F 27
Boughrood. *Powy* 2E 47
Boughspring. *Glos* 2A 34
Boughton. *Norf* 5F 77
Boughton. *Nptn* 4E 63
Boughton. *Notts* 4D 86
Boughton Aluph. *Kent* 1E 29
Boughton Green. *Kent* 5B 40
Boughton Lees. *Kent* 1E 28
Boughton Malherbe. *Kent* 1C 28
Boughton Monchelsea. *Kent* 5B 40
Boughton under Blean. *Kent* 5E 41
Boulby. *Red C* 3E 107
Bouldnor. *IOW* 4B 16
Bouldon. *Shrp* 2H 59
Boulmer. *Nmbd* 3G 121
Boulston. *Pemb* 3D 42
Boultham. *Linc* 4G 87
Boulton. *Derb* 2A 74
Boundary. *Staf* 1D 73
Bounds. *Here* 2B 48
Bourn. *Cambs* 5C 64
Bournbrook. *W Mid* 2E 61
Bourne. *Linc* 3H 75
Bourne, The. *Surr* 2G 25
Bourne End. *Bed* 4H 63
Bourne End. *Buck* 3G 37
Bourne End. *C Beds* 1H 51
Bourne End. *Herts* 5A 52
Bournemouth. *Bour* 190 (3F 15)
Bournemouth Airport. *Dors* 3G 15
Bournes Green. *Glos* 5E 49
Bournes Green. *S'end* 2D 40
Bournheath. *Worc* 3D 60
Bournmoor. *Dur* 4G 115
Bournville. *W Mid* 2E 61
Bourton. *Dors* 3C 22
Bourton. *N Som* 5G 33
Bourton. *Oxon* 3H 35
Bourton. *Shrp* 1H 59
Bourton. *Wilts* 5F 35
Bourton on Dunsmore.
Warw 3B 62
Bourton-on-the-Hill. *Glos* 2G 49
Bourton-on-the-Water. *Glos* 3G 49
Bousd. *Arg* 2D 138
Bousta. *Shet* 6D 173
Boustead Hill. *Cumb* 4D 112
Bouth. *Cumb* 1C 96
Bouthwaite. *N Yor* 2D 98
Boveney. *Buck* 3A 38
Boveridge. *Dors* 1F 15
Boverton. *V Glam* 5C 32
Bovey Tracey. *Devn* 5B 12
Bovingdon. *Herts* 5A 52
Bovingdon Green. *Buck* 3G 37
Bovinger. *Essx* 5F 53
Bovington Camp. *Dors* 4D 14
Bow. *Devn* 2H 11
Bowbank. *Dur* 2C 104
Bow Brickhill. *Mil* 2H 51
Bowbridge. *Glos* 5D 48
Bowburn. *Dur* 1A 106
Bowcombe. *IOW* 4C 16
Bowd. *Devn* 4E 12
Bowden. *Devn* 4E 9
Bowden. *Bord* 1H 119
Bowden Hill. *Wilts* 5E 35
Bowdens. *Som* 4H 21
Bowderdale. *Cumb* 4H 103
Bowdon. *G Man* 2B 84
Bower. *Nmbd* 1A 114
Bowerchalke. *Wilts* 4F 23
Bowerhill. *Wilts* 5E 35
Bower Hinton. *Som* 1H 13
Bowermadden. *High* 2E 169
Bowers. *Staf* 2C 72
Bowers Gifford. *Essx* 2B 40
Bowershall. *Fife* 4C 136
Bowertower. *High* 2E 169
Bowes. *Dur* 3C 104
Bowgreave. *Lanc* 5D 97
Bowhousebog. *N Lan* 4B 128
Bowithick. *Corn* 4B 10
Bowland Bridge. *Cumb* 1D 96
Bowlees. *Dur* 2C 104
Bowley. *Here* 5H 59
Bowlhead Green. *Surr* 2A 26
Bowling. *W Dun* 2F 127
Bowling. *W Yor* 1B 92
Bowling Bank. *Wrex* 1F 71
Bowling Green. *Worc* 5C 60
Bowlish. *Som* 2B 22
Bowmanstead. *Cumb* 5E 102
Bowmore. *Arg* 4B 124
Bowness-on-Solway. *Cumb* 3D 112
Bowness-on-Windermere.
Cumb 5F 103
Bow of Fife. *Fife* 2F 137
Bowriefauld. *Ang* 4E 145
Bowscale. *Cumb* 1E 103
Bowsden. *Nmbd* 5F 131
Bowside Lodge. *High* 2A 168
Bowston. *Cumb* 5F 103
Bow Street. *Cdgn* 2F 57
Bowthorpe. *Norf* 5D 78
Box. *Glos* 5D 48
Box. *Wilts* 5D 34
Boxbush. *Glos* 3B 48
Box End. *Bed* 1A 52
Boxford. *Suff* 1C 54
Boxford. *W Ber* 4C 36
Boxgrove. *W Sus* 5A 26
Box Hill. *Wilts* 5D 34
Boxley. *Kent* 5B 40
Boxmoor. *Herts* 5A 52
Box's Shop. *Corn* 2C 10
Boxted. *Essx* 2C 54
Boxted. *Suff* 5H 65
Boxted Cross. *Essx* 2D 54
Boxworth. *Cambs* 4C 64
Boxworth End. *Cambs* 4C 64
Boyden End. *Suff* 5G 65
Boyden Gate. *Kent* 4G 41
Boylestone. *Derbs* 2F 73
Boylestonfield. *Derbs* 2F 73
Boyndie. *Abers* 2D 160
Boynton. *E Yor* 3F 101
Boys Hill. *Dors* 1B 14
Boythorpe. *Derbs* 4A 86
Boyton. *Corn* 3D 10
Boyton. *Suff* 1G 55
Boyton. *Wilts* 3E 23
Boyton Cross. *Essx* 5G 53
Boyton End. *Essx* 2G 53
Boyton End. *Suff* 1H 53
Bozeat. *Nptn* 5G 63
Braaid. *IOM* 4C 108
Braal Castle. *High* 3D 168
Brabling Green. *Suff* 4E 67
Brabourne. *Kent* 1F 29
Brabourne Lees. *Kent* 1E 29
Brabster. *High* 2F 169
Bracadale. *High* 5C 154
Bracara. *High* 4F 147
Braceborough. *Linc* 4H 75
Bracebridge. *Linc* 4G 87
Bracebridge Heath. *Linc* 4G 87
Braceby. *Linc* 2H 75
Bracewell. *Lanc* 5A 98
Brackenber. *Cumb* 3A 104
Brackenfield. *Derbs* 5A 86
Brackenlands. *Cumb* 5D 112
Brackenthwaite. *Cumb* 5D 112
Brackenthwaite. *N Yor* 4E 99
Brackla. *B'end* 4C 32
Brackla. *High* 3C 158
Bracklesham. *W Sus* 3G 17
Brackletter. *High* 5D 148
Brackley. *Nptn* 2D 50
Brackley Hatch. *Nptn* 1E 51
Brackloch. *High* 1F 163
Bracknell. *Brac* 5G 37
Braco. *Per* 3H 135
Bracobrae. *Mor* 3C 160
Bracon. *N Lin* 4A 94
Bracon Ash. *Norf* 1D 66
Bradbourne. *Derbs* 5G 85
Bradbury. *Dur* 2A 106
Bradda. *IOM* 4A 108
Bradden. *Nptn* 1E 51
Bradenham. *Buck* 2G 37
Bradenham. *Norf* 5B 78
Bradenstoke. *Wilts* 4F 35
Bradfield. *Essx* 2E 55
Bradfield. *Norf* 2E 79
Bradfield. *W Ber* 4E 36
Bradfield Combust. *Suff* 5A 66
Bradfield Green. *Ches E* 5A 84
Bradfield Heath. *Essx* 3E 55
Bradfield St Clare. *Suff* 5B 66
Bradfield St George. *Suff* 4B 66
Bradford. *Derbs* 4G 85
Bradford. *Devn* 2E 11
Bradford. *Nmbd* 1F 121
Bradford. *W Yor* 190 (1B 92)
Bradford Abbas. *Dors* 1A 14

Brompton—Burton Pedwardine

Brompton. *Medw* 4B 40
Brompton. *N Yor*
nr. Northallerton 5A 106
nr. Scarborough 1D 100
Brompton. *Shrp* 5H 71
Brompton-on-Swale. *N Yor* 5F 105
Brompton Ralph. *Som* 3D 20
Brompton Regis. *Som* 3C 20
Bromsash. *Here* 3B 48
Bromsberrow. *Glos* 2C 48
Bromsberrow Heath. *Glos* 2C 48
Bromsgrove. *Worc* 3D 60
Bromstead Heath. *Staf* 4B 72
Bromyard. *Here* 5A 60
Bromyard Downs. *Here* 5A 60
Bronaber. *Gwyn* 2G 69
Broncroft. *Shrp* 2H 59
Brongest. *Cdgn* 1D 44
Brongwyn. *Cdgn* 1C 44
Bronington. *Wrex* 2G 71
Bronllys. *Powy* 2E 47
Bronnant. *Cdgn* 4F 57
Bronwydd Arms. *Carm* 3E 45
Bronydd. *Powy* 1F 47
Bronygarth. *Shrp* 2E 71
Brook. *Carm* 4G 43
Brook. *Hants*
nr. Cadnam 1A 16
nr. Romsey 4B 24
Brook. *IOW* 4B 16
Brook. *Kent* 1E 29
Brook. *Surr*
nr. Guildford 1B 26
nr. Haslemere 2A 26
Brooke. *Norf* 1E 67
Brooke. *Rut* 5F 75
Brookenby. *Linc* 1B 88
Brookend. *Glos* 5B 48
Brook End. *Worc* 1D 48
Brookfield. *Lanc* 1D 90
Brookfield. *Ren* 3F 127
Brookhouse. *Lanc* 3E 97
Brookhouse. *S Yor* 2C 86
Brookhouse Green.
Ches E 4C 84
Brookhouses. *Staf* 1D 73
Brookhurst. *Mers* 2F 83
Brookland. *Kent* 3D 28
Brooklands. *G Man* 1B 84
Brooklands. *Shrp* 1H 71
Brookmans Park. *Herts* 5C 52
Brooks. *Powy* 1D 58
Brooksby. *Leics* 4D 74
Brooks Green. *W Sus* 3C 26
Brook Street. *Essx* 1G 39
Brook Street. *Kent* 2D 28
Brook Street. *W Sus* 3E 27
Brookthorpe. *Glos* 4D 48
Brookville. *Norf* 1G 65
Brookwood. *Surr* 5A 38
Broom. *C Beds* 1B 52
Broom. *Fife* 3F 137
Broom. *Warw* 5E 61
Broome. *Norf* 1F 67
Broome. *Shrp*
nr. Cardington 1H 59
nr. Craven Arms 2G 59
Broome. *Worc* 3D 60
Broomedge. *Warr* 2B 84
Broomend. *Abers* 2E 153
Broomer's Corner. *W Sus* 3C 26
Broomfield. *Abers* 5G 161
Broomfield. *Essx* 4H 53
Broomfield. *Kent*
nr. Herne Bay 4F 41
nr. Maidstone 5C 40
Broomfield. *Som* 3F 21
Broomfleet. *E Yor* 2B 94
Broom Green. *Norf* 3B 78
Broomhall. *Ches E* 1A 72
Broomhall. *Wind* 4A 38
Broomhaugh. *Nmbd* 3D 114
Broom Hill. *Dors* 2F 15
Broomhill. *High*
nr. Grantown-on-Spey 1D 151
nr. Invergordon 1B 158
Broomhill. *Norf* 5F 77
Broomhill. *S Yor* 4E 93
Broom Hill. *Worc* 3D 60
Broomhillbank. *Dum* 5D 118
Broomholm. *Norf* 2F 79
Broomlands. *Dum* 4C 118
Broomley. *Nmbd* 3D 114
Broom of Moy. *Mor* 3E 159
Broompark. *Dur* 5F 115
Broom's Green. *Glos* 2C 48
Brora. *High* 3G 165
Broseley. *Shrp* 5A 72
Brotherhouse Bar. *Linc* 4B 76
Brotheridge Green. *Worc* 1D 48
Brotherlee. *Dur* 1C 104
Brothertoft. *Linc* 1B 76
Brotherton. *N Yor* 2E 93
Brotton. *Red C* 3D 107
Broubster. *High* 2C 168
Brough. *Cumb* 3A 104
Brough. *Derbs* 2F 85
Brough. *E Yor* 2C 94
Brough. *High* 1E 169
Brough. *Notts* 5F 87
Brough. *Orkn*
nr. Finstown 6C 172
nr. St Margaret's Hope 9D 172
Brough. *Shet*
nr. Benston 6F 173
nr. Booth of Toft 4F 173
on Bressay 7G 173
on Whalsay 5G 173
Broughall. *Shrp* 1H 71
Brougham. *Cumb* 2G 103
Brough Lodge. *Shet* 2G 173
Brough Sowerby. *Cumb* 3A 104
Broughton. *Cambs* 3B 64
Broughton. *Flin* 4F 83
Broughton. *Hants* 3B 24
Broughton. *Lanc* 1D 90
Broughton. *Mil* 2G 51
Broughton. *Nptn* 3F 63
Broughton. *N Lin* 4C 94
Broughton. *N Yor*
nr. Malton 2B 100
nr. Skipton 4B 98
Broughton. *Orkn* 3D 172
Broughton. *Oxon* 2C 50
Broughton. *Bord* 1D 118
Broughton. *Staf* 2B 72
Broughton. *V Glam* 4C 32
Broughton Astley. *Leics* 1C 62
Broughton Beck. *Cumb* 1B 96
Broughton Cross. *Cumb* 1B 102
Broughton Gifford. *Wilts* 5D 35
Broughton Green. *Worc* 4D 60
Broughton Hackett. *Worc* 5D 60
Broughton in Furness.
Cumb 1B 96
Broughton Mills. *Cumb* 5D 102
Broughton Moor. *Cumb* 1B 102
Broughton Park. *G Man* 4G 91
Broughton Poggs. *Oxon* 5H 49
Broughtown. *Orkn* 3F 172
Broughty Ferry. *D'dee* 5D 144
Browland. *Shet* 6D 173
Brownbread Street. *E Sus* 4A 28
Brown Candover. *Hants* 3D 24
Brown Edge. *Lanc* 3B 90
Brown Edge. *Staf* 5D 84
Brownhill. *Bkbn* 1E 91
Brownhill. *Shrp* 3G 71
Brownhills. *Shrp* 2A 72
Brownhills. *W Mid* 5E 73
Brown Knowl. *Ches W* 5G 83
Brownlow. *Ches E* 4C 84
Brownlow Heath. *Ches E* 4C 84
Brown's Green. *W Mid* 1E 61
Brownshill. *Glos* 5D 49
Brownston. *Devn* 3C 8
Brownstone. *Devn* 2A 12
Browston Green. *Norf* 5G 79
Broxa. *N Yor* 5G 107
Broxbourne. *Herts* 5D 52
Broxburn. *E Lot* 2C 130
Broxburn. *W Lot* 2D 128
Broxholme. *Linc* 3G 87
Broxted. *Essx* 3F 53
Broxton. *Ches W* 5G 83
Broxwood. *Here* 5F 59
Broyle Side. *E Sus* 4F 27
Brù. *W Isl* 3F 171
Bruach Mairi. *W Isl* 4G 171
Bruairnis. *W Isl* 8C 170
Bruan. *High* 5F 169
Bruar Lodge. *Per* 1F 143
Brucehill. *W Dun* 2E 127
Brucklay. *Abers* 3G 161
Bruera. *Ches W* 4G 83
Bruern Abbey. *Oxon* 3A 50
Bruichladdich. *Arg* 3A 124
Bruisyard. *Suff* 4F 67
Bruisyard Street. *Suff* 4F 67
Brund. *Staf* 4F 85
Brundall. *Norf* 5F 79
Brundish. *Norf* 1F 67
Brundish. *Suff* 4E 67
Brundish Street. *Suff* 3E 67
Brunery. *High* 1B 140
Brunswick Village. *Tyne* 2F 115
Brunthwaite. *W Yor* 5C 98
Bruntingthorpe. *Leics* 1D 62
Brunton. *Fife* 1F 137
Brunton. *Nmbd* 2G 121
Brunton. *Wilts* 1H 23
Brushford. *Devn* 2G 11
Brushford. *Som* 4C 20
Brusta. *W Isl* 1E 170
Bruton. *Som* 3B 22
Bryanston. *Dors* 2D 14
Bryant's Bottom. *Buck* 2G 37
Brydekirk. *Dum* 2C 112
Brymbo. *Cnwy* 3H 81
Brymbo. *Wrex* 5E 83
Brympton D'Evercy. *Som* 1A 14
Bryn. *Carm* 5F 45
Bryn. *G Man* 4D 90
Bryn. *Neat* 2B 32
Bryn. *Shrp* 2E 59
Brynamman. *Carm* 4H 45
Brynberian. *Pemb* 1F 43
Brynbryddan. *Neat* 2A 32
Bryncae. *Rhon* 3C 32
Bryncethin. *B'end* 3C 32
Bryncir. *Gwyn* 1D 69
Bryncoch. *Neat* 3G 31
Bryncroes. *Gwyn* 2B 68
Bryncrug. *Gwyn* 5F 69
Bryn Du. *IOA* 3C 80
Bryn Eden. *Gwyn* 3G 69
Bryneglwys. *Den* 1D 70
Bryn Eglwys. *Gwyn* 4F 81
Brynford. *Flin* 3D 82
Bryn Gates. *G Man* 4D 90
Bryn Golau. *Rhon* 3C 32
Bryngwran. *IOA* 3C 80
Bryngwyn. *Mon* 5G 47
Bryngwyn. *Powy* 1E 47
Bryn-henllan. *Pemb* 1E 43
Brynhoffnant. *Cdgn* 5C 56
Bryn-llwyn. *Den* 2C 82
Brynllywarch. *Powy* 2D 58
Brynmawr. *Blae* 4E 47
Bryn-mawr. *Gwyn* 2B 68
Brynmenyn. *B'end* 3C 32
Brynmill. *Swan* 3F 31
Brynna. *Rhon* 3C 32
Brynrefail. *Gwyn* 4E 81
Brynrefail. *IOA* 2D 81
Brynsadler. *Rhon* 3D 32
Bryn-Saith Marchog. *Den* 5C 82
Brynsiencyn. *IOA* 4D 81
Brynteg. *IOA* 2D 81
Brynteg. *Wrex* 5F 83
Brynygwenyn. *Mon* 4G 47
Bryn-y-maen. *Cnwy* 3H 81
Buaile nam Bodach. *W Isl* 8C 170
Bualintur. *High* 1C 146
Bubbenhall. *Warw* 3A 62
Bubwith. *E Yor* 1H 93
Buccleuch. *Bord* 3F 119
Buchanan Smithy. *Stir* 1F 127
Buchanhaven. *Abers* 4H 161
Buchanty. *Per* 1B 136
Buchany. *Stir* 3G 135
Buchley. *E Dun* 2G 127
Buchlyvie. *Stir* 4E 135
Buckabank. *Cumb* 5E 113
Buckden. *Cambs* 4A 64
Buckden. *N Yor* 2B 98
Buckenham. *Norf* 5F 79
Buckerell. *Devn* 2E 12
Buckfast. *Devn* 2D 8
Buckfastleigh. *Devn* 2D 8
Buckhaven. *Fife* 4F 137
Buckholm. *Bord* 1G 119
Buckholt. *Here* 4A 48
Buckhorn Weston. *Dors* 4C 22
Buckhurst Hill. *Essx* 1F 39
Buckie. *Mor* 2B 160
Buckingham. *Buck* 2E 51
Buckland. *Buck* 4G 51
Buckland. *Glos* 2F 49
Buckland. *Here* 5H 59
Buckland. *Herts* 2D 52
Buckland. *Kent* 1H 29
Buckland. *Oxon* 2B 36
Buckland. *Surr* 5D 38
Buckland Brewer. *Devn* 4E 19
Buckland Common. *Buck* 5H 51
Buckland Dinham. *Som* 1C 22
Buckland Filleigh. *Devn* 2E 11
Buckland in the Moor. *Devn* 5H 11
Buckland Monachorum.
Devn 2A 8
Buckland Newton. *Dors* 2B 14
Buckland Ripers. *Dors* 4B 14
Buckland St Mary. *Som* 1F 13
Buckland-tout-Saints. *Devn* 4D 8
Bucklebury. *W Ber* 4D 36
Bucklegate. *Linc* 2C 76
Buckleigh. *Devn* 4E 19
Buckler's Hard. *Hants* 3C 16
Bucklesham. *Suff* 1F 55
Buckley. *Flin* 4E 83
Buckley Green. *Warw* 4F 61
Buckley Hill. *Mers* 1F 83
Bucklow Hill. *Ches E* 2B 84
Buckminster. *Leics* 3F 75
Bucknall. *Linc* 4A 88
Bucknall. *Stoke* 1D 72
Bucknell. *Oxon* 3D 50
Bucknell. *Shrp* 3F 59
Buckpool. *Mor* 2B 160
Bucksburn. *Aber* 3F 153
Buck's Cross. *Devn* 4D 18
Bucks Green. *W Sus* 2B 26
Buckshaw Village. *Lanc* 2D 90
Bucks Hill. *Herts* 5A 52
Bucks Horn Oak. *Hants* 2G 25
Buck's Mills. *Devn* 4D 18
Buckton. *E Yor* 2F 101
Buckton. *Here* 3F 59
Buckton. *Nmbd* 1E 121
Buckton Vale. *G Man* 4H 91
Buckworth. *Cambs* 3A 64
Budby. *Notts* 4D 86
Bude. *Corn* 2C 10
Budge's Shop. *Corn* 3H 7
Budlake. *Devn* 2C 12
Budle. *Nmbd* 1F 121
Budleigh Salterton. *Devn* 4D 12
Budock Water. *Corn* 5B 6
Buerton. *Ches E* 1A 72
Buffler's Holt. *Buck* 2E 51
Bugbrooke. *Nptn* 5D 62
Buglawton. *Ches E* 4C 84
Bugle. *Corn* 3E 6
Bugthorpe. *E Yor* 4B 100
Buildwas. *Shrp* 5A 72
Builth Road. *Powy* 5C 58
Builth Wells. *Powy* 5C 58
Bulbourne. *Herts* 4H 51
Bulby. *Linc* 3H 75
Bulcote. *Notts* 1D 74
Buldoo. *High* 2B 168
Bulford. *Wilts* 2G 23
Bulford Camp. *Wilts* 2G 23
Bulkeley. *Ches E* 5H 83
Bulkington. *Warw* 2A 62
Bulkington. *Wilts* 1E 23
Bulkworthy. *Devn* 1D 11
Bullamoor. *N Yor* 5A 106
Bull Bay. *IOA* 1D 80
Bullbridge. *Derbs* 5A 86
Bullgill. *Cumb* 1B 102
Bull Hill. *Hants* 3B 16
Bullinghope. *Here* 2A 48
Bull's Green. *Herts* 4C 52
Bullwood. *Arg* 2C 126
Bulmer. *Essx* 1B 54
Bulmer. *N Yor* 3A 100
Bulmer Tye. *Essx* 2B 54
Bulphan. *Thur* 2H 39
Bulverhythe. *E Sus* 5B 28
Bulwark. *Abers* 4G 161
Bulwell. *Nott* 1C 74
Bulwick. *Nptn* 1G 63
Bumble's Green. *Essx* 5E 53
Bun Abhainn Eadarra. *W Isl* 7D 171
Bunacaimb. *High* 5E 147
Bun a' Mhuillinn. *W Isl* 7C 170
Bunarkaig. *High* 5D 148
Bunbury. *Ches E* 5H 83
Bunchrew. *High* 4A 158
Bundalloch. *High* 1A 148
Buness. *Shet* 1H 173
Bunessan. *Arg* 1A 132
Bungay. *Suff* 2F 67
Bunkegivie. *High* 2H 149
Bunker's Hill. *Cambs* 5D 76
Bunkers Hill. *Linc* 5B 88
Bunker's Hill. *Suff* 5H 79
Bunloit. *High* 1H 149
Bunnahabhain. *Arg* 2C 124
Bunny. *Notts* 3C 74
Bunoich. *High* 3F 149
Bunree. *High* 2E 141
Bunroy. *High* 5E 149
Buntait. *High* 5G 157
Buntingford. *Herts* 3D 52
Bunting's Green. *Essx* 2B 54
Bunwell. *Norf* 1D 66
Burbage. *Derbs* 3E 85
Burbage. *Leics* 1B 62
Burbage. *Wilts* 5H 35
Burcher. *Here* 4F 59
Burchett's Green. *Wind* 3G 37
Burcombe. *Wilts* 3F 23
Burcot. *Oxon* 2D 36
Burcot. *Worc* 3D 61
Burcote. *Shrp* 1B 60
Burcott. *Buck* 3G 51
Burcott. *Som* 2A 22
Burdale. *N Yor* 3C 100
Burdrop. *Oxon* 2B 50
Bures. *Suff* 2C 54
Burf, The. *Worc* 4C 60
Burford. *Oxon* 4A 50
Burford. *Shrp* 4H 59
Burg. *Arg* 4E 139
Burgate Great Green. *Suff* 3C 66
Burgate Little Green. *Suff* 3C 66
Burgess Hill. *W Sus* 4E 27
Burgh. *Suff* 5E 67
Burgh by Sands. *Cumb* 4E 113
Burgh Castle. *Norf* 5G 79
Burghclere. *Hants* 5C 36
Burghead. *Mor* 2F 159
Burghfield. *W Ber* 5E 37
Burghfield Common.
W Ber 5E 37
Burghfield Hill. *W Ber* 5E 37
Burgh Heath. *Surr* 5D 38
Burghill. *Here* 1H 47
Burgh le Marsh. *Linc* 4E 89
Burgh Muir. *Abers* 2E 153
Burgh next Aylsham. *Norf* 3E 78
Burgh on Bain. *Linc* 2B 88
Burgh St Margaret. *Norf* 4G 79
Burgh St Peter. *Norf* 1G 67
Burghwallis. *S Yor* 3F 93
Burham. *Kent* 4B 40
Buriton. *Hants* 4F 25
Burland. *Ches E* 5A 84
Burland. *Shet* 8E 173
Burlawn. *Corn* 2D 6
Burleigh. *Glos* 5D 48
Burleigh. *Wind* 4G 37
Burlescombe. *Devn* 1D 12
Burleston. *Dors* 3C 14
Burlestone. *Devn* 4E 9
Burley. *Hants* 2H 15
Burley. *Rut* 4F 75
Burley. *W Yor* 1C 92
Burleydam. *Ches E* 1A 72
Burley Gate. *Here* 1A 48
Burley in Wharfedale. *W Yor* 5D 98
Burley Street. *Hants* 2H 15
Burley Woodhead. *W Yor* 5D 98
Burlingjobb. *Powy* 5E 59
Burlington. *Shrp* 4B 72
Burlton. *Shrp* 3G 71
Burmantofts. *W Yor* 1D 92
Burmarsh. *Kent* 2F 29
Burmington. *Warw* 2A 50
Burn. *N Yor* 2F 93
Burnage. *G Man* 1C 84
Burnaston. *Derbs* 2G 73
Burnbanks. *Cumb* 3G 103
Burnby. *E Yor* 5C 100
Burncross. *S Yor* 1H 85
Burneside. *Cumb* 5G 103
Burness. *Orkn* 3F 172
Burneston. *N Yor* 1F 99
Burnett. *Bath* 5B 34
Burnfoot. *E Ayr* 4D 116
Burnfoot. *Per* 3B 136
Burnfoot. *Bord*
nr. Hawick 3H 119
nr. Roberton 3G 119
Burngreave. *S Yor* 2A 86
Burnham. *Buck* 2A 38
Burnham. *N Lin* 3D 94
Burnham Deepdale. *Norf* 1H 77
Burnham Green. *Herts* 4C 52
Burnham Market. *Norf* 1H 77
Burnham Norton. *Norf* 1H 77
Burnham-on-Crouch. *Essx* 1D 40
Burnham-on-Sea. *Som* 2G 21
Burnham Overy Staithe.
Norf 1H 77
Burnham Overy Town.
Norf 1H 77
Burnham Thorpe. *Norf* 1A 78
Burnhaven. *Abers* 4H 161
Burnhead. *Dum* 5A 118
Burnhervie. *Abers* 2E 153
Burnhill Green. *Staf* 5B 72
Burnhope. *Dur* 5E 115
Burnhouse. *N Ayr* 4E 127
Burniston. *N Yor* 5H 107
Burnlee. *W Yor* 4B 92
Burnley. *Lanc* 1G 91
Burnmouth. *Bord* 3F 131
Burn Naze. *Lanc* 5C 96
Burn of Cambus. *Stir* 3G 135
Burnopfield. *Dur* 4E 115
Burnsall. *N Yor* 3C 98
Burnside. *Ang* 3E 145
Burnside. *E Ayr* 3E 117
Burnside. *Per* 3D 136
Burnside. *Shet* 4D 173
Burnside. *S Lan* 4H 127
Burnside. *W Lot*
nr. Broxburn 2D 129
nr. Winchburgh 2D 128
Burntcommon. *Surr* 5B 38
Burntheath. *Derbs* 2G 73
Burnt Heath. *Essx* 3D 54
Burnt Hill. *W Ber* 4D 36
Burnt Houses. *Dur* 2E 105
Burntisland. *Fife* 1F 129
Burnt Oak. *G Lon* 1D 38
Burnton. *E Ayr* 4D 117
Burntstalk. *Norf* 2G 77
Burntwood. *Staf* 5E 73
Burntwood Green. *Staf* 5E 73
Burnt Yates. *N Yor* 3E 99
Burnwynd. *Edin* 3E 129
Burpham. *Surr* 5B 38
Burpham. *W Sus* 5B 26
Burradon. *Nmbd* 4D 121
Burradon. *Tyne* 2F 115
Burrafirth. *Shet* 1H 173
Burragarth. *Shet* 1G 173
Burras. *Corn* 5A 6
Burraton. *Corn* 3A 8
Burravoe. *Shet*
nr. North Roe 3E 173
on Mainland 5E 173
on Yell 4G 173
Burray Village. *Orkn* 8D 172
Burrells. *Cumb* 3H 103
Burrelton. *Per* 5A 144
Burridge. *Hants* 1D 16
Burridge. *Som* 2G 13
Burrigill. *High* 5E 169
Burrill. *N Yor* 1E 99
Burringham. *N Lin* 4B 94
Burrington. *Devn* 1G 11
Burrington. *Here* 3G 59
Burrington. *N Som* 1H 21
Burrough End. *Cambs* 5F 65
Burrough Green. *Cambs* 5F 65
Burrough on the Hill.
Leics 4E 75
Burroughston. *Orkn* 5E 172
Burrow. *Devn* 4D 12
Burrow. *Som* 2C 20
Burrowbridge. *Som* 4G 21
Burrowhill. *Surr* 4A 38
Burry. *Swan* 3D 30
Burry Green. *Swan* 3D 30
Burry Port. *Carm* 5E 45
Burscough. *Lanc* 3C 90
Burscough Bridge. *Lanc* 3C 90
Bursea. *E Yor* 1B 94
Burshill. *E Yor* 5E 101
Bursledon. *Hants* 2C 16
Burslem. *Stoke* 1C 72
Burstall. *Suff* 1D 54
Burstock. *Dors* 2H 13
Burston. *Devn* 2H 11
Burston. *Norf* 2D 66
Burston. *Staf* 2D 72
Burstow. *Surr* 1E 27
Burstwick. *E Yor* 2F 95
Burtersett. *N Yor* 1A 98
Burtholme. *Cumb* 3G 113
Burthorpe. *Suff* 4G 65
Burthwaite. *Cumb* 5F 113
Burtle. *Som* 2H 21
Burtoft. *Linc* 2B 76
Burton. *Ches W*
nr. Kelsall 4H 83
nr. Neston 3F 83
Burton. *Dors*
nr. Christchurch 3G 15
nr. Dorchester 3B 14
Burton. *Nmbd* 1F 121
Burton. *Pemb* 4D 43
Burton. *Som* 2E 21
Burton. *Wilts*
nr. Chippenham 4D 34
nr. Warminster 3D 22
Burton. *Wrex* 5F 83
Burton Agnes. *E Yor* 3F 101
Burton Bradstock. *Dors* 4H 13
Burton-by-Lincoln. *Linc* 3G 87
Burton Coggles. *Linc* 3G 75
Burton Constable. *E Yor* 1E 95
Burton Corner. *Linc* 1C 76
Burton End. *Cambs* 1G 53
Burton End. *Essx* 3F 53
Burton Fleming. *E Yor* 2E 101
Burton Green. *Warw* 3G 61
Burton Green. *Wrex* 5F 83
Burton Hastings. *Warw* 2B 62
Burton-in-Kendal. *Cumb* 2E 97
Burton in Lonsdale. *N Yor* 2F 97
Burton Joyce. *Notts* 1D 74
Burton Latimer. *Nptn* 3G 63
Burton Lazars. *Leics* 4E 75
Burton Leonard. *N Yor* 3F 99
Burton on the Wolds.
Leics 3C 74
Burton Overy. *Leics* 1D 62
Burton Pedwardine. *Linc* 1A 76

Childswickham—Coatham Mundeville

Childswickham. Worc 2F 49
Childwall. Mers 2G 83
Childwick Green. Herts 4B 52
Chilfrome. Dors 3A 14
Chilgrove. W Sus 1G 17
Chilham. Kent 5E 41
Chilhampton. Wilts 3F 23
Chilla. Devn 2E 11
Chilland. Hants 3D 24
Chillaton. Devn 4E 11
Chillenden. Kent 5G 41
Chillerton. IOW 4C 16
Chillesford. Suff 5F 67
Chillingham. Nmbd 2E 121
Chillington. Devn 4D 9
Chillington. Som 1G 13
Chilmark. Wilts 3E 23
Chilmington Green. Kent 1D 28
Chilson. Oxon 4B 50
Chilsworthy. Corn 5E 11
Chilsworthy. Devn 2D 10
Chiltern Green. C Beds 4B 52
Chilthorne Domer. Som 1A 14
Chilton. Buck 4E 51
Chilton. Devn 2B 12
Chilton. Dur 2F 105
Chilton. Oxon 3C 36
Chilton Candover. Hants 2D 24
Chilton Cantelo. Som 4A 22
Chilton Foliat. Wilts 4B 36
Chilton Lane. Dur 1A 106
Chilton Polden. Som 3G 21
Chilton Street. Suff 1A 54
Chilton Trinity. Som 3F 21
Chilwell. Notts 2C 74
Chilworth. Hants 1C 16
Chilworth. Surr 1B 26
Chimney. Oxon 5B 50
Chimney Street. Suff 1H 53
Chineham. Hants 1E 25
Chingford. G Lon 1E 39
Chinley. Derbs 2E 85
Chinnor. Oxon 5F 51
Chipley. Som 4E 20
Chipnall. Shrp 2B 72
Chippenham. Cambs 4F 65
Chippenham. Wilts 4E 35
Chipperfield. Herts 5A 52
Chipping. Herts 2D 52
Chipping. Lanc 5F 97
Chipping Campden. Glos 2G 49
Chipping Hill. Essx 4B 54
Chipping Norton. Oxon 3B 50
Chipping Ongar. Essx 5F 53
Chipping Sodbury. S Glo 3C 34
Chipping Warden. Nptn 1C 50
Chipstable. Som 4D 20
Chipstead. Kent 5G 39
Chipstead. Surr 5D 38
Chirbury. Shrp 1E 59
Chirk. Wrex 2E 71
Chirmorie. S Ayr 2H 109
Chirnside. Bord 4E 131
Chirnsidebridge. Bord 4E 131
Chirton. Wilts 1F 23
Chisbridge Cross. Buck 3G 37
Chisbury. Wilts 5A 36
Chiselborough. Som 1H 13
Chiseldon. Swin 4G 35
Chiselhampton. Oxon 2D 36
Chiserley. W Yor 2A 92
Chislehurst. G Lon 3F 39
Chislet. Kent 4G 41
Chiswell. Dors 5B 14
Chiswell Green. Herts 5B 52
Chiswick. G Lon 3D 38
Chisworth. Derbs 1D 85
Chitcombe. E Sus 3C 28
Chithurst. W Sus 4G 25
Chittering. Cambs 4D 65
Chitterley. Devn 2C 12
Chitterne. Wilts 2E 23
Chittlehamholt. Devn 4G 19
Chittlehampton. Devn 4G 19
Chittoe. Wilts 5E 35
Chivelstone. Devn 5D 9
Chivenor. Devn 3F 19
Chobham. Surr 4A 38
Cholderton. Wilts 2H 23
Cholesbury. Buck 5H 51
Chollerford. Nmbd 2C 114
Chollerton. Nmbd 2C 114
Cholsey. Oxon 3D 36
Cholstrey. Here 5G 59
Chop Gate. N Yor 5C 106
Choppington. Nmbd 1F 115
Chopwell. Tyne 4E 115
Chorley. Ches E 5H 83
Chorley. Lanc 3D 90
Chorley. Shrp 2A 60
Chorley. Staf 4E 73
Chorleywood. Herts 1B 38
Chorlton. Ches E 5B 84
Chorlton-cum-Hardy. G Man 1C 84
Chorlton Lane. Ches W 1G 71
Choulton. Shrp 2F 59
Chrishall. Essx 2E 53
Christchurch. Cambs 1D 65
Christchurch. Dors 3G 15
Christchurch. Glos 4A 48
Christian Malford. Wilts 4E 35
Christleton. Ches W 4G 83
Christmas Common. Oxon 2F 37
Christon. N Som 1G 21
Christon Bank. Nmbd 2G 121
Christow. Devn 4B 12
Chryston. N Lan 2H 127
Chuck Hatch. E Sus 2F 27
Chudleigh. Devn 5B 12
Chudleigh Knighton. Devn 5B 12
Chulmleigh. Devn 1G 11
Chunal. Derbs 1E 85
Church. Lanc 2F 91
Churcham. Glos 4C 48
Church Aston. Telf 4B 72
Church Brampton. Nptn 4E 62
Church Brough. Cumb 3A 104
Church Broughton. Derbs 2G 73
Church Corner. Suff 2G 67
Church Crookham. Hants 1G 25
Churchdown. Glos 3D 49
Church Eaton. Staf 4C 72
Church End. Cambs
nr. Cambridge 5D 65
nr. Over 3C 64
nr. Sawtry 2B 64
nr. Wisbech 5C 76
Church End. C Beds
nr. Stotfold 2B 52
nr. Totternhoe 3H 51
Church End. E Yor 4E 101
Church End. Essx
nr. Braintree 3H 53
nr. Great Dunmow 3G 53
nr. Saffron Walden 1F 53
Churchend. Essx 1E 40
Church End. Glos 5C 48
Church End. Hants 1E 25
Church End. Linc
nr. Donington 2B 76
nr. North Somercotes 1D 88
Church End. Norf 4E 77
Church End. Warw
nr. Coleshill 1G 61
nr. Nuneaton 1G 61
Church End. Wilts 4F 35
Church Enstone. Oxon 3B 50
Church Fenton. N Yor 1F 93
Church Green. Devn 3E 13
Church Gresley. Derbs 4G 73
Church Hanborough. Oxon 4C 50
Church Hill. Ches W 4A 84
Church Hill. Worc 4E 61
Church Hougham. Kent 1G 29
Church Houses. N Yor 5D 106
Churchill. Devn
nr. Axminster 2G 13
nr. Barnstaple 2F 19
Churchill. N Som 1H 21
Churchill. Oxon 3A 50
Churchill. Worc
nr. Kidderminster 3C 60
nr. Worcester 5D 60
Churchinford. Som 1F 13
Church Knowle. Dors 4E 15
Church Laneham. Notts 3F 87
Church Langley. Essx 5E 53
Church Langton. Leics 1E 62
Church Lawford. Warw 3B 62
Church Lawton. Ches E 5C 84
Church Leigh. Staf 2E 73
Church Lench. Worc 5E 61
Church Mayfield. Staf 1F 73
Church Minshull. Ches E 4A 84
Church Norton. W Sus 3G 17
Churchover. Warw 2C 62
Church Preen. Shrp 1H 59
Church Pulverbatch. Shrp 5G 71
Churchstanton. Som 1E 13
Church Stoke. Powy 1E 59
Churchstow. Devn 4D 8
Church Stowe. Nptn 5D 62
Church Street. Kent 3B 40
Church Stretton. Shrp 1G 59
Churchtown. Cumb 5E 113
Churchtown. Derbs 4G 85
Churchtown. Devn 2G 19
Churchtown. IOM 2D 108
Churchtown. Lanc 5D 97
Church Town. Leics 4A 74
Churchtown. Mers 3B 90
Church Town. N Lin 4A 94
Churchtown. Shrp 2E 59
Church Village. Rhon 3D 32
Church Warsop. Notts 4C 86
Church Westcote. Glos 3H 49
Church Wilne. Derbs 2B 74
Churnsike Lodge. Nmbd 2H 113
Churston Ferrers. Torb 3F 9
Churt. Surr 3G 25
Churton. Ches W 5G 83
Churwell. W Yor 2C 92
Chute Standen. Wilts 1B 24
Chwilog. Gwyn 2D 68
Chwitffordd. Flin 3D 82
Chyandour. Corn 3B 4
Cilan Uchaf. Gwyn 3B 68
Cilcain. Flin 4D 82
Cilcennin. Cdgn 4E 57
Cilfrew. Neat 5A 46
Cilfynydd. Rhon 2D 32
Cilgerran. Pemb 1B 44
Cilgeti. Pemb 4F 43
Cilgwyn. Carm 3H 45
Cilgwyn. Pemb 1E 43
Ciliau Aeron. Cdgn 5D 57
Cill Amhlaidh. W Isl 4C 170
Cill Donnain. W Isl 6C 170
Cille a' Bhacstair. High 2C 154
Cille Bhrighde. W Isl 7C 170
Cille Pheadair. W Isl 7C 170
Cilmaengwyn. Neat 5H 45
Cilmeri. Powy 5C 58
Cilmery. Powy 5C 58
Cilrhedyn. Pemb 1G 43
Cilsan. Carm 3F 45
Ciltalgarth. Gwyn 1A 70
Ciltwrch. Powy 1E 47
Cilybebyll. Neat 5H 45
Cilycwm. Carm 2A 46
Cimla. Neat 2A 32
Cinderford. Glos 4B 48
Cinderhill. Derbs 1A 74
Cippenham. Slo 2A 38
Cippyn. Pemb 1B 44
Cirbhig. W Isl 3D 171
Circebost. W Isl 4D 171
Cirencester. Glos 5F 49
City, The. Buck 2F 37
City. Powy 1E 58
City. V Glam 4C 32
City Airport. G Lon 2F 39
City Dulas. IOA 2D 80
City of London. G Lon **203** (2E 39)
Clabhach. Arg 3C 138
Clachaig. Arg 1C 126
Clachaig. High
nr. Kinlochleven 3F 141
nr. Nethy Bridge 2E 151
Clachamish. High 3C 154
Clachan. Arg
on Kintyre 4F 125
on Lismore 4C 140
Clachan. High
nr. Bettyhill 2H 167
nr. Staffin 2D 155
nr. Uig 1D 154
on Raasay 5E 155
Clachan Farm. Arg 2A 134
Clachan na Luib. W Isl 2D 170
Clachan of Campsie. E Dun 2H 127
Clachan of Glendaruel. Arg 1A 126
Clachan-Seil. Arg 2E 133
Clachan Shannda. W Isl 1D 170
Clachan Strachur. Arg 3H 133
Clachbreck. Arg 2F 125
Clachnaharry. High 4A 158
Clachtoll. High 1E 163
Clackmannan. Clac 4B 136
Clackmannanshire Bridge. Clac 1C 128
Clackmarras. Mor 3G 159
Clacton-on-Sea. Essx 4E 55
Cladach a Chaolais. W Isl 2C 170
Cladach Chairinis. W Isl 3D 170
Cladach Chirceboist. W Isl 2C 170
Cladach Iolaraigh. W Isl 2C 170
Cladich. Arg 1H 133
Cladswell. Worc 5E 61
Claggan. High
nr. Fort William 1F 141
nr. Lochaline 3B 140
Claigan. High 3B 154
Clandown. Bath 1B 22
Clanfield. Hants 1E 17
Clanfield. Oxon 5A 50
Clanville. Hants 2B 24
Clanville. Som 3B 22
Claonaig. Arg 4G 125
Clapgate. Dors 2F 15
Clapgate. Herts 3E 53
Clapham. Bed 5H 63
Clapham. Devn 4B 12
Clapham. G Lon 3D 39
Clapham. N Yor 3G 97
Clapham. W Sus 5B 26
Clap Hill. Kent 2E 29
Clappers. Bord 4F 131
Clappersgate. Cumb 4E 103
Clapphoull. Shet 9F 173
Clapton. Som
nr. Crewkerne 2H 13
nr. Radstock 1B 22
Clapton in Gordano. N Som 4H 33
Clapton-on-the-Hill. Glos 4G 49
Clapworthy. Devn 4G 19
Clara Vale. Tyne 3E 115
Clarbeston. Pemb 2E 43
Clarbeston Road. Pemb 2E 43
Clarborough. Notts 2E 87
Clare. Suff 1A 54
Clarebrand. Dum 3E 111
Clarencefield. Dum 3B 112
Clarilaw. Bord 3H 119
Clark's Green. Surr 2C 26
Clark's Hill. Linc 3C 76
Clarkston. E Ren 4G 127
Clasheddy. High 2G 167
Clashindarroch. Abers 5B 160
Clashmore. High
nr. Dornoch 5E 165
nr. Stoer 1E 163
Clashnessie. High 5A 166
Clashnoir. Mor 1G 151
Clate. Shet 5G 173
Clathick. Per 1H 135
Clathy. Per 2B 136
Clatt. Abers 1C 152
Clatter. Powy 1B 58
Clatterford. IOW 4C 16
Clatworthy. Som 3D 20
Claughton. Lanc
nr. Caton 3E 97
nr. Garstang 5E 97
Claughton. Mers 2E 83
Claverdon. Warw 4F 61
Claverham. N Som 5H 33
Clavering. Essx 2E 53
Claverley. Shrp 1B 60
Claverton. Bath 5C 34
Clawdd-côch. V Glam 4D 32
Clawdd-newydd. Den 5C 82
Clawson Hill. Leics 3E 75
Clawton. Devn 3D 10
Claxby. Linc
nr. Alford 3D 88
nr. Market Rasen 1A 88
Claxton. Norf 5F 79
Claxton. N Yor 3A 100
Claybrooke Magna. Leics 2B 62
Claybrooke Parva. Leics 2B 62
Clay Common. Suff 2G 67
Clay Coton. Nptn 3C 62
Clay Cross. Derbs 4A 86
Claydon. Oxon 5B 62
Claydon. Suff 5D 66
Clay End. Herts 3D 52
Claygate. Dum 2E 113
Claygate. Kent 1B 28
Claygate. Surr 4C 38
Claygate Cross. Kent 5H 39
Clayhall. Hants 3E 16
Clayhanger. Devn 4D 20
Clayhanger. W Mid 5E 73
Clayhidon. Devn 1E 13
Clay Hill. Bris 4B 34
Clayhill. E Sus 3C 28
Clayhill. Hants 2B 16
Clayhithe. Cambs 4E 65
Clayholes. Ang 5E 145
Clay Lake. Linc 3B 76
Clayock. High 3D 168
Claypits. Glos 5C 48
Claypole. Linc 1F 75
Claythorpe. Linc 3D 88
Clayton. G Man 1C 84
Clayton. S Yor 4E 93
Clayton. Staf 1C 72
Clayton. W Sus 4E 27
Clayton. W Yor 1B 92
Clayton Green. Lanc 2D 90
Clayton-le-Moors. Lanc 1F 91
Clayton-le-Woods. Lanc 2D 90
Clayton West. W Yor 3C 92
Clayworth. Notts 2E 87
Cleadale. High 5C 146
Cleadon. Tyne 3G 115
Clearbrook. Devn 2B 8
Clearwell. Glos 5A 48
Cleasby. N Yor 3F 105
Cleat. Orkn
nr. Braehead 3D 172
nr. St Margaret's Hope 9D 172
Cleatlam. Dur 3E 105
Cleator. Cumb 3B 102
Cleator Moor. Cumb 3B 102
Cleckheaton. W Yor 2B 92
Cleedownton. Shrp 2H 59
Cleehill. Shrp 3H 59
Cleekhimin. N Lan 4A 128
Clee St Margaret. Shrp 2H 59
Cleestanton. Shrp 3H 59
Cleethorpes. NE Lin 4G 95
Cleeton St Mary. Shrp 3A 60
Cleeve. N Som 5H 33
Cleeve. Oxon 3E 36
Cleeve Hill. Glos 3E 49
Cleeve Prior. Worc 1F 49
Clehonger. Here 2H 47
Cleigh. Arg 1F 133
Cleish. Per 4C 136
Cleland. N Lan 4B 128
Clench Common. Wilts 5G 35
Clenchwarton. Norf 3E 77
Clennell. Nmbd 4D 120
Clent. Worc 3D 60
Cleobury Mortimer. Shrp 3A 60
Cleobury North. Shrp 2A 60
Clephanton. High 3C 158
Clerkhill. High 2H 167
Clestrain. Orkn 7C 172
Clevancy. Wilts 4F 35
Clevedon. N Som 4H 33
Cleveley. Oxon 3B 50
Cleveleys. Lanc 5C 96
Clevelode. Worc 1D 48
Cleverton. Wilts 3E 35
Clewer. Som 1H 21
Cley next the Sea. Norf 1C 78
Cliaid. W Isl 8B 170
Cliasmol. W Isl 7C 171
Clibberswick. Shet 1H 173
Cliburn. Cumb 2G 103
Cliddesden. Hants 2E 25
Clieves Hills. Lanc 4B 90
Cliff. Warw 1G 61
Cliffburn. Ang 4F 145
Cliffe. Medw 3B 40
Cliffe. N Yor
nr. Darlington 3F 105
nr. Selby 1G 93
Cliff End. E Sus 4C 28
Cliffe Woods. Medw 3B 40
Clifford. Here 1F 47
Clifford. W Yor 5G 99
Clifford Chambers. Warw 5F 61
Clifford's Mesne. Glos 3C 48
Cliffsend. Kent 4H 41
Clifton. Bris 4A 34
Clifton. C Beds 2B 52
Clifton. Cumb 2G 103
Clifton. Derbs 1F 73
Clifton. Devn 2G 19
Clifton. G Man 4F 91
Clifton. Lanc 1C 90
Clifton. Nmbd 1F 115
Clifton. N Yor 5D 98
Clifton. Nott 2C 74
Clifton. Oxon 2C 50
Clifton. S Yor 1C 86
Clifton. Stir 5H 141
Clifton. W Yor 2B 92
Clifton. Worc 1D 48
Clifton. York 4H 99
Clifton Campville. Staf 4G 73
Clifton Hampden. Oxon 2D 36
Clifton Hill. Worc 4B 60
Clifton Reynes. Mil 5G 63
Clifton upon Dunsmore. Warw 3C 62
Clifton upon Teme. Worc 4B 60
Cliftonville. Kent 3H 41
Cliftonville. Norf 2F 79
Climping. W Sus 5A 26
Climpy. S Lan 4C 128
Clink. Som 2C 22
Clint. N Yor 4E 99
Clint Green. Norf 4C 78
Clintmains. Bord 1A 120
Cliobh. W Isl 4C 171
Clipiau. Gwyn 4H 69
Clippesby. Norf 4G 79
Clippings Green. Norf 4C 78
Clipsham. Rut 4G 75
Clipston. Nptn 2E 62
Clipston. Notts 2D 74
Clipstone. Notts 4C 86
Clitheroe. Lanc 5G 97
Cliuthar. W Isl 8D 171
Clive. Shrp 3H 71
Clivocast. Shet 1G 173
Clixby. Linc 4D 94
Clocaenog. Den 5C 82
Clochan. Mor 2B 160
Clochforbie. Abers 3F 161
Clock Face. Mers 1H 83
Cloddiau. Powy 5E 70
Cloddymoss. Mor 2D 159
Clodock. Here 3G 47
Cloford. Som 2C 22
Clola. Abers 4H 161
Clophill. C Beds 2A 52
Clopton. Nptn 2H 63
Clopton Corner. Suff 5E 66
Clopton Green. Suff 5G 65
Closeburn. Dum 5A 118
Close Clark. IOM 4B 108
Closworth. Som 1A 14
Clothall. Herts 2C 52
Clotton. Ches W 4H 83
Clough. G Man 3H 91
Clough. W Yor 3A 92
Clough Foot. W Yor 2H 91
Cloughton. N Yor 5H 107
Cloughton Newlands. N Yor 5H 107
Clousta. Shet 6E 173
Clouston. Orkn 6B 172
Clova. Abers 1B 152
Clova. Ang 1C 144
Clovelly. Devn 4D 18
Clovenfords. Bord 1G 119
Clovenstone. Abers 2E 153
Clovullin. High 2E 141
Clowne. Derbs 3B 86
Clows Top. Worc 3B 60
Cloy. Wrex 1F 71
Cluanie Inn. High 2C 148
Cluanie Lodge. High 2C 148
Cluddley. Telf 4A 72
Y Clun. Neat 5B 46
Clun. Shrp 2F 59
Clunas. High 4C 158
Clunbury. Shrp 2F 59
Clunderwen. Pemb 3F 43
Clune. High 1B 150
Clunes. High 5E 148
Clungunford. Shrp 3F 59
Clunie. Per 4A 144
Clunton. Shrp 2F 59
Cluny. Fife 4E 137
Clutton. Bath 1B 22
Clutton. Ches W 5G 83
Clwt-y-bont. Gwyn 4E 81
Clwydfagwyr. Mer T 5D 46
Clydach. Mon 4F 47
Clydach. Swan 5G 45
Clydach Vale. Rhon 2C 32
Clydebank. W Dun 3G 127
Clydey. Pemb 1G 43
Clyffe Pypard. Wilts 4F 35
Clynder. Arg 1D 126
Clyne. Neat 5B 46
Clynelish. High 3F 165
Clynnog-fawr. Gwyn 1D 68
Clyro. Powy 1F 47
Clyst Honiton. Devn 3C 12
Clyst Hydon. Devn 2D 12
Clyst St George. Devn 4C 12
Clyst St Lawrence. Devn 2D 12
Clyst St Mary. Devn 3C 12
Clyth. High 5E 169
Cnip. W Isl 4C 171
Cnoc Amhlaigh. W Isl 4H 171
Cnwcau. Pemb 1C 44
Cnwch Coch. Cdgn 3F 57
Coad's Green. Corn 5C 10
Coal Aston. Derbs 3A 86
Coalbrookdale. Telf 5A 72
Coalbrookvale. Blae 5E 47
Coalburn. S Lan 1H 117
Coalburns. Tyne 3E 115
Coalcleugh. Nmbd 5B 114
Coaley. Glos 5C 48
Coalford. Abers 4F 153
Coalhall. E Ayr 3D 116
Coalhill. Essx 1B 40
Coalpit Heath. S Glo 3B 34
Coal Pool. W Mid 5E 73
Coalport. Telf 5B 72
Coalsnaughton. Clac 4B 136
Coaltown of Balgonie. Fife 4F 137
Coaltown of Wemyss. Fife 4F 137
Coalville. Leics 4B 74
Coalway. Glos 4A 48
Coanwood. Nmbd 4H 113
Coat. Som 4H 21
Coatbridge. N Lan 3A 128
Coatdyke. N Lan 3A 128
Coate. Swin 3G 35
Coate. Wilts 5F 35
Coates. Cambs 1C 64
Coates. Glos 5E 49
Coates. Linc 2G 87
Coates. W Sus 4A 26
Coatham. Red C 2C 106
Coatham Mundeville. Darl 2F 105

A-Z Great Britain Road Atlas 227

Cryers Hill—Dibden Purlieu

Cryers Hill. Buck 2G 37
Crymych. Pemb 1F 43
Crynant. Neat 5A 46
Crystal Palace. G Lon 3E 39
Cuaich. High 5A 150
Cuaig. High 3G 155
Cuan. Arg 2E 133
Cubbington. Warw 4H 61
Cubert. Corn 3B 6
Cubley. S Yor 4C 92
Cubley Common. Derbs 2F 73
Cublington. Buck 3G 51
Cublington. Here 2G 47
Cuckfield. W Sus 3E 27
Cucklington. Som 4C 22
Cuckney. Notts 3C 86
Cuckron. Shet 6F 173
Cuddesdon. Oxon 5E 50
Cuddington. Buck 4F 51
Cuddington. Ches W 3A 84
Cuddington Heath. Ches W 1G 71
Cuddy Hill. Lanc 1C 90
Cudham. G Lon 5F 39
Cudlipptown. Devn 5F 11
Cudworth. Som 1G 13
Cudworth. S Yor 4D 93
Cudworth. Surr 1D 26
Cuerdley Cross. Warr 2H 83
Cuffley. Herts 5D 52
Cuidhir. W Isl 8B 170
Cuidhsiadar. W Isl 2H 171
Cuidhtinis. W Isl 9C 171
Culbo. High 2A 158
Culbokie. High 3A 158
Culburnie. High 4G 157
Culcabock. High 4A 158
Culcharry. High 3C 158
Culcheth. Warr 1A 84
Culduie. High 4G 155
Culeave. High 4C 164
Culford. Suff 3H 65
Culgaith. Cumb 2H 103
Culham. Oxon 2D 36
Culkein. High 1E 163
Culkein Drumbeg. High 5B 166
Culkerton. Glos 2E 35
Cullen. Mor 2C 160
Cullercoats. Tyne 2G 115
Cullicudden. High 2A 158
Cullingworth. W Yor 1A 92
Cullipool. Arg 2E 133
Cullivoe. Shet 1G 173
Culloch. Per 2G 135
Culloden. High 4B 158
Cullompton. Devn 2D 12
Culm Davy. Devn 1E 13
Culmington. Shrp 2G 59
Culmstock. Devn 1E 12
Cul na Caepaich. High 5E 147
Culnacnoc. High 2E 155
Culnacraig. High 3E 163
Culrain. High 4C 164
Culross. Fife 1C 128
Culroy. S Ayr 3C 116
Culswick. Shet 7D 173
Cults. Aber 3F 153
Cults. Abers 5C 160
Cults. Fife 3F 137
Cultybraggan Camp. Per 1G 135
Culver. Devn 3B 12
Culverlane. Devn 2D 8
Culverstone Green. Kent 4H 39
Culverthorpe. Linc 1H 75
Culworth. Nptn 1D 50
Culzie Lodge. High 1H 157
Cumberlow Green. Herts 2D 52
Cumbernauld. N Lan 2A 128
Cumbernauld Village. N Lan 2A 128
Cumberworth. Linc 3E 89
Cumdivock. Cumb 5E 113
Cuminestown. Abers 3F 161
Cumledge Mill. Bord 4D 130
Cumlewick. Shet 9F 173
Cummersdale. Cumb 4E 113
Cummertrees. Dum 3C 112
Cummingstown. Mor 2F 159
Cumnock. E Ayr 2E 117
Cumnor. Oxon 5C 50
Cumrew. Cumb 4G 113
Cumwhinton. Cumb 4F 113
Cumwhitton. Cumb 4G 113
Cundall. N Yor 2G 99
Cunninghamhead. N Ayr 5E 127
Cunning Park. S Ayr 3C 116
Cunningsburgh. Shet 9F 173
Cunnister. Shet 2G 173
Cupar. Fife 2F 137
Cupar Muir. Fife 2F 137
Cupernham. Hants 4B 24
Curbar. Derbs 3G 85
Curborough. Staf 4F 73
Curbridge. Hants 1D 16
Curbridge. Oxon 5B 50
Curdridge. Hants 1D 16
Curdworth. Warw 1F 61
Curland. Som 1F 13
Curland Common. Som 1F 13
Curridge. W Ber 4C 36
Currie. Edin 3E 129
Curry Mallet. Som 4G 21
Curry Rivel. Som 4G 21
Curtisden Green. Kent 1B 28
Curtisknowle. Devn 3D 8
Cury. Corn 4D 5
Cusgarne. Corn 4B 6
Cusop. Here 1F 47
Cusworth. S Yor 4F 93
Cutcombe. Som 3C 20
Cuthill. E Lot 2G 129
Cutiau. Gwyn 4F 69
Cutlers Green. Essx 2F 53
Cutmadoc. Corn 2E 7
Cutnall Green. Worc 4C 60
Cutsdean. Glos 2F 49
Cutthorpe. Derbs 3H 85
Cuttiford's Door. Som 1G 13
Cuttivett. Corn 2H 7
Cutts. Shet 8E 173
Cuttybridge. Pemb 3D 42
Cuttyhill. Abers 3H 161
Cuxham. Oxon 2E 37
Cuxton. Medw 4B 40
Cuxwold. Linc 4E 95
Cwm. Blae 5E 47
Cwm. Den 3C 82
Cwm. Powy 1E 59
Cwmafan. Neat 2A 32
Cwmaman. Rhon 2C 32
Cwmann. Carm 1F 45
Cwmbach. Carm 2G 43
Cwmbach. Powy 2E 47
Cwmbach. Rhon 5D 46
Cwmbach Llechrhyd. Powy 5C 58
Cwmbelan. Powy 2B 58
Cwmbran. Torf 2F 33
Cwmbrwyno. Cdgn 2G 57
Cwm Capel. Carm 5E 45
Cwmcarn. Cphy 2F 33
Cwmcarvan. Mon 5H 47
Cwm-celyn. Blae 5F 47
Cwmcerdinen. Swan 5G 45
Cwm-Cewydd. Gwyn 4A 70
Cwm-cou. Cdgn 1C 44
Cwmcych. Pemb 1G 43
Cwmdare. Rhon 5C 46
Cwmdu. Carm 2G 45
Cwmdu. Powy 3E 47
Cwmduad. Carm 2D 45
Cwm Dulais. Swan 5G 45
Cwmerfyn. Cdgn 2F 57
Cwmfelin. B'end 3B 32
Cwmfelin Boeth. Carm 3F 43
Cwmfelinfach. Cphy 2E 33
Cwmfelin Mynach. Carm 2G 43
Cwmffrwd. Carm 4E 45
Cwmgiedd. Powy 4A 46
Cwmgors. Neat 4H 45
Cwmgwili. Carm 4F 45
Cwmgwrach. Neat 5B 46
Cwmhiraeth. Carm 1H 43
Cwmifor. Carm 3G 45
Cwmisfael. Carm 4E 45
Cwm-Llinau. Powy 5H 69
Cwmllynfell. Neat 4H 45
Cwm-mawr. Carm 4F 45
Cwm-miles. Carm 2F 43
Cwmorgan. Carm 1G 43
Cwmparc. Rhon 2C 32
Cwm Penmachno. Cnwy 1G 69
Cwmpennar. Rhon 5D 46
Cwm Plysgog. Pemb 1B 44
Cwmrhos. Powy 3E 47
Cwmsychpant. Cdgn 1E 45
Cwmsyfiog. Cphy 5E 47
Cwmsymlog. Cdgn 2F 57
Cwmtillery. Blae 5F 47
Cwm-twrch Isaf. Powy 5A 46
Cwm-twrch Uchaf. Powy 4A 46
Cwmwysg. Powy 3B 46
Cwm-y-glo. Gwyn 4E 81
Cwmyoy. Mon 3G 47
Cwmystwyth. Cdgn 3G 57
Cwrt. Gwyn 5F 69
Cwrtnewydd. Cdgn 1E 45
Cwrt-y-Cadno. Carm 1G 45
Cydweli. Carm 5E 45
Cyffylliog. Den 5C 82
Cymau. Flin 5E 83
Cymer. Neat 2B 32
Cymmer. Neat 2B 32
Cymmer. Rhon 2D 32
Cyncoed. Card 3E 33
Cynghordy. Carm 2B 46
Cynheidre. Carm 5E 45
Cynonville. Neat 2B 32
Cynwyd. Den 1C 70
Cynwyl Elfed. Carm 3D 44
Cywarch. Gwyn 4A 70

D

Dacre. Cumb 2F 103
Dacre. N Yor 3D 98
Dacre Banks. N Yor 3D 98
Daddry Shield. Dur 1B 104
Dadford. Buck 2E 51
Dadlington. Leics 1B 62
Dafen. Carm 5F 45
Daffy Green. Norf 5B 78
Dagdale. Staf 2E 73
Dagenham. G Lon 2F 39
Daggons. Dors 1G 15
Daglingworth. Glos 5E 49
Dagnall. Buck 4H 51
Dagtail End. Worc 4E 61
Dail. Arg 5E 141
Dail Beag. W Isl 3E 171
Dail bho Dheas. W Isl 1G 171
Dailly. S Ayr 4B 116
Dail Mor. W Isl 3E 171
Dairsie. Fife 2G 137
Daisy Bank. W Mid 1E 61
Daisy Hill. G Man 4E 91
Daisy Hill. W Yor 1B 92
Dalabrog. W Isl 6C 170
Dalavich. Arg 2G 133
Dalbeattie. Dum 3F 111
Dalblair. E Ayr 3F 117
Dalbury. Derbs 2G 73
Dalby. IOM 4B 108
Dalby Wolds. Leics 3D 74
Dalchalm. High 3G 165
Dalcharn. High 3G 167
Dalchork. High 2C 164
Dalchreichart. High 2E 149
Dalchruin. Per 2G 135
Dalcross. High 4B 158
Dalderby. Linc 4B 88
Dale. Cumb 5G 113
Dale. Pemb 4C 42
Dale Abbey. Derbs 2B 74
Dalebank. Derbs 4A 86
Dale Bottom. Cumb 2D 102
Dale Head. Cumb 3F 103
Dalehouse. N Yor 3E 107
Dalelia. High 2B 140
Dale of Walls. Shet 6C 173
Dalgarven. N Ayr 5D 126
Dalgety Bay. Fife 1E 129
Dalginross. Per 1G 135
Dalguise. Per 4G 143
Dalhalvaig. High 3A 168
Dalham. Suff 4G 65
Dalintart. Arg 1F 133
Dalkeith. Midl 3G 129
Dallas. Mor 3F 159
Dalleagles. E Ayr 3E 117
Dall House. Per 3C 142
Dallinghoo. Suff 5E 67
Dallington. E Sus 4A 28
Dallow. N Yor 2D 98
Dalmally. Arg 1A 134
Dalmarnock. Glas 3H 127
Dalmellington. E Ayr 4D 117
Dalmeny. Edin 2E 129
Dalmigavie. High 2B 150
Dalmilling. S Ayr 2C 116
Dalmore. High
nr. Alness 2A 158
nr. Rogart 3E 164
Dalmuir. W Dun 2F 127
Dalmunach. Mor 4G 159
Dalnabreck. High 2B 140
Dalnacardoch Lodge. Per 1E 142
Dalnamein Lodge. Per 2E 143
Dalnaspidal Lodge. Per 1D 142
Dalnatrat. High 3D 140
Dalnavie. High 1A 158
Dalnawillan Lodge. High 4C 168
Dalness. High 3F 141
Dalnessie. High 2D 164
Dalqueich. Per 3C 136
Dalquhairn. S Ayr 5C 116
Dalreavoch. High 3E 165
Dalreoch. Per 2C 136
Dalry. Edin 2F 129
Dalry. N Ayr 5D 126
Dalrymple. E Ayr 3C 116
Dalscote. Nptn 5D 62
Dalserf. S Lan 4B 128
Dalsmirren. Arg 4A 122
Dalston. Cumb 4E 113
Dalswinton. Dum 1G 111
Dalton. Dum 2C 112
Dalton. Lanc 4C 90
Dalton. Nmbd
nr. Hexham 4C 114
nr. Ponteland 2E 115
Dalton. N Yor
nr. Richmond 4E 105
nr. Thirsk 2G 99
Dalton. S Lan 4H 127
Dalton. S Yor 1B 86
Dalton-in-Furness. Cumb 2B 96
Dalton-le-Dale. Dur 5H 115
Dalton Magna. S Yor 1B 86
Dalton-on-Tees. N Yor 4F 105
Dalton Piercy. Hart 1B 106
Daltot. Arg 1F 125
Dalvey. High 5F 159
Dalwhinnie. High 5A 150
Dalwood. Devn 2F 13
Damerham. Hants 1G 15
Damgate. Norf
nr. Acle 5G 79
nr. Martham 4G 79
Dam Green. Norf 2C 66
Damhead. Mor 3E 159
Danaway. Kent 4C 40
Danbury. Essx 5A 54
Danby. N Yor 4E 107
Danby Botton. N Yor 4D 107
Danby Wiske. N Yor 5A 106
Danderhall. Midl 3G 129
Danebank. Ches E 2D 85
Danebridge. Ches E 4D 84
Dane End. Herts 3D 52
Danehill. E Sus 3F 27
Danesford. Shrp 1B 60
Daneshill. Hants 1E 25
Danesmoor. Derbs 4B 86
Danestone. Aber 2G 153
Dangerous Corner. Lanc 3D 90
Daniel's Water. Kent 1D 28
Dan's Castle. Dur 1E 105
Danzey Green. Warw 4F 61
Dapple Heath. Staf 3E 73
Daren. Powy 4F 47
Darenth. Kent 3G 39
Daresbury. Hal 2H 83
Darfield. S Yor 4E 93
Dargate. Kent 4E 41
Dargill. Per 2A 136
Darite. Corn 2G 7
Darlaston. W Mid 1D 61
Darley. N Yor 4E 98
Darley Abbey. Derb 2H 73
Darley Bridge. Derbs 4G 85
Darley Dale. Derbs 4G 85
Darley Head. N Yor 4D 98
Darlingscott. Warw 1H 49
Darlington. Darl 3F 105
Darliston. Shrp 2H 71
Darlton. Notts 3E 87
Darmsden. Suff 5C 66
Darnall. S Yor 2A 86
Darnford. Abers 4E 153
Darnford. Staf 5F 73
Darnhall. Ches W 4A 84
Darnick. Bord 1H 119
Darowen. Powy 5H 69
Darra. Abers 4E 161
Darracott. Devn 3E 19
Darras Hall. Nmbd 2E 115
Darrington. W Yor 2E 93
Darrow Green. Norf 2E 67
Darsham. Suff 4G 67
Dartfield. Abers 3H 161
Dartford. Kent 3G 39
Dartford-Thurrock River Crossing. Kent 3G 39
Dartington. Devn 2D 9
Dartmeet. Devn 5G 11
Dartmouth. Devn 3E 9
Darton. S Yor 3D 92
Darvel. E Ayr 1E 117
Darwen. Bkbn 2E 91
Dassels. Herts 3D 53
Datchet. Wind 3A 38
Datchworth. Herts 4C 52
Datchworth Green. Herts 4C 52
Daubhill. G Man 4F 91
Dauntsey. Wilts 3E 35
Dauntsey Green. Wilts 3E 35
Dauntsey Lock. Wilts 3E 35
Dava. Mor 5E 159
Davenham. Ches W 3A 84
Daventry. Nptn 4C 62
Davidson's Mains. Edin 2F 129
Davidston. High 2B 158
Davidstow. Corn 4B 10
David's Well. Powy 3C 58
Davington. Dum 4E 119
Daviot. Abers 1E 153
Daviot. High 5B 158
Davyhulme. G Man 1B 84
Daw Cross. N Yor 4E 99
Dawdon. Dur 5H 115
Dawesgreen. Surr 1D 26
Dawley. Telf 5A 72
Dawlish. Devn 5C 12
Dawlish Warren. Devn 5C 12
Dawn. Cnwy 3A 82
Daws Heath. Essx 2C 40
Dawshill. Worc 5C 60
Daw's House. Corn 4D 10
Dawsmere. Linc 2D 76
Dayhills. Staf 2D 72
Dayhouse Bank. Worc 3D 60
Daylesford. Glos 3H 49
Daywall. Shrp 2E 71
Ddol. Flin 3D 82
Ddol Cownwy. Powy 4C 70
Deadman's Cross. C Beds 1B 52
Deadwater. Nmbd 5A 120
Deaf Hill. Dur 1A 106
Deal. Kent 5H 41
Dean. Cumb 2B 102
Dean. Devn
nr. Combe Martin 2G 19
nr. Lynton 2H 19
Dean. Dors 1E 15
Dean. Hants
nr. Bishop's Waltham 1D 16
nr. Winchester 3C 24
Dean. Oxon 3B 50
Dean. Som 2B 22
Dean Bank. Dur 1F 105
Deanburnhaugh. Bord 3F 119
Dean Cross. Devn 2F 19
Deane. Hants 1D 24
Deanich Lodge. High 5A 164
Deanland. Dors 1E 15
Deanlane End. W Sus 1F 17
Dean Park. Shrp 4A 60
Dean Prior. Devn 2D 8
Dean Row. Ches E 2C 84
Deans. W Lot 3D 128
Deanscales. Cumb 2B 102
Deanshanger. Nptn 1F 51
Deanston. Stir 3G 135
Dearham. Cumb 1B 102
Dearne Valley. S Yor 4D 93
Debach. Suff 5E 67
Debden. Essx 2F 53
Debden Green. Essx
nr. Loughton 1F 39
nr. Saffron Walden 2F 53
Debenham. Suff 4D 66
Dechmont. W Lot 2D 128
Deddington. Oxon 2C 50
Dedham. Essx 2D 54
Dedham Heath. Essx 2D 54
Deebank. Abers 4D 152
Deene. Nptn 1G 63
Deenethorpe. Nptn 1G 63
Deepcar. S Yor 1G 85
Deepcut. Surr 5A 38
Deepdale. Cumb 1G 97
Deepdale. N Lin 3D 94
Deepdale. N Yor 2A 98
Deeping Gate. Pet 5A 76
Deeping St James. Linc 4A 76
Deeping St Nicholas. Linc 4B 76
Deerhill. Mor 3B 160
Deerhurst. Glos 3D 48
Deerhurst Walton. Glos 3D 49
Deerness. Orkn 7E 172
Defford. Worc 1E 49
Defynnog. Powy 3C 46
Deganwy. Cnwy 3G 81
Deighton. N Yor 4A 106
Deighton. W Yor 3B 92
Deighton. York 5A 100
Deiniolen. Gwyn 4E 81
Delabole. Corn 4A 10
Delamere. Ches W 4H 83
Delfour. High 3C 150
Dell, The. Suff 1G 67
Delliefure. High 5E 159
Delly End. Oxon 4B 50
Delny. High 1B 158
Delph. G Man 4H 91
Delves. Dur 5E 115
Delves, The. W Mid 1E 61
Delvin End. Essx 2A 54
Dembleby. Linc 2H 75
Demelza. Corn 2D 6
Den, The. N Ayr 4E 127
Denaby Main. S Yor 1B 86
Denbeath. Fife 4F 137
Denbigh. Den 4C 82
Denbury. Devn 2E 9
Denby. Derbs 1A 74
Denby Common. Derbs 1B 74
Denby Dale. W Yor 4C 92
Denchworth. Oxon 2B 36
Dendron. Cumb 2B 96
Deneside. Dur 5H 115
Denford. Nptn 3G 63
Dengie. Essx 5C 54
Denham. Buck 2B 38
Denham. Suff
nr. Bury St Edmunds 4G 65
nr. Eye 3D 66
Denham Green. Buck 2B 38
Denham Street. Suff 3D 66
Denhead. Abers
nr. Ellon 5G 161
nr. Strichen 3G 161
Denhead. Fife 2G 137
Denholm. Bord 3H 119
Denholme. W Yor 1A 92
Denholme Clough. W Yor 1A 92
Denholme Gate. W Yor 1A 92
Denio. Gwyn 2C 68
Denmead. Hants 1E 17
Dennington. Suff 4E 67
Denny. Falk 1B 128
Denny End. Cambs 4D 65
Dennyloanhead. Falk 1B 128
Den of Lindores. Fife 2E 137
Denshaw. G Man 3H 91
Denside. Abers 4F 153
Densole. Kent 1G 29
Denston. Suff 5G 65
Denstone. Staf 1F 73
Denstroude. Kent 4F 41
Dent. Cumb 1G 97
Denton. Cambs 2A 64
Denton. Darl 3F 105
Denton. E Sus 5F 27
Denton. G Man 1D 84
Denton. Kent 1G 29
Denton. Linc 2F 75
Denton. Norf 2E 67
Denton. Nptn 5F 63
Denton. N Yor 5D 98
Denton. Oxon 5D 50
Denver. Norf 5F 77
Denwick. Nmbd 3G 121
Deopham. Norf 5C 78
Deopham Green. Norf 1C 66
Depden. Suff 5G 65
Depden Green. Suff 5G 65
Deptford. G Lon 3E 39
Deptford. Wilts 3F 23
Derby. Derb 193 (2A 74)
Derbyhaven. IOM 5B 108
Derculich. Per 3F 143
Dereham. Norf 4B 78
Deri. Cphy 5E 47
Derril. Devn 2D 10
Derringstone. Kent 1G 29
Derrington. Shrp 1A 60
Derrington. Staf 3C 72
Derriton. Devn 2D 10
Derryguaig. Arg 5F 139
Derry Hill. Wilts 4E 35
Derrythorpe. N Lin 4B 94
Dersingham. Norf 2F 77
Dervaig. Arg 3F 139
Derwen. Den 5C 82
Derwen Gam. Cdgn 5D 56
Derwenlas. Powy 1G 57
Desborough. Nptn 2F 63
Desford. Leics 5B 74
Detchant. Nmbd 1E 121
Dethick. Derbs 5H 85
Detling. Kent 5B 40
Deuchar. Ang 2D 144
Deuddwr. Powy 4E 71
Devauden. Mon 2H 33
Devil's Bridge. Cdgn 3G 57
Devitts Green. Warw 1G 61
Devizes. Wilts 5F 35
Devonport. Plym 3A 8
Devonside. Clac 4B 136
Devoran. Corn 5B 6
Dewartown. Midl 3G 129
Dewlish. Dors 3C 14
Dewsall Court. Here 2H 47
Dewsbury. W Yor 2C 92
Dexbeer. Devn 2C 10
Dhoon. IOM 3D 108
Dhoor. IOM 2D 108
Dhowin. IOM 1D 108
Dial Green. W Sus 3A 26
Dial Post. W Sus 4C 26
Dibberford. Dors 2H 13
Dibden. Hants 2C 16
Dibden Purlieu. Hants 2C 16

Dickleburgh—Dunton

Dickleburgh. Norf 2D 66
Didbrook. Glos 2F 49
Didcot. Oxon 2D 36
Diddington. Cambs 4A 64
Diddlebury. Shrp 2H 59
Didley. Here 2H 47
Didling. W Sus 1G 17
Didmarton. Glos 3D 34
Didsbury. G Man 1C 84
Didworthy. Devn 2C 8
Digby. Linc 5H 87
Digg. High 2D 154
Diggle. G Man 4A 92
Digmoor. Lanc 4C 90
Digswell. Herts 4C 52
Dihewyd. Cdgn 5D 57
Dilham. Norf 3F 79
Dilhorne. Staf 1D 72
Dillarburn. S Lan 5B 128
Dillington. Cambs 4A 64
Dilston. Nmbd 3C 114
Dilton Marsh. Wilts 2D 22
Dilwyn. Here 5G 59
Dimmer. Som 3B 22
Dimple. G Man 3F 91
Dinas. Carm 1G 43
Dinas. Gwyn
nr. Caernarfon 5D 81
nr. Tudweiliog 2B 68
Dinas Cross. Pemb 1E 43
Dinas Dinlle. Gwyn 5D 80
Dinas Mawddwy. Gwyn 4A 70
Dinas Powys. V Glam 4E 33
Dinbych. Den 4C 82
Dinbych-y-Pysgod. Pemb 4F 43
Dinckley. Lanc 1E 91
Dinder. Som 2A 22
Dinedor. Here 2A 48
Dinedor Cross. Here 2A 48
Dingestow. Mon 4H 47
Dingle. Mers 2F 83
Dingleden. Kent 2C 28
Dingleton. Bord 1H 119
Dingley. Nptn 2E 63
Dingwall. High 3H 157
Dinmael. Cnwy 1C 70
Dinnet. Abers 4B 152
Dinnington. Som 1H 13
Dinnington. S Yor 2C 86
Dinnington. Tyne 2F 115
Dinorwig. Gwyn 4E 81
Dinton. Buck 4F 51
Dinton. Wilts 3F 23
Dinworthy. Devn 1D 10
Dipley. Hants 1F 25
Dippen. Arg 2B 122
Dippenhall. Surr 2G 25
Dippertown. Devn 4E 11
Dippin. N Ayr 3E 123
Dipple. S Ayr 4B 116
Diptford. Devn 3D 8
Dipton. Dur 4E 115
Dirleton. E Lot 1B 130
Dirt Pot. Nmbd 5B 114
Discoed. Powy 4E 59
Diseworth. Leics 3B 74
Dishes. Orkn 5F 172
Dishforth. N Yor 2F 99
Disley. Ches E 2D 85
Diss. Norf 3D 66
Disserth. Powy 5C 58
Distington. Cumb 2B 102
Ditchampton. Wilts 3F 23
Ditcheat. Som 3B 22
Ditchingham. Norf 1F 67
Ditchling. E Sus 4E 27
Ditteridge. Wilts 5D 34
Dittisham. Devn 3E 9
Ditton. Hal 2G 83
Ditton. Kent 5B 40
Ditton Green. Cambs 5F 65
Ditton Priors. Shrp 2A 60
Divach. High 1G 149
Dixonfield. High 2D 168
Dixton. Glos 2E 49
Dixton. Mon 4A 48
Dizzard. Corn 3B 10
Dobcross. G Man 4H 91
Dobs Hill. Flin 4F 83
Dobson's Bridge. Shrp 2G 71
Dobwalls. Corn 2G 7
Doccombe. Devn 4A 12
Dochgarroch. High 4A 158
Docking. Norf 2G 77
Docklow. Here 5H 59
Dockray. Cumb 2E 103
Doc Penfro. Pemb 215 (4D 42)
Dodbrooke. Devn 4D 8
Doddenham. Worc 5B 60
Doddinghurst. Essx 1G 39
Doddington. Cambs 1C 64
Doddington. Kent 5D 40
Doddington. Linc 3G 87
Doddington. Nmbd 1D 121
Doddington. Shrp 3A 60
Doddiscombsleigh. Devn 4B 12
Doddshill. Norf 2G 77
Dodford. Nptn 4D 62
Dodford. Worc 3D 60
Dodington. Som 2E 21
Dodington. S Glo 3C 34
Dodleston. Ches W 4F 83
Dods Leigh. Staf 2E 73
Dodworth. S Yor 4D 92
Doe Lea. Derbs 4B 86
Dogdyke. Linc 5B 88
Dogmersfield. Hants 1F 25
Dogsthorpe. Pet 5B 76
Dog Village. Devn 3C 12
Dolanog. Powy 4C 70
Dolau. Powy 4D 58
Dolau. Rhon 3D 32
Dolbenmaen. Gwyn 1E 69
Doley. Staf 3B 72
Dol-fâch. Powy 5B 70
Dolfach. Powy 3B 58
Dolfor. Powy 2D 58
Dolgarrog. Cnwy 4G 81
Dolgellau. Gwyn 4G 69
Dolgoch. Gwyn 5F 69
Dol-gran. Carm 2E 45
Dolhelfa. Powy 3B 58
Doll. High 3F 165
Dollar. Clac 4B 136
Dolley Green. Powy 4E 59
Dollwen. Cdgn 2F 57
Dolphin. Flin 3D 82
Dolphinholme. Lanc 4E 97
Dolphinton. S Lan 5E 129
Dolton. Devn 1F 11
Dolwen. Cnwy 3A 82
Dolwyddelan. Cnwy 5G 81
Dol-y-Bont. Cdgn 2F 57
Dolyhir. Powy 5E 59
Domgay. Powy 4E 71
Doncaster. S Yor 4F 93
Doncaster Sheffield Airport.
S Yor 1D 86
Donhead St Andrew. Wilts 4E 23
Donhead St Mary. Wilts 4E 23
Doniford. Som 2D 20
Donington. Linc 2B 76
Donington. Shrp 5C 72
Donington Eaudike. Linc 2B 76
Donington le Heath. Leics 4B 74
Donington on Bain. Linc 2B 88
Donington South Ing. Linc 2B 76
Donisthorpe. Leics 4H 73
Donkey Street. Kent 2F 29
Donkey Town. Surr 4A 38
Donna Nook. Linc 1D 88
Donnington. Glos 3G 49
Donnington. Here 2C 48
Donnington. Shrp 5H 71
Donnington. Telf 4B 72
Donnington. W Ber 5C 36
Donnington. W Sus 2G 17
Donyatt. Som 1G 13
Doomsday Green. W Sus 3C 26
Doonfoot. S Ayr 3C 116
Doonholm. S Ayr 3C 116
Dorback Lodge. High 2E 151
Dorchester. Dors 3B 14
Dorchester on Thames. Oxon 2D 36
Dordon. Warw 5G 73
Dore. S Yor 2H 85
Dores. High 5H 157
Dorking. Surr 1C 26
Dorking Tye. Suff 2C 54
Dormansland. Surr 1F 27
Dormans Park. Surr 1E 27
Dormanstown. Red C 2C 106
Dormington. Here 1A 48
Dormston. Worc 5D 61
Dorn. Glos 2H 49
Dorney. Buck 3A 38
Dornie. High 1A 148
Dornoch. High 5E 165
Dornock. Dum 3D 112
Dorrery. High 3C 168
Dorridge. W Mid 3F 61
Dorrington. Linc 5H 87
Dorrington. Shrp 5G 71
Dorsington. Warw 1G 49
Dorstone. Here 1G 47
Dorton. Buck 4E 51
Dosthill. Staf 5G 73
Dotham. IOA 3C 80
Dottery. Dors 3H 13
Doublebois. Corn 2F 7
Dougarie. N Ayr 2C 122
Doughton. Glos 2D 35
Douglas. IOM 4C 108
Douglas. S Lan 1H 117
Douglastown. Ang 4D 144
Douglas Water. S Lan 1A 118
Doulting. Som 2B 22
Dounby. Orkn 5B 172
Doune. High
nr. Kingussie 2C 150
nr. Lairg 3B 164
Doune. Stir 3G 135
Dounie. High
nr. Bonar Bridge 4C 164
nr. Tain 5D 164
Dounreay, Upper & Lower. High
2B 168
Doura. N Ayr 5E 127
Dousland. Devn 2B 8
Dovaston. Shrp 3F 71
Dove Holes. Derbs 3E 85
Dovenby. Cumb 1B 102
Dover. Kent 193 (1H 29)
Dovercourt. Essx 2F 55
Doverdale. Worc 4C 60
Doveridge. Derbs 2F 73
Doversgreen. Surr 1D 26
Dowally. Per 4H 143
Dowbridge. Lanc 1C 90
Dowdeswell. Glos 4F 49
Dowlais. Mer T 5D 46
Dowland. Devn 1F 11
Dowlands. Devn 3F 13
Dowles. Worc 3B 60
Dowlesgreen. Wok 5G 37
Dowlish Wake. Som 1G 13
Down, The. Shrp 1A 60
Downall Green. Mers 4D 90
Down Ampney. Glos 2G 35
Downderry. Corn
nr. Looe 3H 7
nr. St Austell 3D 6
Downe. G Lon 4F 39
Downend. IOW 4D 16
Downend. S Glo 4B 34
Downend. W Ber 4C 36
Down Field. Cambs 3F 65
Downfield. D'dee 5C 144
Downgate. Corn
nr. Kelly Bray 5D 10
nr. Upton Cross 5C 10
Downham. Essx 1B 40
Downham. Lanc 5G 97
Downham. Nmbd 1C 120
Downham Market. Norf 5F 77
Down Hatherley. Glos 3D 48
Downhead. Som
nr. Frome 2B 22
nr. Yeovil 4A 22
Downholland Cross. Lanc 4B 90
Downholme. N Yor 5E 105
Downies. Abers 4G 153
Downley. Buck 2G 37
Down St Mary. Devn 2H 11
Downside. Som
nr. Chilcompton 1B 22
nr. Shepton Mallet 2B 22
Downside. Surr 5C 38
Down Thomas. Devn 3B 8
Downton. Hants 3A 16
Downton. Wilts 4G 23
Downton on the Rock. Here 3G 59
Dowsby. Linc 3A 76
Dowsdale. Linc 4B 76
Dowthwaitehead. Cumb 2E 103
Doxey. Staf 3D 72
Doxford. Nmbd 2F 121
Doynton. S Glo 4C 34
Drabblegate. Norf 3E 78
Draethen. Cphy 3F 33
Draffan. S Lan 5A 128
Dragonby. N Lin 3C 94
Dragon's Green. W Sus 3C 26
Drakelow. Worc 2C 60
Drakemyre. N Ayr 4D 126
Drakes Broughton. Worc 1E 49
Drakes Cross. Worc 3E 61
Drakewalls. Corn 5E 11
Draughton. Nptn 3E 63
Draughton. N Yor 4C 98
Drax. N Yor 2G 93
Draycot. Oxon 5E 51
Draycote. Warw 3B 62
Draycot Foliat. Swin 4G 35
Draycott. Derbs 2B 74
Draycott. Glos 2G 49
Draycott. Shrp 1C 60
Draycott. Som
nr. Cheddar 1H 21
nr. Yeovil 4A 22
Draycott. Worc 1D 48
Draycott in the Clay. Staf 3F 73
Draycott in the Moors. Staf 1D 73
Drayford. Devn 1A 12
Drayton. Leics 1F 63
Drayton. Linc 2B 76
Drayton. Norf 4D 78
Drayton. Nptn 4C 62
Drayton. Oxon
nr. Abingdon 2C 36
nr. Banbury 1C 50
Drayton. Port 2E 17
Drayton. Som 4H 21
Drayton. Warw 5F 61
Drayton. Worc 3D 60
Drayton Bassett. Staf 5F 73
Drayton Beauchamp. Buck 4H 51
Drayton Parslow. Buck 3G 51
Drayton St Leonard. Oxon 2D 36
Drebley. N Yor 4C 98
Dreenhill. Pemb 3D 42
Y Dref. Gwyn 2D 69
Drefach. Carm
nr. Meidrim 4F 45
nr. Newcastle Emlyn 2D 44
nr. Tumble 2G 43
Drefach. Cdgn 1E 45
Dreghorn. N Ayr 1C 116
Drellingore. Kent 1G 29
Drem. E Lot 2B 130
Y Drenewydd. Powy 1D 58
Dreumasdal. W Isl 5C 170
Drewsteignton. Devn 3H 11
Driby. Linc 3C 88
Driffield. E Yor 4E 101
Driffield. Glos 2F 35
Drift. Corn 4B 4
Drigg. Cumb 5B 102
Drighlington. W Yor 2C 92
Drimnin. High 3G 139
Drimpton. Dors 2H 13
Dringhoe. E Yor 4F 101
Drinisiadar. W Isl 8D 171
Drinkstone. Suff 4B 66
Drinkstone Green. Suff 4B 66
Drointon. Staf 3E 73
Droitwich Spa. Worc 4C 60
Droman. High 3B 166
Dron. Per 2D 136
Dronfield. Derbs 3A 86
Dronfield Woodhouse.
Derbs 3H 85
Drongan. E Ayr 3D 116
Dronley. Ang 5C 144
Droop. Dors 2C 14
Drope. V Glam 4E 32
Droxford. Hants 1E 16
Droylsden. G Man 1C 84
Druggers End. Worc 2C 48
Druid. Den 1C 70
Druid's Heath. W Mid 5E 73
Druidston. Pemb 3C 42
Druim. High 3D 158
Druimarbin. High 1E 141
Druim Fhearna. High 2E 147
Druimindarroch. High 5E 147
Druim Saighdinis. W Isl 2D 170
Drum. Per 3C 136
Drumbeg. High 5B 166
Drumblade. Abers 4C 160
Drumbuie. Dum 1C 110
Drumbuie. High 5G 155
Drumburgh. Cumb 4D 112
Drumburn. Dum 3A 112
Drumchapel. Glas 2G 127
Drumchardine. High 4H 157
Drumchork. High 5C 162
Drumclog. S Lan 1F 117
Drumeldrie. Fife 3G 137
Drumelzier. Bord 1D 118
Drumfearn. High 2E 147
Drumgask. High 4A 150
Drumgelloch. N Lan 3A 128
Drumgley. Ang 3D 144
Drumguish. High 4B 150
Drumin. Mor 5F 159
Drumindorsair. High 4G 157
Drumlamford House.
S Ayr 2H 109
Drumlasie. Abers 3D 152
Drumlemble. Arg 4A 122
Drumlithie. Abers 5E 153
Drummoddie. Dum 5A 110
Drummond. High 2A 158
Drummore. Dum 5E 109
Drummuir. Mor 4A 160
Drumnadrochit. High 5H 157
Drumnagorrach. Mor 3C 160
Drumoak. Abers 4E 153
Drumrunie. High 3F 163
Drumry. W Dun 2G 127
Drums. Abers 1G 153
Drumsleet. Dum 2G 111
Drumsmittal. High 4A 158
Drums of Park. Abers 3C 160
Drumsturdy. Ang 5D 145
Drumtochty Castle. Abers 5D 152
Drumuie. High 4D 154
Drumuillie. High 1D 150
Drumvaich. Stir 3F 135
Drumwhindle. Abers 5G 161
Drunkendub. Ang 4F 145
Drury. Flin 4E 83
Drury Square. Norf 4B 78
Drybeck. Cumb 3H 103
Drybridge. Mor 2B 160
Drybridge. N Ayr 1C 116
Drybrook. Glos 4B 48
Drybrook. Here 4A 48
Dryburgh. Bord 1H 119
Dry Doddington. Linc 1F 75
Dry Drayton. Cambs 4C 64
Drym. Corn 3D 4
Drymen. Stir 1F 127
Drymuir. Abers 4G 161
Drynachan Lodge. High 5C 158
Drynie Park. High 3H 157
Drynoch. High 5D 154
Dry Sandford. Oxon 5C 50
Dryslwyn. Carm 3F 45
Dry Street. Essx 2A 40
Dryton. Shrp 5H 71
Dubford. Abers 2E 161
Dubiton. Abers 3D 160
Dubton. Ang 3E 145
Duchally. High 2A 164
Duck End. Essx 3G 53
Duckington. Ches W 5G 83
Ducklington. Oxon 5B 50
Duckmanton. Derbs 3B 86
Duck Street. Hants 2B 24
Dudbridge. Glos 5D 48
Duddenhoe End. Essx 2E 53
Duddingston. Edin 2F 129
Duddington. Nptn 5G 75
Duddleswell. E Sus 3F 27
Duddo. Nmbd 5F 131
Duddon. Ches W 4H 83
Duddon Bridge. Cumb 1A 96
Dudleston. Shrp 2F 71
Dudleston Heath. Shrp 2F 71
Dudley. Tyne 2F 115
Dudley. W Mid 2D 60
Dudston. Shrp 1E 59
Dudwells. Pemb 2D 42
Duffield. Derbs 1H 73
Duffryn. Neat 2B 32
Dufftown. Mor 4H 159
Duffus. Mor 2F 159
Dufton. Cumb 2H 103
Duggleby. N Yor 3C 100
Duirinish. High 5G 155
Duisdalemore. High 2E 147
Duisdeil Mòr. High 2E 147
Duisky. High 1E 141
Dukesfield. Nmbd 4C 114
Dukestown. Blae 5E 47
Dukinfield. G Man 1D 84
Dulas. IOA 2D 81
Dulcote. Som 2A 22
Dulford. Devn 2D 12
Dull. Per 4F 143
Dullatur. N Lan 2A 128
Dullingham. Cambs 5F 65
Dullingham Ley. Cambs 5F 65
Dulnain Bridge. High 1D 151
Duloe. Bed 4A 64
Duloe. Corn 3G 7
Dulverton. Som 4C 20
Dulwich. G Lon 3E 39
Dumbarton. W Dun 2F 127
Dumbleton. Glos 2F 49
Dumfin. Arg 1E 127
Dumfries. Dum 193 (2A 112)
Dumgoyne. Stir 1G 127
Dummer. Hants 2D 24
Dumpford. W Sus 4G 25
Dun. Ang 2F 145
Dunagoil. Arg 4B 126
Dunalastair. Per 3E 142
Dunan. High 1D 147
Dunball. Som 2G 21
Dunbar. E Lot 2C 130
Dunbeath. High 5D 168
Dunbeg. Arg 5C 140
Dunblane. Stir 3G 135
Dunbog. Fife 2E 137
Dunbridge. Hants 4B 24
Duncanston. Abers 1C 152
Duncanston. High 3H 157
Dun Charlabhaigh. W Isl 3D 171
Dunchideock. Devn 4B 12
Dunchurch. Warw 3B 62
Duncote. Nptn 5D 62
Duncow. Dum 1A 112
Duncrievie. Per 3D 136
Duncton. W Sus 4A 26
Dundee. D'dee 194 (5D 144)
Dundee Airport. D'dee 1F 137
Dundon. Som 3H 21
Dundonald. S Ayr 1C 116
Dundonnell. High 5E 163
Dundraw. Cumb 5D 112
Dundreggan. High 2F 149
Dundrennan. Dum 5E 111
Dundridge. Hants 1D 16
Dundry. N Som 5A 34
Dunecht. Abers 3E 153
Dunfermline. Fife 1D 129
Dunford Bridge. S Yor 4B 92
Dungate. Kent 5D 40
Dunge. Wilts 1D 23
Dungeness. Kent 4E 29
Dungworth. S Yor 2G 85
Dunham-on-the-Hill.
Ches W 3G 83
Dunham-on-Trent. Notts 3F 87
Dunhampton. Worc 4C 60
Dunham Town. G Man 2B 84
Dunham Woodhouses.
G Man 2B 84
Dunholme. Linc 3H 87
Dunino. Fife 2H 137
Dunipace. Falk 1B 128
Dunira. Per 1G 135
Dunkeld. Per 4H 143
Dunkerton. Bath 1C 22
Dunkeswell. Devn 2E 13
Dunkeswick. N Yor 5F 99
Dunkirk. Kent 5E 41
Dunkirk. S Glo 3C 34
Dunkirk. Staf 5C 84
Dunkirk. Wilts 5E 35
Dunk's Green. Kent 5H 39
Dunlappie. Ang 2E 145
Dunley. Hants 1C 24
Dunley. Worc 4B 60
Dunlichity Lodge. High 5A 158
Dunlop. E Ayr 5F 127
Dunmaglass Lodge. High 1H 149
Dunmore. Arg 3F 125
Dunmore. Falk 1B 128
Dunmore. High 4H 157
Dunnet. High 1E 169
Dunnichen. Ang 4E 145
Dunning. Per 2C 136
Dunnington. E Yor 4F 101
Dunnington. Warw 5E 61
Dunnington. York 4A 100
Dunningwell. Cumb 1A 96
Dunnockshaw. Lanc 2G 91
Dunoon. Arg 2C 126
Dunphail. Mor 4E 159
Dunragit. Dum 4G 109
Dunrostan. Arg 1F 125
Duns. Bord 4D 130
Dunsby. Linc 3A 76
Dunscar. G Man 3F 91
Dunscore. Dum 1F 111
Dunscroft. S Yor 4G 93
Dunsdale. Red C 3D 106
Dunsden Green. Oxon 4F 37
Dunsfold. Surr 2B 26
Dunsford. Devn 4B 12
Dunshalt. Fife 2E 137
Dunshillock. Abers 4G 161
Dunsley. N Yor 3F 107
Dunsley. Staf 2C 60
Dunsmore. Buck 5G 51
Dunsop Bridge. Lanc 4F 97
Dunstable. C Beds 3A 52
Dunstal. Staf 3E 73
Dunstall. Staf 3F 73
Dunstall Green. Suff 4G 65
Dunstall Hill. W Mid 5D 72
Dunstan. Nmbd 3G 121
Dunster. Som 2C 20
Duns Tew. Oxon 3C 50
Dunston. Linc 4H 87
Dunston. Norf 5E 79
Dunston. Staf 4D 72
Dunston. Tyne 3F 115
Dunstone. Devn 3B 8
Dunston Heath. Staf 4D 72
Dunsville. S Yor 4G 93
Dunswell. E Yor 1D 94
Dunsyre. S Lan 5D 128
Dunterton. Devn 5D 11
Duntisbourne Abbots. Glos 5E 49
Duntisbourne Leer. Glos 5E 49
Duntisbourne Rouse. Glos 5E 49
Duntish. Dors 2B 14
Duntocher. W Dun 2F 127
Dunton. Buck 3G 51
Dunton. C Beds 1C 52

Dunton—Edgmond

Dunton. *Norf* 2A 78
Dunton Bassett. *Leics* 1C 62
Dunton Green. *Kent* 5G 39
Dunton Patch. *Norf* 2A 78
Duntulm. *High* 1D 154
Dunure. *S Ayr* 3B 116
Dunvant. *Swan* 3E 31
Dunvegan. *High* 4B 154
Dunwich. *Suff* 3G 67
Dunwood. *Staf* 5D 84
Durdar. *Cumb* 4F 113
Durgates. *E Sus* 2H 27
Durham. *Dur* 194 (5F 115)
Durham Tees Valley Airport. *Darl* 3A 106
Durisdeer. *Dum* 4A 118
Durisdeermill. *Dum* 4A 118
Durkar. *W Yor* 3D 92
Durleigh. *Som* 3F 21
Durley. *Hants* 1D 16
Durley. *Wilts* 5H 35
Durley Street. *Hants* 1D 16
Durlow Common. *Here* 2B 48
Durnamuck. *High* 4E 163
Durness. *High* 2E 166
Durno. *Abers* 1E 152
Durns Town. *Hants* 3A 16
Duror. *High* 3D 141
Durran. *Arg* 3G 133
Durran. *High* 2D 169
Durrant Green. *Kent* 2C 28
Durrants. *Hants* 1F 17
Durrington. *W Sus* 5C 26
Durrington. *Wilts* 2G 23
Dursley. *Glos* 2C 34
Dursley Cross. *Glos* 4B 48
Durston. *Som* 4F 21
Durweston. *Dors* 2D 14
Dury. *Shet* 6F 173
Duston. *Nptn* 4E 63
Duthil. *High* 1D 150
Dutlas. *Powy* 3E 58
Duton Hill. *Essx* 3G 53
Dutson. *Corn* 4D 10
Dutton. *Ches W* 3H 83
Duxford. *Cambs* 1E 53
Duxford. *Oxon* 2B 36
Dwygyfylchi. *Cnwy* 3G 81
Dwyran. *IOA* 4D 80
Dyce. *Aber* 2F 153
Dyffryn. *B'end* 2B 32
Dyffryn. *Carm* 2H 43
Dyffryn. *Pemb* 1D 42
Dyffryn. *V Glam* 4D 32
Dyffryn Ardudwy. *Gwyn* 3E 69
Dyffryn Castell. *Cdgn* 2G 57
Dyffryn Ceidrych. *Carm* 3H 45
Dyffryn Cellwen. *Neat* 5B 46
Dyke. *Linc* 3A 76
Dyke. *Mor* 3D 159
Dykehead. *Ang* 2C 144
Dykehead. *N Lan* 3B 128
Dykehead. *Stir* 4E 135
Dykend. *Ang* 3B 144
Dykesfield. *Cumb* 4E 112
Dylife. *Powy* 1A 58
Dymchurch. *Kent* 3F 29
Dymock. *Glos* 2C 48
Dyrham. *S Glo* 4C 34
Dysart. *Fife* 4F 137
Dyserth. *Den* 3C 82

E

Eachwick. *Nmbd* 2E 115
Eadar Dha Fhadhail. *W Isl* 4C 171
Eagland Hill. *Lanc* 5D 96
Eagle. *Linc* 4F 87
Eagle Barnsdale. *Linc* 4F 87
Eagle Moor. *Linc* 4F 87
Eaglescliffe. *Stoc T* 3B 106
Eaglesfield. *Cumb* 2B 102
Eaglesfield. *Dum* 2D 112
Eaglesham. *E Ren* 4G 127
Eaglethorpe. *Nptn* 1H 63
Eagley. *G Man* 3F 91
Eairy. *IOM* 4B 108
Eakley Lanes. *Mil* 5F 63
Eakring. *Notts* 4D 86
Ealand. *N Lin* 3A 94
Ealing. *G Lon* 2C 38
Eallabus. *Arg* 3B 124
Eals. *Nmbd* 4H 113
Eamont Bridge. *Cumb* 2G 103
Earby. *Lanc* 5B 98
Earcroft. *Bkbn* 2E 91
Eardington. *Shrp* 1B 60
Eardisland. *Here* 5G 59
Eardisley. *Here* 1G 47
Eardiston. *Shrp* 3F 71
Eardiston. *Worc* 4A 60
Earith. *Cambs* 3C 64
Earlais. *High* 2C 154
Earle. *Nmbd* 2D 121
Earlesfield. *Linc* 2G 75
Earlestown. *Mers* 1H 83
Earley. *Wok* 4F 37
Earlham. *Norf* 5D 78
Earlish. *High* 2C 154
Earls Barton. *Nptn* 4F 63
Earls Colne. *Essx* 3B 54
Earls Common. *Worc* 5D 60
Earl's Croome. *Worc* 1D 48
Earlsdon. *W Mid* 3H 61
Earlsferry. *Fife* 3G 137
Earlsford. *Abers* 5F 161
Earl's Green. *Suff* 4C 66
Earlsheaton. *W Yor* 2C 92
Earl Shilton. *Leics* 1B 62
Earl Soham. *Suff* 4E 67
Earl Sterndale. *Derbs* 4E 85
Earlston. *E Ayr* 1D 116
Earlston. *Bord* 1H 119
Earl Stonham. *Suff* 5D 66
Earlstoun. *Dum* 1D 110
Earlswood. *Mon* 2H 33
Earlswood. *Warw* 3F 61
Earlyvale. *Bord* 4F 129
Earnley. *W Sus* 3G 17
Earsairidh. *W Isl* 9C 170
Earsdon. *Tyne* 2G 115
Earsham. *Norf* 2F 67
Earsham Street. *Suff* 3E 67
Earswick. *York* 4A 100
Eartham. *W Sus* 5A 26
Earthcott Green. *S Glo* 3B 34
Easby. *N Yor*
nr. Great Ayton 4C 106
nr. Richmond 4E 105
Easdale. *Arg* 2E 133
Easebourne. *W Sus* 4G 25
Easenhall. *Warw* 3B 62
Eashing. *Surr* 1A 26
Easington. *Buck* 4E 51
Easington. *Dur* 5H 115
Easington. *E Yor* 3G 95
Easington. *Nmbd* 1F 121
Easington. *Oxon*
nr. Banbury 2C 50
nr. Watlington 2E 37
Easington. *Red C* 3E 107
Easington Colliery. *Dur* 5H 115
Easington Lane. *Tyne* 5G 115
Easingwold. *N Yor* 2H 99
Eassie. *Ang* 4C 144
Eassie and Nevay. *Ang* 4C 144
East Aberthaw. *V Glam* 5D 32
Eastacombe. *Devn* 4F 19
Eastacott. *Devn* 4G 19
East Allington. *Devn* 4D 8
East Anstey. *Devn* 4B 20
East Anton. *Hants* 2B 24
East Appleton. *N Yor* 5F 105
East Ardsley. *W Yor* 2D 92
East Ashley. *Devn* 1G 11
East Ashling. *W Sus* 2G 17
East Aston. *Hants* 2C 24
East Ayton. *N Yor* 1D 101
East Barkwith. *Linc* 2A 88
East Barnby. *N Yor* 3F 107
East Barnet. *G Lon* 1D 39
East Barns. *E Lot* 2D 130
East Barsham. *Norf* 2B 78
East Beach. *W Sus* 3G 17
East Beckham. *Norf* 2D 78
East Bedfont. *G Lon* 3B 38
East Bennan. *N Ayr* 3D 123
East Bergholt. *Suff* 2D 54
East Bierley. *W Yor* 2C 92
East Bilney. *Norf* 4B 78
East Blatchington. *E Sus* 5F 27
East Bloxworth. *Dors* 3D 15
East Boldre. *Hants* 2B 16
East Bolton. *Nmbd* 3F 121
Eastbourne. *Darl* 3F 105
Eastbourne. *E Sus* 195 (5H 27)
East Brent. *Som* 1G 21
East Bridge. *Suff* 4G 67
East Bridgford. *Notts* 1D 74
East Briscoe. *Dur* 3C 104
East Buckland. *Devn*
nr. Barnstaple 3G 19
nr. Thurlestone 4C 8
East Budleigh. *Devn* 4D 12
Eastburn. *W Yor* 5C 98
East Burnham. *Buck* 2A 38
East Burrafirth. *Shet* 6E 173
East Burton. *Dors* 4D 14
Eastbury. *Herts* 1B 38
Eastbury. *W Ber* 4B 36
East Butsfield. *Dur* 5E 115
East Butterleigh. *Devn* 2C 12
East Butterwick. *N Lin* 4B 94
Eastby. *N Yor* 4C 98
East Calder. *W Lot* 3D 129
East Carleton. *Norf* 5D 78
East Carlton. *Nptn* 2F 63
East Carlton. *W Yor* 5E 98
East Chaldon. *Dors* 4C 14
East Challow. *Oxon* 3B 36
East Charleton. *Devn* 4D 8
East Chelborough. *Dors* 2A 14
East Chiltington. *E Sus* 4E 27
East Chinnock. *Som* 1H 13
East Chisenbury. *Wilts* 1G 23
Eastchurch. *Kent* 3D 40
East Clandon. *Surr* 5B 38
East Claydon. *Buck* 3F 51
East Clevedon. *N Som* 4H 33
East Clyne. *High* 3F 165
East Clyth. *High* 5E 169
East Coker. *Som* 1A 14
Eastcombe. *Glos* 5D 49
East Combe. *Som* 3E 21
East Common. *N Yor* 1G 93
East Compton. *Som* 2B 22
East Cornworthy. *Devn* 3E 9
Eastcote. *G Lon* 2C 38
Eastcote. *Nptn* 5D 62
Eastcote. *W Mid* 3F 61
Eastcott. *Corn* 1C 10
Eastcott. *Wilts* 1F 23
East Cottingwith. *E Yor* 5B 100
Eastcourt. *Wilts*
nr. Pewsey 5H 35
nr. Tetbury 2E 35
East Cowes. *IOW* 3D 16
East Cowick. *E Yor* 2G 93
East Cowton. *N Yor* 4A 106
East Cramlington. *Nmbd* 2F 115
East Cranmore. *Som* 2B 22
East Creech. *Dors* 4E 15
East Croachy. *High* 1A 150
East Dean. *E Sus* 5G 27
East Dean. *Glos* 3B 48
East Dean. *Hants* 4A 24
East Dean. *W Sus* 4A 26
East Down. *Devn* 2G 19
East Drayton. *Notts* 3E 87
East Dundry. *N Som* 5A 34
East Ella. *Hull* 2D 94
East End. *Cambs* 3C 64
East End. *Dors* 3E 15
East End. *E Yor*
nr. Ulrome 4F 101
nr. Withernsea 2F 95
East End. *Hants*
nr. Lymington 3B 16
nr. Newbury 5C 36
East End. *Herts* 3E 53
East End. *Kent*
nr. Minster 3D 40
nr. Tenterden 2C 28
East End. *N Som* 4H 33
East End. *Oxon* 4B 50
East End. *Som* 1A 22
East End. *Suff* 2E 54
Easter Ardross. *High* 1A 158
Easter Balgedie. *Per* 3D 136
Easter Balmoral. *Abers* 4G 151
Easter Brae. *High* 2A 158
Easter Buckieburn. *Stir* 1A 128
Easter Compton. *S Glo* 3A 34
Easter Fearn. *High* 5D 164
Easter Galcantray. *High* 4C 158
Eastergate. *W Sus* 5A 26
Easterhouse. *Glas* 3H 127
Easter Howgate. *Midl* 3F 129
Easter Kinkell. *High* 3H 157
Easter Lednathie. *Ang* 2C 144
Easter Ogil. *Ang* 2D 144
Easter Ord. *Abers* 3F 153
Easter Quarff. *Shet* 8F 173
Easter Rhynd. *Per* 2D 136
Easter Skeld. *Shet* 7E 173
Easter Suddie. *High* 3A 158
Easterton. *Wilts* 1F 23
Eastertown. *Som* 1G 21
Easter Tulloch. *Abers* 1G 145
East Everleigh. *Wilts* 1H 23
East Farleigh. *Kent* 5B 40
East Farndon. *Nptn* 2E 62
East Ferry. *Linc* 1F 87
Eastfield. *N Lan*
nr. Caldercruix 3B 128
nr. Harthill 3B 128
Eastfield. *N Yor* 1E 101
Eastfield. *S Lan* 3H 127
Eastfield Hall. *Nmbd* 4G 121
East Fortune. *E Lot* 2B 130
East Garforth. *W Yor* 1E 93
East Garston. *W Ber* 4B 36
Eastgate. *Dur* 1C 104
Eastgate. *Norf* 3D 78
East Ginge. *Oxon* 3C 36
East Gores. *Essx* 3B 54
East Goscote. *Leics* 4D 74
East Grafton. *Wilts* 5A 36
East Green. *Suff* 5F 65
East Grimstead. *Wilts* 4H 23
East Grinstead. *W Sus* 2E 27
East Guldeford. *E Sus* 3D 28
East Haddon. *Nptn* 4D 62
East Hagbourne. *Oxon* 3D 36
East Halton. *N Lin* 2E 95
East Ham. *G Lon* 2F 39
Eastham. *Mers* 2F 83
Eastham. *Worc* 4A 60
Eastham Ferry. *Mers* 2F 83
Easthampstead. *Brac* 5G 37
Easthampton. *Here* 4G 59
East Hanney. *Oxon* 2C 36
East Hanningfield. *Essx* 5A 54
East Hardwick. *W Yor* 3E 93
East Harling. *Norf* 2B 66
East Harlsey. *N Yor* 5B 106
East Harptree. *Bath* 1A 22
East Hartford. *Nmbd* 2F 115
East Harting. *W Sus* 1G 17
East Hatch. *Wilts* 4E 23
East Hatley. *Cambs* 5B 64
Easthaugh. *Norf* 4C 78
East Hauxwell. *N Yor* 5E 105
East Haven. *Ang* 5E 145
Eastheath. *Wok* 5G 37
East Heckington. *Linc* 1A 76
East Hedleyhope. *Dur* 5E 115
East Helmsdale. *High* 2H 165
East Hendred. *Oxon* 3C 36
East Heslerton. *N Yor* 2D 100
East Hoathly. *E Sus* 4G 27
East Holme. *Dors* 4D 15
Easthope. *Shrp* 1H 59
Easthorpe. *Essx* 3C 54
Easthorpe. *Leics* 2F 75
East Horrington. *Som* 2A 22
East Horsley. *Surr* 5B 38
East Horton. *Nmbd* 1E 121
Easthouses. *Midl* 3G 129
East Howe. *Bour* 3F 15
East Huntspill. *Som* 2G 21
East Hyde. *C Beds* 4B 52
East Ilsley. *W Ber* 3C 36
Eastington. *Devn* 2H 11
Eastington. *Glos*
nr. Northleach 4G 49
nr. Stonehouse 5C 48
East Keal. *Linc* 4C 88
East Kennett. *Wilts* 5G 35
East Keswick. *W Yor* 5F 99
East Kilbride. *S Lan* 4H 127
East Kirkby. *Linc* 4C 88
East Knapton. *N Yor* 2C 100
East Knighton. *Dors* 4D 14
East Knowstone. *Devn* 4B 20
East Knoyle. *Wilts* 3D 23
East Kyloe. *Nmbd* 1E 121
East Lambrook. *Som* 1H 13
East Langdon. *Kent* 1H 29
East Langton. *Leics* 1E 63
East Langwell. *High* 3E 164
East Lavant. *W Sus* 2G 17
East Lavington. *W Sus* 4A 26
East Layton. *N Yor* 4E 105
Eastleach Martin. *Glos* 5H 49
Eastleach Turville. *Glos* 5G 49
East Leake. *Notts* 3C 74
East Learmouth. *Nmbd* 1C 120
East Leigh. *Devn*
nr. Crediton 2G 11
nr. Modbury 3C 8
Eastleigh. *Devn* 4E 19
Eastleigh. *Hants* 1C 16
East Lexham. *Norf* 4A 78
East Lilburn. *Nmbd* 2E 121
Eastling. *Kent* 5D 40
East Linton. *E Lot* 2B 130
East Liss. *Hants* 4F 25
East Lockinge. *Oxon* 3C 36
East Looe. *Corn* 3G 7
East Lound. *N Lin* 1E 87
East Lulworth. *Dors* 4D 14
East Lutton. *N Yor* 3D 100
East Lydford. *Som* 3A 22
East Lyng. *Som* 4G 21
East Mains. *Abers* 4D 152
East Malling. *Kent* 5B 40
East Marden. *W Sus* 1G 17
East Markham. *Notts* 3E 87
East Marton. *N Yor* 4B 98
East Meon. *Hants* 4E 25
East Mersea. *Essx* 4D 54
East Mey. *High* 1F 169
East Midlands Airport. *Leics* 216 (3B 74)
East Molesey. *Surr* 4C 38
Eastmoor. *Norf* 5G 77
East Morden. *Dors* 3E 15
East Morton. *W Yor* 5D 98
East Ness. *N Yor* 2A 100
East Newton. *E Yor* 1F 95
East Newton. *N Yor* 2A 100
Eastney. *Port* 3E 17
Eastnor. *Here* 2C 48
East Norton. *Leics* 5E 75
East Nynehead. *Som* 4E 21
East Oakley. *Hants* 1D 24
Eastoft. *N Lin* 3B 94
East Ogwell. *Devn* 5B 12
Easton. *Cambs* 3A 64
Easton. *Cumb*
nr. Burgh by Sands 4D 112
nr. Longtown 2F 113
Easton. *Devn* 4H 11
Easton. *Dors* 5B 14
Easton. *Hants* 3D 24
Easton. *Linc* 3G 75
Easton. *Norf* 4D 78
Easton. *Som* 2A 22
Easton. *Suff* 5E 67
Easton. *Wilts* 4D 35
Easton Grey. *Wilts* 3D 35
Easton-in-Gordano. *N Som* 4A 34
Easton Maudit. *Nptn* 5F 63
Easton on the Hill. *Nptn* 5H 75
Easton Royal. *Wilts* 5H 35
East Orchard. *Dors* 1D 14
East Ord. *Nmbd* 4F 131
East Panson. *Devn* 3D 10
East Peckham. *Kent* 1A 28
East Pennard. *Som* 3A 22
East Perry. *Cambs* 4A 64
East Pitcorthie. *Fife* 3H 137
East Portlemouth. *Devn* 5D 8
East Prawle. *Devn* 5D 9
East Preston. *W Sus* 5B 26
East Putford. *Devn* 1D 10
East Quantoxhead. *Som* 2E 21
East Rainton. *Tyne* 5G 115
East Ravendale. *NE Lin* 1B 88
East Raynham. *Norf* 3A 78
Eastrea. *Cambs* 1B 64
East Rhidorroch Lodge. *High* 4G 163
Eastriggs. *Dum* 3D 112
East Rigton. *W Yor* 5F 99
Eastrington. *E Yor* 2A 94
East Rounton. *N Yor* 4B 106
East Row. *N Yor* 3F 107
East Rudham. *Norf* 3H 77
East Runton. *Norf* 1D 78
East Ruston. *Norf* 3F 79
Eastry. *Kent* 5H 41
East Saltoun. *E Lot* 3A 130
East Shaws. *Dur* 3D 105
East Shefford. *W Ber* 4B 36
Eastshore. *Shet* 10E 173
East Sleekburn. *Nmbd* 1F 115
East Somerton. *Norf* 4G 79
East Stockwith. *Linc* 1E 87
East Stoke. *Dors* 4D 14
East Stoke. *Notts* 1E 75
East Stoke. *Som* 1H 13
East Stour. *Dors* 4D 22
East Stourmouth. *Kent* 4G 41
East Stowford. *Devn* 4G 19
East Stratton. *Hants* 2D 24
East Studdal. *Kent* 1H 29
East Taphouse. *Corn* 2F 7
East-the-Water. *Devn* 4E 19
East Thirston. *Nmbd* 5F 121
East Tilbury. *Thur* 3A 40
East Tisted. *Hants* 3F 25
East Torrington. *Linc* 2A 88
East Tuddenham. *Norf* 4C 78
East Tytherley. *Hants* 4A 24
East Tytherton. *Wilts* 4E 35
East Village. *Devn* 2B 12
Eastville. *Linc* 5D 88
East Wall. *Shrp* 1H 59
East Walton. *Norf* 4G 77
East Week. *Devn* 3G 11
Eastwell. *Leics* 3E 75
East Wellow. *Hants* 4B 24
East Wemyss. *Fife* 4F 137
East Whitburn. *W Lot* 3C 128
Eastwick. *Herts* 4E 53
Eastwick. *Shet* 4E 173
East Williamston. *Pemb* 4E 43
East Winch. *Norf* 4F 77
East Winterslow. *Wilts* 3H 23
East Wittering. *W Sus* 3F 17
East Witton. *N Yor* 1D 98
Eastwood. *Notts* 1B 74
Eastwood. *S'end* 2C 40
East Woodburn. *Nmbd* 1C 114
Eastwood End. *Cambs* 1D 64
East Woodhay. *Hants* 5C 36
East Woodlands. *Som* 2C 22
East Worldham. *Hants* 3F 25
East Worlington. *Devn* 1A 12
East Wretham. *Norf* 1B 66
East Youlstone. *Devn* 1C 10
Eathorpe. *Warw* 4A 62
Eaton. *Ches E* 4C 84
Eaton. *Ches W* 4H 83
Eaton. *Leics* 3E 75
Eaton. *Norf*
nr. Heacham 2F 77
nr. Norwich 5E 78
Eaton. *Notts* 3E 86
Eaton. *Oxon* 5C 50
Eaton. *Shrp*
nr. Bishop's Castle 2F 59
nr. Church Stretton 2H 59
Eaton Bishop. *Here* 2H 47
Eaton Bray. *C Beds* 3H 51
Eaton Constantine. *Shrp* 5H 71
Eaton Hastings. *Oxon* 2A 36
Eaton Socon. *Cambs* 5A 64
Eaton upon Tern. *Shrp* 3A 72
Eau Brink. *Norf* 4E 77
Eaves Green. *W Mid* 2G 61
Ebberley Hill. *Devn* 1F 11
Ebberston. *N Yor* 1C 100
Ebbesbourne Wake. *Wilts* 4E 23
Ebblake. *Dors* 2G 15
Ebbsfleet. *Kent* 3H 39
Ebbw Vale. *Blae* 5E 47
Ebchester. *Dur* 4E 115
Ebernoe. *W Sus* 3A 26
Ebford. *Devn* 4C 12
Ebley. *Glos* 5D 48
Ebnal. *Ches W* 1G 71
Ebrington. *Glos* 1G 49
Ecchinswell. *Hants* 1D 24
Ecclefechan. *Dum* 2C 112
Eccles. *G Man* 1B 84
Eccles. *Kent* 4B 40
Eccles. *Bord* 5D 130
Ecclesall. *S Yor* 2H 85
Ecclesfield. *S Yor* 1A 86
Eccles Green. *Here* 1G 47
Eccleshall. *Staf* 3C 72
Eccleshill. *W Yor* 1B 92
Ecclesmachan. *W Lot* 2D 128
Eccles on Sea. *Norf* 3G 79
Eccles Road. *Norf* 1C 66
Eccleston. *Ches W* 4G 83
Eccleston. *Lanc* 3D 90
Eccleston. *Mers* 1G 83
Eccup. *W Yor* 5E 99
Echt. *Abers* 3E 153
Eckford. *Bord* 2B 120
Eckington. *Derbs* 3B 86
Eckington. *Worc* 1E 49
Ecton. *Nptn* 4F 63
Edale. *Derbs* 2F 85
Eday Airport. *Orkn* 4E 172
Edburton. *W Sus* 4D 26
Edderside. *Cumb* 5C 112
Edderton. *High* 5E 164
Eddington. *Kent* 4F 41
Eddington. *W Ber* 5B 36
Eddleston. *Bord* 5F 129
Eddlewood. *S Lan* 4A 128
Edenbridge. *Kent* 1F 27
Edendonich. *Arg* 1A 134
Edenfield. *Lanc* 3F 91
Edenhall. *Cumb* 1G 103
Edenham. *Linc* 3H 75
Edensor. *Derbs* 3G 85
Edentaggart. *Arg* 4C 134
Edenthorpe. *S Yor* 4G 93
Eden Vale. *Dur* 1B 106
Edern. *Gwyn* 2B 68
Edgarley. *Som* 3A 22
Edgbaston. *W Mid* 2E 61
Edgcott. *Buck* 3E 51
Edgcott. *Som* 3B 20
Edge. *Glos* 5D 48
Edge. *Shrp* 5F 71
Edgebolton. *Shrp* 3H 71
Edge End. *Glos* 4A 48
Edgefield. *Norf* 2C 78
Edgefield Street. *Norf* 2C 78
Edge Green. *Ches W* 5G 83
Edgehead. *Midl* 3G 129
Edgeley. *Shrp* 1H 71
Edgeside. *Lanc* 2G 91
Edgeworth. *Glos* 5E 49
Edgiock. *Worc* 4E 61
Edgmond. *Telf* 4B 72

Edgmond Marsh—Farnborough

Edgmond Marsh. Telf . . . 3B 72
Edgton. Shrp . . . 2F 59
Edgware. G Lon . . . 1C 38
Edgworth. Bkbn . . . 3F 91
Edinbane. High . . . 3C 154
Edinburgh. Edin . . . 194 (2F 129)
Edinburgh Airport. Edin . . . 2E 129
Edingale. Staf . . . 4G 73
Edingley. Notts . . . 5D 86
Edingthorpe. Norf . . . 2F 79
Edington. Som . . . 3G 21
Edington. Wilts . . . 1E 23
Edingworth. Som . . . 1G 21
Edistone. Devn . . . 4C 18
Edithmead. Som . . . 2G 21
Edith Weston. Rut . . . 5G 75
Edlaston. Derbs . . . 1F 73
Edlesborough. Buck . . . 4H 51
Edlingham. Nmbd . . . 4F 121
Edlington. Linc . . . 3B 88
Edmondsham. Dors . . . 1F 15
Edmondsley. Dur . . . 5F 115
Edmondthorpe. Leics . . . 4F 75
Edmonstone. Orkn . . . 5E 172
Edmonton. Corn . . . 1D 6
Edmonton. G Lon . . . 1E 39
Edmundbyers. Dur . . . 4D 114
Ednam. Bord . . . 1B 120
Ednaston. Derbs . . . 1G 73
Edney Common. Essx . . . 5G 53
Edrom. Bord . . . 4E 131
Edstaston. Shrp . . . 2H 71
Edstone. Warw . . . 4F 61
Edwalton. Notts . . . 2C 74
Edwardstone. Suff . . . 1C 54
Edwardsville. Mer T . . . 2D 32
Edwinsford. Carm . . . 2G 45
Edwinstowe. Notts . . . 4D 86
Edworth. C Beds . . . 1C 52
Edwyn Ralph. Here . . . 5A 60
Edzell. Ang . . . 2F 145
Efail-fach. Neat . . . 2A 32
Efail Isaf. Rhon . . . 3D 32
Efailnewydd. Gwyn . . . 2C 68
Efail-rhyd. Powy . . . 3D 70
Efailwen. Carm . . . 2F 43
Efenechtyd. Den . . . 5D 82
Effingham. Surr . . . 5C 38
Effingham Common. Surr . . . 5C 38
Effirth. Shet . . . 6E 173
Efflinch. Staf . . . 4F 73
Efford. Devn . . . 2B 12
Efstigarth. Shet . . . 2F 173
Egbury. Hants . . . 1C 24
Egdon. Worc . . . 5D 60
Egerton. G Man . . . 3F 91
Egerton. Kent . . . 1D 28
Egerton Forstal. Kent . . . 1C 28
Eggborough. N Yor . . . 2F 93
Eggbuckland. Plym . . . 3A 8
Eggesford. Devn . . . 1G 11
Eggington. C Beds . . . 3H 51
Egginton. Derbs . . . 3G 73
Egglescliffe. Stoc T . . . 3B 106
Eggleston. Dur . . . 2C 104
Egham. Surr . . . 3B 38
Egham Hythe. Surr . . . 3B 38
Egleton. Rut . . . 5F 75
Eglingham. Nmbd . . . 3F 121
Egloshayle. Corn . . . 5A 10
Egloskerry. Corn . . . 4C 10
Eglwysbach. Cnwy . . . 3H 81
Eglwys-Brewis. V Glam . . . 5D 32
Eglwys Fach. Cdgn . . . 1F 57
Eglwyswrw. Pemb . . . 1F 43
Egmanton. Notts . . . 4E 87
Egmere. Norf . . . 2B 78
Egremont. Cumb . . . 3B 102
Egremont. Mers . . . 1F 83
Egton. N Yor . . . 4F 107
Egton Bridge. N Yor . . . 4F 107
Egypt. Buck . . . 2A 38
Egypt. Hants . . . 2C 24
Eight Ash Green. Essx . . . 3C 54
Eight Mile Burn. Midl . . . 4E 129
Eignaig. High . . . 4B 140
Eilanreach. High . . . 2G 147
Eildon. Bord . . . 1H 119
Eileanach Lodge. High . . . 2H 157
Eilean Fhlodaigh. W Isl . . . 3D 170
Eilean Iarmain. High . . . 2F 147
Einacleit. W Isl . . . 5D 171
Eisgein. W Isl . . . 6F 171
Eisingrug. Gwyn . . . 2F 69
Elan Village. Powy . . . 4B 58
Elberton. S Glo . . . 3B 34
Elbridge. W Sus . . . 5A 26
Elburton. Plym . . . 3B 8
Elcho. Per . . . 1D 136
Elcombe. Swin . . . 3G 35
Elcot. W Ber . . . 5B 36
Eldernell. Cambs . . . 1C 64
Eldersfield. Worc . . . 2D 48
Elderslie. Ren . . . 3F 127
Elder Street. Essx . . . 2F 53
Eldon. Dur . . . 2F 105
Eldroth. N Yor . . . 3G 97
Eldwick. W Yor . . . 5D 98
Elfhowe. Cumb . . . 5F 103
Elford. Nmbd . . . 1F 121
Elford. Staf . . . 4F 73
Elford Closes. Cambs . . . 3D 65
Elgin. Mor . . . 2G 159
Elgol. High . . . 2D 146
Elham. Kent . . . 1F 29
Elie. Fife . . . 3G 137
Eling. Hants . . . 1B 16
Eling. W Ber . . . 4D 36
Elishaw. Nmbd . . . 5C 120
Elizafield. Dum . . . 2B 112
Elkesley. Notts . . . 3D 86
Elkington. Nptn . . . 3D 62
Elkins Green. Essx . . . 5G 53
Elkstone. Glos . . . 4E 49
Ellan. High . . . 1C 150
Elland. W Yor . . . 2B 92
Ellary. Arg . . . 2F 125
Ellastone. Staf . . . 1F 73
Ellbridge. Corn . . . 2A 8
Ellel. Lanc . . . 4D 97
Ellemford. Bord . . . 3D 130
Ellenabeich. Arg . . . 2E 133
Ellenborough. Cumb . . . 1B 102
Ellenbrook. Herts . . . 5C 52
Ellenhall. Staf . . . 3C 72
Ellen's Green. Surr . . . 2B 26
Ellerbeck. N Yor . . . 5B 106
Ellerburn. N Yor . . . 1C 100
Ellerby. N Yor . . . 3E 107
Ellerdine. Telf . . . 3A 72
Ellerdine Heath. Telf . . . 3A 72
Ellerhayes. Devn . . . 2C 12
Elleric. Arg . . . 4E 141
Ellerker. E Yor . . . 2C 94
Ellerton. E Yor . . . 1H 93
Ellerton. Shrp . . . 3B 72
Ellerton-on-Swale. N Yor . . . 5F 105
Ellesborough. Buck . . . 5G 51
Ellesmere. Shrp . . . 2G 71
Ellesmere Port. Ches W . . . 3G 83
Ellingham. Hants . . . 2G 15
Ellingham. Norf . . . 1F 67
Ellingham. Nmbd . . . 2F 121
Ellingstring. N Yor . . . 1D 98
Ellington. Cambs . . . 3A 64
Ellington. Nmbd . . . 5G 121
Ellington Thorpe. Cambs . . . 3A 64
Elliot. Ang . . . 5F 145
Ellisfield. Hants . . . 2E 25
Ellishadder. High . . . 2E 155
Ellistown. Leics . . . 4B 74
Ellon. Abers . . . 5G 161
Ellonby. Cumb . . . 1F 103
Ellough. Suff . . . 2G 67
Elloughton. E Yor . . . 2C 94
Ellwood. Glos . . . 5A 48
Elm. Cambs . . . 5D 76
Elmbridge. Glos . . . 4D 48
Elmbridge. Worc . . . 4D 60
Elmdon. Essx . . . 2E 53
Elmdon. W Mid . . . 2F 61
Elmdon Heath. W Mid . . . 2F 61
Elmesthorpe. Leics . . . 1B 62
Elmfield. IOW . . . 3E 16
Elm Hill. Dors . . . 4D 22
Elmhurst. Staf . . . 4F 73
Elmley Castle. Worc . . . 1E 49
Elmley Lovett. Worc . . . 4C 60
Elmore. Glos . . . 4C 48
Elmore Back. Glos . . . 4C 48
Elm Park. G Lon . . . 2G 39
Elmscott. Devn . . . 4C 18
Elmsett. Suff . . . 1D 54
Elmstead. Essx . . . 3D 54
Elmstead Heath. Essx . . . 3D 54
Elmstead Market. Essx . . . 3D 54
Elmsted. Kent . . . 1F 29
Elmstone. Kent . . . 4G 41
Elmstone Hardwicke. Glos . . . 3E 49
Elmswell. E Yor . . . 4D 101
Elmswell. Suff . . . 4B 66
Elmton. Derbs . . . 3C 86
Elphin. High . . . 2G 163
Elphinstone. E Lot . . . 2G 129
Elrick. Abers . . . 3F 153
Elrick. Mor . . . 1B 152
Elrig. Dum . . . 5A 110
Elsdon. Nmbd . . . 5D 120
Elsecar. S Yor . . . 1A 86
Elsenham. Essx . . . 3F 53
Elsfield. Oxon . . . 4D 50
Elsham. N Lin . . . 3D 94
Elsing. Norf . . . 4C 78
Elslack. N Yor . . . 5B 98
Elsrickle. S Lan . . . 5D 128
Elstead. Surr . . . 1A 26
Elsted. W Sus . . . 1G 17
Elsted Marsh. W Sus . . . 4G 25
Elsthorpe. Linc . . . 3H 75
Elstob. Dur . . . 2A 106
Elston. Devn . . . 2A 12
Elston. Lanc . . . 1E 90
Elston. Notts . . . 1E 75
Elston. Wilts . . . 2F 23
Elstone. Devn . . . 1G 11
Elstow. Bed . . . 1A 52
Elstree. Herts . . . 1C 38
Elstronwick. E Yor . . . 1F 95
Elswick. Lanc . . . 1C 90
Elswick. Tyne . . . 3F 115
Elsworth. Cambs . . . 4C 64
Elterwater. Cumb . . . 4E 103
Eltham. G Lon . . . 3F 39
Eltisley. Cambs . . . 5B 64
Elton. Cambs . . . 1H 63
Elton. Ches W . . . 3G 83
Elton. Derbs . . . 4G 85
Elton. Glos . . . 4C 48
Elton. G Man . . . 3F 91
Elton. Here . . . 3G 59
Elton. Notts . . . 2E 75
Elton. Stoc T . . . 3B 106
Elton Green. Ches W . . . 3G 83
Eltringham. Nmbd . . . 3D 115
Elvanfoot. S Lan . . . 3B 118
Elvaston. Derbs . . . 2B 74
Elveden. Suff . . . 3H 65
Elvetham Heath. Hants . . . 1F 25
Elvingston. E Lot . . . 2A 130
Elvington. Kent . . . 5G 41
Elvington. York . . . 5B 100
Elwick. Hart . . . 1B 106
Elwick. Nmbd . . . 1F 121
Elworth. Ches E . . . 4B 84
Elworth. Dors . . . 4A 14
Elworthy. Som . . . 3D 20
Ely. Cambs . . . 2E 65
Ely. Card . . . 4E 33
Emberton. Mil . . . 1G 51
Embleton. Cumb . . . 1C 102
Embleton. Hart . . . 2B 106
Embleton. Nmbd . . . 2G 121
Embo. High . . . 4F 165
Emborough. Som . . . 1B 22
Embo Street. High . . . 4F 165
Embsay. N Yor . . . 4C 98
Emery Down. Hants . . . 2A 16
Emley. W Yor . . . 3C 92
Emmbrook. Wok . . . 5F 37
Emmer Green. Read . . . 4F 37
Emmington. Oxon . . . 5F 51
Emneth. Norf . . . 5D 77
Emneth Hungate. Norf . . . 5E 77
Empingham. Rut . . . 5G 75
Empshott. Hants . . . 3F 25
Emsworth. Hants . . . 2F 17
Enborne. W Ber . . . 5C 36
Enborne Row. W Ber . . . 5C 36
Enchmarsh. Shrp . . . 1H 59
Enderby. Leics . . . 1C 62
Endmoor. Cumb . . . 1E 97
Endon. Staf . . . 5D 84
Endon Bank. Staf . . . 5D 84
Enfield. G Lon . . . 1E 39
Enfield Wash. G Lon . . . 1E 39
Enford. Wilts . . . 1G 23
Engine Common. S Glo . . . 3B 34
Englefield. W Ber . . . 4E 37
Englefield Green. Surr . . . 3A 38
Englesea-brook. Ches E . . . 5B 84
English Bicknor. Glos . . . 4A 48
Englishcombe. Bath . . . 5C 34
English Frankton. Shrp . . . 3G 71
Enham Alamein. Hants . . . 2B 24
Enmore. Som . . . 3F 21
Ennerdale Bridge. Cumb . . . 3B 102
Enniscaven. Corn . . . 3D 6
Enoch. Dum . . . 4A 118
Enochdhu. Per . . . 2H 143
Ensay. Arg . . . 4E 139
Ensbury. Bour . . . 3F 15
Ensdon. Shrp . . . 4G 71
Ensis. Devn . . . 4F 19
Enson. Staf . . . 3D 72
Enstone. Oxon . . . 3B 50
Enterkinfoot. Dum . . . 4A 118
Enville. Staf . . . 2C 60
Eolaigearraidh. W Isl . . . 8C 170
Eorabus. Arg . . . 1A 132
Eoropaidh. W Isl . . . 1H 171
Epney. Glos . . . 4C 48
Epperstone. Notts . . . 1D 74
Epping. Essx . . . 5E 53
Epping Green. Essx . . . 5E 53
Epping Green. Herts . . . 5C 52
Epping Upland. Essx . . . 5E 53
Eppleby. N Yor . . . 3E 105
Eppleworth. E Yor . . . 1D 94
Epsom. Surr . . . 4D 38
Epwell. Oxon . . . 1B 50
Epworth. N Lin . . . 4A 94
Epworth Turbary. N Lin . . . 4A 94
Erbistock. Wrex . . . 1F 71
Erbusaig. High . . . 1F 147
Erchless Castle. High . . . 4G 157
Erdington. W Mid . . . 1F 61
Eredine. Arg . . . 3G 133
Eriboll. High . . . 3E 167
Ericstane. Dum . . . 3C 118
Eridge Green. E Sus . . . 2G 27
Erines. Arg . . . 2G 125
Eriswell. Suff . . . 3G 65
Erith. G Lon . . . 3G 39
Erlestoke. Wilts . . . 1E 23
Ermine. Linc . . . 3G 87
Ermington. Devn . . . 3C 8
Ernesettle. Plym . . . 3A 8
Erpingham. Norf . . . 2D 78
Erriott Wood. Kent . . . 5D 40
Errogie. High . . . 1H 149
Errol. Per . . . 1E 137
Errol Station. Per . . . 1E 137
Erskine. Ren . . . 2F 127
Erskine Bridge. Ren . . . 2F 127
Ervie. Dum . . . 3F 109
Erwarton. Suff . . . 2F 55
Erwood. Powy . . . 1D 46
Eryholme. N Yor . . . 4A 106
Eryrys. Den . . . 5E 82
Escalls. Corn . . . 4A 4
Escomb. Dur . . . 1E 105
Escrick. N Yor . . . 5A 100
Esgair. Carm
nr. Carmarthen . . . 3D 45
nr. St Clears . . . 3G 43
Esgairgeiliog. Powy . . . 5G 69
Esh. Dur . . . 5E 115
Esher. Surr . . . 4C 38
Esholt. W Yor . . . 5D 98
Eshott. Nmbd . . . 5G 121
Eshton. N Yor . . . 4B 98
Esh Winning. Dur . . . 5E 115
Eskadale. High . . . 5G 157
Eskbank. Midl . . . 3G 129
Eskdale Green. Cumb . . . 4C 102
Eskdalemuir. Dum . . . 5E 119
Eskham. Linc . . . 1C 88
Esknish. Arg . . . 3B 124
Esk Valley. N Yor . . . 4F 107
Eslington Hall. Nmbd . . . 3E 121
Esprick. Lanc . . . 1C 90
Essendine. Rut . . . 4H 75
Essendon. Herts . . . 5C 52
Essich. High . . . 5A 158
Essington. Staf . . . 5D 72
Eston. Red C . . . 3C 106
Estover. Plym . . . 3B 8
Eswick. Shet . . . 6F 173
Etal. Nmbd . . . 1D 120
Etchilhampton. Wilts . . . 5F 35
Etchingham. E Sus . . . 3B 28
Etchinghill. Kent . . . 2F 29
Etchinghill. Staf . . . 4E 73
Etherley Dene. Dur . . . 2E 105
Ethie Haven. Ang . . . 4F 145
Etling Green. Norf . . . 4C 78
Etloe. Glos . . . 5B 48
Eton. Wind . . . 3A 38
Eton Wick. Wind . . . 3A 38
Etteridge. High . . . 4A 150
Ettersgill. Dur . . . 2B 104
Ettiley Heath. Ches E . . . 4B 84
Ettington. Warw . . . 1A 50
Etton. E Yor . . . 5D 101
Etton. Pet . . . 5A 76
Ettrick. Bord . . . 3E 119
Ettrickbridge. Bord . . . 2F 119
Etwall. Derbs . . . 2G 73
Eudon Burnell. Shrp . . . 2B 60
Eudon George. Shrp . . . 2A 60
Euston. Suff . . . 3A 66
Euxton. Lanc . . . 3D 90
Evanstown. B'end . . . 3C 32
Evanton. High . . . 2A 158
Evedon. Linc . . . 1H 75
Evelix. High . . . 4E 165
Evendine. Here . . . 1C 48
Evenjobb. Powy . . . 4E 59
Evenley. Nptn . . . 2D 50
Evenlode. Glos . . . 3H 49
Even Swindon. Swin . . . 3G 35
Evenwood. Dur . . . 2E 105
Evenwood Gate. Dur . . . 2E 105
Everbay. Orkn . . . 5F 172
Evercreech. Som . . . 3B 22
Everdon. Nptn . . . 5C 62
Everingham. E Yor . . . 5C 100
Everleigh. Wilts . . . 1H 23
Everley. N Yor . . . 1D 100
Eversholt. C Beds . . . 2H 51
Evershot. Dors . . . 2A 14
Eversley. Hants . . . 5F 37
Eversley Centre. Hants . . . 5F 37
Eversley Cross. Hants . . . 5F 37
Everthorpe. E Yor . . . 1C 94
Everton. C Beds . . . 5B 64
Everton. Hants . . . 3A 16
Everton. Mers . . . 1F 83
Everton. Notts . . . 1D 86
Evertown. Dum . . . 2E 113
Evesbatch. Here . . . 1B 48
Evesham. Worc . . . 1F 49
Evington. Leic . . . 5D 74
Ewden Village. S Yor . . . 1G 85
Ewdness. Shrp . . . 1B 60
Ewell. Surr . . . 4D 38
Ewell Minnis. Kent . . . 1G 29
Ewelme. Oxon . . . 2E 37
Ewen. Glos . . . 2F 35
Ewenny. V Glam . . . 4C 32
Ewerby. Linc . . . 1A 76
Ewes. Dum . . . 5F 119
Ewesley. Nmbd . . . 5E 121
Ewhurst. Surr . . . 1B 26
Ewhurst Green. E Sus . . . 3B 28
Ewhurst Green. Surr . . . 2B 26
Ewlo. Flin . . . 4E 83
Ewloe. Flin . . . 4E 83
Ewood Bridge. Lanc . . . 2F 91
Eworthy. Devn . . . 3E 11
Ewshot. Hants . . . 1G 25
Ewyas Harold. Here . . . 3G 47
Exbourne. Devn . . . 2G 11
Exbury. Hants . . . 2C 16
Exceat. E Sus . . . 5G 27
Exebridge. Som . . . 4C 20
Exelby. N Yor . . . 1E 99
Exeter. Devn . . . 195 (3C 12)
Exeter Airport. Devn . . . 3D 12
Exford. Som . . . 3B 20
Exfords Green. Shrp . . . 5G 71
Exhall. Warw . . . 5F 61
Exlade Street. Oxon . . . 3E 37
Exminster. Devn . . . 4C 12
Exmouth. Devn . . . 4D 12
Exnaboe. Shet . . . 10E 173
Exning. Suff . . . 4F 65
Exton. Devn . . . 4C 12
Exton. Hants . . . 4E 24
Exton. Rut . . . 4G 75
Exton. Som . . . 3C 20
Exwick. Devn . . . 3C 12
Eyam. Derbs . . . 3G 85
Eydon. Nptn . . . 5C 62
Eye. Here . . . 4G 59
Eye. Pet . . . 5B 76
Eye. Suff . . . 3D 66
Eye Green. Pet . . . 5B 76
Eyemouth. Bord . . . 3F 131
Eyeworth. C Beds . . . 1C 52
Eyhorne Street. Kent . . . 5C 40
Eyke. Suff . . . 5F 67
Eynesbury. Cambs . . . 5A 64
Eynort. High . . . 1B 146
Eynsford. Kent . . . 4G 39
Eynsham. Oxon . . . 5C 50
Eyre. High
on Isle of Skye . . . 3D 154
on Raasay . . . 5E 155
Eythorne. Kent . . . 1G 29
Eyton. Here . . . 4G 59
Eyton. Shrp
nr. Bishop's Castle . . . 2F 59
nr. Shrewsbury . . . 4F 71
Eyton. Wrex . . . 1F 71
Eyton on Severn. Shrp . . . 5H 71
Eyton upon the Weald Moors. Telf . . . 4A 72

F

Faccombe. Hants . . . 1B 24
Faceby. N Yor . . . 4B 106
Faddiley. Ches E . . . 5H 83
Fadmoor. N Yor . . . 1A 100
Fagwyr. Swan . . . 5G 45
Faichem. High . . . 3E 149
Faifley. W Dun . . . 2G 127
Fail. S Ayr . . . 2D 116
Failand. N Som . . . 4A 34
Failford. S Ayr . . . 2D 116
Failsworth. G Man . . . 4H 91
Fairbourne. Gwyn . . . 4F 69
Fairbourne Heath. Kent . . . 5C 40
Fairburn. N Yor . . . 2E 93
Fairfield. Derbs . . . 3E 85
Fairfield. Kent . . . 3D 28
Fairfield. Worc
nr. Bromsgrove . . . 3D 60
nr. Evesham . . . 1F 49
Fairford. Glos . . . 5G 49
Fair Green. Norf . . . 4F 77
Fair Hill. Cumb . . . 1G 103
Fairhill. S Lan . . . 4A 128
Fair Isle Airport. Shet . . . 1B 172
Fairlands. Surr . . . 5A 38
Fairlie. N Ayr . . . 4D 126
Fairlight. E Sus . . . 4C 28
Fairlight Cove. E Sus . . . 4C 28
Fairmile. Devn . . . 3D 12
Fairmile. Surr . . . 4C 38
Fairmilehead. Edin . . . 3F 129
Fair Oak. Devn . . . 1D 12
Fair Oak. Hants
nr. Eastleigh . . . 1C 16
nr. Kingsclere . . . 5D 36
Fairoak. Staf . . . 2B 72
Fair Oak Green. Hants . . . 5E 37
Fairseat. Kent . . . 4H 39
Fairstead. Essx . . . 4A 54
Fairstead. Norf . . . 4F 77
Fairwarp. E Sus . . . 3F 27
Fairwater. Card . . . 4E 33
Fairy Cross. Devn . . . 4E 19
Fakenham. Norf . . . 2B 78
Fakenham Magna. Suff . . . 3B 66
Fala. Midl . . . 3H 129
Fala Dam. Midl . . . 3H 129
Falcon. Here . . . 2B 48
Faldingworth. Linc . . . 2H 87
Falfield. S Glo . . . 2B 34
Y Fali. IOA . . . 3B 80
Falkenham. Suff . . . 2F 55
Falkirk. Falk . . . 1B 128
Falkland. Fife . . . 3E 137
Fallin. Stir . . . 4H 135
Fallowfield. G Man . . . 1C 84
Falmer. E Sus . . . 5E 27
Falmouth. Corn . . . 5C 6
Falsgrave. N Yor . . . 1E 101
Falstone. Nmbd . . . 1A 114
Fanagmore. High . . . 4B 166
Fancott. C Beds . . . 3A 52
Fanellan. High . . . 4G 157
Fangdale Beck. N Yor . . . 5C 106
Fangfoss. E Yor . . . 4B 100
Fankerton. Falk . . . 1A 128
Fanmore. Arg . . . 4F 139
Fanner's Green. Essx . . . 4G 53
Fannich Lodge. High . . . 2E 156
Fans. Bord . . . 5C 130
Farcet. Cambs . . . 1B 64
Far Cotton. Nptn . . . 5E 63
Fareham. Hants . . . 2D 16
Farewell. Staf . . . 4E 73
Far Forest. Worc . . . 3B 60
Farforth. Linc . . . 3C 88
Far Green. Glos . . . 5C 48
Far Hoarcross. Staf . . . 3F 73
Faringdon. Oxon . . . 2A 36
Farington. Lanc . . . 2D 90
Farlam. Cumb . . . 4G 113
Farleigh. N Som . . . 5H 33
Farleigh. Surr . . . 4E 39
Farleigh Hungerford. Som . . . 1D 22
Farleigh Wallop. Hants . . . 2E 24
Farleigh Wick. Wilts . . . 5D 34
Farlesthorpe. Linc . . . 3D 88
Farleton. Cumb . . . 1E 97
Farleton. Lanc . . . 3E 97
Farley. High . . . 4G 157
Farley. Shrp
nr. Shrewsbury . . . 5F 71
nr. Telford . . . 5A 72
Farley. Staf . . . 1E 73
Farley. Wilts . . . 4H 23
Farley Green. Suff . . . 5G 65
Farley Green. Surr . . . 1B 26
Farley Hill. Wok . . . 5F 37
Farley's End. Glos . . . 4C 48
Farlington. N Yor . . . 3A 100
Farlington. Port . . . 2E 17
Farlow. Shrp . . . 2A 60
Farmborough. Bath . . . 5B 34
Farmcote. Glos . . . 3F 49
Farmcote. Shrp . . . 1B 60
Farmington. Glos . . . 4G 49
Far Moor. G Man . . . 4D 90
Farmoor. Oxon . . . 5C 50
Farmtown. Mor . . . 3C 160
Farnah Green. Derbs . . . 1H 73
Farnborough. G Lon . . . 4F 39
Farnborough. Hants . . . 1G 25
Farnborough. Warw . . . 1C 50

Greatham—Halstead

Greatham. *Hants* 3F 25
Greatham. *Hart* 2B 106
Greatham. *W Sus* 4B 26
Great Hampden. *Buck* 5G 51
Great Harrowden. *Nptn* 3F 63
Great Harwood. *Lanc* 1F 91
Great Haseley. *Oxon* 5E 51
Great Hatfield. *E Yor* 5F 101
Great Haywood. *Staf* 3D 73
Great Heath. *W Mid* 2H 61
Great Heck. *N Yor* 2F 93
Great Henny. *Essx* 2B 54
Great Hinton. *Wilts* 1E 23
Great Hockham. *Norf* 1B 66
Great Holland. *Essx* 4F 55
Great Horkesley. *Essx* 2C 54
Great Hormead. *Herts* 2E 53
Great Horton. *W Yor* 1B 92
Great Horwood. *Buck* 2F 51
Great Houghton. *Nptn* 5E 63
Great Houghton. *S Yor* 4E 93
Great Hucklow. *Derbs* 3F 85
Great Kelk. *E Yor* 4F 101
Great Kendale. *E Yor* 3E 101
Great Kimble. *Buck* 5G 51
Great Kingshill. *Buck* 2G 37
Great Langdale. *Cumb* 4D 102
Great Langton. *N Yor* 5F 105
Great Leighs. *Essx* 4H 53
Great Limber. *Linc* 4E 95
Great Linford. *Mil* 1G 51
Great Livermere. *Suff* 3A 66
Great Longstone. *Derbs* 3G 85
Great Lumley. *Dur* 5F 115
Great Lyth. *Shrp* 5G 71
Great Malvern. *Worc* 1C 48
Great Maplestead. *Essx* 2B 54
Great Marton. *Bkpl* 1B 90
Great Massingham. *Norf* 3G 77
Great Melton. *Norf* 5D 78
Great Milton. *Oxon* 5E 51
Great Missenden. *Buck* 5G 51
Great Mitton. *Lanc* 1F 91
Great Mongeham. *Kent* 5H 41
Great Moulton. *Norf* 1D 66
Great Munden. *Herts* 3D 52
Great Musgrave. *Cumb* 3A 104
Great Ness. *Shrp* 4F 71
Great Notley. *Essx* 3H 53
Great Oak. *Mon* 5G 47
Great Oakley. *Essx* 3E 55
Great Oakley. *Nptn* 2F 63
Great Offley. *Herts* 3B 52
Great Ormside. *Cumb* 3A 104
Great Orton. *Cumb* 4E 113
Great Ouseburn. *N Yor* 3G 99
Great Oxendon. *Nptn* 2E 63
Great Oxney Green. *Essx* 5G 53
Great Parndon. *Essx* 5E 53
Great Paxton. *Cambs* 4B 64
Great Plumpton. *Lanc* 1B 90
Great Plumstead. *Norf* 4F 79
Great Ponton. *Linc* 2G 75
Great Potheridge. *Devn* 1F 11
Great Preston. *W Yor* 2E 93
Great Raveley. *Cambs* 2B 64
Great Rissington. *Glos* 4G 49
Great Rollright. *Oxon* 2B 50
Great Ryburgh. *Norf* 3B 78
Great Ryle. *Nmbd* 3E 121
Great Ryton. *Shrp* 5G 71
Great Saling. *Essx* 3H 53
Great Salkeld. *Cumb* 1G 103
Great Sampford. *Essx* 2G 53
Great Sankey. *Warr* 2H 83
Great Saredon. *Staf* 5D 72
Great Saxham. *Suff* 4G 65
Great Shefford. *W Ber* 4B 36
Great Shelford. *Cambs* 5D 64
Great Shoddesden. *Hants* 2A 24
Great Smeaton. *N Yor* 4A 106
Great Snoring. *Norf* 2B 78
Great Somerford. *Wilts* 3E 35
Great Stainton. *Darl* 2A 106
Great Stambridge. *Essx* 1C 40
Great Staughton. *Cambs* 4A 64
Great Steeping. *Linc* 4D 88
Great Stonar. *Kent* 5H 41
Greatstone-on-Sea. *Kent* 3E 29
Great Strickland. *Cumb* 2G 103
Great Stukeley. *Cambs* 3B 64
Great Sturton. *Linc* 3B 88
Great Sutton. *Ches W* 3F 83
Great Sutton. *Shrp* 2H 59
Great Swinburne. *Nmbd* 2C 114
Great Tew. *Oxon* 3B 50
Great Tey. *Essx* 3B 54
Great Thirkleby. *N Yor* 2G 99
Great Thorness. *IOW* 3C 16
Great Thurlow. *Suff* 5F 65
Great Torr. *Devn* 4C 8
Great Torrington. *Devn* 1E 11
Great Tosson. *Nmbd* 4E 121
Great Totham North. *Essx* 4B 54
Great Totham South. *Essx* 4B 54
Great Tows. *Linc* 1B 88
Great Urswick. *Cumb* 2B 96
Great Wakering. *Essx* 2D 40
Great Waldingfield. *Suff* 1C 54
Great Walsingham. *Norf* 2B 78
Great Waltham. *Essx* 4G 53
Great Warley. *Essx* 1G 39
Great Washbourne. *Glos* 2E 49
Great Wenham. *Suff* 2D 54
Great Whelnetham. *Suff* 5A 66
Great Whittington. *Nmbd* 2D 114
Great Wigborough. *Essx* 4C 54
Great Wilbraham. *Cambs* 5E 65
Great Wilne. *Derbs* 2B 74
Great Wishford. *Wilts* 3F 23
Great Witchingham. *Norf* 3D 78
Great Witcombe. *Glos* 4E 49
Great Witley. *Worc* 4B 60
Great Wolford. *Warw* 2H 49
Greatworth. *Nptn* 1D 50
Great Wratting. *Suff* 1G 53
Great Wymondley. *Herts* 3C 52
Great Wyrley. *Staf* 5D 73
Great Wytheford. *Shrp* 4H 71
Great Yarmouth. *Norf* 196 (5H 79)
Great Yeldham. *Essx* 2A 54
Grebby. *Linc* 4D 88
Greeba Castle. *IOM* 3C 108
Green, The. *Cumb* 1A 96
Green, The. *Wilts* 3D 22
Greenbank. *Shet* 1G 173
Greenbottom. *Corn* 4B 6
Greenburn. *W Lot* 3C 128
Greencroft. *Dur* 4E 115
Greendown. *Som* 1A 22
Greendykes. *Nmbd* 2E 121
Green End. *Bed*
  nr. Bedford 1A 52
  nr. Little Staughton 4A 64
Green End. *Herts*
  nr. Buntingford 2D 52
  nr. Stevenage 3D 52
Green End. *N Yor* 4F 107
Green End. *Warw* 2G 61
Greenfield. *Arg* 4B 134
Greenfield. *C Beds* 2A 52
Greenfield. *Flin* 3D 82
Greenfield. *G Man* 4H 91
Greenfield. *Oxon* 2F 37
Greenfoot. *N Lan* 3A 128
Greenford. *G Lon* 2C 38
Greengairs. *N Lan* 2A 128
Greengate. *Norf* 4C 78
Greengill. *Cumb* 1C 102
Greenhalgh. *Lanc* 1C 90
Greenham. *Dors* 2H 13
Greenham. *Som* 4D 20
Greenham. *W Ber* 5C 36
Green Hammerton. *N Yor* 4G 99
Greenhaugh. *Nmbd* 1A 114
Greenhead. *Nmbd* 3H 113
Green Heath. *Staf* 4D 73
Greenhill. *Dum* 2C 112
Greenhill. *Falk* 2B 128
Greenhill. *Kent* 4F 41
Greenhill. *S Yor* 2H 85
Greenhill. *Worc* 3C 60
Greenhills. *N Ayr* 4E 127
Greenhithe. *Kent* 3G 39
Greenholm. *E Ayr* 1E 117
Greenhow Hill. *N Yor* 3D 98
Greenigoe. *Orkn* 7D 172
Greenland. *High* 2E 169
Greenland Mains. *High* 2E 169
Greenlands. *Worc* 4E 61
Green Lane. *Shrp* 3A 72
Green Lane. *Worc* 4E 61
Greenlaw. *Bord* 5D 130
Greenlea. *Dum* 2B 112
Greenloaning. *Per* 3H 135
Greenmount. *G Man* 3F 91
Greenmow. *Shet* 9F 173
Greenock. *Inv* 2D 126
Greenock Mains. *E Ayr* 2F 117
Greenodd. *Cumb* 1C 96
Green Ore. *Som* 1A 22
Greenrow. *Cumb* 4C 112
Greens. *Abers* 4F 161
Greensgate. *Norf* 4D 78
Greenside. *Tyne* 3E 115
Greensidehill. *Nmbd* 3D 121
Greens Norton. *Nptn* 1E 51
Greenstead Green. *Essx* 3B 54
Greensted Green. *Essx* 5F 53
Green Street. *Herts* 1C 38
Green Street. *Suff* 3D 66
Green Street Green. *G Lon* 4F 39
Green Street Green. *Kent* 3G 39
Greenstreet Green. *Suff* 1D 54
Green Tye. *Herts* 4E 53
Greenwall. *Orkn* 7E 172
Greenway. *Pemb* 1E 43
Greenway. *V Glam* 4D 32
Greenwell. *Cumb* 4G 113
Greenwich. *G Lon* 3E 39
Greet. *Glos* 2F 49
Greete. *Shrp* 3H 59
Greetham. *Linc* 3C 88
Greetham. *Rut* 4G 75
Greetland. *W Yor* 2A 92
Gregson Lane. *Lanc* 2D 90
Grein. *W Isl* 8B 170
Greinetobht. *W Isl* 1D 170
Greinton. *Som* 3H 21
Gremista. *Shet* 7F 173
Grenaby. *IOM* 4B 108
Grendon. *Nptn* 4F 63
Grendon. *Warw* 1G 61
Grendon Common. *Warw* 1G 61
Grendon Green. *Here* 5H 59
Grendon Underwood. *Buck* 3E 51
Grenofen. *Devn* 5E 11
Grenoside. *S Yor* 1H 85
Greosabhagh. *W Isl* 8D 171
Gresford. *Wrex* 5F 83
Gresham. *Norf* 2D 78
Greshornish. *High* 3C 154
Gressenhall. *Norf* 4B 78
Gressingham. *Lanc* 3E 97
Greta Bridge. *Dur* 3D 105
Gretna. *Dum* 3E 112
Gretna Green. *Dum* 3E 112
Gretton. *Glos* 2F 49
Gretton. *Nptn* 1G 63
Gretton. *Shrp* 1H 59
Grewelthorpe. *N Yor* 2E 99
Greygarth. *N Yor* 2D 98
Grey Green. *N Lin* 4A 94
Greylake. *Som* 3G 21
Greysouthen. *Cumb* 2B 102
Greystoke. *Cumb* 1F 103
Greystoke Gill. *Cumb* 2F 103
Greystone. *Ang* 4E 145
Greystones. *S Yor* 2H 85
Greywell. *Hants* 1F 25
Griais. *W Isl* 3G 171
Grianan. *W Isl* 4G 171
Gribthorpe. *E Yor* 1A 94
Gribun. *Arg* 5F 139
Griff. *Warw* 2A 62
Griffithstown. *Torf* 2F 33
Griffydam. *Leics* 4B 74
Griggs Green. *Hants* 3G 25
Grimbister. *Orkn* 6C 172
Grimeford Village. *Lanc* 3E 90
Grimeston. *Orkn* 6C 172
Grimethorpe. *S Yor* 4E 93
Griminis. *W Isl*
  on Benbecula 3C 170
  on North Uist 1C 170
Grimister. *Shet* 2F 173
Grimley. *Worc* 4C 60
Grimness. *Orkn* 8D 172
Grimoldby. *Linc* 2C 88
Grimpo. *Shrp* 3F 71
Grimsargh. *Lanc* 1D 90
Grimsbury. *Oxon* 1C 50
Grimsby. *NE Lin* 4F 95
Grimscote. *Nptn* 5D 62
Grimscott. *Corn* 2C 10
Grimshaw. *Bkbn* 2F 91
Grimshaw Green. *Lanc* 3C 90
Grimsthorpe. *Linc* 3H 75
Grimston. *E Yor* 1F 95
Grimston. *Leics* 3D 74
Grimston. *Norf* 3G 77
Grimston. *York* 4A 100
Grimstone. *Dors* 3B 14
Grimstone End. *Suff* 4B 66
Grinacombe Moor. *Devn* 3E 11
Grindale. *E Yor* 2F 101
Grindhill. *Devn* 3E 11
Grindiscol. *Shet* 8F 173
Grindle. *Shrp* 5B 72
Grindleford. *Derbs* 3G 85
Grindleton. *Lanc* 5G 97
Grindley. *Staf* 3E 73
Grindley Brook. *Shrp* 1H 71
Grindlow. *Derbs* 3F 85
Grindon. *Nmbd* 5F 131
Grindon. *Staf* 5E 85
Gringley on the Hill. *Notts* 1E 87
Grinsdale. *Cumb* 4E 113
Grinshill. *Shrp* 3H 71
Grinton. *N Yor* 5D 104
Griomsidar. *W Isl* 5G 171
Grishipoll. *Arg* 3C 138
Grisling Common. *E Sus* 3F 27
Gristhorpe. *N Yor* 1E 101
Griston. *Norf* 1B 66
Gritley. *Orkn* 7E 172
Grittenham. *Wilts* 3F 35
Grittleton. *Wilts* 3D 34
Grizebeck. *Cumb* 1B 96
Grizedale. *Cumb* 5E 103
Grobister. *Orkn* 5F 172
Grobsness. *Shet* 5E 173
Groby. *Leics* 5C 74
Groes. *Cnwy* 4C 82
Groes. *Neat* 3A 32
Groes-faen. *Rhon* 3D 32
Groesffordd. *Gwyn* 2B 68
Groesffordd. *Powy* 3D 46
Groeslon. *Gwyn* 5D 81
Groes-lwyd. *Powy* 4E 70
Groes-wen. *Cphy* 3E 33
Grogport. *Arg* 5G 125
Groigearraidh. *W Isl* 4C 170
Gromford. *Suff* 5F 67
Gronant. *Flin* 2C 82
Groombridge. *E Sus* 2G 27
Grosmont. *Mon* 3H 47
Grosmont. *N Yor* 4F 107
Groton. *Suff* 1C 54
Grove. *Dors* 5B 14
Grove. *Kent* 4G 41
Grove. *Notts* 3E 87
Grove. *Oxon* 2B 36
Grove, The. *Dum* 2A 112
Grove, The. *Worc* 1D 48
Grovehill. *E Yor* 1D 94
Grove Park. *G Lon* 3F 39
Grovesend. *Swan* 5F 45
Grub Street. *Staf* 3B 72
Grudie. *High* 2F 157
Gruids. *High* 3C 164
Gruinard House. *High* 4D 162
Gruinart. *Arg* 3A 124
Grulinbeg. *Arg* 3A 124
Gruline. *Arg* 4G 139
Grummore. *High* 5G 167
Grundisburgh. *Suff* 5E 66
Gruting. *Shet* 7D 173
Grutness. *Shet* 10F 173
Gualachulain. *High* 4F 141
Gualin House. *High* 3D 166
Guardbridge. *Fife* 2G 137
Guarlford. *Worc* 1D 48
Guay. *Per* 4H 143
Gubblecote. *Herts* 4H 51
Guestling Green. *E Sus* 4C 28
Guestling Thorn. *E Sus* 4C 28
Guestwick. *Norf* 3C 78
Guestwick Green. *Norf* 3C 78
Guide. *Bkbn* 2F 91
Guide Post. *Nmbd* 1F 115
Guilden Down. *Shrp* 2F 59
Guilden Morden. *Cambs* 1C 52
Guilden Sutton. *Ches W* 4G 83
Guildford. *Surr* 197 (1A 26)
Guildtown. *Per* 5A 144
Guilsborough. *Nptn* 3D 62
Guilsfield. *Powy* 4E 70
Guineaford. *Devn* 3F 19
Guisborough. *Red C* 3D 106
Guiseley. *W Yor* 5D 98
Guist. *Norf* 3B 78
Guiting Power. *Glos* 3F 49
Gulberwick. *Shet* 8F 173
Gullane. *E Lot* 1A 130
Gulling Green. *Suff* 5H 65
Gulval. *Corn* 3B 4
Gulworthy. *Devn* 5E 11
Gumfreston. *Pemb* 4F 43
Gumley. *Leics* 1D 62
Gunby. *E Yor* 1H 93
Gunby. *Linc* 3G 75
Gundleton. *Hants* 3E 24
Gun Green. *Kent* 2B 28
Gun Hill. *E Sus* 4G 27
Gunn. *Devn* 3G 19
Gunnerside. *N Yor* 5C 104
Gunnerton. *Nmbd* 2C 114
Gunness. *N Lin* 3B 94
Gunnislake. *Corn* 5E 11
Gunnista. *Shet* 7F 173
Gunsgreenhill. *Bord* 3F 131
Gunstone. *Staf* 5C 72
Gunthorpe. *Norf* 2C 78
Gunthorpe. *N Lin* 1F 87
Gunthorpe. *Notts* 1D 74
Gunthorpe. *Pet* 5A 76
Gunville. *IOW* 4C 16
Gupworthy. *Som* 3C 20
Gurnard. *IOW* 3C 16
Gurney Slade. *Som* 2B 22
Gurnos. *Powy* 5A 46
Gussage All Saints. *Dors* 1F 15
Gussage St Andrew. *Dors* 1E 15
Gussage St Michael. *Dors* 1E 15
Guston. *Kent* 1H 29
Gutcher. *Shet* 2G 173
Guthram Gowt. *Linc* 3A 76
Guthrie. *Ang* 3E 145
Guyhirn. *Cambs* 5D 76
Guyhirn Gull. *Cambs* 5C 76
Guy's Head. *Linc* 3D 77
Guy's Marsh. *Dors* 4D 22
Guyzance. *Nmbd* 4G 121
Gwaelod-y-garth. *Card* 3E 32
Gwaenynog Bach. *Den* 4C 82
Gwaenysgor. *Flin* 2C 82
Gwalchmai. *IOA* 3C 80
Gwastad. *Pemb* 2E 43
Gwaun-Cae-Gurwen. *Neat* 4H 45
Gwbert. *Cdgn* 1B 44
Gweek. *Corn* 4E 5
Gwehelog. *Mon* 5G 47
Gwenddwr. *Powy* 1D 46
Gwennap. *Corn* 4B 6
Gwenter. *Corn* 5E 5
Gwernaffield. *Flin* 4E 82
Gwernesney. *Mon* 5H 47
Gwernogle. *Carm* 2F 45
Gwern-y-go. *Powy* 1E 58
Gwernymynydd. *Flin* 4E 82
Gwersyllt. *Wrex* 5F 83
Gwespyr. *Flin* 2D 82
Gwinear. *Corn* 3C 4
Gwithian. *Corn* 2C 4
Gwredog. *IOA* 2D 80
Gwyddelwern. *Den* 1C 70
Gwyddgrug. *Carm* 2E 45
Gwynfryn. *Wrex* 5E 83
Gwystre. *Powy* 4C 58
Gwytherin. *Cnwy* 4A 82
Gyfelia. *Wrex* 1F 71
Gyffin. *Cnwy* 3G 81

H

Haa of Houlland. *Shet* 1G 173
Habberley. *Shrp* 5G 71
Habblesthorpe. *Notts* 2E 87
Habergham. *Lanc* 1G 91
Habin. *W Sus* 4G 25
Habrough. *NE Lin* 3E 95
Haceby. *Linc* 2H 75
Hacheston. *Suff* 5F 67
Hackenthorpe. *S Yor* 2B 86
Hackford. *Norf* 5C 78
Hackforth. *N Yor* 5F 105
Hackland. *Orkn* 5C 172
Hackleton. *Nptn* 5F 63
Hackman's Gate. *Worc* 3C 60
Hackness. *N Yor* 5G 107
Hackness. *Orkn* 8C 172
Hackney. *G Lon* 2E 39
Hackthorn. *Linc* 2G 87
Hackthorpe. *Cumb* 2G 103
Haclait. *W Isl* 4D 170
Haconby. *Linc* 3A 76
Hadden. *Bord* 1B 120
Haddenham. *Buck* 5F 51
Haddenham. *Cambs* 3D 64
Haddenham End Field.
  Cambs 3D 64
Haddington. *E Lot* 2B 130
Haddington. *Linc* 4G 87
Haddiscoe. *Norf* 1G 67
Haddo. *Abers* 5F 161
Haddon. *Cambs* 1A 64
Hademore. *Staf* 5F 73
Hadfield. *Derbs* 1E 85
Hadham Cross. *Herts* 4E 53
Hadham Ford. *Herts* 3E 53
Hadleigh. *Essx* 2C 40
Hadleigh. *Suff* 1D 54
Hadleigh Heath. *Suff* 1C 54
Hadley. *Telf* 4A 72
Hadley. *Worc* 4C 60
Hadley End. *Staf* 3F 73
Hadley Wood. *G Lon* 1D 38
Hadlow. *Kent* 1H 27
Hadlow Down. *E Sus* 3G 27
Hadnall. *Shrp* 3H 71
Hadstock. *Essx* 1F 53
Hadston. *Nmbd* 4G 121
Hady. *Derbs* 3A 86
Hadzor. *Worc* 4D 60
Haffenden Quarter. *Kent* 1C 28
Haggate. *Lanc* 1G 91
Haggbeck. *Cumb* 2F 113
Haggersta. *Shet* 7E 173
Haggerston. *Nmbd* 5G 131
Haggrister. *Shet* 4E 173
Hagley. *Here* 1A 48
Hagley. *Worc* 2D 60
Hagnaby. *Linc* 4C 88
Hagworthingham. *Linc* 4C 88
Haigh. *G Man* 4E 90
Haigh Moor. *W Yor* 2C 92
Haighton Green. *Lanc* 1D 90
Haile. *Cumb* 4B 102
Hailes. *Glos* 2F 49
Hailey. *Herts* 4D 52
Hailey. *Oxon* 4B 50
Hailsham. *E Sus* 5G 27
Hail Weston. *Cambs* 4A 64
Hainault. *G Lon* 1F 39
Hainford. *Norf* 4E 78
Hainton. *Linc* 2A 88
Hainworth. *W Yor* 1A 92
Haisthorpe. *E Yor* 3F 101
Hakin. *Pemb* 4C 42
Halam. *Notts* 5D 86
Halbeath. *Fife* 1E 129
Halberton. *Devn* 1D 12
Halcro. *High* 2E 169
Hale. *Cumb* 2E 97
Hale. *G Man* 2B 84
Hale. *Hal* 2G 83
Hale. *Hants* 1G 15
Hale. *Surr* 2G 25
Hale Bank. *Hal* 2G 83
Halebarns. *G Man* 2B 84
Hales. *Norf* 1F 67
Hales. *Staf* 2B 72
Halesgate. *Linc* 3C 76
Hales Green. *Derbs* 1F 73
Halesowen. *W Mid* 2D 60
Hale Street. *Kent* 1A 28
Halesworth. *Suff* 3F 67
Halewood. *Mers* 2G 83
Halford. *Shrp* 2G 59
Halford. *Warw* 1A 50
Halfpenny. *Cumb* 1E 97
Halfpenny Furze. *Carm* 3G 43
Halfpenny Green. *Staf* 1C 60
Halfway. *Carm*
  nr. Llandeilo 2G 45
  nr. Llandovery 2B 46
Halfway. *S Yor* 2B 86
Halfway. *W Ber* 5C 36
Halfway House. *Shrp* 4F 71
Halfway Houses. *Kent* 3D 40
Halgabron. *Corn* 4A 10
Halifax. *W Yor* 2A 92
Halistra. *High* 3B 154
Halket. *E Ayr* 4F 127
Halkirk. *High* 3D 168
Halkyn. *Flin* 3E 82
Hall. *E Ren* 4F 127
Hallam Fields. *Derbs* 1B 74
Halland. *E Sus* 4G 27
Hallands, The. *N Lin* 2D 94
Hallaton. *Leics* 1E 63
Hallatrow. *Bath* 1B 22
Hallbank. *Cumb* 5H 103
Hallbankgate. *Cumb* 4G 113
Hall Dunnerdale. *Cumb* 5D 102
Hallen. *S Glo* 3A 34
Hall End. *Bed* 1A 52
Hallgarth. *Dur* 5G 115
Hall Green. *Ches E* 5C 84
Hall Green. *Norf* 2D 66
Hall Green. *W Mid* 2F 61
Hall Green. *W Yor* 3D 92
Hall Green. *Wrex* 1G 71
Halliburton. *Bord* 5C 130
Hallin. *High* 3B 154
Halling. *Medw* 4B 40
Hallington. *Linc* 2C 88
Hallington. *Nmbd* 2C 114
Halloughton. *Notts* 5D 86
Hallow. *Worc* 5C 60
Hallow Heath. *Worc* 5C 60
Hallowsgate. *Ches W* 4H 83
Hallsands. *Devn* 5E 9
Hall's Green. *Herts* 3C 52
Hallspill. *Devn* 4E 19
Hallthwaites. *Cumb* 1A 96
Hall Waberthwaite. *Cumb* 5C 102
Hallwood Green. *Glos* 2B 48
Hallworthy. *Corn* 4B 10
Hallyne. *Bord* 5E 129
Halmer End. *Staf* 1C 72
Halmond's Frome. *Here* 1B 48
Halmore. *Glos* 5B 48
Halnaker. *W Sus* 5A 26
Halsall. *Lanc* 3B 90
Halse. *Nptn* 1D 50
Halse. *Som* 4E 21
Halsetown. *Corn* 3C 4
Halsham. *E Yor* 2F 95
Halsinger. *Devn* 3F 19
Halstead. *Essx* 2B 54
Halstead. *Kent* 4F 39
Halstead. *Leics* 5E 75

Heage—Hillingdon

Heage. Derbs 5A 86
Healaugh. N Yor
nr. Grinton 5D 104
nr. York 5H 99
Heald Green. G Man 2C 84
Heale. Devn 2G 19
Healey. G Man 3G 91
Healey. Nmbd 4D 114
Healey. N Yor 1D 98
Healeyfield. Dur 5D 114
Healing. NE Lin 3F 95
Heamoor. Corn 3B 4
Heanish. Arg 4B 138
Heanor. Derbs 1B 74
Heanton Punchardon. Devn 3F 19
Heapham. Linc 2F 87
Heartsease. Powy 4D 58
Heasley Mill. Devn 3H 19
Heaste. High 2E 147
Heath. Derbs 4B 86
Heath, The. Norf
nr. Buxton 3E 79
nr. Fakenham 3B 78
nr. Hevingham 3D 78
Heath, The. Staf 2E 73
Heath, The. Suff 2E 55
Heath and Reach. C Beds 3H 51
Heath Common. W Sus 4C 26
Heathcote. Derbs 4F 85
Heath Cross. Devn 3H 11
Heathencote. Nptn 1F 51
Heath End. Hants 5D 36
Heath End. Leics 3A 74
Heath End. W Mid 5E 73
Heather. Leics 4A 74
Heatherfield. High 4D 155
Heatherton. Derb 2H 73
Heathfield. Cambs 1E 53
Heathfield. Cumb 5C 112
Heathfield. Devn 5B 12
Heathfield. E Sus 3G 27
Heathfield. Ren 3E 126
Heathfield. Som
nr. Lydeard St Lawrence 3E 21
nr. Norton Fitzwarren 4E 21
Heath Green. Worc 3E 61
Heathhall. Dum 2A 112
Heath Hayes. Staf 4E 73
Heath Hill. Shrp 4B 72
Heath House. Som 2H 21
Heathrow Airport.
G Lon 216 (3B 38)
Heathstock. Devn 2F 13
Heathton. Shrp 1C 60
Heathtop. Derbs 2G 73
Heath Town. W Mid 1D 60
Heatley. Staf 3E 73
Heatley. Warr 2B 84
Heaton. Lanc 3D 96
Heaton. Staf 4D 84
Heaton. Tyne 3F 115
Heaton. W Yor 1B 92
Heaton Moor. G Man 1C 84
Heaton's Bridge. Lanc 3C 90
Heaverham. Kent 5G 39
Heavitree. Devn 3C 12
Hebburn. Tyne 3G 115
Hebden. N Yor 3C 98
Hebden Bridge. W Yor 2H 91
Hebden Green. Ches W 4A 84
Hebing End. Herts 3D 52
Hebron. Carm 2F 43
Hebron. Nmbd 1E 115
Heck. Dum 1B 112
Heckdyke. Notts 1E 87
Heckfield. Hants 5F 37
Heckfield Green. Suff 3D 66
Heckfordbridge. Essx 3C 54
Heckington. Linc 1A 76
Heckmondwike. W Yor 2C 92
Heddington. Wilts 5E 35
Heddle. Orkn 6C 172
Heddon. Devn 4G 19
Heddon-on-the-Wall. Nmbd 3E 115
Hedenham. Norf 1F 67
Hedge End. Hants 1C 16
Hedgerley. Buck 2A 38
Hedging. Som 4G 21
Hedley on the Hill. Nmbd 4D 115
Hednesford. Staf 4E 73
Hedon. E Yor 2E 95
Hegdon Hill. Here 5H 59
Heglibister. Shet 6E 173
Heighington. Darl 2F 105
Heighington. Linc 4H 87
Heightington. Worc 3B 60
Heights of Brae. High 2H 157
Heights of Fodderty. High 2H 157
Heights of Kinlochewe. High 2C 156
Heiton. Bord 1B 120
Hele. Devn
nr. Exeter 2C 12
nr. Holsworthy 3D 10
nr. Ilfracombe 2F 19
Hele. Torb 2F 9
Helensburgh. Arg 1D 126
Helford. Corn 4E 5
Helhoughton. Norf 3A 78
Helions Bumpstead. Essx 1G 53
Helland. Corn 5A 10
Helland. Som 4G 21
Hellandbridge. Corn 5A 10
Hellesdon. Norf 4E 78
Hellesveor. Corn 2C 4
Hellidon. Nptn 5C 62
Hellifield. N Yor 4A 98
Hellingly. E Sus 4G 27
Hellington. Norf 5F 79
Hellister. Shet 7E 173
Helmdon. Nptn 1D 50
Helmingham. Suff 5D 66
Helmington Row. Dur 1E 105
Helmsdale. High 2H 165
Helmshore. Lanc 2F 91
Helmsley. N Yor 1A 100
Helperby. N Yor 3G 99
Helperthorpe. N Yor 2D 100
Helpringham. Linc 1A 76
Helpston. Pet 5A 76
Helsby. Ches W 3G 83
Helsey. Linc 3E 89
Helston. Corn 4D 4
Helstone. Corn 4A 10
Helton. Cumb 2G 103
Helwith. N Yor 4D 105
Helwith Bridge. N Yor 3H 97
Helygain. Flin 3E 82
Hem, The. Shrp 5B 72
Hemblington. Norf 4F 79
Hemel Hempstead. Herts 5A 52
Hemerdon. Devn 3B 8
Hemingbrough. N Yor 1G 93
Hemingby. Linc 3B 88
Hemingfield. S Yor 4D 93
Hemingford Abbots. Cambs 3B 64
Hemingford Grey. Cambs 3B 64
Hemingstone. Suff 5D 66
Hemington. Leics 3B 74
Hemington. Nptn 2H 63
Hemington. Som 1C 22
Hemley. Suff 1F 55
Hemlington. Midd 3B 106
Hempholme. E Yor 4E 101
Hempnall. Norf 1E 67
Hempnall Green. Norf 1E 67
Hempriggs. High 4F 169
Hemp's Green. Essx 3C 54
Hempstead. Essx 2G 53
Hempstead. Medw 4B 40
Hempstead. Norf
nr. Holt 2D 78
nr. Stalham 3G 79
Hempsted. Glos 4D 48
Hempton. Norf 3B 78
Hempton. Oxon 2C 50
Hemsby. Norf 4G 79
Hemswell. Linc 1G 87
Hemswell Cliff. Linc 2G 87
Hemsworth. Dors 2E 15
Hemsworth. W Yor 3E 93
Hemyock. Devn 1E 13
Henallt. Carm 3E 45
Henbury. Bris 4A 34
Henbury. Ches E 3C 84
Hendomen. Powy 1E 58
Hendon. G Lon 2D 38
Hendon. Tyne 4H 115
Hendra. Corn 3D 6
Hendre. B'end 3C 32
Hendreforgan. Rhon 3C 32
Hendy. Carm 5F 45
Heneglwys. IOA 3D 80
Henfeddau Fawr. Pemb 1G 43
Henfield. S Glo 4B 34
Henfield. W Sus 4D 26
Henford. Devn 3D 10
Hengoed. Cphy 2E 33
Hengoed. Shrp 2E 71
Hengrave. Suff 4H 65
Henham. Essx 3F 53
Heniarth. Powy 5D 70
Henlade. Som 4F 21
Henley. Dors 2B 14
Henley. Shrp
nr. Church Stretton 2G 59
nr. Ludlow 3H 59
Henley. Som 3H 21
Henley. Suff 5D 66
Henley. W Sus 4G 25
Henley Down. E Sus 4B 28
Henley-in-Arden. Warw 4F 61
Henley-on-Thames. Oxon 3F 37
Henley Street. Kent 4A 40
Henllan. Cdgn 1D 44
Henllan. Den 4C 82
Henllan. Mon 3F 47
Henllan Amgoed. Carm 3F 43
Henllys. Torf 2F 33
Henlow. C Beds 2B 52
Hennock. Devn 4B 12
Henny Street. Essx 2B 54
Henryd. Cnwy 3G 81
Henry's Moat. Pemb 2E 43
Hensall. N Yor 2F 93
Henshaw. Nmbd 3A 114
Hensingham. Cumb 3A 102
Henstead. Suff 2G 67
Hensting. Hants 4C 24
Henstridge. Som 1C 14
Henstridge Ash. Som 4C 22
Henstridge Bowden. Som 4B 22
Henstridge Marsh. Som 4C 22
Henton. Oxon 5F 51
Henton. Som 2H 21
Henwood. Corn 5C 10
Heogan. Shet 7F 173
Heolgerrig. Mer T 5D 46
Heol Senni. Powy 3C 46
Heol-y-Cyw. B'end 3C 32
Hepburn. Nmbd 2E 121
Hepple. Nmbd 4D 121
Hepscott. Nmbd 1F 115
Heptonstall. W Yor 2H 91
Hepworth. Suff 3B 66
Hepworth. W Yor 4B 92
Herbrandston. Pemb 4C 42
Hereford. Here 197 (2A 48)
Heribusta. High 1D 154
Heriot. Bord 4H 129
Hermiston. Edin 2E 129
Hermitage. Dors 2B 14
Hermitage. Bord 5H 119
Hermitage. W Ber 4D 36
Hermitage. W Sus 2F 17
Hermon. Carm
nr. Llandeilo 3G 45
nr. Newcastle Emlyn 2D 44
Hermon. IOA 4C 80
Hermon. Pemb 1G 43
Herne. Kent 4F 41
Herne Bay. Kent 4F 41
Herne Common. Kent 4F 41
Herne Pound. Kent 5A 40
Herner. Devn 4F 19
Hernhill. Kent 4E 41
Herodsfoot. Corn 2G 7
Heronden. Kent 5G 41
Herongate. Essx 1H 39
Heronsford. S Ayr 1G 109
Heronsgate. Herts 1B 38
Heron's Ghyll. E Sus 3F 27
Herra. Shet 2H 173
Herriard. Hants 2E 25
Herringfleet. Suff 1G 67
Herringswell. Suff 4G 65
Herrington. Tyne 4G 115
Hersden. Kent 4G 41
Hersham. Corn 2C 10
Hersham. Surr 4C 38
Herstmonceux. E Sus 4H 27
Herston. Dors 5F 15
Herston. Orkn 8D 172
Hertford. Herts 4D 52
Hertford Heath. Herts 4D 52
Hertingfordbury. Herts 4D 52
Hesketh. Lanc 2C 90
Hesketh Bank. Lanc 2C 90
Hesketh Lane. Lanc 5F 97
Hesket Newmarket. Cumb 1E 103
Heskin Green. Lanc 3D 90
Hesleden. Dur 1B 106
Hesleyside. Nmbd 1B 114
Heslington. York 4A 100
Hessay. York 4H 99
Hessenford. Corn 3H 7
Hessett. Suff 4B 66
Hessilhead. N Ayr 4E 127
Hessle. E Yor 2D 94
Hestaford. Shet 6D 173
Hest Bank. Lanc 3D 96
Hester's Way. Glos 3E 49
Hestinsetter. Shet 7D 173
Heston. G Lon 3C 38
Hestwall. Orkn 6B 172
Heswall. Mers 2E 83
Hethe. Oxon 3D 50
Hethelpit Cross. Glos 3C 48
Hethersett. Norf 5D 78
Hethersgill. Cumb 3F 113
Hetherside. Cumb 3F 113
Hethpool. Nmbd 2C 120
Hett. Dur 1F 105
Hetton. N Yor 4B 98
Hetton-le-Hole. Tyne 5G 115
Hetton Steads. Nmbd 1E 121
Heugh. Nmbd 2D 115
Heugh-head. Abers 2A 152
Heveningham. Suff 3F 67
Hever. Kent 1F 27
Heversham. Cumb 1D 97
Hevingham. Norf 3D 78
Hewas Water. Corn 4D 6
Hewelsfield. Glos 5A 48
Hewish. N Som 5H 33
Hewish. Som 2H 13
Hewood. Dors 2G 13
Heworth. York 4A 100
Hexham. Nmbd 3C 114
Hextable. Kent 3G 39
Hexton. Herts 2B 52
Hexworthy. Devn 5G 11
Heybridge. Essx
nr. Brentwood 1H 39
nr. Maldon 5B 54
Heybridge Basin. Essx 5B 54
Heybrook Bay. Devn 4A 8
Heydon. Cambs 1E 53
Heydon. Norf 3D 78
Heydour. Linc 2H 75
Heylipol. Arg 4A 138
Heyop. Powy 3E 59
Heysham. Lanc 3D 96
Heyshott. W Sus 1G 17
Heytesbury. Wilts 2E 23
Heythrop. Oxon 3B 50
Heywood. G Man 3G 91
Heywood. Wilts 1D 22
Hibaldstow. N Lin 4C 94
Hickleton. S Yor 4E 93
Hickling. Norf 3G 79
Hickling. Notts 3D 74
Hickling Green. Norf 3G 79
Hickling Heath. Norf 3G 79
Hickstead. W Sus 3D 26
Hidcote Bartrim. Glos 1G 49
Hidcote Boyce. Glos 1G 49
Higford. Shrp 5B 72
High Ackworth. W Yor 3E 93
Higham. Derbs 5A 86
Higham. Kent 3B 40
Higham. Lanc 1G 91
Higham. S Yor 4D 92
Higham. Suff
nr. Ipswich 2D 54
nr. Newmarket 4G 65
Higham Dykes. Nmbd 2E 115
Higham Ferrers. Nptn 4G 63
Higham Gobion. C Beds 2B 52
Higham on the Hill. Leics 1A 62
Highampton. Devn 2E 11
Higham Wood. Kent 1H 27
High Angerton. Nmbd 1D 115
High Auldgirth. Dum 1G 111
High Bankhill. Cumb 5G 113
High Banton. N Lan 1A 128
High Barnet. G Lon 1D 38
High Beech. Essx 1F 39
High Bentham. N Yor 3F 97
High Bickington. Devn 4G 19
High Biggins. Cumb 2F 97
High Birkwith. N Yor 2G 97
High Blantyre. S Lan 4H 127
High Bonnybridge. Falk 2B 128
High Borrans. Cumb 4F 103
High Bradfield. S Yor 1G 85
High Bray. Devn 3G 19
Highbridge. Cumb 5E 113
Highbridge. High 5E 148
Highbridge. Som 2G 21
Highbrook. W Sus 2E 27
High Brooms. Kent 1G 27
High Bullen. Devn 4F 19
Highburton. W Yor 3B 92
Highbury. Som 2B 22
High Buston. Nmbd 4G 121
High Callerton. Nmbd 2E 115
High Carlingill. Cumb 4H 103
High Catton. E Yor 4B 100
High Church. Nmbd 1E 115
Highclere. Hants 5C 36
Highcliffe. Dors 3H 15
High Cogges. Oxon 5B 50
High Common. Norf 5B 78
High Coniscliffe. Darl 3F 105
High Crosby. Cumb 4F 113
High Cross. Hants 4F 25
High Cross. Herts 4D 52
High Easter. Essx 4G 53
High Eggborough. N Yor 2F 93
High Ellington. N Yor 1D 98
Higher Alham. Som 2B 22
Higher Ansty. Dors 2C 14
Higher Ashton. Devn 4B 12
Higher Ballam. Lanc 1B 90
Higher Bartle. Lanc 1D 90
Higher Bockhampton. Dors 3C 14
Higher Bojewyan. Corn 3A 4
High Ercall. Telf 4H 71
Higher Cheriton. Devn 2E 12
Higher Clovelly. Devn 4D 18
Higher Compton. Plym 3A 8
Higher Dean. Devn 2D 8
Higher Dinting. Derbs 1E 85
Higher Dunstone. Devn 5H 11
Higher End. G Man 4D 90
Higherford. Lanc 5A 98
Higher Gabwell. Devn 2F 9
Higher Halstock Leigh. Dors 2A 14
Higher Heysham. Lanc 3D 96
Higher Hurdsfield. Ches E 3D 84
Higher Kingcombe. Dors 3A 14
Higher Kinnerton. Flin 4F 83
Higher Melcombe. Dors 2C 14
Higher Penwortham. Lanc 2D 90
Higher Porthpean. Corn 3E 7
Higher Poynton. Ches E 2D 84
Higher Shotton. Flin 4F 83
Higher Shurlach. Ches W 3A 84
Higher Slade. Devn 2F 19
Higher Tale. Devn 2D 12
Highertown. Corn 4C 6
Higher Town. IOS 1B 4
Higher Town. Som 2C 20
Higher Vexford. Som 3E 20
Higher Walton. Lanc 2D 90
Higher Walton. Warr 2H 83
Higher Whatcombe. Dors 2D 14
Higher Wheelton. Lanc 2E 90
Higher Whiteleigh. Corn 3C 10
Higher Whitley. Ches W 2A 84
Higher Wincham. Ches W 3A 84
Higher Wraxall. Dors 2A 14
Higher Wych. Ches W 1G 71
Higher Yalberton. Torb 3E 9
High Etherley. Dur 2E 105
High Ferry. Linc 1C 76
Highfield. E Yor 1H 93
Highfield. N Ayr 4E 126
Highfield. Tyne 4E 115
Highfields Caldecote. Cambs 5C 64
High Gallowhill. E Dun 2H 127
High Garrett. Essx 3A 54
Highgate. G Lon 2D 39
Highgate. N Ayr 4E 127
Highgate. Powy 1D 58
High Grange. Dur 1E 105
High Green. Cumb 4F 103
High Green. Norf 5D 78
High Green. Shrp 2B 60
High Green. S Yor 1H 85
High Green. W Yor 3B 92
High Green. Worc 1D 49
Highgreen Manor. Nmbd 5C 120
High Halden. Kent 2C 28
High Halstow. Medw 3B 40
High Ham. Som 3H 21
High Harrington. Cumb 2B 102
High Haswell. Dur 5G 115
High Hatton. Shrp 3A 72
High Hawsker. N Yor 4G 107
High Hesket. Cumb 5F 113
High Hesleden. Dur 1B 106
High Hoyland. S Yor 3C 92
High Hunsley. E Yor 1C 94
High Hurstwood. E Sus 3F 27
High Hutton. N Yor 3B 100
High Ireby. Cumb 1D 102
High Keil. Arg 5A 122
High Kelling. Norf 2D 78
High Kilburn. N Yor 2H 99
High Knipe. Cumb 3G 103
High Lands. Dur 2E 105
Highlands, The. Shrp 2A 60
Highlane. Ches E 4C 84
Highlane. Derbs 2B 86
High Lane. G Man 2D 84
High Lane. Worc 4A 60
High Laver. Essx 5F 53
Highlaws. Cumb 5C 112
Highleadon. Glos 3C 48
High Legh. Ches E 2B 84
Highleigh. W Sus 3G 17
High Leven. Stoc T 3B 106
Highley. Shrp 2B 60
High Littleton. Bath 1B 22
High Longthwaite. Cumb 5D 112
High Lorton. Cumb 2C 102
High Marishes. N Yor 2C 100
High Marnham. Notts 3F 87
High Melton. S Yor 4F 93
High Mickley. Nmbd 3D 115
Highmoor. Cumb 5D 112
High Moor. Lanc 3D 90
Highmoor. Oxon 3F 37
Highmoor Cross. Oxon 3F 37
Highmoor Hill. Mon 3H 33
Highnam. Glos 4C 48
High Newport. Tyne 4G 115
High Newton. Cumb 1D 96
High Newton-by-the-Sea.
Nmbd 2G 121
High Nibthwaite. Cumb 1B 96
High Offley. Staf 3B 72
High Ongar. Essx 5F 53
High Onn. Staf 4C 72
High Orchard. Glos 4D 48
High Park. Mers 3B 90
High Roding. Essx 4G 53
High Row. Cumb 1E 103
High Salvington. W Sus 5C 26
High Scales. Cumb 5C 112
High Shaw. N Yor 5B 104
High Shincliffe. Dur 5F 115
High Side. Cumb 1D 102
High Spen. Tyne 3E 115
Highsted. Kent 4D 40
High Stoop. Dur 5E 115
High Street. Corn 3D 6
High Street. Suff
nr. Aldeburgh 5G 67
nr. Bungay 2F 67
nr. Yoxford 3G 67
Highstreet Green. Essx 2A 54
High Street Green. Suff 5C 66
Highstreet Green. Surr 2A 26
Hightae. Dum 2B 112
High Throston. Hart 1B 106
Hightown. Ches E 4C 84
Hightown. Mers 4A 90
High Town. Staf 4D 73
Hightown Green. Suff 5B 66
High Toynton. Linc 4B 88
High Trewhitt. Nmbd 4E 121
High Valleyfield. Fife 1D 128
Highway. Here 1H 47
Highweek. Devn 5B 12
High Westwood. Dur 4E 115
Highwood. Staf 2E 73
Highwood. Worc 4A 60
High Worsall. N Yor 4A 106
Highworth. Swin 2H 35
High Wray. Cumb 5E 103
High Wych. Herts 4E 53
High Wycombe. Buck 2G 37
Hilborough. Norf 5H 77
Hilcott. Wilts 1G 23
Hildenborough. Kent 1G 27
Hildersham. Cambs 1F 53
Hilderstone. Staf 2D 72
Hilderthorpe. E Yor 3F 101
Hilfield. Dors 2B 14
Hilgay. Norf 1F 65
Hill, The. Cumb 1A 96
Hill. S Glo 2B 34
Hill. Warw 4B 62
Hill. Worc 1E 49
Hillam. N Yor 2F 93
Hillbeck. Cumb 3A 104
Hillberry. IOM 4C 108
Hillborough. Kent 4G 41
Hillbourne. Pool 3F 15
Hillbrae. Abers
nr. Aberchirder 4D 160
nr. Inverurie 1E 153
nr. Methlick 5F 161
Hill Brow. Hants 4F 25
Hillbutts. Dors 2E 15
Hillclifflane. Derbs 1G 73
Hillcommon. Som 4E 21
Hill Deverill. Wilts 2D 22
Hilldyke. Linc 1C 76
Hill End. Dur 1D 104
Hill End. Fife 4C 136
Hillend. Fife 1E 129
Hillend. N Lan 3B 128
Hill End. N Yor 4C 98
Hillend. Shrp 1C 60
Hillend. Swan 3D 30
Hillersland. Glos 4A 48
Hillerton. Devn 3H 11
Hillesden. Buck 3E 51
Hillesley. Glos 3C 34
Hillfarrance. Som 4E 21
Hill Gate. Here 3H 47
Hill Green. Essx 2E 53
Hill Green. W Ber 4C 36
Hillhead. Abers 5C 160
Hillhead. Devn 3F 9
Hill Head. Hants 2D 16
Hillhead. S Ayr 3D 116
Hillhead of Auchentumb.
Abers 3G 161
Hilliard's Cross. Staf 4F 73
Hilliclay. High 2D 168
Hillingdon. G Lon 2B 38

Howe of Teuchar—Johnstown

Howe of Teuchar. Abers 4E 161
Howes. Dum 3C 112
Howe Street. Essx
nr. Chelmsford 4G 53
nr. Finchingfield 2G 53
Howey. Powy 5C 58
Howgate. Midl 4F 129
Howgill. Lanc 5H 97
Howgill. N Yor 4C 98
How Green. Kent 1F 27
How Hill. Norf 4F 79
Howick. Nmbd 3G 121
Howle. Telf 3A 72
Howle Hill. Here 3B 48
Howleigh. Som 1F 13
Howlett End. Essx 2F 53
Howley. Som 2F 13
Howley. Warr 2A 84
Hownam. Bord 3B 120
Howsham. N Lin 4D 94
Howsham. N Yor 3B 100
Howtel. Nmbd 1C 120
Howt Green. Kent 4C 40
Howton. Here 3H 47
Howwood. Ren 3E 127
Hoxne. Suff 3D 66
Hoylake. Mers 2E 82
Hoyland. S Yor 4D 92
Hoylandswaine. S Yor 4C 92
Hoyle. W Sus 4A 26
Hubberholme. N Yor 2B 98
Hubberston. Pemb 4C 42
Hubbert's Bridge. Linc 1B 76
Huby. N Yor
nr. Harrogate 5E 99
nr. York 3H 99
Hucclecote. Glos 4D 48
Hucking. Kent 5C 40
Hucknall. Notts 1C 74
Huddersfield. W Yor 3B 92
Huddington. Worc 5D 60
Huddlesford. Staf 5F 73
Hudswell. N Yor 4E 105
Huggate. E Yor 4C 100
Hugglescote. Leics 4B 74
Hughenden Valley. Buck 2G 37
Hughley. Shrp 1H 59
Hughton. High 4G 157
Hugh Town. IOS 1B 4
Hugus. Corn 4B 6
Huish. Devn 1F 11
Huish. Wilts 5G 35
Huish Champflower. Som 4D 20
Huish Episcopi. Som 4H 21
Huisinis. W Isl 6B 171
Hulcote. Nptn 1F 51
Hulcott. Buck 4G 51
Hulham. Devn 4D 12
Hull. Hull 199 (2E 94)
Hulland. Derbs 1G 73
Hulland Moss. Derbs 1G 73
Hulland Ward. Derbs 1G 73
Hullavington. Wilts 3D 35
Hullbridge. Essx 1C 40
Hulme. G Man 1C 84
Hulme. Staf 1D 72
Hulme End. Staf 5F 85
Hulme Walfield. Ches E 4C 84
Hulverstone. IOW 4B 16
Hulver Street. Suff 2G 67
Humber. Devn 5C 12
Humber. Here 5H 59
Humber Bridge. N Lin 2D 94
Humberside Airport. N Lin 3D 94
Humberston. NE Lin 4G 95
Humberstone. Leic 5D 74
Humbie. E Lot 3A 130
Humbleton. E Yor 1F 95
Humbleton. Nmbd 2D 121
Humby. Linc 2H 75
Hume. Bord 5D 130
Humshaugh. Nmbd 2C 114
Huna. High 1F 169
Huncoat. Lanc 1F 91
Huncote. Leics 1C 62
Hundall. Derbs 3A 86
Hunderthwaite. Dur 2C 104
Hundleby. Linc 4C 88
Hundle Houses. Linc 5B 88
Hundleton. Pemb 4D 42
Hundon. Suff 1H 53
Hundred, The. Here 4H 59
Hundred Acres. Hants 1D 16
Hundred House. Powy 5D 58
Hungarton. Leics 5D 74
Hungerford. Hants 1G 15
Hungerford. Shrp 2H 59
Hungerford. Som 2D 20
Hungerford. W Ber 5B 36
Hungerford Newtown. W Ber 4B 36
Hunger Hill. G Man 4E 91
Hungerton. Linc 2F 75
Hungladder. High 1C 154
Hungryhatton. Shrp 3A 72
Hunmanby. N Yor 2E 101
Hunmanby Sands. N Yor 2F 101
Hunningham. Warw 4A 62
Hunnington. Worc 2D 60
Hunny Hill. IOW 4C 16
Hunsdon. Herts 4E 53
Hunsdonbury. Herts 4E 53
Hunsingore. N Yor 4G 99
Hunslet. W Yor 1D 92
Hunslet Carr. W Yor 1D 92
Hunsonby. Cumb 1G 103
Hunspow. High 1E 169
Hunstanton. Norf 1F 77
Hunstanworth. Dur 5C 114
Hunston. Suff 4B 66
Hunston. W Sus 2G 17
Hunstrete. Bath 5B 34
Hunt End. Worc 4E 61
Hunterfield. Midl 3G 129
Hunters Forstal. Kent 4F 41
Hunter's Quay. Arg 2C 126
Huntham. Som 4G 21
Hunthill Lodge. Ang 1D 144
Huntingdon. Cambs 3B 64
Huntingfield. Suff 3F 67
Huntingford. Wilts 4D 22
Huntington. Ches W 4G 83
Huntington. E Lot 2A 130
Huntington. Here 5E 59
Huntington. Staf 4D 72
Huntington. Telf 5A 72
Huntington. York 4A 100
Huntingtower. Per 1C 136
Huntley. Glos 4C 48
Huntley. Staf 1E 73
Huntly. Abers 5C 160
Huntlywood. Bord 5C 130
Hunton. Hants 3C 24
Hunton. Kent 1B 28
Hunton. N Yor 5E 105
Hunton Bridge. Herts 1B 38
Hunt's Corner. Norf 2C 66
Huntscott. Som 2C 20
Hunt's Cross. Mers 2G 83
Hunts Green. Warw 1F 61
Huntsham. Devn 4D 20
Huntshaw. Devn 4F 19
Huntspill. Som 2G 21
Huntstile. Som 3F 21
Huntworth. Som 3G 21
Hunwick. Dur 1E 105
Hunworth. Norf 2C 78
Hurcott. Som
nr. Ilminster 1G 13
nr. Somerton 4A 22
Hurdcott. Wilts 3G 23
Hurdley. Powy 1E 59
Hurdsfield. Ches E 3D 84
Hurlet. Glas 3G 127
Hurley. Warw 1G 61
Hurley. Wind 3G 37
Hurlford. E Ayr 1D 116
Hurliness. Orkn 9B 172
Hurlston Green. Lanc 3C 90
Hurn. Dors 3G 15
Hursey. Dors 2H 13
Hursley. Hants 4C 24
Hurst. G Man 4H 91
Hurst. N Yor 4D 104
Hurst. Som 1H 13
Hurst. Wok 4F 37
Hurstbourne Priors. Hants 2C 24
Hurstbourne Tarrant. Hants 1B 24
Hurst Green. Ches E 1H 71
Hurst Green. E Sus 3B 28
Hurst Green. Essx 4D 54
Hurst Green. Lanc 1E 91
Hurst Green. Surr 5E 39
Hurstley. Here 1G 47
Hurstpierpoint. W Sus 4D 27
Hurstway Common. Here 1G 47
Hurst Wickham. W Sus 4D 27
Hurstwood. Lanc 1G 91
Hurtmore. Surr 1A 26
Hurworth-on-Tees. Darl 3A 106
Hurworth Place. Darl 4F 105
Hury. Dur 3C 104
Husbands Bosworth. Leics 2D 62
Husborne Crawley. C Beds 2H 51
Husthwaite. N Yor 2H 99
Hutcherleigh. Devn 3D 9
Hut Green. N Yor 2F 93
Huthwaite. Notts 5B 86
Huttoft. Linc 3E 89
Hutton. Cumb 2F 103
Hutton. E Yor 4E 101
Hutton. Essx 1H 39
Hutton. Lanc 2C 90
Hutton. N Som 1G 21
Hutton. Bord 4F 131
Hutton Bonville. N Yor 4A 106
Hutton Buscel. N Yor 1D 100
Hutton Conyers. N Yor 2F 99
Hutton Cranswick. E Yor 4E 101
Hutton End. Cumb 1F 103
Hutton Gate. Red C 3C 106
Hutton Henry. Dur 1B 106
Hutton-le-Hole. N Yor 1B 100
Hutton Magna. Dur 3E 105
Hutton Mulgrave. N Yor 4F 107
Hutton Roof. Cumb
nr. Kirkby Lonsdale 2E 97
nr. Penrith 1E 103
Hutton Rudby. N Yor 4B 106
Huttons Ambo. N Yor 3B 100
Hutton Sessay. N Yor 2G 99
Hutton Village. Red C 3D 106
Hutton Wandesley. N Yor 4H 99
Huxham. Devn 3C 12
Huxham Green. Som 3A 22
Huxley. Ches W 4H 83
Huxter. Shet
on Mainland 6C 173
on Whalsay 5G 173
Huyton. Mers 1G 83
Hwlffordd. Pemb 3D 42
Hycemoor. Cumb 1A 96
Hyde. Glos
nr. Stroud 5D 49
nr. Winchcombe 3F 49
Hyde. G Man 1D 84
Hyde Heath. Buck 5H 51
Hyde Lea. Staf 4D 72
Hyde Park. S Yor 4F 93
Hydestile. Surr 1A 26
Hyndford Bridge. S Lan 5C 128
Hynish. Arg 5A 138
Hyssington. Powy 1F 59
Hythe. Hants 2C 16
Hythe. Kent 2F 29
Hythe End. Wind 3B 38
Hythie. Abers 3H 161
Hyton. Cumb 1A 96

I

Ianstown. Mor 2B 160
Iarsiadar. W Isl 4D 171
Ibberton. Dors 2C 14
Ible. Derbs 5G 85
Ibrox. Glas 3G 127
Ibsley. Hants 2G 15
Ibstock. Leics 4B 74
Ibstone. Buck 2F 37
Ibthorpe. Hants 1B 24
Iburndale. N Yor 4F 107
Ibworth. Hants 1D 24
Icelton. N Som 5G 33
Ichrachan. Arg 5E 141
Ickburgh. Norf 1H 65
Ickenham. G Lon 2B 38
Ickenthwaite. Cumb 1C 96
Ickford. Buck 5E 51
Ickham. Kent 5G 41
Ickleford. Herts 2B 52
Icklesham. E Sus 4C 28
Ickleton. Cambs 1E 53
Icklingham. Suff 3G 65
Ickwell. C Beds 1B 52
Icomb. Glos 3H 49
Idbury. Oxon 4H 49
Iddesleigh. Devn 2F 11
Ide. Devn 3B 12
Ideford. Devn 5B 12
Ide Hill. Kent 5F 39
Iden. E Sus 3D 28
Iden Green. Kent
nr. Benenden 2C 28
nr. Goudhurst 2B 28
Idle. W Yor 1B 92
Idless. Corn 4C 6
Idlicote. Warw 1A 50
Idmiston. Wilts 3G 23
Idole. Carm 4E 45
Idridgehay. Derbs 1G 73
Idrigill. High 2C 154
Idstone. Oxon 3A 36
Iffley. Oxon 5D 50
Ifield. W Sus 2D 26
Ifieldwood. W Sus 2D 26
Ifold. W Sus 2B 26
Iford. E Sus 5F 27
Ifton Heath. Shrp 2F 71
Ightfield. Shrp 2H 71
Ightham. Kent 5G 39
Iken. Suff 5G 67
Ilam. Staf 5F 85
Ilchester. Som 4A 22
Ilderton. Nmbd 2E 121
Ilford. G Lon 2F 39
Ilford. Som 1G 13
Ilfracombe. Devn 2F 19
Ilkeston. Derbs 1B 74
Ilketshall St Andrew. Suff 2F 67
Ilketshall St Lawrence. Suff 2F 67
Ilketshall St Margaret. Suff 2F 67
Ilkley. W Yor 5D 98
Illand. Corn 5C 10
Illey. W Mid 2D 61
Illidge Green. Ches E 4B 84
Illington. Norf 2B 66
Illingworth. W Yor 2A 92
Illogan. Corn 4A 6
Illogan Highway. Corn 4A 6
Illston on the Hill. Leics 1E 62
Ilmer. Buck 5F 51
Ilmington. Warw 1H 49
Ilminster. Som 1G 13
Ilsington. Devn 5A 12
Ilsington. Dors 3C 14
Ilston. Swan 3E 31
Ilton. N Yor 2D 98
Ilton. Som 1G 13
Imachar. N Ayr 5G 125
Imber. Wilts 2E 23
Immingham. NE Lin 3E 95
Immingham Dock. NE Lin 3F 95
Impington. Cambs 4D 64
Ince. Ches W 3G 83
Ince Blundell. Mers 4B 90
Ince-in-Makerfield. G Man 4D 90
Inchbae Lodge. High 2G 157
Inchbare. Ang 2F 145
Inchberry. Mor 3H 159
Inchbraoch. Ang 3G 145
Inchbrook. Glos 5D 48
Incheril. High 2C 156
Inchinnan. Ren 3F 127
Inchlaggan. High 3D 148
Inchmichael. Per 1E 137
Inchnadamph. High 1G 163
Inchree. High 2E 141
Inchture. Per 1E 137
Inchyra. Per 1D 136
Indian Queens. Corn 3D 6
Ingatestone. Essx 1H 39
Ingbirchworth. S Yor 4C 92
Ingestre. Staf 3D 73
Ingham. Linc 2G 87
Ingham. Norf 3F 79
Ingham. Suff 3A 66
Ingham Corner. Norf 3F 79
Ingleborough. Norf 4D 76
Ingleby. Derbs 3H 73
Ingleby Arncliffe. N Yor 4B 106
Ingleby Barwick. Stoc T 3B 106
Ingleby Greenhow. N Yor 4C 106
Ingleigh Green. Devn 2G 11
Inglemire. Hull 1D 94
Inglesbatch. Bath 5C 34
Ingleton. Dur 2E 105
Ingleton. N Yor 2F 97
Inglewhite. Lanc 5E 97
Ingoe. Nmbd 2D 114
Ingol. Lanc 1D 90
Ingoldisthorpe. Norf 2F 77
Ingoldmells. Linc 4E 89
Ingoldsby. Linc 2H 75
Ingon. Warw 5G 61
Ingram. Nmbd 3E 121
Ingrave. Essx 1H 39
Ingrow. W Yor 1A 92
Ings. Cumb 5F 103
Ingst. S Glo 3A 34
Ingthorpe. Rut 5G 75
Ingworth. Norf 3D 78
Inkberrow. Worc 5E 61
Inkford. Worc 3E 61
Inkpen. W Ber 5B 36
Inkstack. High 1E 169
Innellan. Arg 3C 126
Inner Hope. Devn 5C 8
Innerleith. Fife 2E 137
Innerleithen. Bord 1F 119
Innerleven. Fife 3F 137
Innermessan. Dum 3F 109
Innerwick. E Lot 2D 130
Innerwick. Per 4C 142
Innsworth. Glos 3D 48
Insch. Abers 1D 152
Insh. High 3C 150
Inshegra. High 3C 166
Inshore. High 1D 166
Inskip. Lanc 1C 90
Instow. Devn 3E 19
Intwood. Norf 5D 78
Inver. Abers 4G 151
Inver. High 5F 165
Inver. Per 4H 143
Inverailort. High 5F 147
Inveralligin. High 3H 155
Inverallochy. Abers 2H 161
Inveramsay. Abers 1E 153
Inveran. High 4C 164
Inveraray. Arg 3H 133
Inverarish. High 5E 155
Inverarity. Ang 4D 144
Inverarnan. Stir 2C 134
Inverarnie. High 5A 158
Inverbeg. Arg 4C 134
Inverbervie. Abers 1H 145
Inverboyndie. Abers 2D 160
Invercassley. High 3B 164
Invercharnan. High 4F 141
Inverchoran. High 3E 157
Invercreran. Arg 4E 141
Inverdruie. High 2D 150
Inverebrie. Abers 5G 161
Invereck. Arg 1C 126
Inveresk. E Lot 2G 129
Inveresragan. Arg 5D 141
Inverey. Abers 5E 151
Inverfarigaig. High 1H 149
Invergarry. High 3F 149
Invergeldie. Per 1G 135
Invergordon. High 2B 158
Invergowrie. Per 5C 144
Inverguseran. High 3F 147
Inverharroch. Mor 5A 160
Inverie. High 3F 147
Inverinan. Arg 2G 133
Inverinate. High 1B 148
Inverkeilor. Ang 4F 145
Inverkeithing. Fife 1E 129
Inverkeithny. Abers 4D 160
Inverkip. Inv 2D 126
Inverkirkaig. High 2E 163
Inverlael. High 5F 163
Inverliever Lodge. Arg 3F 133
Inverliver. Arg 5E 141
Inverlochlarig. Stir 2D 134
Inverlochy. High 1F 141
Inverlussa. Arg 1E 125
Inver Mallie. High 5D 148
Invermarkie. Abers 5B 160
Invermoriston. High 2G 149
Invernaver. High 2H 167
Inverneil House. Arg 1G 125
Inverness. High 198 (4A 158)
Inverness Airport. High 3B 158
Invernettie. Abers 4H 161
Inverpolly Lodge. High 2E 163
Inverquhomery. Abers 4H 161
Inverroy. High 5E 149
Inversanda. High 3D 140
Invershiel. High 2B 148
Invershin. High 4C 164
Invershore. High 5E 169
Inversnaid. Stir 3C 134
Inverugie. Abers 4H 161
Inveruglas. Arg 3C 134
Inverurie. Abers 1E 153
Invervar. Per 4D 142
Inverythan. Abers 4E 161
Inwardleigh. Devn 3F 11
Inworth. Essx 4B 54
Iochdar. W Isl 4C 170
Iping. W Sus 4G 25
Ipplepen. Devn 2E 9
Ipsden. Oxon 3E 37
Ipstones. Staf 1E 73
Ipswich. Suff 198 (1E 55)
Irby. Mers 2E 83
Irby in the Marsh. Linc 4D 88
Irby upon Humber. NE Lin 4E 95
Irchester. Nptn 4G 63
Ireby. Cumb 1D 102
Ireby. Lanc 2F 97
Ireland. Shet 9E 173
Ireleth. Cumb 2B 96
Ireshopeburn. Dur 1B 104
Ireton Wood. Derbs 1G 73
Irlam. G Man 1B 84
Irnham. Linc 3H 75
Iron Acton. S Glo 3B 34
Iron Bridge. Cambs 1D 65
Ironbridge. Telf 5A 72
Iron Cross. Warw 5E 61
Ironville. Derbs 5B 86
Irstead. Norf 3F 79
Irthington. Cumb 3F 113
Irthlingborough. Nptn 3G 63
Irton. N Yor 1E 101
Irvine. N Ayr 1C 116
Irvine Mains. N Ayr 1C 116
Isabella Pit. Nmbd 1G 115
Isauld. High 2B 168
Isbister. Orkn 6C 172
Isbister. Shet
on Mainland 2E 173
on Whalsay 5G 173
Isfield. E Sus 4F 27
Isham. Nptn 3F 63
Island Carr. N Lin 4C 94
Islay Airport. Arg 4B 124
Isle Abbotts. Som 4G 21
Isle Brewers. Som 4G 21
Isleham. Cambs 3F 65
Isle of Man Airport. IOM 5B 108
Isle of Thanet. Kent 4H 41
Isle of Whithorn. Dum 5B 110
Isle of Wight. IOW 4C 16
Isleornsay. High 2F 147
Islesburgh. Shet 5E 173
Isles of Scilly (St Mary's) Airport. IOS 1B 4
Islesteps. Dum 2A 112
Isleworth. G Lon 3C 38
Isley Walton. Leics 3B 74
Islibhig. W Isl 5B 171
Islington. G Lon 2E 39
Islington. Telf 3B 72
Islip. Nptn 3G 63
Islip. Oxon 4D 50
Isombridge. Telf 4A 72
Istead Rise. Kent 4H 39
Itchen. Sotn 1C 16
Itchen Abbas. Hants 3D 24
Itchenor. W Sus 2F 17
Itchen Stoke. Hants 3D 24
Itchingfield. W Sus 3C 26
Itchington. S Glo 3B 34
Itlaw. Abers 3D 160
Itteringham. Norf 2D 78
Itteringham Common. Norf 3D 78
Itton. Devn 3G 11
Itton Common. Mon 2H 33
Ivegill. Cumb 5F 113
Ivelet. N Yor 5C 104
Iverchaolain. Arg 2B 126
Iver Heath. Buck 2B 38
Iveston. Dur 4E 115
Ivetsey Bank. Staf 4C 72
Ivinghoe. Buck 4H 51
Ivinghoe Aston. Buck 4H 51
Ivington. Here 5G 59
Ivington Green. Here 5G 59
Ivybridge. Devn 3C 8
Ivychurch. Kent 3E 29
Ivy Hatch. Kent 5G 39
Ivy Todd. Norf 5A 78
Iwade. Kent 4D 40
Iwerne Courtney. Dors 1D 14
Iwerne Minster. Dors 1D 14
Ixworth. Suff 3B 66
Ixworth Thorpe. Suff 3B 66

J

Jackfield. Shrp 5A 72
Jack Hill. N Yor 4D 98
Jacksdale. Notts 5B 86
Jackton. S Lan 4G 127
Jacobstow. Corn 3B 10
Jacobstowe. Devn 2F 11
Jacobs Well. Surr 5A 38
Jameston. Pemb 5E 43
Jamestown. Dum 5F 119
Jamestown. Fife 1E 129
Jamestown. High 3G 157
Jamestown. W Dun 1E 127
Janetstown. High
nr. Thurso 2C 168
nr. Wick 3F 169
Jarrow. Tyne 3G 115
Jarvis Brook. E Sus 3G 27
Jasper's Green. Essx 3H 53
Jaywick. Essx 4E 55
Jedburgh. Bord 2A 120
Jeffreyston. Pemb 4E 43
Jemimaville. High 2B 158
Jenkins Park. High 3F 149
Jersey Marine. Neat 3G 31
Jesmond. Tyne 3F 115
Jevington. E Sus 5G 27
Jingle Street. Mon 4H 47
Jockey End. Herts 4A 52
Jodrell Bank. Ches E 3B 84
Johnby. Cumb 1F 103
John O'Gaunts. W Yor 2D 92
John o' Groats. High 1F 169
John's Cross. E Sus 3B 28
Johnshaven. Abers 2G 145
Johnson Street. Norf 4F 79
Johnston. Pemb 3D 42
Johnstone. Ren 3F 127
Johnstonebridge. Dum 5C 118
Johnstown. Carm 4E 45
Johnstown. Wrex 1F 71

Joppa—Kinnernie

Joppa. Edin 2G 129
Joppa. S Ayr 3D 116
Jordan Green. Norf 3C 78
Jordans. Buck 1A 38
Jordanston. Pemb 1D 42
Jump. S Yor 4D 93
Jumpers Common. Dors 3G 15
Juniper. Nmbd 4C 114
Juniper Green. Edin 3E 129
Jurby East. IOM 2C 108
Jurby West. IOM 2C 108
Jury's Gap. E Sus 4D 28

K

Kaber. Cumb 3A 104
Kaimend. S Lan 5C 128
Kaimes. Edin 3F 129
Kaimrig End. Bord 5D 129
Kames. Arg 2A 126
Kames. E Ayr 2F 117
Kea. Corn 4C 6
Keadby. N Lin 3B 94
Keal Cotes. Linc 4C 88
Kearsley. G Man 4F 91
Kearsney. Kent 1G 29
Kearstwick. Cumb 1F 97
Kearton. N Yor 5C 104
Kearvaig. High 1C 166
Keasden. N Yor 3G 97
Keason. Corn 2H 7
Keckwick. Hal 2H 83
Keddington. Linc 2C 88
Keddington Corner. Linc 2C 88
Kedington. Suff 1H 53
Kedleston. Derbs 1H 73
Kedlock Feus. Fife 2F 137
Keekle. Cumb 3B 102
Keelby. Linc 3E 95
Keele. Staf 1C 72
Keeley Green. Bed 1A 52
Keeston. Pemb 3D 42
Keevil. Wilts 1E 23
Kegworth. Leics 3B 74
Kehelland. Corn 2D 4
Keig. Abers 2D 152
Keighley. W Yor 5C 98
Keilarsbrae. Clac 4A 136
Keillmore. Arg 1E 125
Keillor. Per 4B 144
Keillour. Per 1B 136
Keills. Arg 3C 124
Keiloch. Abers 4F 151
Keils. Arg 3D 124
Keinton Mandeville. Som 3A 22
Keir Mill. Dum 5A 118
Keirsleywell Row. Nmbd 4A 114
Keisby. Linc 3H 75
Keisley. Cumb 2A 104
Keiss. High 2F 169
Keith. Mor 3B 160
Keith Inch. Abers 4H 161
Kelbrook. Lanc 5B 98
Kelby. Linc 1H 75
Keld. Cumb 3G 103
Keld. N Yor 4B 104
Keldholme. N Yor 1B 100
Kelfield. N Lin 4B 94
Kelfield. N Yor 1F 93
Kelham. Notts 5E 87
Kellacott. Devn 4E 11
Kellan. Arg 4G 139
Kellas. Ang 5D 144
Kellas. Mor 3F 159
Kellaton. Devn 5E 9
Kelleth. Cumb 4H 103
Kelling. Norf 1C 78
Kellingley. N Yor 2F 93
Kellington. N Yor 2F 93
Kelloe. Dur 1A 106
Kelloholm. Dum 3G 117
Kells. Cumb 3A 102
Kelly. Devn 4D 11
Kelly Bray. Corn 5D 10
Kelmarsh. Nptn 3E 63
Kelmscott. Oxon 2H 35
Kelsale. Suff 4F 67
Kelsall. Ches W 4H 83
Kelshall. Herts 2D 52
Kelsick. Cumb 4C 112
Kelso. Bord 1B 120
Kelstedge. Derbs 4H 85
Kelstern. Linc 1B 88
Kelsterton. Flin 3E 83
Kelston. Bath 5C 34
Keltneyburn. Per 4E 143
Kelton. Dum 2A 112
Kelton Hill. Dum 4E 111
Kelty. Fife 4D 136
Kelvedon. Essx 4B 54
Kelvedon Hatch. Essx 1G 39
Kelvinside. Glas 3G 127
Kelynack. Corn 3A 4
Kemback. Fife 2G 137
Kemberton. Shrp 5B 72
Kemble. Glos 2E 35
Kemerton. Worc 2E 49
Kemeys Commander. Mon 5G 47
Kemnay. Abers 2E 153
Kempe's Corner. Kent 1E 29
Kempley. Glos 3B 48
Kempley Green. Glos 3B 48
Kempsey. Worc 1D 48
Kempsford. Glos 2G 35
Kemps Green. Warw 3F 61
Kempshott. Hants 2E 24
Kempston. Bed 1A 52
Kempston Hardwick. Bed 1A 52
Kempton. Shrp 2F 59
Kemp Town. Brig 5E 27
Kemsing. Kent 5G 39
Kemsley. Kent 4D 40
Kenardington. Kent 2D 28
Kenchester. Here 1H 47
Kencot. Oxon 5A 50
Kendal. Cumb 5G 103
Kendleshire. S Glo 4B 34
Kendray. S Yor 4D 92
Kenfig. B'end 3B 32
Kenfig Hill. B'end 3B 32
Kengharair. Arg 4F 139
Kenilworth. Warw 3G 61
Kenknock. Stir 5B 142
Kenley. G Lon 5E 39
Kenley. Shrp 5H 71
Kenmore. High 3G 155
Kenmore. Per 4E 143
Kenn. Devn 4C 12
Kenn. N Som 5H 33
Kennacraig. Arg 3G 125
Kenneggy Downs. Corn 4C 4
Kennerleigh. Devn 2B 12
Kennet. Clac 4B 136
Kennethmont. Abers 1C 152
Kennett. Cambs 4G 65
Kennford. Devn 4C 12
Kenninghall. Norf 2C 66
Kennington. Kent 1E 28
Kennington. Oxon 5D 50
Kennoway. Fife 3F 137
Kennyhill. Suff 3F 65
Kennythorpe. N Yor 3B 100
Kenovay. Arg 4A 138
Kensaleyre. High 3D 154
Kensington. G Lon 3D 38
Kenstone. Shrp 3H 71
Kensworth. C Beds 4A 52
Kensworth Common. C Beds 4A 52
Kentallen. High 3E 141
Kentchurch. Here 3H 47
Kentford. Suff 4G 65
Kentisbeare. Devn 2D 12
Kentisbury. Devn 2G 19
Kentisbury Ford. Devn 2G 19
Kentmere. Cumb 4F 103
Kenton. Devn 4C 12
Kenton. G Lon 2C 38
Kenton. Suff 4D 66
Kenton Bankfoot. Tyne 3F 115
Kentra. High 2A 140
Kentrigg. Cumb 5G 103
Kents Bank. Cumb 2C 96
Kent's Green. Glos 3C 48
Kent's Oak. Hants 4B 24
Kent Street. E Sus 4B 28
Kent Street. Kent 5A 40
Kent Street. W Sus 3D 26
Kenwick. Shrp 2G 71
Kenwyn. Corn 4C 6
Kenyon. Warr 1A 84
Keoldale. High 2D 166
Keppoch. High 1B 148
Kepwick. N Yor 5B 106
Keresley. W Mid 2H 61
Keresley Newland. Warw 2H 61
Keristal. IOM 4C 108
Kerne Bridge. Here 4A 48
Kerridge. Ches E 3D 84
Kerris. Corn 4B 4
Kerrow. High 5F 157
Kerry. Powy 2D 58
Kerrycroy. Arg 3C 126
Kerry's Gate. Here 2G 47
Kersall. Notts 4E 86
Kersbrook. Devn 4D 12
Kerse. Ren 4E 127
Kersey. Suff 1D 54
Kershopefoot. Cumb 1F 113
Kersoe. Worc 1E 49
Kerswell. Devn 2D 12
Kerswell Green. Worc 1D 48
Kesgrave. Suff 1F 55
Kessingland. Suff 2H 67
Kessingland Beach. Suff 2H 67
Kestle. Corn 4D 6
Kestle Mill. Corn 3C 6
Keston. G Lon 4F 39
Keswick. Cumb 2D 102
Keswick. Norf
nr. North Walsham 2F 79
nr. Norwich 5E 78
Ketsby. Linc 3C 88
Kettering. Nptn 3F 63
Ketteringham. Norf 5D 78
Kettins. Per 5B 144
Kettlebaston. Suff 5B 66
Kettlebridge. Fife 3F 137
Kettlebrook. Staf 5G 73
Kettleburgh. Suff 4E 67
Kettleholm. Dum 2C 112
Kettleness. N Yor 3F 107
Kettleshulme. Ches E 3D 85
Kettlesing. N Yor 4E 98
Kettlesing Bottom. N Yor 4E 99
Kettlestone. Norf 2B 78
Kettlethorpe. Linc 3F 87
Kettletoft. Orkn 4F 172
Kettlewell. N Yor 2B 98
Ketton. Rut 5G 75
Kew. G Lon 3C 38
Kewaigue. IOM 4C 108
Kewstoke. N Som 5G 33
Kexbrough. S Yor 4C 92
Kexby. Linc 2F 87
Kexby. York 4B 100
Keyford. Som 2C 22
Key Green. Ches E 4C 84
Key Green. N Yor 4F 107
Keyham. Leics 5D 74
Keyhaven. Hants 3B 16
Keyhead. Abers 3H 161
Keyingham. E Yor 2F 95
Keymer. W Sus 4E 27
Keynsham. Bath 5B 34
Keysoe. Bed 4H 63
Keysoe Row. Bed 4H 63
Key's Toft. Linc 5D 89
Keyston. Cambs 3H 63
Key Street. Kent 4C 40
Keyworth. Notts 2D 74
Kibblesworth. Tyne 4F 115
Kibworth Beauchamp. Leics 1D 62
Kibworth Harcourt. Leics 1D 62
Kidbrooke. G Lon 3F 39
Kidburngill. Cumb 2B 102
Kiddemore Green. Staf 5C 72
Kidderminster. Worc 3C 60
Kiddington. Oxon 3C 50
Kidd's Moor. Norf 5D 78
Kidlington. Oxon 4C 50
Kidmore End. Oxon 4E 37
Kidnal. Ches W 1G 71
Kidsgrove. Staf 5C 84
Kidstones. N Yor 1B 98
Kidwelly. Carm 5E 45
Kiel Crofts. Arg 5D 140
Kielder. Nmbd 5A 120
Kilbagie. Fife 4B 136
Kilbarchan. Ren 3F 127
Kilbeg. High 3E 147
Kilberry. Arg 3F 125
Kilbirnie. N Ayr 4E 126
Kilbride. Arg 1F 133
Kilbride. High 1D 147
Kilbucho Place. Bord 1C 118
Kilburn. Derbs 1A 74
Kilburn. G Lon 2D 38
Kilburn. N Yor 2H 99
Kilby. Leics 1D 62
Kilchattan. Arg 4A 132
Kilchattan Bay. Arg 4C 126
Kilchenzie. Arg 3A 122
Kilcheran. Arg 5C 140
Kilchiaran. Arg 3A 124
Kilchoan. High
nr. Inverie 4F 147
nr. Tobermory 2F 139
Kilchoman. Arg 3A 124
Kilchrenan. Arg 1H 133
Kilconquhar. Fife 3G 137
Kilcot. Glos 3B 48
Kilcoy. High 3H 157
Kilcreggan. Arg 1D 126
Kildale. N Yor 4D 106
Kildary. High 1B 158
Kildermorie Lodge. High 1H 157
Kildonan. Dum 4F 109
Kildonan. High
nr. Helmsdale 1G 165
on Isle of Skye 3C 154
Kildonan. N Ayr 3E 123
Kildonnan. High 5C 146
Kildrummy. Abers 2B 152
Kildwick. N Yor 5C 98
Kilfillan. Dum 4H 109
Kilfinan. Arg 2H 125
Kilfinnan. High 4E 149
Kilgetty. Pemb 4F 43
Kilgour. Fife 3E 136
Kilgrammie. S Ayr 4B 116
Kilham. E Yor 3E 101
Kilham. Nmbd 1C 120
Kilkenneth. Arg 4A 138
Kilkhampton. Corn 1C 10
Killamarsh. Derbs 2B 86
Killandrist. Arg 4C 140
Killay. Swan 3F 31
Killean. Arg 5E 125
Killearn. Stir 1G 127
Killellan. Arg 4A 122
Killen. High 3A 158
Killerby. Darl 3E 105
Killichonan. Per 3C 142
Killiechronan. Arg 4G 139
Killiecrankie. Per 2G 143
Killilan. High 5B 156
Killimster. High 3F 169
Killin. Stir 5C 142
Killinghall. N Yor 4E 99
Killington. Cumb 1F 97
Killingworth. Tyne 2F 115
Killin Lodge. High 3H 149
Killinochonoch. Arg 4F 133
Killochyett. Bord 5A 130
Killundine. High 4G 139
Kilmacolm. Inv 3E 127
Kilmahog. Stir 3F 135
Kilmahumaig. Arg 4E 133
Kilmalieu. High 3C 140
Kilmaluag. High 1D 154
Kilmany. Fife 1F 137
Kilmarie. High 2D 146
Kilmarnock. E Ayr 198 (1D 116)
Kilmaron. Fife 2F 137
Kilmartin. Arg 4F 133
Kilmaurs. E Ayr 5F 127
Kilmelford. Arg 2F 133
Kilmeny. Arg 3B 124
Kilmersdon. Som 1B 22
Kilmeston. Hants 4D 24
Kilmichael Glassary. Arg 4F 133
Kilmichael of Inverlussa. Arg 1F 125
Kilmington. Devn 3F 13
Kilmington. Wilts 3C 22
Kilmoluaig. Arg 4A 138
Kilmorack. High 4G 157
Kilmore. Arg 1F 133
Kilmore. High 3E 147
Kilmory. Arg 2F 125
Kilmory. High
nr. Kilchoan 1G 139
on Rùm 3B 146
Kilmory. N Ayr 3D 122
Kilmory Lodge. Arg 3E 132
Kilmote. High 2G 165
Kilmuir. High
nr. Dunvegan 4B 154
nr. Invergordon 1B 158
nr. Inverness 4A 158
nr. Uig 1C 154
Kilmun. Arg 1C 126
Kilnave. Arg 2A 124
Kilncadzow. S Lan 5B 128
Kilndown. Kent 2B 28
Kiln Green. Here 4B 48
Kiln Green. Wok 4G 37
Kilnhill. Cumb 1D 102
Kilnhurst. S Yor 1B 86
Kilninian. Arg 4E 139
Kilninver. Arg 1F 133
Kiln Pit Hill. Nmbd 4D 114
Kilnsea. E Yor 3H 95
Kilnsey. N Yor 3B 98
Kilnwick. E Yor 5D 101
Kiloran. Arg 4A 132
Kilpatrick. N Ayr 3D 122
Kilpeck. Here 2H 47
Kilpin. E Yor 2A 94
Kilpin Pike. E Yor 2A 94
Kilrenny. Fife 3H 137
Kilsby. Nptn 3C 62
Kilspindie. Per 1E 136
Kilsyth. N Lan 2A 128
Kiltarlity. High 4H 157
Kilton. Som 2E 21
Kilton Thorpe. Red C 3D 107
Kilvaxter. High 2C 154
Kilve. Som 2E 21
Kilvington. Notts 1F 75
Kilwinning. N Ayr 5D 126
Kimberley. Norf 5C 78
Kimberley. Notts 1B 74
Kimblesworth. Dur 5F 115
Kimble Wick. Buck 5G 51
Kimbolton. Cambs 4H 63
Kimbolton. Here 4H 59
Kimcote. Leics 2C 62
Kimmeridge. Dors 5E 15
Kimmerston. Nmbd 1D 120
Kimpton. Hants 2A 24
Kimpton. Herts 4B 52
Kinbeachie. High 2A 158
Kinbrace. High 5A 168
Kinbuck. Stir 3G 135
Kincaple. Fife 2G 137
Kincardine. Fife 1C 128
Kincardine. High 5D 164
Kincardine Bridge. Falk 1C 128
Kincardine O'Neil. Abers 4C 152
Kinchrackine. Arg 1A 134
Kincorth. Aber 3G 153
Kincraig. High 3C 150
Kincraigie. Per 4G 143
Kindallachan. Per 3G 143
Kineton. Glos 3F 49
Kineton. Warw 5H 61
Kinfauns. Per 1D 136
Kingairloch. High 3C 140
Kingarth. Arg 4B 126
Kingcoed. Mon 5H 47
King Edward. Abers 3E 160
Kingerby. Linc 1H 87
Kingham. Oxon 3A 50
Kingholm Quay. Dum 2A 112
Kinghorn. Fife 1F 129
Kingie. High 3D 148
Kinglassie. Fife 4E 137
Kingledores. Bord 2D 118
King o' Muirs. Clac 4A 136
Kingoodie. Per 1F 137
King's Acre. Here 1H 47
Kingsand. Corn 3A 8
Kingsash. Buck 5G 51
Kingsbarns. Fife 2H 137
Kingsbridge. Devn 4D 8
Kingsbridge. Som 3C 20
King's Bromley. Staf 4F 73
Kingsburgh. High 3C 154
Kingsbury. G Lon 2C 38
Kingsbury. Warw 1G 61
Kingsbury Episcopi. Som 4H 21
Kings Caple. Here 3A 48
Kingscavil. W Lot 2D 128
Kingsclere. Hants 1D 24
King's Cliffe. Nptn 1H 63
Kings Clipstone. Notts 4D 86
Kingscote. Glos 2D 34
Kingscott. Devn 1F 11
Kings Coughton. Warw 5E 61
Kingscross. N Ayr 3E 123
Kingsdon. Som 4A 22
Kingsdown. Kent 1H 29
Kingsdown. Swin 3G 35
Kingsdown. Wilts 5D 34
Kingseat. Fife 4D 136
Kingsey. Buck 5F 51
Kingsfold. Lanc 2D 90
Kingsfold. W Sus 2C 26
Kingsford. E Ayr 5F 127
Kingsford. Worc 2C 60
Kingsforth. N Lin 3D 94
Kingsgate. Kent 3H 41
King's Green. Glos 2C 48
Kingshall Street. Suff 4B 66
Kingsheanton. Devn 3F 19
King's Heath. W Mid 2E 61
Kings Hill. Kent 5A 40
Kingsholm. Glos 4D 48
Kingshouse. High 3G 141
Kingshouse. Stir 1E 135
Kingshurst. W Mid 2F 61
Kingskerswell. Devn 2E 9
Kingskettle. Fife 3F 137
Kingsland. Here 4G 59
Kingsland. IOA 2B 80
Kings Langley. Herts 5A 52
Kingsley. Ches W 3H 83
Kingsley. Hants 3F 25
Kingsley. Staf 1E 73
Kingsley Green. W Sus 3G 25
Kingsley Holt. Staf 1E 73
King's Lynn. Norf 3F 77
King's Meaburn. Cumb 2H 103
Kings Moss. Mers 4D 90
Kingsmuir. Ang 4D 145
Kingsmuir. Fife 3H 137
Kings Muir. Bord 1E 119
King's Newnham. Warw 3B 62
King's Newton. Derbs 3A 74
Kingsnorth. Kent 2E 28
Kingsnorth. Medw 3C 40
King's Norton. Leics 5D 74
Kings Norton. W Mid 3E 61
King's Nympton. Devn 1G 11
King's Pyon. Here 5G 59
Kings Ripton. Cambs 3B 64
King's Somborne. Hants 3B 24
King's Stag. Dors 1C 14
King's Stanley. Glos 5D 48
King's Sutton. Nptn 2C 50
Kingstanding. W Mid 1E 61
Kingsteignton. Devn 5B 12
Kingsteps. High 3D 158
King Sterndale. Derbs 3E 85
King's Thorn. Here 2A 48
Kingsthorpe. Nptn 4E 63
Kingston. Cambs 5C 64
Kingston. Devn 4C 8
Kingston. Dors
nr. Sturminster Newton 2C 14
nr. Swanage 5E 15
Kingston. E Lot 1B 130
Kingston. Hants 2G 15
Kingston. IOW 4C 16
Kingston. Kent 5F 41
Kingston. Mor 2H 159
Kingston. W Sus 5B 26
Kingston Bagpuize. Oxon 2C 36
Kingston Blount. Oxon 2F 37
Kingston by Sea. W Sus 5D 26
Kingston Deverill. Wilts 3D 22
Kingstone. Here 2H 47
Kingstone. Som 1G 13
Kingstone. Staf 3E 73
Kingston Lisle. Oxon 3B 36
Kingston Maurward. Dors 3C 14
Kingston near Lewes. E Sus 5E 27
Kingston on Soar. Notts 3C 74
Kingston Russell. Dors 3A 14
Kingston St Mary. Som 4F 21
Kingston Seymour. N Som 5H 33
Kingston Stert. Oxon 5F 51
Kingston upon Hull.
Hull 199 (2E 94)
Kingston upon Thames. G Lon 4C 38
King's Walden. Herts 3B 52
Kingswear. Devn 3E 9
Kingswells. Aber 3F 153
Kingswinford. W Mid 2C 60
Kingswood. Buck 4E 51
Kingswood. Glos 2C 34
Kingswood. Here 5E 59
Kingswood. Kent 5C 40
Kingswood. Per 5H 143
Kingswood. Powy 5E 71
Kingswood. Som 3E 20
Kingswood. S Glo 4B 34
Kingswood. Surr 5D 38
Kingswood. Warw 3F 61
Kingswood Common. Staf 5C 72
Kings Worthy. Hants 3C 24
Kingthorpe. Linc 3A 88
Kington. Here 5E 59
Kington. S Glo 2B 34
Kington. Worc 5D 61
Kington Langley. Wilts 4E 35
Kington Magna. Dors 4C 22
Kington St Michael. Wilts 4E 35
Kingussie. High 3B 150
Kingweston. Som 3A 22
Kinharrachie. Abers 5G 161
Kinhrive. High 1A 158
Kinkell Bridge. Per 2B 136
Kinknockie. Abers 4H 161
Kinkry Hill. Cumb 2G 113
Kinlet. Shrp 2B 60
Kinloch. High
nr. Lochaline 3A 140
nr. Loch More 5D 166
on Rùm 4B 146
Kinloch. Per 4A 144
Kinlochard. Stir 3D 134
Kinlochbervie. High 3C 166
Kinlocheil. High 1D 140
Kinlochewe. High 2C 156
Kinloch Hourn. High 3B 148
Kinloch Laggan. High 5H 149
Kinlochleven. High 2F 141
Kinloch Lodge. High 3F 167
Kinlochmoidart. High 1B 140
Kinlochmore. High 2F 141
Kinloch Rannoch. Per 3D 142
Kinlochspelve. Arg 1D 132
Kinloid. High 5E 147
Kinloss. Mor 2E 159
Kinmel Bay. Cnwy 2B 82
Kinmuck. Abers 2F 153
Kinnadie. Abers 4G 161
Kinnaird. Per 1E 137
Kinneff. Abers 1H 145
Kinnelhead. Dum 4C 118
Kinnell. Ang 3F 145
Kinnerley. Shrp 3F 71
Kinnernie. Abers 3E 152

Kinnersley—Lanjeth

Kinnersley. *Here* 1G 47
Kinnersley. *Worc* 1D 48
Kinnerton. *Powy* 4E 59
Kinnerton. *Shrp* 1F 59
Kinnesswood. *Per* 3D 136
Kinninvie. *Dur* 2D 104
Kinnordy. *Ang* 3C 144
Kinoulton. *Notts* 2D 74
Kinross. *Per* 3D 136
Kinrossie. *Per* 5A 144
Kinsbourne Green. *Herts* 4B 52
Kinsey Heath. *Ches E* 1A 72
Kinsham. *Here* 4F 59
Kinsham. *Worc* 2E 49
Kinsley. *W Yor* 3E 93
Kinson. *Bour* 3F 15
Kintbury. *W Ber* 5B 36
Kintessack. *Mor* 2E 159
Kintillo. *Per* 2D 136
Kinton. *Here* 3G 59
Kinton. *Shrp* 4F 71
Kintore. *Abers* 2E 153
Kintour. *Arg* 4C 124
Kintra. *Arg* 2B 132
Kintraw. *Arg* 3F 133
Kinveachy. *High* 2D 150
Kinver. *Staf* 2C 60
Kinwarton. *Warw* 5F 61
Kiplingcotes. *E Yor* 5D 100
Kippax. *W Yor* 1E 93
Kippen. *Stir* 4F 135
Kippford. *Dum* 4F 111
Kipping's Cross. *Kent* 1H 27
Kirbister. *Orkn*
nr. Hobbister 7C 172
nr. Quholm 6B 172
Kirbuster. *Orkn* 5F 172
Kirby Bedon. *Norf* 5E 79
Kirby Bellars. *Leics* 4E 74
Kirby Cane. *Norf* 1F 67
Kirby Cross. *Essx* 3F 55
Kirby Fields. *Leics* 5C 74
Kirby Green. *Norf* 1F 67
Kirby Grindalythe. *N Yor* 3D 100
Kirby Hill. *N Yor*
nr. Richmond 4E 105
nr. Ripon 3F 99
Kirby Knowle. *N Yor* 1G 99
Kirby-le-Soken. *Essx* 3F 55
Kirby Misperton. *N Yor* 2B 100
Kirby Muxloe. *Leics* 5C 74
Kirby Sigston. *N Yor* 5B 106
Kirby Underdale. *E Yor* 4C 100
Kirby Wiske. *N Yor* 1F 99
Kirdford. *W Sus* 3B 26
Kirk. *High* 3E 169
Kirkabister. *Shet*
on Bressay 8F 173
on Mainland 6F 173
Kirkandrews. *Dum* 5D 110
Kirkandrews-on-Eden. *Cumb* 4E 113
Kirkapol. *Arg* 4B 138
Kirkbampton. *Cumb* 4E 112
Kirkbean. *Dum* 4A 112
Kirk Bramwith. *S Yor* 3G 93
Kirkbride. *Cumb* 4D 112
Kirkbridge. *N Yor* 5F 105
Kirkbuddo. *Ang* 4E 145
Kirkburn. *E Yor* 4D 101
Kirkburton. *W Yor* 3B 92
Kirkby. *Linc* 1H 87
Kirkby. *Mers* 1G 83
Kirkby. *N Yor* 4C 106
Kirkby Fenside. *Linc* 4C 88
Kirkby Fleetham. *N Yor* 5F 105
Kirkby Green. *Linc* 5H 87
Kirkby-in-Ashfield. *Notts* 5C 86
Kirkby-in-Furness. *Cumb* 1B 96
Kirkby la Thorpe. *Linc* 1A 76
Kirkby Lonsdale. *Cumb* 2F 97
Kirkby Malham. *N Yor* 3A 98
Kirkby Mallory. *Leics* 5B 74
Kirkby Malzeard. *N Yor* 2E 99
Kirkby Mills. *N Yor* 1B 100
Kirkbymoorside. *N Yor* 1A 100
Kirkby on Bain. *Linc* 4B 88
Kirkby Overblow. *N Yor* 5F 99
Kirkby Stephen. *Cumb* 4A 104
Kirkby Thore. *Cumb* 2H 103
Kirkby Underwood. *Linc* 3H 75
Kirkby Wharfe. *N Yor* 5H 99
Kirkcaldy. *Fife* 4E 137
Kirkcambeck. *Cumb* 3G 113
Kirkcolm. *Dum* 3F 109
Kirkconnel. *Dum* 3G 117
Kirkconnell. *Dum* 3A 112
Kirkcowan. *Dum* 3A 110
Kirkcudbright. *Dum* 4D 111
Kirkdale. *Mers* 1F 83
Kirk Deighton. *N Yor* 4F 99
Kirk Ella. *E Yor* 2D 94
Kirkfieldbank. *S Lan* 5B 128
Kirkforthar Feus. *Fife* 3E 137
Kirkgunzeon. *Dum* 3F 111
Kirk Hallam. *Derbs* 1B 74
Kirkham. *Lanc* 1C 90
Kirkham. *N Yor* 3B 100
Kirkhamgate. *W Yor* 2C 92
Kirk Hammerton. *N Yor* 4G 99
Kirkharle. *Nmbd* 1D 114
Kirkheaton. *Nmbd* 2D 114
Kirkheaton. *W Yor* 3B 92
Kirkhill. *Ang* 2F 145
Kirkhill. *High* 4H 157
Kirkhope. *S Lan* 4B 118
Kirkhouse. *Bord* 1F 119
Kirkibost. *High* 2D 146
Kirkinch. *Ang* 4C 144
Kirkinner. *Dum* 4B 110
Kirkintilloch. *E Dun* 2H 127
Kirk Ireton. *Derbs* 5G 85
Kirkland. *Cumb*
nr. Cleator Moor 3B 102
nr. Penrith 1H 103
nr. Wigton 5D 112
Kirkland. *Dum*
nr. Kirkconnel 3G 117
nr. Moniaive 5H 117
Kirkland Guards. *Cumb* 5C 112
Kirk Langley. *Derbs* 2G 73
Kirklauchline. *Dum* 4F 109
Kirkleatham. *Red C* 2C 106
Kirklevington. *Stoc T* 4B 106
Kirkley. *Suff* 1H 67
Kirklington. *N Yor* 1F 99
Kirklington. *Notts* 5D 86
Kirklinton. *Cumb* 3F 113
Kirkliston. *Edin* 2E 129
Kirkmabreck. *Dum* 4B 110
Kirkmaiden. *Dum* 5E 109
Kirk Merrington. *Dur* 1F 105
Kirk Michael. *IOM* 2C 108
Kirkmichael. *Per* 2H 143
Kirkmichael. *S Ayr* 4C 116
Kirkmuirhill. *S Lan* 5A 128
Kirknewton. *Nmbd* 1D 120
Kirknewton. *W Lot* 3E 129
Kirkney. *Abers* 5C 160
Kirk of Shotts. *N Lan* 3B 128
Kirkoswald. *Cumb* 5G 113
Kirkoswald. *S Ayr* 4B 116
Kirkpatrick. *Dum* 5B 118
Kirkpatrick Durham. *Dum* 2E 111
Kirkpatrick-Fleming. *Dum* 2D 112
Kirk Sandall. *S Yor* 4G 93
Kirksanton. *Cumb* 1A 96
Kirk Smeaton. *N Yor* 3F 93
Kirkstall. *W Yor* 1C 92
Kirkstile. *Dum* 5F 119
Kirkstyle. *High* 1F 169
Kirkthorpe. *W Yor* 2D 92
Kirkton. *Abers*
nr. Alford 2D 152
nr. Insch 1D 152
nr. Turriff 4F 161
Kirkton. *Ang*
nr. Dundee 5D 144
nr. Forfar 4D 144
nr. Tarfside 5B 152
Kirkton. *Dum* 1A 112
Kirkton. *Fife* 1F 137
Kirkton. *High*
nr. Golspie 4E 165
nr. Kyle of Lochalsh 1G 147
nr. Lochcarron 4B 156
Kirkton. *Bord* 3H 119
Kirkton. *S Lan* 2B 118
Kirktonhill. *W Dun* 2E 127
Kirkton Manor. *Bord* 1E 118
Kirkton of Airlie. *Ang* 3C 144
Kirkton of Auchterhouse.
Ang 5C 144
Kirkton of Bourtie. *Abers* 1F 153
Kirkton of Collace. *Per* 5A 144
Kirkton of Craig. *Ang* 3G 145
Kirkton of Culsalmond. *Abers* 5D 160
Kirkton of Durris. *Abers* 4E 153
Kirkton of Glenbuchat. *Abers* 2A 152
Kirkton of Glenisla. *Ang* 2B 144
Kirkton of Kingoldrum. *Ang* 3C 144
Kirkton of Largo. *Fife* 3G 137
Kirkton of Lethendy. *Per* 4A 144
Kirkton of Logie Buchan.
Abers 1G 153
Kirkton of Maryculter. *Abers* 4F 153
Kirkton of Menmuir. *Ang* 2E 145
Kirkton of Monikie. *Ang* 5E 145
Kirkton of Oyne. *Abers* 1D 152
Kirkton of Rayne. *Abers* 5D 160
Kirkton of Skene. *Abers* 3F 153
Kirktown. *Abers*
nr. Fraserburgh 2G 161
nr. Peterhead 3H 161
Kirktown of Alvah. *Abers* 2D 160
Kirktown of Auchterless.
Abers 4E 160
Kirktown of Deskford. *Mor* 2C 160
Kirktown of Fetteresso. *Abers* 5F 153
Kirktown of Mortlach. *Mor* 5H 159
Kirktown of Slains. *Abers* 1H 153
Kirkurd. *Bord* 5E 129
Kirkwall. *Orkn* 6D 172
Kirkwall Airport. *Orkn* 7D 172
Kirkwhelpington. *Nmbd* 1C 114
Kirk Yetholm. *Bord* 2C 120
Kirmington. *N Lin* 3E 94
Kirmond le Mire. *Linc* 1A 88
Kirn. *Arg* 2C 126
Kirriemuir. *Ang* 3C 144
Kirstead Green. *Norf* 1E 67
Kirtlebridge. *Dum* 2D 112
Kirtleton. *Dum* 2D 112
Kirtling. *Cambs* 5F 65
Kirtling Green. *Cambs* 5F 65
Kirtlington. *Oxon* 4D 50
Kirtomy. *High* 2H 167
Kirton. *Linc* 2C 76
Kirton. *Notts* 4D 86
Kirton. *Suff* 2F 55
Kirton End. *Linc* 1B 76
Kirton Holme. *Linc* 1B 76
Kirton in Lindsey. *N Lin* 1G 87
Kishorn. *High* 4H 155
Kislingbury. *Nptn* 5D 62
Kites Hardwick. *Warw* 4B 62
Kittisford. *Som* 4D 20
Kittle. *Swan* 4E 31
Kittybrewster. *Aber* 3G 153
Kitwood. *Hants* 3E 25
Kivernoll. *Here* 2H 47
Kiveton Park. *S Yor* 2B 86
Knaith. *Linc* 2F 87
Knaith Park. *Linc* 2F 87
Knaphill. *Surr* 5A 38
Knapp. *Hants* 4C 24
Knapp. *Per* 5B 144
Knapp. *Som* 4G 21
Knapperfield. *High* 3E 169
Knapton. *Norf* 2F 79
Knapton. *York* 4H 99
Knapton Green. *Here* 5G 59
Knapwell. *Cambs* 4C 64
Knaresborough. *N Yor* 4F 99
Knarsdale. *Nmbd* 4H 113
Knatts Valley. *Kent* 4G 39
Knaven. *Abers* 4F 161
Knayton. *N Yor* 1G 99
Knebworth. *Herts* 3C 52
Knedlington. *E Yor* 2H 93
Kneesall. *Notts* 4E 86
Kneesworth. *Cambs* 1D 52
Kneeton. *Notts* 1E 74
Knelston. *Swan* 4D 30
Knenhall. *Staf* 2D 72
Knightacott. *Devn* 3G 19
Knightcote. *Warw* 5B 62
Knightcott. *N Som* 1G 21
Knightley. *Staf* 3C 72
Knightley Dale. *Staf* 3C 72
Knightlow Hill. *Warw* 3B 62
Knighton. *Devn* 4B 8
Knighton. *Dors* 1B 14
Knighton. *Leic* 5C 74
Knighton. *Powy* 3E 59
Knighton. *Som* 2E 21
Knighton. *Staf*
nr. Eccleshall 3B 72
nr. Woore 1B 72
Knighton. *Wilts* 4A 36
Knighton. *Worc* 5E 61
Knighton Common. *Worc* 3A 60
Knight's End. *Cambs* 1D 64
Knightswood. *Glas* 3G 127
Knightwick. *Worc* 5B 60
Knill. *Here* 4E 59
Knipton. *Leics* 2F 75
Knitsley. *Dur* 5E 115
Kniveton. *Derbs* 5G 85
Knock. *Arg* 5G 139
Knock. *Cumb* 2H 103
Knock. *Mor* 3C 160
Knockally. *High* 5D 168
Knockan. *Arg* 1B 132
Knockan. *High* 2G 163
Knockandhu. *Mor* 1G 151
Knockando. *Mor* 4F 159
Knockarthur. *High* 3E 165
Knockbain. *High* 3A 158
Knockbreck. *High* 2B 154
Knockdee. *High* 2D 168
Knockdolian. *S Ayr* 1G 109
Knockdon. *S Ayr* 3C 116
Knockdown. *Glos* 3D 34
Knockenbaird. *Abers* 1D 152
Knockenkelly. *N Ayr* 3E 123
Knockentiber. *E Ayr* 1C 116
Knockfarrel. *High* 3H 157
Knockglass. *High* 2C 168
Knockholt. *Kent* 5F 39
Knockholt Pound. *Kent* 5F 39
Knockie Lodge. *High* 2G 149
Knockin. *Shrp* 3F 71
Knockinlaw. *E Ayr* 1D 116
Knockinnon. *High* 5D 169
Knockrome. *Arg* 2D 124
Knocksharry. *IOM* 3B 108
Knockshinnoch. *E Ayr* 3D 116
Knockvennie. *Dum* 2E 111
Knockvologan. *Arg* 3B 132
Knodishall. *Suff* 4G 67
Knole. *Som* 4H 21
Knollbury. *Mon* 3H 33
Knolls Green. *Ches E* 3C 84
Knolton. *Wrex* 2F 71
Knook. *Wilts* 2E 23
Knossington. *Leics* 5F 75
Knott. *High* 3C 154
Knott End-on-Sea. *Lanc* 5C 96
Knotting. *Bed* 4H 63
Knotting Green. *Bed* 4H 63
Knottingley. *W Yor* 2E 93
Knotts. *Cumb* 2F 103
Knotty Ash. *Mers* 1G 83
Knotty Green. *Buck* 1A 38
Knowbury. *Shrp* 3H 59
Knowe. *Dum* 2A 110
Knowefield. *Cumb* 4F 113
Knowehead. *Dum* 5F 117
Knowes. *E Lot* 2C 130
Knowesgate. *Nmbd* 1C 114
Knoweside. *S Ayr* 3B 116
Knowes of Elrick. *Abers* 3D 160
Knowle. *Bris* 4B 34
Knowle. *Devn*
nr. Braunton 3E 19
nr. Budleigh Salterton 4D 12
nr. Crediton 2A 12
Knowle. *Shrp* 3H 59
Knowle. *W Mid* 3F 61
Knowle Green. *Lanc* 1E 91
Knowle St Giles. *Som* 1G 13
Knowlesands. *Shrp* 1B 60
Knowle Village. *Hants* 2D 16
Knowl Hill. *Wind* 4G 37
Knowlton. *Kent* 5G 41
Knowsley. *Mers* 1G 83
Knowstone. *Devn* 4B 20
Knucklas. *Powy* 3E 59
Knuston. *Nptn* 4G 63
Knutsford. *Ches E* 3B 84
Knypersley. *Staf* 5C 84
Krumlin. *W Yor* 3A 92
Kuggar. *Corn* 5E 5
Kyleakin. *High* 1F 147
Kyle of Lochalsh. *High* 1F 147
Kylerhea. *High* 1F 147
Kylesku. *High* 5C 166
Kyles Lodge. *W Isl* 1E 170
Kylesmorar. *High* 4G 147
Kylestrome. *High* 5C 166
Kymin. *Mon* 4A 48
Kynaston. *Here* 2B 48
Kynaston. *Shrp* 3F 71
Kynnersley. *Telf* 4A 72
Kyre Green. *Worc* 4A 60
Kyre Park. *Worc* 4A 60
Kyrewood. *Worc* 4A 60

L

Labost. *W Isl* 3E 171
Lacasaidh. *W Isl* 5F 171
Lacasdail. *W Isl* 4G 171
Laceby. *NE Lin* 4F 95
Lacey Green. *Buck* 5G 51
Lach Dennis. *Ches W* 3B 84
Lache. *Ches W* 4F 83
Lackford. *Suff* 3G 65
Lacock. *Wilts* 5E 35
Ladbroke. *Warw* 5B 62
Laddingford. *Kent* 1A 28
Lade Bank. *Linc* 5C 88
Ladock. *Corn* 3C 6
Lady. *Orkn* 3F 172
Ladybank. *Fife* 2F 137
Ladycross. *Corn* 4D 10
Lady Green. *Mers* 4B 90
Lady Hall. *Cumb* 1A 96
Ladykirk. *Bord* 5E 131
Ladysford. *Abers* 2G 161
Ladywood. *W Mid* 2E 61
Ladywood. *Worc* 4C 60
Laga. *High* 2A 140
Lagavulin. *Arg* 5C 124
Lagg. *Arg* 2D 125
Lagg. *N Ayr* 3D 122
Laggan. *Arg* 4A 124
Laggan. *High*
nr. Fort Augustus 4E 149
nr. Newtonmore 4A 150
Laggan. *Mor* 5H 159
Lagganlia. *High* 3C 150
Lagganulva. *Arg* 4F 139
Laglingarten. *Arg* 3A 134
Lagness. *W Sus* 2G 17
Laid. *High* 3E 166
Laide. *High* 4C 162
Laigh Fenwick. *E Ayr* 5F 127
Laindon. *Essx* 2A 40
Lairg. *High* 3C 164
Lairg Muir. *High* 3C 164
Laithes. *Cumb* 1F 103
Laithkirk. *Dur* 2C 104
Lake. *Devn* 3F 19
Lake. *IOW* 4D 16
Lake. *Wilts* 3G 23
Lakenham. *Norf* 5E 79
Lakenheath. *Suff* 2G 65
Lakesend. *Norf* 1E 65
Lakeside. *Cumb* 1C 96
Laleham. *Surr* 4B 38
Laleston. *B'end* 3B 32
Lamancha. *Bord* 4F 129
Lamarsh. *Essx* 2B 54
Lamas. *Norf* 3E 79
Lamb Corner. *Essx* 2D 54
Lambden. *Bord* 5D 130
Lamberhead Green. *G Man* 4D 90
Lamberhurst. *Kent* 2A 28
Lamberhurst Quarter. *Kent* 2A 28
Lamberton. *Bord* 4F 131
Lambeth. *G Lon* 3E 39
Lambfell Moar. *IOM* 3B 108
Lambhill. *Glas* 3G 127
Lambley. *Nmbd* 4H 113
Lambley. *Notts* 1D 74
Lambourn. *W Ber* 4B 36
Lambourne End. *Essx* 1F 39
Lambourn Woodlands. *W Ber* 4B 36
Lambs Green. *Dors* 3E 15
Lambs Green. *W Sus* 2D 26
Lambston. *Pemb* 3D 42
Lamellion. *Corn* 2G 7
Lamerton. *Devn* 5E 11
Lamesley. *Tyne* 4F 115
Laminess. *Orkn* 4F 172
Lamington. *High* 1B 158
Lamington. *S Lan* 1B 118
Lamlash. *N Ayr* 2E 123
Lamonby. *Cumb* 1F 103
Lamorick. *Corn* 2E 7
Lamorna. *Corn* 4B 4
Lamorran. *Corn* 4C 6
Lampeter. *Cdgn* 1F 45
Lampeter Velfrey. *Pemb* 3F 43
Lamphey. *Pemb* 4E 43
Lamplugh. *Cumb* 2B 102
Lamport. *Nptn* 3E 63
Lamyatt. *Som* 3B 22
Lana. *Devn*
nr. Ashwater 3D 10
nr. Holsworthy 2D 10
Lanark. *S Lan* 5B 128
Lanarth. *Corn* 4E 5
Lancaster. *Lanc* 3D 97
Lanchester. *Dur* 5E 115
Lancing. *W Sus* 5C 26
Landbeach. *Cambs* 4D 65
Landcross. *Devn* 4E 19
Landerberry. *Abers* 3E 153
Landford. *Wilts* 1A 16
Land Gate. *G Man* 4D 90
Landhallow. *High* 5D 169
Landimore. *Swan* 3D 30
Landkey. *Devn* 3F 19
Landkey Newland. *Devn* 3F 19
Landore. *Swan* 3F 31
Landport. *Port* 2E 17
Landrake. *Corn* 2H 7
Landscove. *Devn* 2D 9
Land's End Airport. *Corn* 4A 4
Landshipping. *Pemb* 3E 43
Landulph. *Corn* 2A 8
Landywood. *Staf* 5D 73
Lane. *Corn* 2C 6
Laneast. *Corn* 4C 10
Lane Bottom. *Lanc* 1G 91
Lane End. *Buck* 2G 37
Lane End. *Hants* 4D 24
Lane End. *IOW* 4E 17
Lane End. *Wilts* 2D 22
Lane Ends. *Derbs* 2G 73
Lane Ends. *Dur* 1E 105
Lane Ends. *Lanc* 4G 97
Laneham. *Notts* 3F 87
Lane Head. *Dur*
nr. Hutton Magna 3E 105
nr. Woodland 2D 105
Lanehead. *Dur* 5B 114
Lane Head. *G Man* 1A 84
Lanehead. *Nmbd* 1A 114
Lane Head. *W Yor* 4B 92
Lane Heads. *Lanc* 1C 90
Lanercost. *Cumb* 3G 113
Laneshaw Bridge. *Lanc* 5B 98
Laney Green. *Staf* 5D 72
Langais. *W Isl* 2D 170
Langal. *High* 2B 140
Langar. *Notts* 2E 74
Langbank. *Ren* 2E 127
Langbar. *N Yor* 4C 98
Langburnshiels. *Bord* 4H 119
Langcliffe. *N Yor* 3H 97
Langdale End. *N Yor* 5G 107
Langdon. *Corn* 3C 10
Langdon Beck. *Dur* 1B 104
Langdon Cross. *Corn* 4D 10
Langdon Hills. *Essx* 2A 40
Langdown. *Hants* 2C 16
Langdyke. *Fife* 3F 137
Langenhoe. *Essx* 4D 54
Langford. *C Beds* 1B 52
Langford. *Devn* 2D 12
Langford. *Essx* 5B 54
Langford. *Notts* 5F 87
Langford. *Oxon* 5H 49
Langford. *Som* 4F 21
Langford Budville. *Som* 4E 20
Langham. *Dors* 4C 22
Langham. *Essx* 2D 54
Langham. *Norf* 1C 78
Langham. *Rut* 4F 75
Langham. *Suff* 4B 66
Langho. *Lanc* 1F 91
Langholm. *Dum* 1E 113
Langland. *Swan* 4F 31
Langleeford. *Nmbd* 2D 120
Langley. *Ches E* 3D 84
Langley. *Derbs* 1B 74
Langley. *Essx* 2E 53
Langley. *Glos* 3F 49
Langley. *Hants* 2C 16
Langley. *Herts* 3C 52
Langley. *Kent* 5C 40
Langley. *Nmbd* 3B 114
Langley. *Slo* 3B 38
Langley. *Som* 4D 20
Langley. *Warw* 4F 61
Langley. *W Sus* 4G 25
Langley Burrell. *Wilts* 4E 35
Langleybury. *Herts* 5A 52
Langley Common. *Derbs* 2G 73
Langley Green. *Derbs* 2G 73
Langley Green. *Norf* 5F 79
Langley Green. *Warw* 4F 61
Langley Green. *W Sus* 2D 26
Langley Heath. *Kent* 5C 40
Langley Marsh. *Som* 4D 20
Langley Moor. *Dur* 5F 115
Langley Park. *Dur* 5F 115
Langley Street. *Norf* 5F 79
Langney. *E Sus* 5H 27
Langold. *Notts* 2C 86
Langore. *Corn* 4C 10
Langport. *Som* 4H 21
Langrick. *Linc* 1B 76
Langridge. *Bath* 5C 34
Langridgeford. *Devn* 4F 19
Langrigg. *Cumb* 5C 112
Langrish. *Hants* 4F 25
Langsett. *S Yor* 4C 92
Langshaw. *Bord* 1H 119
Langstone. *Hants* 2F 17
Langthorne. *N Yor* 5F 105
Langthorpe. *N Yor* 3F 99
Langthwaite. *N Yor* 4D 104
Langtoft. *E Yor* 3E 101
Langtoft. *Linc* 4A 76
Langton. *Dur* 3E 105
Langton. *Linc*
nr. Horncastle 4B 88
nr. Spilsby 3C 88
Langton. *N Yor* 3B 100
Langton by Wragby. *Linc* 3A 88
Langton Green. *Kent* 2G 27
Langton Herring. *Dors* 4B 14
Langton Long Blandford. *Dors* 2D 15
Langton Matravers. *Dors* 5E 15
Langtree. *Devn* 1E 11
Langwathby. *Cumb* 1G 103
Langwith. *Derbs* 3C 86
Langworth. *Linc* 3H 87
Lanivet. *Corn* 2E 7
Lanjeth. *Corn* 3D 6

Llanrug—Lower Walton

Llanrug. Gwyn 4E 81
Llanrumney. Card 3F 33
Llanrwst. Cnwy 4G 81
Llansadurnen. Carm 3G 43
Llansadwrn. Carm 2G 45
Llansadwrn. IOA 3E 81
Llansaint. Carm 5D 45
Llansamlet. Swan 3F 31
Llansanffraid Glan Conwy. Cnwy 3H 81
Llansannan. Cnwy 4B 82
Llansannor. V Glam 4C 32
Llansantffraed. Cdgn 4E 57
Llansantffraed. Powy 3E 46
Llansantffraed Cwmdeuddwr. Powy 4B 58
Llansantffraed-in-Elwel. Powy 5C 58
Llansantffraid-ym-Mechain. Powy 3E 70
Llansawel. Carm 2G 45
Llansawel. Neat 3G 31
Llansilin. Powy 3E 70
Llansoy. Mon 5H 47
Llanspyddid. Powy 3D 46
Llanstadwell. Pemb 4D 42
Llansteffan. Carm 4D 44
Llanstephan. Powy 1E 46
Llantarnam. Torf 2G 33
Llanteg. Pemb 3F 43
Llanthony. Mon 3F 47
Llantilio Crossenny. Mon 4G 47
Llantilio Pertholey. Mon 4G 47
Llantood. Pemb 1B 44
Llantrisant. Mon 2G 33
Llantrisant. Rhon 3D 32
Llantrithyd. V Glam 4D 32
Llantwit Fardre. Rhon 3D 32
Llantwit Major. V Glam 5C 32
Llanuwchllyn. Gwyn 2A 70
Llanvaches. Newp 2H 33
Llanvair Discoed. Mon 2H 33
Llanvapley. Mon 4G 47
Llanvetherine. Mon 4G 47
Llanveynoe. Here 2G 47
Llanvihangel Crucorney. Mon 3G 47
Llanvihangel Gobion. Mon 5G 47
Llanvihangel Ystern-Llewern. Mon 4H 47
Llanwarne. Here 3A 48
Llanwddyn. Powy 4C 70
Llanwenarth. Mon 4F 47
Llanwenog. Cdgn 1E 45
Llanwern. Newp 3G 33
Llanwinio. Carm 2G 43
Llanwnda. Gwyn 5D 80
Llanwnda. Pemb 1D 42
Llanwnnen. Cdgn 1F 45
Llanwnog. Powy 1C 58
Llanwrda. Carm 2H 45
Llanwrin. Powy 5G 69
Llanwrthwl. Powy 4B 58
Llanwrtud. Powy 1B 46
Llanwrtyd. Powy 1B 46
Llanwrtyd Wells. Powy 1B 46
Llanwyddelan. Powy 5C 70
Llanyblodwel. Shrp 3E 71
Llanybri. Carm 3H 43
Llanybydder. Carm 1F 45
Llanycefn. Pemb 2E 43
Llanychaer. Pemb 1D 43
Llanycil. Gwyn 2B 70
Llanymawddwy. Gwyn 4B 70
Llanymddyfri. Carm 2A 46
Llanymynech. Powy 3E 71
Llanynghenedl. IOA 2C 80
Llanynys. Den 4D 82
Llan-y-pwll. Wrex 5F 83
Llanyrafon. Torf 2G 33
Llanyre. Powy 4C 58
Llanystumdwy. Gwyn 2D 68
Llanywern. Powy 3E 46
Llawhaden. Pemb 3E 43
Llawndy. Flin 2D 82
Llawnt. Shrp 2E 71
Llawr Dref. Gwyn 3B 68
Llawryglyn. Powy 1B 58
Llay. Wrex 5F 83
Llechfaen. Powy 3D 46
Llechryd. Cphy 5E 46
Llechryd. Cdgn 1C 44
Llechrydau. Wrex 2E 71
Lledrod. Cdgn 3F 57
Llethrid. Swan 3E 31
Llidiad-Nenog. Carm 2F 45
Llidiardau. Gwyn 2A 70
Llidiart y Parc. Den 1D 70
Llithfaen. Gwyn 1C 68
Lloc. Flin 3D 82
Llong. Flin 4E 83
Llowes. Powy 1E 47
Lloyney. Powy 3E 59
Llundain-fach. Cdgn 5E 57
Llwydcoed. Rhon 5C 46
Llwyncelyn. Cdgn 5D 56
Llwyncelyn. Swan 5G 45
Llwyndafydd. Cdgn 5C 56
Llwynderw. Powy 5E 70
Llwyn-du. Mon 4F 47
Llwyngwril. Gwyn 5E 69
Llwynhendy. Carm 3E 31
Llwynmawr. Wrex 2E 71
Llwyn-on Village. Mer T 4D 46
Llwyn-têg. Carm 5F 45
Llwyn-y-brain. Carm 3F 43
Llwynygog. Powy 1A 58
Llwyn-y-groes. Cdgn 5E 57
Llwynypia. Rhon 2C 32
Llynclys. Shrp 3E 71
Llynfaes. IOA 3D 80
Llysfaen. Cnwy 3A 82
Llyswen. Powy 2E 47
Llysworney. V Glam 4C 32
Llys-y-fran. Pemb 2E 43
Llywel. Powy 2B 46
Llywernog. Cdgn 2G 57
Loan. Falk 2C 128
Loanend. Nmbd 4F 131
Loanhead. Midl 3F 129
Loaningfoot. Dum 4A 112
Loanreoch. High 1A 158
Loans. S Ayr 1C 116
Loansdean. Nmbd 1E 115
Lobb. Devn 3E 19
Lobhillcross. Devn 4E 11
Lochaber. Mor 3E 159
Loch a Charnain. W Isl 4D 170
Loch a Ghainmhich. W Isl 5E 171
Lochailort. High 5F 147
Lochaline. High 4A 140
Lochans. Dum 4F 109
Locharbriggs. Dum 1A 112
Lochardil. High 4A 158
Lochassynt Lodge. High 1F 163
Lochavich. Arg 2G 133
Lochawe. Arg 1A 134
Loch Baghasdail. W Isl 7C 170
Lochboisdale. W Isl 7C 170
Lochbuie. Arg 1D 132
Lochcarron. High 5A 156
Loch Choire Lodge. High 5G 167
Lochdochart House. Stir 1D 134
Lochdon. Arg 5B 140
Lochearnhead. Stir 1E 135
Lochee. D'dee 5C 144
Lochend. High
nr. Inverness 5H 157
nr. Thurso 2E 169
Locherben. Dum 5B 118
Loch Euphort. W Isl 2D 170
Lochfoot. Dum 2F 111
Lochgair. Arg 4G 133
Lochgarthside. High 2H 149
Lochgelly. Fife 4D 136
Lochgilphead. Arg 1G 125
Lochgoilhead. Arg 3A 134
Loch Head. Dum 5A 110
Lochhill. Mor 2G 159
Lochindorb Lodge. High 5D 158
Lochinver. High 1E 163
Lochlane. Per 1H 135
Loch Lomond. Arg 3C 134
Loch Loyal Lodge. High 4G 167
Lochluichart. High 2F 157
Lochmaben. Dum 1B 112
Lochmaddy. W Isl 2E 170
Loch nam Madadh. W Isl 2E 170
Lochore. Fife 4D 136
Lochportain. W Isl 1E 170
Lochranza. N Ayr 4H 125
Loch Sgioport. W Isl 5D 170
Lochside. Abers 2G 145
Lochside. High
nr. Achentoul 5A 168
nr. Nairn 3C 158
Lochslin. High 5F 165
Lochstack Lodge. High 4C 166
Lochton. Abers 4E 153
Lochty. Fife 3H 137
Lochuisge. High 3B 140
Lochussie. High 3G 157
Lochwinnoch. Ren 4E 127
Lochyside. High 1F 141
Lockengate. Corn 2E 7
Lockerbie. Dum 1C 112
Lockeridge. Wilts 5G 35
Lockerley. Hants 4A 24
Lockhills. Cumb 5G 113
Locking. N Som 1G 21
Lockington. E Yor 5D 101
Lockington. Leics 3B 74
Lockleywood. Shrp 3A 72
Locksgreen. IOW 3C 16
Locks Heath. Hants 2D 16
Lockton. N Yor 5F 107
Loddington. Leics 5E 75
Loddington. Nptn 3F 63
Loddiswell. Devn 4D 8
Loddon. Norf 1F 67
Lode. Cambs 4E 65
Loders. Dors 3H 13
Lodsworth. W Sus 3A 26
Lofthouse. N Yor 2D 98
Lofthouse. W Yor 2D 92
Lofthouse Gate. W Yor 2D 92
Loftus. Red C 3E 107
Logan. E Ayr 2E 117
Loganlea. W Lot 3C 128
Logaston. Here 5F 59
Loggerheads. Den 4D 82
Loggerheads. Staf 2B 72
Loggie. High 4F 163
Logie. Ang 2F 145
Logie. Fife 1G 137
Logie. Mor 3E 159
Logie Coldstone. Abers 3B 152
Logie Pert. Ang 2F 145
Logierait. Per 3G 143
Login. Carm 2F 43
Lolworth. Cambs 4C 64
Lonbain. High 3F 155
Londesborough. E Yor 5C 100
London. G Lon 202-203 (2E 39)
London Apprentice. Corn 3E 6
London Ashford Airport. Kent 3E 29
London City Airport. G Lon 2F 39
London Colney. Herts 5B 52
Londonderry. N Yor 1F 99
London Gatwick Airport. W Sus 216 (1D 26)
London Heathrow Airport. G Lon 216 (3B 38)
London Luton Airport. Lutn 216 (3B 52)
London Southend Airport. Essx 2C 40
London Stansted Airport. Essx 216 (3F 53)
Londonthorpe. Linc 2G 75
Londubh. High 5C 162
Lone. High 4D 166
Lonemore. High
nr. Dornoch 5E 165
nr. Gairloch 1G 155
Long Ashton. N Som 4A 34
Long Bank. Worc 3B 60
Longbar. N Ayr 4E 127
Long Bennington. Linc 1F 75
Longbenton. Tyne 3F 115
Longborough. Glos 3G 49
Long Bredy. Dors 3A 14
Longbridge. Warw 4G 61
Longbridge. W Mid 3E 61
Longbridge Deverill. Wilts 2D 22
Long Buckby. Nptn 4D 62
Long Buckby Wharf. Nptn 4D 62
Longburgh. Cumb 4E 112
Longburton. Dors 1B 14
Long Clawson. Leics 3E 74
Longcliffe. Derbs 5G 85
Long Common. Hants 1D 16
Long Compton. Staf 3C 72
Long Compton. Warw 2A 50
Longcot. Oxon 2A 36
Long Crendon. Buck 5E 51
Long Crichel. Dors 1E 15
Longcroft. Cumb 4D 112
Longcroft. Falk 2A 128
Longcross. Surr 4A 38
Longdale. Cumb 4H 103
Longdales. Cumb 5G 113
Longden. Shrp 5G 71
Longden Common. Shrp 5G 71
Long Ditton. Surr 4C 38
Longdon. Staf 4E 73
Longdon. Worc 2D 48
Longdon Green. Staf 4E 73
Longdon on Tern. Telf 4A 72
Longdown. Devn 3B 12
Longdowns. Corn 5B 6
Long Drax. N Yor 2G 93
Long Duckmanton. Derbs 3B 86
Long Eaton. Derbs 2B 74
Longfield. Kent 4H 39
Longfield. Shet 10E 173
Longfield Hill. Kent 4H 39
Longford. Derbs 2G 73
Longford. Glos 3D 48
Longford. G Lon 3B 38
Longford. Shrp 2A 72
Longford. Telf 4B 72
Longford. W Mid 2A 62
Longforgan. Per 5C 144
Longformacus. Bord 4C 130
Longframlington. Nmbd 4F 121
Long Gardens. Essx 2B 54
Long Green. Ches W 3G 83
Long Green. Worc 2D 48
Longham. Dors 3F 15
Longham. Norf 4B 78
Long Hanborough. Oxon 4C 50
Longhedge. Wilts 2D 22
Longhill. Abers 3H 161
Longhirst. Nmbd 1F 115
Longhope. Glos 4B 48
Longhope. Orkn 8C 172
Longhorsley. Nmbd 5F 121
Longhoughton. Nmbd 3G 121
Long Itchington. Warw 4B 62
Longlands. Cumb 1D 102
Longlane. Derbs 2G 73
Long Lane. Telf 4A 72
Longlane. W Ber 4C 36
Long Lawford. Warw 3B 62
Long Lease. N Yor 4G 107
Longley Green. Worc 5B 60
Long Load. Som 4H 21
Longmanhill. Abers 2E 161
Long Marston. Herts 4G 51
Long Marston. N Yor 4H 99
Long Marston. Warw 1G 49
Long Marton. Cumb 2H 103
Long Meadow. Cambs 4E 65
Long Meadowend. Shrp 2G 59
Long Melford. Suff 1B 54
Longmoor Camp. Hants 3F 25
Longmorn. Mor 3G 159
Longmoss. Ches E 3C 84
Long Newnton. Glos 2E 35
Longnewton. Bord 2H 119
Long Newton. Stoc T 3A 106
Longney. Glos 4C 48
Longniddry. E Lot 2H 129
Longnor. Shrp 5G 71
Longnor. Staf
nr. Leek 4E 85
nr. Stafford 4C 72
Longparish. Hants 2C 24
Longpark. Cumb 3F 113
Long Preston. N Yor 4H 97
Longridge. Lanc 1E 90
Longridge. Staf 4D 72
Longridge. W Lot 3C 128
Longriggend. N Lan 2B 128
Long Riston. E Yor 5F 101
Longrock. Corn 3C 4
Longsdon. Staf 5D 84
Longshaw. G Man 4D 90
Longshaw. Staf 1E 73
Longside. Abers 4H 161
Longslow. Shrp 2A 72
Longstanton. Cambs 4C 64
Longstock. Hants 3B 24
Longstowe. Cambs 5C 64
Long Stratton. Norf 1D 66
Long Street. Mil 1F 51
Longstreet. Wilts 1G 23
Long Sutton. Hants 2F 25
Long Sutton. Linc 3D 76
Long Sutton. Som 4H 21
Longthorpe. Pet 1A 64
Long Thurlow. Suff 4C 66
Longthwaite. Cumb 2F 103
Longton. Lanc 2C 90
Longton. Stoke 1D 72
Longtown. Cumb 3E 113
Longtown. Here 3G 47
Longville in the Dale. Shrp 1H 59
Long Whatton. Leics 3B 74
Longwick. Buck 5F 51
Long Wittenham. Oxon 2D 36
Longwitton. Nmbd 1D 115
Longworth. Oxon 2B 36
Longyester. E Lot 3B 130
Lonmore. High 4B 154
Looe. Corn 3G 7
Loose. Kent 5B 40
Loosegate. Linc 3C 76
Loosley Row. Buck 5G 51
Lopcombe Corner. Wilts 3A 24
Lopen. Som 1H 13
Loppington. Shrp 3G 71
Lorbottle. Nmbd 4E 121
Lordington. W Sus 2F 17
Loscoe. Derbs 1B 74
Loscombe. Dors 3A 14
Losgaintir. W Isl 8C 171
Lossiemouth. Mor 2G 159
Lossit. Arg 4A 124
Lostock Gralam. Ches W 3A 84
Lostock Green. Ches W 3A 84
Lostock Hall. Lanc 2D 90
Lostock Junction. G Man 4E 91
Lostwithiel. Corn 3F 7
Lothbeg. High 2G 165
Lothersdale. N Yor 5B 98
Lothianbridge. Midl 3G 129
Lothianburn. Midl 3F 129
Lothmore. High 2G 165
Lottisham. Som 3A 22
Loudwater. Buck 1A 38
Loughborough. Leics 4C 74
Loughor. Swan 3E 31
Loughton. Essx 1F 39
Loughton. Mil 2G 51
Loughton. Shrp 2A 60
Lound. Linc 4H 75
Lound. Notts 2D 86
Lound. Suff 1H 67
Lount. Leics 4A 74
Louth. Linc 2C 88
Love Clough. Lanc 2G 91
Lovedean. Hants 1E 17
Lover. Wilts 4H 23
Loversall. S Yor 1C 86
Loves Green. Essx 5G 53
Loveston. Pemb 4E 43
Lovington. Som 3A 22
Low Ackworth. W Yor 3E 93
Low Angerton. Nmbd 1D 115
Low Ardwell. Dum 5F 109
Low Ballochdowan. S Ayr 2F 109
Lowbands. Glos 2C 48
Low Barlings. Linc 3H 87
Low Bell End. N Yor 5E 107
Low Bentham. N Yor 3F 97
Low Borrowbridge. Cumb 4H 103
Low Bradfield. S Yor 1G 85
Low Bradley. N Yor 5C 98
Low Braithwaite. Cumb 5F 113
Low Brunton. Nmbd 2C 114
Low Burnham. N Lin 4A 94
Lowca. Cumb 2A 102
Low Catton. E Yor 4B 100
Low Coniscliffe. Darl 3F 105
Low Coylton. S Ayr 3D 116
Low Crosby. Cumb 4F 113
Low Dalby. N Yor 1C 100
Lowdham. Notts 1D 74
Low Dinsdale. Darl 3A 106
Lowe. Shrp 2H 71
Low Ellington. N Yor 1E 98
Lower Amble. Corn 1D 6
Lower Ansty. Dors 2C 14
Lower Arboll. High 5F 165
Lower Arncott. Oxon 4E 50
Lower Ashton. Devn 4B 12
Lower Assendon. Oxon 3F 37
Lower Auchenreath. Mor 2A 160
Lower Badcall. High 4B 166
Lower Ballam. Lanc 1B 90
Lower Basildon. W Ber 4E 36
Lower Beeding. W Sus 3D 26
Lower Benefield. Nptn 2G 63
Lower Bentley. Worc 4D 61
Lower Beobridge. Shrp 1B 60
Lower Bockhampton. Dors 3C 14
Lower Boddington. Nptn 5B 62
Lower Bordean. Hants 4E 25
Lower Brailes. Warw 2B 50
Lower Breakish. High 1E 147
Lower Broadheath. Worc 5C 60
Lower Brynamman. Neat 4H 45
Lower Bullingham. Here 2A 48
Lower Bullington. Hants 2C 24
Lower Burgate. Hants 1G 15
Lower Cam. Glos 5C 48
Lower Catesby. Nptn 5C 62
Lower Chapel. Powy 2D 46
Lower Cheriton. Devn 2E 12
Lower Chicksgrove. Wilts 3E 23
Lower Chute. Wilts 1B 24
Lower Clopton. Warw 5F 61
Lower Common. Hants 2E 25
Lower Crossings. Derbs 2E 85
Lower Cumberworth. W Yor 4C 92
Lower Darwen. Bkbn 2E 91
Lower Dean. Bed 4H 63
Lower Dean. Devn 2D 8
Lower Diabaig. High 2G 155
Lower Dicker. E Sus 4G 27
Lower Dounreay. High 2B 168
Lower Down. Shrp 2F 59
Lower Dunsforth. N Yor 3G 99
Lower East Carleton. Norf 5D 78
Lower Egleton. Here 1B 48
Lower Ellastone. Staf 1F 73
Lower End. Nptn 4F 63
Lower Everleigh. Wilts 1G 23
Lower Eype. Dors 3H 13
Lower Failand. N Som 4A 34
Lower Faintree. Shrp 2A 60
Lower Farringdon. Hants 3F 25
Lower Foxdale. IOM 4B 108
Lower Frankton. Shrp 2F 71
Lower Froyle. Hants 2F 25
Lower Gabwell. Devn 2F 9
Lower Gledfield. High 4C 164
Lower Godney. Som 2H 21
Lower Gravenhurst. C Beds 2B 52
Lower Green. Essx 2E 53
Lower Green. Norf 2B 78
Lower Green. W Ber 5B 36
Lower Halstow. Kent 4C 40
Lower Hardres. Kent 5F 41
Lower Hardwick. Here 5G 59
Lower Hartshay. Derbs 5A 86
Lower Hawthwaite. Cumb 1B 96
Lower Haysden. Kent 1G 27
Lower Hayton. Shrp 2H 59
Lower Hergest. Here 5E 59
Lower Heyford. Oxon 3C 50
Lower Heysham. Lanc 3D 96
Lower Higham. Kent 3B 40
Lower Holbrook. Suff 2E 55
Lower Holditch. Dors 2G 13
Lower Hordley. Shrp 3F 71
Lower Horncroft. W Sus 4B 26
Lower Horsebridge. E Sus 4G 27
Lower Kilcott. Glos 3C 34
Lower Killeyan. Arg 5A 124
Lower Kingcombe. Dors 3A 14
Lower Kingswood. Surr 5D 38
Lower Kinnerton. Ches W 4F 83
Lower Langford. N Som 5H 33
Lower Largo. Fife 3G 137
Lower Layham. Suff 1D 54
Lower Ledwyche. Shrp 3H 59
Lower Leigh. Staf 2E 73
Lower Lemington. Glos 2H 49
Lower Lenie. High 1H 149
Lower Ley. Glos 4C 48
Lower Llanfadog. Powy 4B 58
Lower Lode. Glos 2D 49
Lower Lovacott. Devn 4F 19
Lower Loxhore. Devn 3G 19
Lower Loxley. Staf 2E 73
Lower Lydbrook. Glos 4A 48
Lower Lye. Here 4G 59
Lower Machen. Newp 3F 33
Lower Maes-coed. Here 2G 47
Lower Meend. Glos 5A 48
Lower Midway. Derbs 3H 73
Lower Milovaig. High 3A 154
Lower Moor. Worc 1E 49
Lower Morton. S Glo 2B 34
Lower Mountain. Flin 5F 83
Lower Nazeing. Essx 5D 53
Lower Netchwood. Shrp 1A 60
Lower Nyland. Dors 4C 22
Lower Oakfield. Fife 4D 136
Lower Oddington. Glos 3H 49
Lower Ollach. High 5E 155
Lower Penarth. V Glam 5E 33
Lower Penn. Staf 1C 60
Lower Pennington. Hants 3B 16
Lower Peover. Ches W 3B 84
Lower Pilsley. Derbs 4B 86
Lower Pitkerrie. High 1C 158
Lower Place. G Man 3H 91
Lower Quinton. Warw 1G 49
Lower Rainham. Medw 4C 40
Lower Raydon. Suff 2D 54
Lower Seagry. Wilts 3E 35
Lower Shelton. C Beds 1H 51
Lower Shiplake. Oxon 4F 37
Lower Shuckburgh. Warw 4B 62
Lower Sketty. Swan 3F 31
Lower Slade. Devn 2F 19
Lower Slaughter. Glos 3G 49
Lower Soudley. Glos 4B 48
Lower Stanton St Quintin. Wilts 3E 35
Lower Stoke. Medw 3C 40
Lower Stondon. C Beds 2B 52
Lower Stonnall. Staf 5E 73
Lower Stow Bedon. Norf 1B 66
Lower Street. Norf 2E 79
Lower Strensham. Worc 1E 49
Lower Sundon. C Beds 3A 52
Lower Swanwick. Hants 2C 16
Lower Swell. Glos 3G 49
Lower Tale. Devn 2D 12
Lower Tean. Staf 2E 73
Lower Thurlton. Norf 1G 67
Lower Thurnham. Lanc 4D 96
Lower Thurvaston. Derbs 2G 73
Lowertown. Corn 4D 4
Lower Town. Here 1B 48
Lower Town. IOS 1B 4
Lowertown. Orkn 8D 172
Lower Town. Pemb 1D 42
Lower Tysoe. Warw 1B 50
Lower Upham. Hants 1D 16
Lower Upnor. Medw 3B 40
Lower Vexford. Som 3E 20
Lower Walton. Warr 2A 84

Millikenpark—Mundford

Millikenpark. *Ren* 3F 127
Millington. *E Yor* 4C 100
Millington Green. *Derbs* 1G 73
Mill Knowe. *Arg* 3B 122
Mill Lane. *Hants* 1F 25
Millmeece. *Staf* 2C 72
Mill of Craigievar. *Abers* 2C 152
Mill of Fintray. *Abers* 2F 153
Mill of Haldane. *W Dun* 1F 127
Millom. *Cumb* 1A 96
Millow. *C Beds* 1C 52
Millpool. *Corn* 5B 10
Millport. *N Ayr* 4C 126
Mill Side. *Cumb* 1D 96
Mill Street. *Norf*
nr. Lyng 4C 78
nr. Swanton Morley 4C 78
Millthorpe. *Derbs* 3H 85
Millthorpe. *Linc* 2A 76
Millthrop. *Cumb* 5H 103
Milltimber. *Aber* 3F 153
Milltown. *Abers*
nr. Corgarff 3G 151
nr. Lumsden 2B 152
Milltown. *Corn* 3F 7
Milltown. *Derbs* 4A 86
Milltown. *Devn* 3F 19
Milltown. *Dum* 2E 113
Milltown of Aberdalgie. *Per* 1C 136
Milltown of Auchindoun. *Mor* 4A 160
Milltown of Campfield. *Abers* 3D 152
Milltown of Edinvillie. *Mor* 4G 159
Milltown of Rothiemay. *Mor* 4C 160
Milltown of Towie. *Abers* 2B 152
Milnacraig. *Ang* 3B 144
Milnathort. *Per* 3D 136
Milngavie. *E Dun* 2G 127
Milnholm. *Stir* 1A 128
Milnrow. *G Man* 3H 91
Milnthorpe. *Cumb* 1D 97
Milnthorpe. *W Yor* 3D 92
Milson. *Shrp* 3A 60
Milstead. *Kent* 5D 40
Milston. *Wilts* 2G 23
Milthorpe. *Nptn* 1D 50
Milton. *Ang* 4C 144
Milton. *Cambs* 4D 65
Milton. *Cumb*
nr. Brampton 3G 113
nr. Crooklands 1E 97
Milton. *Derbs* 3H 73
Milton. *Dum*
nr. Crocketford 2F 111
nr. Glenluce 4H 109
Milton. *Glas* 3G 127
Milton. *High*
nr. Achnasheen 3F 157
nr. Applecross 4G 155
nr. Drumnadrochit 5G 157
nr. Invergordon 1B 158
nr. Inverness 4H 157
nr. Wick 3F 169
Milton. *Mor*
nr. Cullen 2C 160
nr. Tomintoul 2F 151
Milton. *N Som* 5G 33
Milton. *Notts* 3E 86
Milton. *Oxon*
nr. Bloxham 2C 50
nr. Didcot 2C 36
Milton. *Pemb* 4E 43
Milton. *Port* 3E 17
Milton. *Som* 4H 21
Milton. *S Ayr* 2D 116
Milton. *Stir*
nr. Aberfoyle 3E 135
nr. Drymen 4D 134
Milton. *Stoke* 5D 84
Milton. *W Dun* 2F 127
Milton Abbas. *Dors* 2D 14
Milton Abbot. *Devn* 5E 11
Milton Auchlossan. *Abers* 3C 152
Milton Bridge. *Midl* 3F 129
Milton Bryan. *C Beds* 2H 51
Milton Clevedon. *Som* 3B 22
Milton Coldwells. *Abers* 5G 161
Milton Combe. *Devn* 2A 8
Milton Common. *Oxon* 5E 51
Milton Damerel. *Devn* 1D 11
Miltonduff. *Mor* 2F 159
Milton End. *Glos* 5G 49
Milton Ernest. *Bed* 5H 63
Milton Green. *Ches W* 5G 83
Milton Hill. *Devn* 5C 12
Milton Hill. *Oxon* 2C 36
Milton Keynes. *Mil* 204 (2G 51)
Milton Keynes Village. *Mil* 2G 51
Milton Lilbourne. *Wilts* 5G 35
Milton Malsor. *Nptn* 5E 63
Milton Morenish. *Per* 5D 142
Milton of Auchinhove. *Abers* 3C 152
Milton of Balgonie. *Fife* 3F 137
Milton of Barras. *Abers* 1H 145
Milton of Campsie. *E Dun* 2H 127
Milton of Cultoquhey. *Per* 1A 136
Milton of Cushnie. *Abers* 2C 152
Milton of Finavon. *Ang* 3D 145
Milton of Gollanfield. *High* 3B 158
Milton of Lesmore. *Abers* 1B 152
Milton of Leys. *High* 4A 158
Milton of Tullich. *Abers* 4A 152
Milton on Stour. *Dors* 4C 22
Milton Regis. *Kent* 4C 40
Milton Street. *E Sus* 5G 27
Milton-under-Wychwood. *Oxon* 4A 50
Milverton. *Som* 4E 20
Milverton. *Warw* 4H 61
Milwich. *Staf* 2D 72
Mimbridge. *Surr* 4A 38
Minard. *Arg* 4G 133
Minchington. *Dors* 1E 15
Minchinhampton. *Glos* 5D 48
Mindrum. *Nmbd* 1C 120
Minehead. *Som* 2C 20
Minera. *Wrex* 5E 83
Minety. *Wilts* 2F 35
Minffordd. *Gwyn* 2E 69
Mingarrypark. *High* 2A 140
Mingary. *High* 2G 139
Mingearraidh. *W Isl* 6C 170
Miningsby. *Linc* 4C 88
Minions. *Corn* 5C 10
Minishant. *S Ayr* 3C 116
Minllyn. *Gwyn* 4A 70
Minnigaff. *Dum* 3B 110
Minorca. *IOM* 3D 108
Minskip. *N Yor* 3F 99
Minstead. *Hants* 1A 16
Minsted. *W Sus* 4G 25
Minster. *Kent*
nr. Ramsgate 4H 41
Minster. *Kent*
nr. Sheerness 3D 40
Minsteracres. *Nmbd* 4D 114
Minsterley. *Shrp* 5F 71
Minster Lovell. *Oxon* 4B 50
Minsterworth. *Glos* 4C 48
Minterne Magna. *Dors* 2B 14
Minterne Parva. *Dors* 2B 14
Minting. *Linc* 3A 88
Mintlaw. *Abers* 4H 161
Minto. *Bord* 2H 119
Minton. *Shrp* 1G 59
Minwear. *Pemb* 3E 43
Minworth. *W Mid* 1F 61
Miodar. *Arg* 4B 138
Mirbister. *Orkn* 5C 172
Mirehouse. *Cumb* 3A 102
Mireland. *High* 2F 169
Mirfield. *W Yor* 3C 92
Miserden. *Glos* 5E 49
Miskin. *Rhon* 3D 32
Misson. *Notts* 1D 86
Misterton. *Leics* 2C 62
Misterton. *Notts* 1E 87
Misterton. *Som* 2H 13
Mistley. *Essx* 2E 54
Mistley Heath. *Essx* 2E 55
Mitcham. *G Lon* 4D 39
Mitcheldean. *Glos* 4B 48
Mitchell. *Corn* 3C 6
Mitchel Troy. *Mon* 4H 47
Mitcheltroy Common. *Mon* 5H 47
Mitford. *Nmbd* 1E 115
Mithian. *Corn* 3B 6
Mitton. *Staf* 4C 72
Mixbury. *Oxon* 2E 50
Mixenden. *W Yor* 2A 92
Mixon. *Staf* 5E 85
Moaness. *Orkn* 7B 172
Moarfield. *Shet* 1G 173
Moat. *Cumb* 2F 113
Moats Tye. *Suff* 5C 66
Mobberley. *Ches E* 3B 84
Mobberley. *Staf* 1E 73
Moccas. *Here* 1G 47
Mochdre. *Cnwy* 3H 81
Mochdre. *Powy* 2C 58
Mochrum. *Dum* 5A 110
Mockbeggar. *Hants* 2G 15
Mockerkin. *Cumb* 2B 102
Modbury. *Devn* 3C 8
Moddershall. *Staf* 2D 72
Modsarie. *High* 2G 167
Moelfre. *Cnwy* 3B 82
Moelfre. *IOA* 2E 81
Moelfre. *Powy* 3D 70
Moffat. *Dum* 4C 118
Moggerhanger. *C Beds* 1B 52
Mogworthy. *Devn* 1B 12
Moira. *Leics* 4H 73
Molash. *Kent* 5E 41
Mol-chlach. *High* 2C 146
Mold. *Flin* 4E 83
Molehill Green. *Essx* 3F 53
Molescroft. *E Yor* 5E 101
Molesden. *Nmbd* 1E 115
Molesworth. *Cambs* 3H 63
Moll. *High* 1D 146
Molland. *Devn* 4B 20
Mollington. *Ches W* 3F 83
Mollington. *Oxon* 1C 50
Mollinsburn. *N Lan* 2A 128
Monachty. *Cdgn* 4E 57
Monachyle. *Stir* 2D 135
Monar Lodge. *High* 4E 156
Monaughty. *Powy* 4E 59
Monewden. *Suff* 5E 67
Moneydie. *Per* 1C 136
Moneyrow Green. *Wind* 4G 37
Moniaive. *Dum* 5G 117
Monifieth. *Ang* 5E 145
Monikie. *Ang* 5E 145
Monimail. *Fife* 2E 137
Monington. *Pemb* 1B 44
Monk Bretton. *S Yor* 4D 92
Monken Hadley. *G Lon* 1D 38
Monk Fryston. *N Yor* 2F 93
Monk Hesleden. *Dur* 1B 106
Monkhide. *Here* 1B 48
Monkhill. *Cumb* 4E 113
Monkhopton. *Shrp* 1A 60
Monkland. *Here* 5G 59
Monkleigh. *Devn* 4E 19
Monknash. *V Glam* 4C 32
Monkokehampton. *Devn* 2F 11
Monkseaton. *Tyne* 2G 115
Monks Eleigh. *Suff* 1C 54
Monk's Gate. *W Sus* 3D 26
Monk's Heath. *Ches E* 3C 84
Monk Sherborne. *Hants* 1E 24
Monkshill. *Abers* 4E 161
Monksilver. *Som* 3D 20
Monks Kirby. *Warw* 2B 62
Monk Soham. *Suff* 4E 66
Monk Soham Green. *Suff* 4E 66
Monkspath. *W Mid* 3F 61
Monks Risborough. *Buck* 5G 51
Monksthorpe. *Linc* 4D 88
Monk Street. *Essx* 3G 53
Monkswood. *Mon* 5G 47
Monkton. *Devn* 2E 13
Monkton. *Kent* 4G 41
Monkton. *Pemb* 4D 42
Monkton. *S Ayr* 2C 116
Monkton Combe. *Bath* 5C 34
Monkton Deverill. *Wilts* 3D 22
Monkton Farleigh. *Wilts* 5D 34
Monkton Heathfield. *Som* 4F 21
Monktonhill. *S Ayr* 2C 116
Monkton Up Wimborne. *Dors* 1F 15
Monkton Wyld. *Dors* 3G 13
Monkwearmouth. *Tyne* 4G 115
Monkwood. *Dors* 3H 13
Monkwood. *Hants* 3E 25
Monmarsh. *Here* 1A 48
Monmouth. *Mon* 4A 48
Monnington on Wye. *Here* 1G 47
Monreith. *Dum* 5A 110
Montacute. *Som* 1H 13
Montford. *Arg* 3C 126
Montford. *Shrp* 4G 71
Montford Bridge. *Shrp* 4G 71
Montgarrie. *Abers* 2C 152
Montgarswood. *E Ayr* 2E 117
Montgomery. *Powy* 1E 58
Montgreenan. *N Ayr* 5E 127
Montrave. *Fife* 3F 137
Montrose. *Ang* 3G 145
Monxton. *Hants* 2B 24
Monyash. *Derbs* 4F 85
Monymusk. *Abers* 2D 152
Monzie. *Per* 1A 136
Moodiesburn. *N Lan* 2H 127
Moon's Green. *Kent* 3C 28
Moonzie. *Fife* 2F 137
Moor, The. *Kent* 3B 28
Moor. *Som* 1H 13
Moor Allerton. *W Yor* 1C 92
Moorbath. *Dors* 3H 13
Moorbrae. *Shet* 3F 173
Moorby. *Linc* 4B 88
Moorcot. *Here* 5F 59
Moor Crichel. *Dors* 2E 15
Moor Cross. *Devn* 3C 8
Moordown. *Bour* 3F 15
Moore. *Hal* 2H 83
Moorend. *Dum* 2D 112
Moor End. *E Yor* 1B 94
Moorend. *Glos*
nr. Dursley 5C 48
nr. Gloucester 4D 48
Moorends. *S Yor* 3G 93
Moorgate. *S Yor* 1B 86
Moorgreen. *Hants* 1C 16
Moorgreen. *Notts* 1B 74
Moor Green. *Wilts* 5D 34
Moorhaigh. *Notts* 4C 86
Moorhall. *Derbs* 3H 85
Moorhampton. *Here* 1G 47
Moorhouse. *Cumb*
nr. Carlisle 4E 113
nr. Wigton 4D 112
Moorhouse. *Notts* 4E 87
Moorhouse. *Surr* 5F 39
Moorhouses. *Linc* 5B 88
Moorland. *Som* 3G 21
Moorlinch. *Som* 3H 21
Moor Monkton. *N Yor* 4H 99
Moor of Granary. *Mor* 3E 159
Moor Row. *Cumb*
nr. Whitehaven 3B 102
nr. Wigton 5D 112
Moorsholm. *Red C* 3D 107
Moorside. *Dors* 1C 14
Moorside. *G Man* 4H 91
Moortown. *Devn* 3E 11
Moortown. *Hants* 2G 15
Moortown. *IOW* 4C 16
Moortown. *Linc* 1H 87
Moortown. *Telf* 4A 72
Moortown. *W Yor* 1D 92
Morangie. *High* 5E 165
Morar. *High* 4E 147
Morborne. *Cambs* 1A 64
Morchard Bishop. *Devn* 2A 12
Morcombelake. *Dors* 3H 13
Morcott. *Rut* 5G 75
Morda. *Shrp* 3E 71
Morden. *G Lon* 4D 38
Mordiford. *Here* 2A 48
Mordon. *Dur* 2A 106
More. *Shrp* 1F 59
Morebath. *Devn* 4C 20
Morebattle. *Bord* 2B 120
Morecambe. *Lanc* 3D 96
Morefield. *High* 4F 163
Moreleigh. *Devn* 3D 8
Morenish. *Per* 5C 142
Moresby Parks. *Cumb* 3A 102
Morestead. *Hants* 4D 24
Moreton. *Dors* 4D 14
Moreton. *Essx* 5F 53
Moreton. *Here* 4H 59
Moreton. *Mers* 1E 83
Moreton. *Oxon* 5E 51
Moreton. *Staf* 4B 72
Moreton Corbet. *Shrp* 3H 71
Moretonhampstead. *Devn* 4A 12
Moreton-in-Marsh. *Glos* 2H 49
Moreton Jeffries. *Here* 1B 48
Moreton Morrell. *Warw* 5H 61
Moreton on Lugg. *Here* 1A 48
Moreton Pinkney. *Nptn* 1D 50
Moreton Say. *Shrp* 2A 72
Moreton Valence. *Glos* 5C 48
Morfa. *Cdgn* 5C 56
Morfa Bach. *Carm* 4D 44
Morfa Bychan. *Gwyn* 2E 69
Morfa Glas. *Neat* 5B 46
Morfa Nefyn. *Gwyn* 1B 68
Morganstown. *Card* 3E 33
Morgan's Vale. *Wilts* 4G 23
Morham. *E Lot* 2B 130
Moriah. *Cdgn* 3F 57
Morland. *Cumb* 2G 103
Morley. *Ches E* 2C 84
Morley. *Derbs* 1A 74
Morley. *Dur* 2E 105
Morley. *W Yor* 2C 92
Morley St Botolph. *Norf* 1C 66
Morningside. *Edin* 2F 129
Morningside. *N Lan* 4B 128
Morningthorpe. *Norf* 1E 66
Morpeth. *Nmbd* 1F 115
Morrey. *Staf* 4F 73
Morridge Side. *Staf* 5E 85
Morridge Top. *Staf* 4E 85
Morrington. *Dum* 1F 111
Morris Green. *Essx* 2H 53
Morriston. *Swan* 3F 31
Morston. *Norf* 1C 78
Mortehoe. *Devn* 2E 19
Morthen. *S Yor* 2B 86
Mortimer. *W Ber* 5E 37
Mortimer's Cross. *Here* 4G 59
Mortimer West End. *Hants* 5E 37
Mortomley. *S Yor* 1H 85
Morton. *Cumb*
nr. Calthwaite 1F 103
nr. Carlisle 4E 113
Morton. *Derbs* 4B 86
Morton. *Linc*
nr. Bourne 3H 75
nr. Gainsborough 1F 87
nr. Lincoln 4F 87
Morton. *Norf* 4D 78
Morton. *Notts* 5E 87
Morton. *Shrp* 3E 71
Morton. *S Glo* 2B 34
Morton Bagot. *Warw* 4F 61
Morton Mill. *Shrp* 3H 71
Morton-on-Swale. *N Yor* 5A 106
Morton Tinmouth. *Dur* 2E 105
Morvah. *Corn* 3B 4
Morval. *Corn* 3G 7
Morvich. *High*
nr. Golspie 3E 165
nr. Shiel Bridge 1B 148
Morvil. *Pemb* 1E 43
Morville. *Shrp* 1A 60
Morwenstow. *Corn* 1C 10
Morwick. *Nmbd* 4G 121
Mosborough. *S Yor* 2B 86
Moscow. *E Ayr* 5F 127
Mose. *Shrp* 1B 60
Mosedale. *Cumb* 1E 103
Moseley. *W Mid*
nr. Birmingham 2E 61
nr. Wolverhampton 5D 72
Moseley. *Worc* 5C 60
Moss. *Arg* 4A 138
Moss. *High* 2A 140
Moss. *S Yor* 3F 93
Moss. *Wrex* 5F 83
Mossatt. *Abers* 2B 152
Moss Bank. *Mers* 1H 83
Mossbank. *Shet* 4F 173
Mossblown. *S Ayr* 2D 116
Mossbrow. *G Man* 2B 84
Mossburnford. *Bord* 3A 120
Mossdale. *Dum* 2D 110
Mossedge. *Cumb* 3F 113
Mossend. *N Lan* 3A 128
Mossgate. *Staf* 2D 72
Moss Lane. *Ches E* 3D 84
Mossley. *Ches E* 4C 84
Mossley. *G Man* 4H 91
Mossley Hill. *Mers* 2F 83
Moss of Barmuckity. *Mor* 2G 159
Mosspark. *Glas* 3G 127
Mosspaul. *Bord* 5G 119
Moss Side. *Cumb* 4C 112
Moss Side. *G Man* 1C 84
Moss-side. *High* 3C 158
Moss Side. *Lanc*
nr. Blackpool 1B 90
nr. Preston 2D 90
Moss Side. *Mers* 4B 90
Moss-side of Cairness. *Abers* 2H 161
Mosstodloch. *Mor* 2H 159
Mosswood. *Nmbd* 4D 114
Mossy Lea. *Lanc* 3D 90
Mosterton. *Dors* 2H 13
Moston. *Shrp* 3H 71
Moston Green. *Ches E* 4B 84
Mostyn. *Flin* 2D 82
Mostyn Quay. *Flin* 2D 82
Motcombe. *Dors* 4D 22
Mothecombe. *Devn* 4C 8
Motherby. *Cumb* 2F 103
Motherwell. *N Lan* 4A 128
Mottingham. *G Lon* 3F 39
Mottisfont. *Hants* 4B 24
Mottistone. *IOW* 4C 16
Mottram in Longdendale. *G Man* 1D 85
Mottram St Andrew. *Ches E* 3C 84
Mott's Mill. *E Sus* 2G 27
Mouldsworth. *Ches W* 3H 83
Moulin. *Per* 3G 143
Moulsecoomb. *Brig* 5E 27
Moulsford. *Oxon* 3D 36
Moulsoe. *Mil* 1H 51
Moulton. *Ches W* 4A 84
Moulton. *Linc* 3C 76
Moulton. *Nptn* 4E 63
Moulton. *N Yor* 4F 105
Moulton. *Suff* 4F 65
Moulton. *V Glam* 4D 32
Moulton Chapel. *Linc* 4B 76
Moulton Eaugate. *Linc* 4C 76
Moulton St Mary. *Norf* 5F 79
Moulton Seas End. *Linc* 3C 76
Mount. *Corn*
nr. Bodmin 2F 7
nr. Newquay 3B 6
Mountain Ash. *Rhon* 2D 32
Mountain Cross. *Bord* 5E 129
Mountain Street. *Kent* 5E 41
Mountain Water. *Pemb* 2D 42
Mount Ambrose. *Corn* 4B 6
Mountbenger. *Bord* 2F 119
Mountblow. *W Dun* 2F 127
Mount Bures. *Essx* 2C 54
Mountfield. *E Sus* 3B 28
Mountgerald. *High* 2H 157
Mount Hawke. *Corn* 4B 6
Mount High. *High* 2A 158
Mountjoy. *Corn* 2C 6
Mount Lothian. *Midl* 4F 129
Mountnessing. *Essx* 1H 39
Mounton. *Mon* 2A 34
Mount Pleasant. *Buck* 2E 51
Mount Pleasant. *Ches E* 5C 84
Mount Pleasant. *Derbs*
nr. Derby 1H 73
nr. Swadlincote 4G 73
Mount Pleasant. *E Sus* 4F 27
Mount Pleasant. *Hants* 3A 16
Mount Pleasant. *Norf* 1B 66
Mount Skippett. *Oxon* 4B 50
Mountsorrel. *Leics* 4C 74
Mount Stuart. *Arg* 4C 126
Mousehole. *Corn* 4B 4
Mouswald. *Dum* 2B 112
Mow Cop. *Ches E* 5C 84
Mowden. *Darl* 3F 105
Mowhaugh. *Bord* 2C 120
Mowmacre Hill. *Leic* 5C 74
Mowsley. *Leics* 2D 62
Moy. *High* 5B 158
Moylgrove. *Pemb* 1B 44
Moy Lodge. *High* 5G 149
Muasdale. *Arg* 5E 125
Muchalls. *Abers* 4G 153
Much Birch. *Here* 2A 48
Much Cowarne. *Here* 1B 48
Much Dewchurch. *Here* 2H 47
Muchelney. *Som* 4H 21
Muchelney Ham. *Som* 4H 21
Much Hadham. *Herts* 4E 53
Much Hoole. *Lanc* 2C 90
Muchlarnick. *Corn* 3G 7
Much Marcle. *Here* 2B 48
Muchrachd. *High* 5E 157
Much Wenlock. *Shrp* 5A 72
Mucking. *Thur* 2A 40
Muckle Breck. *Shet* 5G 173
Muckleford. *Dors* 3B 14
Mucklestone. *Staf* 2B 72
Muckleton. *Norf* 2H 77
Muckleton. *Shrp* 3H 71
Muckley. *Shrp* 1A 60
Muckley Corner. *Staf* 5E 73
Muckton. *Linc* 2C 88
Mudale. *High* 5F 167
Muddiford. *Devn* 3F 19
Mudeford. *Dors* 3G 15
Mudford. *Som* 1A 14
Mudgley. *Som* 2H 21
Mugdock. *Stir* 2G 127
Mugeary. *High* 5D 154
Mugginton. *Derbs* 1G 73
Muggintonlane End. *Derbs* 1G 73
Muggleswick. *Dur* 4D 114
Mugswell. *Surr* 5D 38
Muie. *High* 3D 164
Muirden. *Abers* 3E 160
Muirdrum. *Ang* 5E 145
Muiredge. *Per* 1E 137
Muirend. *Glas* 3G 127
Muirhead. *Ang* 5C 144
Muirhead. *Fife* 3E 137
Muirhead. *N Lan* 3H 127
Muirhouses. *Falk* 1D 128
Muirkirk. *E Ayr* 2F 117
Muir of Alford. *Abers* 2C 152
Muir of Fairburn. *High* 3G 157
Muir of Fowlis. *Abers* 2C 152
Muir of Miltonduff. *Mor* 3F 159
Muir of Ord. *High* 3H 157
Muir of Tarradale. *High* 3H 157
Muirshearlich. *High* 5D 148
Muirtack. *Abers* 5G 161
Muirton. *High* 2B 158
Muirton. *Per* 1D 136
Muirton of Ardblair. *Per* 4A 144
Muirtown. *Per* 2B 136
Muiryfold. *Abers* 3E 161
Muker. *N Yor* 5C 104
Mulbarton. *Norf* 5D 78
Mulben. *Mor* 3A 160
Mulindry. *Arg* 4B 124
Mulla. *Shet* 5F 173
Mullach Charlabhaigh. *W Isl* 3E 171
Mullacott. *Devn* 2F 19
Mullion. *Corn* 5D 5
Mullion Cove. *Corn* 5D 4
Mumbles. *Swan* 4F 31
Mumby. *Linc* 3E 89
Munderfield Row. *Here* 5A 60
Munderfield Stocks. *Here* 5A 60
Mundesley. *Norf* 2F 79
Mundford. *Norf* 1H 65

Mundham—Newsholme

Mundham. *Norf* 1F 67
Mundon. *Essx* 5B 54
Munerigie. *High* 3E 149
Muness. *Shet* 1H 173
Mungasdale. *High* 4D 162
Mungrisdale. *Cumb* 1E 103
Munlochy. *High* 3A 158
Munsley. *Here* 1B 48
Munslow. *Shrp* 2H 59
Murchington. *Devn* 4G 11
Murcot. *Worc* 1F 49
Murcott. *Oxon* 4D 50
Murdishaw. *Hal* 2H 83
Murieston. *W Lot* 3D 128
Murkle. *High* 2D 168
Murlaggan. *High* 4C 148
Murra. *Orkn* 7B 172
Murray, The. *S Lan* 4H 127
Murrayfield. *Edin* 2F 129
Murrell Green. *Hants* 1F 25
Murroes. *Ang* 5D 144
Murrow. *Cambs* 5C 76
Mursley. *Buck* 3G 51
Murthly. *Per* 5H 143
Murton. *Cumb* 2A 104
Murton. *Dur* 5G 115
Murton. *Nmbd* 5F 131
Murton. *Swan* 4E 31
Murton. *York* 4A 100
Musbury. *Devn* 3F 13
Muscoates. *N Yor* 1A 100
Muscott. *Nptn* 4D 62
Musselburgh. *E Lot* 2G 129
Muston. *Leics* 2F 75
Muston. *N Yor* 2E 101
Mustow Green. *Worc* 3C 60
Muswell Hill. *G Lon* 2D 39
Mutehill. *Dum* 5D 111
Mutford. *Suff* 2G 67
Muthill. *Per* 2A 136
Mutterton. *Devn* 2D 12
Muxton. *Telf* 4B 72
Mwmbwls. *Swan* 4F 31
Mybster. *High* 3D 168
Myddfai. *Carm* 2A 46
Myddle. *Shrp* 3G 71
Mydroilyn. *Cdgn* 5D 56
Myerscough. *Lanc* 1C 90
Mylor Bridge. *Corn* 5C 6
Mylor Churchtown. *Corn* 5C 6
Mynachlog-ddu. *Pemb* 1F 43
Mynydd-bach. *Mon* 2H 33
Mynydd Isa. *Flin* 4E 83
Mynyddislwyn. *Cphy* 2E 33
Mynydd Llandegai. *Gwyn* 4F 81
Mynydd Mechell. *IOA* 1C 80
Mynydd-y-briw. *Powy* 3D 70
Mynyddygarreg. *Carm* 5E 45
Mynytho. *Gwyn* 2C 68
Myrebird. *Abers* 4E 153
Myrelandhorn. *High* 3E 169
Mytchett. *Surr* 1G 25
Mythe, The. *Glos* 2D 49
Mytholmroyd. *W Yor* 2A 92
Myton-on-Swale. *N Yor* 3G 99
Mytton. *Shrp* 4G 71

N

Naast. *High* 5C 162
Na Buirgh. *W Isl* 8C 171
Naburn. *York* 5H 99
Nab Wood. *W Yor* 1B 92
Nackington. *Kent* 5F 41
Nacton. *Suff* 1F 55
Nafferton. *E Yor* 4E 101
Na Gearrannan. *W Isl* 3D 171
Nailbridge. *Glos* 4B 48
Nailsbourne. *Som* 4F 21
Nailsea. *N Som* 4H 33
Nailstone. *Leics* 5B 74
Nailsworth. *Glos* 2D 34
Nairn. *High* 3C 158
Nalderswood. *Surr* 1D 26
Nancegollan. *Corn* 3D 4
Nancledra. *Corn* 3B 4
Nangreaves. *G Man* 3G 91
Nanhyfer. *Pemb* 1E 43
Nannerch. *Flin* 4D 82
Nanpantan. *Leics* 4C 74
Nanpean. *Corn* 3D 6
Nanstallon. *Corn* 2E 7
Nant-ddu. *Powy* 4D 46
Nanternis. *Cdgn* 5C 56
Nantgaredig. *Carm* 3E 45
Nantgarw. *Rhon* 3E 33
Nant Glas. *Powy* 4B 58
Nantglyn. *Den* 4C 82
Nantgwyn. *Powy* 3B 58
Nantlle. *Gwyn* 5E 81
Nantmawr. *Shrp* 3E 71
Nantmel. *Powy* 4C 58
Nantmor. *Gwyn* 1F 69
Nant Peris. *Gwyn* 5F 81
Nantwich. *Ches E* 5A 84
Nant-y-bai. *Carm* 1A 46
Nant-y-bwch. *Blae* 4E 47
Nant-y-Derry. *Mon* 5G 47
Nant-y-dugoed. *Powy* 4B 70
Nant-y-felin. *Cnwy* 3F 81
Nantyffyllon. *B'end* 2B 32
Nantyglo. *Blae* 4E 47
Nant-y-meichiaid. *Powy* 4D 70
Nant-y-moel. *B'end* 2C 32
Nant-y-pandy. *Cnwy* 3F 81
Naphill. *Buck* 2G 37
Nappa. *N Yor* 4A 98
Napton on the Hill. *Warw* 4B 62
Narberth. *Pemb* 3F 43
Narberth Bridge. *Pemb* 3F 43
Narborough. *Leics* 1C 62
Narborough. *Norf* 4G 77
Narkurs. *Corn* 3H 7
Narth, The. *Mon* 5A 48
Narthwaite. *Cumb* 5A 104
Nasareth. *Gwyn* 5D 80
Naseby. *Nptn* 3D 62
Nash. *Buck* 2F 51
Nash. *Here* 4F 59
Nash. *Kent* 5G 41
Nash. *Newp* 3G 33
Nash. *Shrp* 3A 60
Nash Lee. *Buck* 5G 51
Nassington. *Nptn* 1H 63
Nasty. *Herts* 3D 52
Natcott. *Devn* 4C 18
Nateby. *Cumb* 4A 104
Nateby. *Lanc* 5D 96
Nately Scures. *Hants* 1F 25
Natland. *Cumb* 1E 97
Naughton. *Suff* 1D 54
Naunton. *Glos* 3G 49
Naunton. *Worc* 2D 49
Naunton Beauchamp. *Worc* 5D 60
Navenby. *Linc* 5G 87
Navestock. *Essx* 1G 39
Navestock Side. *Essx* 1G 39
Navidale. *High* 2H 165
Nawton. *N Yor* 1A 100
Nayland. *Suff* 2C 54
Nazeing. *Essx* 5E 53
Neacroft. *Hants* 3G 15
Nealhouse. *Cumb* 4E 113
Neal's Green. *Warw* 2H 61
Near Sawrey. *Cumb* 5E 103
Neasden. *G Lon* 2D 38
Neasham. *Darl* 3A 106
Neath. *Neat* 2A 32
Neath Abbey. *Neat* 3G 31
Neatishead. *Norf* 3F 79
Neaton. *Norf* 5B 78
Nebo. *Cdgn* 4E 57
Nebo. *Cnwy* 5H 81
Nebo. *Gwyn* 5D 81
Nebo. *IOA* 1D 80
Necton. *Norf* 5A 78
Nedd. *High* 5B 166
Nedderton. *Nmbd* 1F 115
Nedging. *Suff* 1D 54
Nedging Tye. *Suff* 1D 54
Needham. *Norf* 2E 67
Needham Market. *Suff* 5C 66
Needham Street. *Suff* 4G 65
Needingworth. *Cambs* 3C 64
Needwood. *Staf* 3F 73
Neen Savage. *Shrp* 3A 60
Neen Sollars. *Shrp* 3A 60
Neenton. *Shrp* 2A 60
Nefyn. *Gwyn* 1C 68
Neilston. *E Ren* 4F 127
Neithrop. *Oxon* 1C 50
Nelly Andrews Green. *Powy* 5E 71
Nelson. *Cphy* 2E 32
Nelson. *Lanc* 1G 91
Nelson Village. *Nmbd* 2F 115
Nemphlar. *S Lan* 5B 128
Nempnett Thrubwell. *Bath* 5A 34
Nene Terrace. *Linc* 5B 76
Nenthall. *Cumb* 5A 114
Nenthead. *Cumb* 5A 114
Nenthorn. *Bord* 1A 120
Nercwys. *Flin* 4E 83
Neribus. *Arg* 4A 124
Nerston. *S Lan* 4H 127
Nesbit. *Nmbd* 1D 121
Nesfield. *N Yor* 5C 98
Ness. *Ches W* 3F 83
Nesscliffe. *Shrp* 4F 71
Ness of Tenston. *Orkn* 6B 172
Neston. *Ches W* 3E 83
Neston. *Wilts* 5D 34
Nethanfoot. *S Lan* 5B 128
Nether Alderley. *Ches E* 3C 84
Netheravon. *Wilts* 2G 23
Nether Blainslie. *Bord* 5B 130
Netherbrae. *Abers* 3E 161
Netherbrough. *Orkn* 6C 172
Nether Broughton. *Leics* 3D 74
Netherburn. *S Lan* 5B 128
Nether Burrow. *Lanc* 2F 97
Netherbury. *Dors* 3H 13
Netherby. *Cumb* 2E 113
Nether Careston. *Ang* 3E 145
Nether Cerne. *Dors* 3B 14
Nether Compton. *Dors* 1A 14
Nethercote. *Glos* 3G 49
Nethercote. *Warw* 4C 62
Nethercott. *Devn* 3E 19
Nethercott. *Oxon* 3C 50
Nether Dallachy. *Mor* 2A 160
Nether Durdie. *Per* 1E 136
Nether End. *Derbs* 3G 85
Netherend. *Glos* 5A 48
Nether Exe. *Devn* 2C 12
Netherfield. *E Sus* 4B 28
Netherfield. *Notts* 1D 74
Nethergate. *Norf* 3C 78
Netherhampton. *Wilts* 4G 23
Nether Handley. *Derbs* 3B 86
Nether Haugh. *S Yor* 1B 86
Nether Heage. *Derbs* 5A 86
Nether Heyford. *Nptn* 5D 62
Netherhouses. *Cumb* 1B 96
Nether Howcleugh. *S Lan* 3C 118
Nether Kellet. *Lanc* 3E 97
Nether Kinmundy. *Abers* 4H 161
Netherland Green. *Staf* 2F 73
Nether Langwith. *Notts* 3C 86
Netherlaw. *Dum* 5E 111
Netherley. *Abers* 4F 153
Nethermill. *Dum* 1B 112
Nethermills. *Mor* 3C 160
Nether Moor. *Derbs* 4A 86
Nether Padley. *Derbs* 3G 85
Netherplace. *E Ren* 4G 127
Nether Poppleton. *York* 4H 99
Netherseal. *Derbs* 4G 73
Nether Silton. *N Yor* 5B 106
Nether Stowey. *Som* 3E 21
Nether Street. *Essx* 4F 53
Netherstreet. *Wilts* 5E 35
Netherthird. *E Ayr* 3E 117
Netherthong. *W Yor* 4B 92
Netherton. *Ang* 3E 145
Netherton. *Cumb* 1B 102
Netherton. *Devn* 5B 12
Netherton. *Hants* 1B 24
Netherton. *Here* 3A 48
Netherton. *Mers* 1F 83
Netherton. *N Lan* 4A 128
Netherton. *Nmbd* 4D 121
Netherton. *Per* 3A 144
Netherton. *Shrp* 2B 60
Netherton. *Stir* 2G 127
Netherton. *W Mid* 2D 60
Netherton. *W Yor*
nr. Armitage Bridge 3B 92
nr. Horbury 3C 92
Netherton. *Worc* 1E 49
Nethertown. *Cumb* 4A 102
Nethertown. *High* 1F 169
Nethertown. *Staf* 4F 73
Nether Urquhart. *Fife* 3D 136
Nether Wallop. *Hants* 3B 24
Nether Wasdale. *Cumb* 4C 102
Nether Welton. *Cumb* 5E 113
Nether Westcote. *Glos* 3H 49
Nether Whitacre. *Warw* 1G 61
Nether Winchendon. *Buck* 4F 51
Netherwitton. *Nmbd* 5F 121
Nether Worton. *Oxon* 2C 50
Nethy Bridge. *High* 1E 151
Netley. *Shrp* 5G 71
Netley Abbey. *Hants* 2C 16
Netley Marsh. *Hants* 1B 16
Nettlebed. *Oxon* 3F 37
Nettlebridge. *Som* 2B 22
Nettlecombe. *Dors* 3A 14
Nettlecombe. *IOW* 5D 16
Nettleden. *Herts* 4A 52
Nettleham. *Linc* 3H 87
Nettlestead. *Kent* 5A 40
Nettlestead Green. *Kent* 5A 40
Nettlestone. *IOW* 3E 16
Nettlesworth. *Dur* 5F 115
Nettleton. *Linc* 4E 94
Nettleton. *Wilts* 4D 34
Netton. *Devn* 4B 8
Netton. *Wilts* 3G 23
Neuadd. *Powy* 5C 70
Neuk, The. *Abers* 4E 153
Nevendon. *Essx* 1B 40
Nevern. *Pemb* 1E 43
New Abbey. *Dum* 3A 112
New Aberdour. *Abers* 2F 161
New Addington. *G Lon* 4E 39
Newall. *W Yor* 5E 98
New Alresford. *Hants* 3D 24
New Alyth. *Per* 4B 144
Newark. *Orkn* 3G 172
Newark. *Pet* 5B 76
Newark-on-Trent. *Notts* 5E 87
New Arley. *Warw* 2G 61
Newarthill. *N Lan* 4A 128
New Ash Green. *Kent* 4H 39
New Balderton. *Notts* 5F 87
New Barn. *Kent* 4H 39
New Barnetby. *N Lin* 3D 94
Newbattle. *Midl* 3G 129
New Bewick. *Nmbd* 2E 121
Newbie. *Dum* 3C 112
Newbiggin. *Cumb*
nr. Appleby 2H 103
nr. Barrow-in-Furness 3B 96
nr. Cumrew 5G 113
nr. Penrith 2F 103
nr. Seascale 5B 102
Newbiggin. *Dur*
nr. Consett 5E 115
nr. Holwick 2C 104
Newbiggin. *Nmbd* 5C 114
Newbiggin. *N Yor*
nr. Askrigg 5C 104
nr. Filey 1F 101
nr. Thoralby 1B 98
Newbiggin-by-the-Sea. *Nmbd* 1G 115
Newbigging. *Ang*
nr. Monikie 5D 145
nr. Newtyle 4B 144
nr. Tealing 5D 144
Newbigging. *Edin* 2E 129
Newbigging. *S Lan* 5D 128
Newbiggin-on-Lune. *Cumb* 4A 104
Newbold. *Derbs* 3A 86
Newbold. *Leics* 4B 74
Newbold on Avon. *Warw* 3B 62
Newbold on Stour. *Warw* 1H 49
Newbold Pacey. *Warw* 5G 61
Newbold Verdon. *Leics* 5B 74
New Bolingbroke. *Linc* 5C 88
Newborough. *IOA* 4D 80
Newborough. *Pet* 5B 76
Newborough. *Staf* 3F 73
Newbottle. *Nptn* 2D 50
Newbottle. *Tyne* 4G 115
New Boultham. *Linc* 3G 87
Newbourne. *Suff* 1F 55
New Brancepeth. *Dur* 5F 115
Newbridge. *Cphy* 2F 33
Newbridge. *Cdgn* 5E 57
Newbridge. *Corn* 3B 4
New Bridge. *Dum* 2G 111
Newbridge. *Edin* 2E 129
Newbridge. *Hants* 1A 16
Newbridge. *IOW* 4C 16
Newbridge. *N Yor* 1C 100
Newbridge. *Pemb* 1D 42
Newbridge. *Wrex* 1E 71
Newbridge Green. *Worc* 2D 48
Newbridge-on-Usk. *Mon* 2G 33
Newbridge on Wye. *Powy* 5C 58
New Brighton. *Flin* 4E 83
New Brighton. *Hants* 2F 17
New Brighton. *Mers* 1F 83
New Brinsley. *Notts* 5B 86
Newbrough. *Nmbd* 3B 114
New Broughton. *Wrex* 5F 83
New Buckenham. *Norf* 1C 66
Newbuildings. *Devn* 2A 12
Newburgh. *Abers* 1G 153
Newburgh. *Fife* 2E 137
Newburgh. *Lanc* 3C 90
Newburn. *Tyne* 3E 115
Newbury. *W Ber* 5C 36
Newbury. *Wilts* 2D 22
Newby. *Cumb* 2G 103
Newby. *N Yor*
nr. Ingleton 2G 97
nr. Scarborough 1E 101
nr. Stokesley 3C 106
Newby Bridge. *Cumb* 1C 96
Newby Cote. *N Yor* 2G 97
Newby East. *Cumb* 4F 113
Newby Head. *Cumb* 2G 103
New Byth. *Abers* 3F 161
Newby West. *Cumb* 4E 113
Newby Wiske. *N Yor* 1F 99
Newcastle. *B'end* 3B 32
Newcastle. *Mon* 4H 47
Newcastle. *Shrp* 2E 59
Newcastle Emlyn. *Carm* 1D 44
Newcastle International Airport. *Tyne* 2E 115
Newcastleton. *Bord* 1F 113
Newcastle-under-Lyme. *Staf* 1C 72
Newcastle upon Tyne. *Tyne* 205 (3F 115)
Newchapel. *Pemb* 1G 43
Newchapel. *Powy* 2B 58
Newchapel. *Staf* 5C 84
Newchapel. *Surr* 1E 27
New Cheriton. *Hants* 4D 24
Newchurch. *Carm* 3D 45
Newchurch. *Here* 5F 59
Newchurch. *IOW* 4D 16
Newchurch. *Kent* 2E 29
Newchurch. *Lanc* 2G 91
Newchurch. *Mon* 2H 33
Newchurch. *Powy* 5E 58
Newchurch. *Staf* 3F 73
Newchurch in Pendle. *Lanc* 1G 91
New Costessey. *Norf* 4D 78
Newcott. *Devn* 2F 13
New Cowper. *Cumb* 5C 112
Newcraighall. *Edin* 2G 129
New Crofton. *W Yor* 3D 93
New Cross. *Cdgn* 3F 57
New Cross. *Som* 1H 13
New Cumnock. *E Ayr* 3F 117
New Deer. *Abers* 4F 161
New Denham. *Buck* 2B 38
Newdigate. *Surr* 1C 26
New Duston. *Nptn* 4E 62
New Earswick. *York* 4A 100
New Edlington. *S Yor* 1C 86
New Elgin. *Mor* 2G 159
New Ellerby. *E Yor* 1E 95
Newell Green. *Brac* 4G 37
New Eltham. *G Lon* 3F 39
New End. *Warw* 4F 61
New End. *Worc* 5E 61
Newenden. *Kent* 3C 28
New England. *Essx* 1H 53
New England. *Pet* 5A 76
Newent. *Glos* 3C 48
New Ferry. *Mers* 2F 83
Newfield. *Dur*
nr. Chester-le-Street 4F 115
nr. Willington 1F 105
Newfound. *Hants* 1D 24
New Fryston. *W Yor* 2E 93
Newgale. *Pemb* 2C 42
New Galloway. *Dum* 2D 110
Newgate. *Norf* 1C 78
Newgate Street. *Herts* 5D 52
New Greens. *Herts* 5B 52
New Grimsby. *IOS* 1A 4
New Hainford. *Norf* 4E 78
Newhall. *Ches E* 1A 72
Newhall. *Derbs* 3G 73
Newham. *Nmbd* 2F 121
New Hartley. *Nmbd* 2G 115
Newhaven. *Derbs* 4F 85
Newhaven. *E Sus* 215 (5F 27)
Newhaven. *Edin* 2F 129
New Haw. *Surr* 4B 38
New Hedges. *Pemb* 4F 43
New Herrington. *Tyne* 4G 115
Newhey. *G Man* 3H 91
New Holkham. *Norf* 2A 78
New Holland. *N Lin* 2D 94
Newholm. *N Yor* 3F 107
New Houghton. *Derbs* 4C 86
New Houghton. *Norf* 3G 77
Newhouse. *N Lan* 3A 128
New Houses. *N Yor* 2H 97
New Hutton. *Cumb* 5G 103
New Hythe. *Kent* 5B 40
Newick. *E Sus* 3F 27
Newingreen. *Kent* 2F 29
Newington. *Edin* 2F 129
Newington. *Kent*
nr. Folkestone 2F 29
nr. Sittingbourne 4C 40
Newington. *Notts* 1D 86
Newington. *Oxon* 2E 36
Newington Bagpath. *Glos* 2D 34
New Inn. *Carm* 2E 45
New Inn. *Mon* 5H 47
New Inn. *N Yor* 2H 97
New Inn. *Torf* 2G 33
New Invention. *Shrp* 3E 59
New Kelso. *High* 4B 156
New Lanark. *S Lan* 5B 128
Newland. *Glos* 5A 48
Newland. *Hull* 1D 94
Newland. *N Yor* 2G 93
Newland. *Som* 3B 20
Newland. *Worc* 1C 48
Newlandrig. *Midl* 3G 129
Newlands. *Cumb* 1E 103
Newlands. *High* 4B 158
Newlands. *Nmbd* 4D 115
Newlands. *Staf* 3E 73
Newlands of Geise. *High* 2C 168
Newlands of Tynet. *Mor* 2A 160
Newlands Park. *IOA* 2B 80
New Lane. *Lanc* 3C 90
New Lane End. *Warr* 1A 84
New Langholm. *Dum* 1E 113
New Leake. *Linc* 5D 88
New Leeds. *Abers* 3G 161
New Lenton. *Nott* 2C 74
New Longton. *Lanc* 2D 90
Newlot. *Orkn* 6E 172
New Luce. *Dum* 3G 109
Newlyn. *Corn* 4B 4
Newmachar. *Abers* 2F 153
Newmains. *N Lan* 4B 128
New Mains of Ury. *Abers* 5F 153
New Malden. *G Lon* 4D 38
Newman's Green. *Suff* 1B 54
Newmarket. *Suff* 4F 65
Newmarket. *W Isl* 4G 171
New Marske. *Red C* 2D 106
New Marton. *Shrp* 2F 71
New Micklefield. *W Yor* 1E 93
New Mill. *Abers* 4E 160
New Mill. *Corn* 3B 4
New Mill. *Herts* 4H 51
Newmill. *Mor* 3B 160
Newmill. *Bord* 3G 119
New Mill. *W Yor* 4B 92
New Mill. *Wilts* 5G 35
Newmillerdam. *W Yor* 3D 92
New Mills. *Corn* 3C 6
New Mills. *Derbs* 2E 85
Newmills. *Fife* 1D 128
Newmills. *High* 2A 158
New Mills. *Mon* 5A 48
New Mills. *Powy* 5C 70
Newmiln. *Per* 5A 144
Newmilns. *E Ayr* 1E 117
New Milton. *Hants* 3H 15
New Mistley. *Essx* 2E 54
New Moat. *Pemb* 2E 43
Newmore. *High*
nr. Dingwall 3H 157
nr. Invergordon 1A 158
Newnham. *Cambs* 5D 64
Newnham. *Glos* 4B 48
Newnham. *Hants* 1F 25
Newnham. *Herts* 2C 52
Newnham. *Kent* 5D 40
Newnham. *Nptn* 5C 62
Newnham. *Warw* 4F 61
Newnham Bridge. *Worc* 4A 60
New Ollerton. *Notts* 4D 86
New Oscott. *W Mid* 1E 61
Newpark. *Fife* 2G 137
New Park. *N Yor* 4E 99
New Pitsligo. *Abers* 3F 161
New Polzeath. *Corn* 1D 6
Newport. *Corn* 4D 10
Newport. *Devn* 3F 19
Newport. *E Yor* 1B 94
Newport. *Essx* 2F 53
Newport. *Glos* 2B 34
Newport. *High* 1H 165
Newport. *IOW* 4D 16
Newport. *Newp* 205 (3G 33)
Newport. *Norf* 4H 79
Newport. *Pemb* 1E 43
Newport. *Som* 4G 21
Newport. *Telf* 4B 72
Newport-on-Tay. *Fife* 1G 137
Newport Pagnell. *Mil* 1G 51
Newpound Common. *W Sus* 3B 26
New Prestwick. *S Ayr* 2C 116
New Quay. *Cdgn* 5C 56
Newquay. *Corn* 2C 6
Newquay Cornwall Airport. *Corn* 2C 6
New Rackheath. *Norf* 4E 79
New Radnor. *Powy* 4E 58
New Rent. *Cumb* 1F 103
New Ridley. *Nmbd* 4D 114
New Romney. *Kent* 3E 29
New Rossington. *S Yor* 1D 86
New Row. *Cdgn* 3G 57
New Sauchie. *Clac* 4A 136
Newsbank. *Ches E* 4C 84
Newseat. *Abers* 5E 160
Newsham. *Lanc* 1D 90
Newsham. *Nmbd* 2G 115
Newsham. *N Yor*
nr. Richmond 3E 105
nr. Thirsk 1F 99
New Sharlston. *W Yor* 2D 93
Newsholme. *E Yor* 2H 93
Newsholme. *Lanc* 4H 97

Norwick—Oxton

Norwick. Shet 1H 173
Norwood. Derbs 2B 86
Norwood Green. W Yor 2B 92
Norwood Hill. Surr 1D 26
Norwood Park. Som 3A 22
Norwoodside. Cambs 1D 64
Noseley. Leics 1E 63
Noss. Shet 10E 173
Noss Mayo. Devn 4B 8
Nosterfield. N Yor 1E 99
Nostie. High 1A 148
Notgrove. Glos 3G 49
Nottage. B'end 4B 32
Nottingham. Nott 206 (1C 74)
Nottington. Dors 4B 14
Notton. Dors 3B 14
Notton. W Yor 3D 92
Notton. Wilts 5E 35
Nounsley. Essx 4A 54
Noutard's Green. Worc 4B 60
Nox. Shrp 4G 71
Noyadd Trefawr. Cdgn 1C 44
Nuffield. Oxon 3E 37
Nunburnholme. E Yor 5C 100
Nuncargate. Notts 5C 86
Nunclose. Cumb 5F 113
Nuneaton. Warw 1A 62
Nuneham Courtenay. Oxon 2D 36
Nun Monkton. N Yor 4H 99
Nunnerie. S Lan 3B 118
Nunney. Som 2C 22
Nunnington. N Yor 2A 100
Nunnykirk. Nmbd 5E 121
Nunsthorpe. NE Lin 4F 95
Nunthorpe. Midd 3C 106
Nunthorpe. York 4H 99
Nunton. Wilts 4G 23
Nunwick. Nmbd 2B 114
Nunwick. N Yor 2F 99
Nupend. Glos 5C 48
Nursling. Hants 1B 16
Nursted. Hants 4F 25
Nursteed. Wilts 5F 35
Nurston. V Glam 5D 32
Nutbourne. W Sus
nr. Chichester 2F 17
nr. Pulborough 4B 26
Nutfield. Surr 5E 39
Nuthall. Notts 1C 74
Nuthampstead. Herts 2E 53
Nuthurst. Warw 3F 61
Nuthurst. W Sus 3C 26
Nutley. E Sus 3F 27
Nuttall. G Man 3F 91
Nutwell. S Yor 4G 93
Nybster. High 2F 169
Nyetimber. W Sus 3G 17
Nyewood. W Sus 4G 25
Nymet Rowland. Devn 2H 11
Nymet Tracey. Devn 2H 11
Nympsfield. Glos 5D 48
Nynehead. Som 4E 21
Nyton. W Sus 5A 26

O

Oadby. Leics 5D 74
Oad Street. Kent 4C 40
Oakamoor. Staf 1E 73
Oakbank. Arg 5B 140
Oakbank. W Lot 3D 129
Oakdale. Cphy 2E 33
Oakdale. Pool 3F 15
Oake. Som 4E 21
Oaken. Staf 5C 72
Oakenclough. Lanc 5E 97
Oakengates. Telf 4A 72
Oakenholt. Flin 3E 83
Oakenshaw. Dur 1F 105
Oakenshaw. W Yor 2B 92
Oakerthorpe. Derbs 5A 86
Oakford. Cdgn 5D 56
Oakford. Devn 4C 20
Oakfordbridge. Devn 4C 20
Oakgrove. Ches E 4D 84
Oakham. Rut 5F 75
Oakhanger. Ches E 5B 84
Oakhanger. Hants 3F 25
Oakhill. Som 2B 22
Oakington. Cambs 4D 64
Oaklands. Powy 5C 58
Oakle Street. Glos 4C 48
Oakley. Bed 5H 63
Oakley. Buck 4E 51
Oakley. Fife 1D 128
Oakley. Hants 1D 24
Oakley. Suff 3D 66
Oakley Green. Wind 3A 38
Oakley Park. Powy 2B 58
Oakmere. Ches W 4H 83
Oakridge Lynch. Glos 5E 49
Oaks. Shrp 5G 71
Oaksey. Wilts 2E 35
Oaks Green. Derbs 2F 73
Oakshaw Ford. Cumb 2G 113
Oakshott. Hants 4F 25
Oakthorpe. Leics 4H 73
Oak Tree. Darl 3A 106
Oakwood. Derb 2A 74
Oakwood. W Yor 1D 92
Oakwoodhill. Surr 2C 26
Oakworth. W Yor 1A 92
Oape. High 3B 164
Oare. Kent 4E 40
Oare. Som 2B 20
Oare. W Ber 4D 36
Oare. Wilts 5G 35
Oareford. Som 2B 20
Oasby. Linc 2H 75
Oath. Som 4G 21
Oathlaw. Ang 3D 145
Oatlands. N Yor 4F 99
Oban. Arg 206 (1F 133)
Oban. W Isl 7D 171
Oborne. Dors 1B 14
Obsdale. High 2A 158
Obthorpe. Linc 4H 75
Occlestone Green. Ches W 4A 84
Occold. Suff 3D 66
Ochiltree. E Ayr 2E 117
Ochtermuthill. Per 2H 135
Ochtertyre. Per 1H 135
Ockbrook. Derbs 2B 74
Ockeridge. Worc 4B 60
Ockham. Surr 5B 38
Ockle. High 1G 139
Ockley. Surr 1C 26
Ocle Pychard. Here 1A 48
Octofad. Arg 4A 124
Octomore. Arg 4A 124
Octon. E Yor 3E 101
Odcombe. Som 1A 14
Odd Down. Bath 5C 34
Oddingley. Worc 5D 60
Oddington. Oxon 4D 50
Oddsta. Shet 2G 173
Odell. Bed 5G 63
Odie. Orkn 5F 172
Odiham. Hants 1F 25
Odsey. Cambs 2C 52
Odstock. Wilts 4G 23
Odstone. Leics 5A 74
Offchurch. Warw 4A 62
Offenham. Worc 1F 49
Offenham Cross. Worc 1F 49
Offerton. G Man 2D 84
Offerton. Tyne 4G 115
Offham. E Sus 4E 27
Offham. Kent 5A 40
Offham. W Sus 5B 26
Offleyhay. Staf 3C 72
Offley Hoo. Herts 3B 52
Offleymarsh. Staf 3B 72
Offord Cluny. Cambs 4B 64
Offord D'Arcy. Cambs 4B 64
Offton. Suff 1D 54
Offwell. Devn 3E 13
Ogbourne Maizey. Wilts 4G 35
Ogbourne St Andrew.
Wilts 4G 35
Ogbourne St George.
Wilts 4H 35
Ogden. G Man 3H 91
Ogle. Nmbd 2E 115
Ogmore. V Glam 4B 32
Ogmore-by-Sea. V Glam 4B 32
Ogmore Vale. B'end 2C 32
Okeford Fitzpaine. Dors 1D 14
Okehampton. Devn 3F 11
Okehampton Camp. Devn 3F 11
Okraquoy. Shet 8F 173
Okus. Swin 3G 35
Old. Nptn 3E 63
Old Aberdeen. Aber 3G 153
Old Alresford. Hants 3D 24
Oldany. High 5B 166
Old Arley. Warw 1G 61
Old Basford. Nott 1C 74
Old Basing. Hants 1E 25
Oldberrow. Warw 4F 61
Old Bewick. Nmbd 2E 121
Old Bexley. G Lon 3F 39
Old Blair. Per 2F 143
Old Bolingbroke. Linc 4C 88
Oldborough. Devn 2A 12
Old Brampton. Derbs 3H 85
Old Bridge of Tilt. Per 2F 143
Old Bridge of Urr. Dum 3E 111
Old Brumby. N Lin 4B 94
Old Buckenham. Norf 1C 66
Old Burghclere. Hants 1C 24
Oldbury. Shrp 1B 60
Oldbury. Warw 1H 61
Oldbury. W Mid 2D 61
Oldbury-on-Severn. S Glo 2B 34
Oldbury on the Hill. Glos 3D 34
Old Byland. N Yor 1H 99
Old Cassop. Dur 1A 106
Oldcastle. Mon 3G 47
Oldcastle Heath. Ches W 1G 71
Old Catton. Norf 4E 79
Old Clee. NE Lin 4F 95
Old Cleeve. Som 2D 20
Old Colwyn. Cnwy 3A 82
Oldcotes. Notts 2C 86
Old Coulsdon. G Lon 5E 39
Old Dailly. S Ayr 5B 116
Old Dalby. Leics 3D 74
Old Dam. Derbs 3F 85
Old Deer. Abers 4G 161
Old Dilton. Wilts 2D 22
Old Down. S Glo 3B 34
Oldeamere. Cambs 5C 76
Old Edlington. S Yor 1C 86
Old Eldon. Dur 2F 105
Old Ellerby. E Yor 1E 95
Old Fallings. W Mid 5D 72
Oldfallow. Staf 4D 73
Old Felixstowe. Suff 2G 55
Oldfield. Shrp 2A 60
Oldfield. Worc 4C 60
Old Fletton. Pet 1A 64
Oldford. Som 1C 22
Old Forge. Here 4A 48
Old Glossop. Derbs 1E 85
Old Goole. E Yor 2H 93
Old Gore. Here 3B 48
Old Graitney. Dum 3E 112
Old Grimsby. IOS 1A 4
Oldhall. High 3E 169
Old Hall Street. Norf 2F 79
Oldham. G Man 4H 91
Oldhamstocks. E Lot 2D 130
Old Heathfield. E Sus 3G 27
Old Hill. W Mid 2D 60
Old Hunstanton. Norf 1F 77
Oldhurst. Cambs 3B 64
Old Hutton. Cumb 1E 97
Old Kea. Corn 4C 6
Old Kilpatrick. W Dun 2F 127
Old Kinnernie. Abers 3E 152
Old Knebworth. Herts 3C 52
Oldland. S Glo 4B 34
Old Laxey. IOM 3D 108
Old Leake. Linc 5D 88
Old Lenton. Nott 2C 74
Old Llanberis. Gwyn 5F 81
Old Malton. N Yor 2B 100
Oldmeldrum. Abers 1F 153
Old Micklefield. W Yor 1E 93
Old Mill. Corn 5D 10
Oldmixon. N Som 1G 21
Old Monkland. N Lan 3A 128
Old Newton. Suff 4C 66
Old Park. Telf 5A 72
Old Pentland. Midl 3F 129
Old Philpstoun. W Lot 2D 128
Old Quarrington. Dur 1A 106
Old Radnor. Powy 5E 59
Old Rayne. Abers 1D 152
Oldridge. Devn 3B 12
Old Romney. Kent 3E 29
Old Scone. Per 1D 136
Oldshore Beg. High 3B 166
Oldshoremore. High 3C 166
Old Snydale. W Yor 2E 93
Old Sodbury. S Glo 3C 34
Old Somerby. Linc 2G 75
Old Spital. Dur 3C 104
Oldstead. N Yor 1H 99
Old Stratford. Nptn 1F 51
Old Swan. Mers 1F 83
Old Swarland. Nmbd 4F 121
Old Tebay. Cumb 4H 103
Old Town. Cumb 5F 113
Old Town. E Sus 5G 27
Oldtown. High 5C 164
Old Town. IOS 1B 4
Old Town. Nmbd 5C 120
Old Trafford. G Man 1C 84
Old Tupton. Derbs 4A 86
Oldwall. Cumb 3F 113
Oldwalls. Swan 3D 31
Old Warden. C Beds 1B 52
Oldways End. Som 4B 20
Old Westhall. Abers 1D 152
Old Weston. Cambs 3H 63
Oldwhat. Abers 3F 161
Old Windsor. Wind 3A 38
Old Wives Lees. Kent 5E 41
Old Woking. Surr 5B 38
Oldwood Common. Worc 4H 59
Old Woodstock. Oxon 4C 50
Olgrinmore. High 3C 168
Oliver's Battery. Hants 4C 24
Ollaberry. Shet 3E 173
Ollerton. Ches E 3B 84
Ollerton. Notts 4D 86
Ollerton. Shrp 3A 72
Olmarch. Cdgn 5F 57
Olmstead Green. Cambs 1G 53
Olney. Mil 5F 63
Olrig. High 2D 169
Olton. W Mid 2F 61
Olveston. S Glo 3B 34
Ombersley. Worc 4C 60
Ompton. Notts 4D 86
Omunsgarth. Shet 7E 173
Onchan. IOM 4D 108
Onecote. Staf 5E 85
Onehouse. Suff 5C 66
Onen. Mon 4H 47
Ongar Hill. Norf 3E 77
Ongar Street. Here 4F 59
Onibury. Shrp 3G 59
Onich. High 2E 141
Onllwyn. Neat 4B 46
Onneley. Staf 1B 72
Onslow Green. Essx 4G 53
Onslow Village. Surr 1A 26
Onthank. E Ayr 1D 116
Openwoodgate. Derbs 1A 74
Opinan. High
nr. Gairloch 1G 155
nr. Laide 4C 162
Orasaigh. W Isl 6F 171
Orbost. High 4B 154
Orby. Linc 4D 89
Orchard Hill. Devn 4E 19
Orchard Portman.
Som 4F 21
Orcheston. Wilts 2F 23
Orcop. Here 3H 47
Orcop Hill. Here 3H 47
Ord. High 2E 147
Ordale. Shet 1H 173
Ordhead. Abers 2D 152
Ordie. Abers 3B 152
Ordiquish. Mor 3H 159
Ordley. Nmbd 4C 114
Ordsall. Notts 3E 86
Ore. E Sus 4C 28
Oreton. Shrp 2A 60
Orford. Suff 1H 55
Orford. Warr 1A 84
Organford. Dors 3E 15
Orgil. Orkn 7B 172
Orgreave. Staf 4F 73
Oridge Street. Glos 3C 48
Orlestone. Kent 2D 28
Orleton. Here 4G 59
Orleton. Worc 4A 60
Orleton Common. Here 4G 59
Orlingbury. Nptn 3F 63
Ormacleit. W Isl 5C 170
Ormathwaite. Cumb 2D 102
Ormesby. Red C 3C 106
Ormesby St Margaret.
Norf 4G 79
Ormesby St Michael.
Norf 4G 79
Ormiscaig. High 4C 162
Ormiston. E Lot 3H 129
Ormsaigbeg. High 2F 139
Ormsaigmore. High 2F 139
Ormsary. Arg 2F 125
Ormsgill. Cumb 2A 96
Ormskirk. Lanc 4C 90
Orphir. Orkn 7C 172
Orpington. G Lon 4F 39
Orrell. G Man 4D 90
Orrell. Mers 1F 83
Orrisdale. IOM 2C 108
Orsett. Thur 2H 39
Orslow. Staf 4C 72
Orston. Notts 1E 75
Orthwaite. Cumb 1D 102
Orton. Cumb 4H 103
Orton. Mor 3H 159
Orton. Nptn 3F 63
Orton. Staf 1C 60
Orton Longueville. Pet 1A 64
Orton-on-the-Hill. Leics 5H 73
Orton Waterville. Pet 1A 64
Orton Wistow. Pet 1A 64
Orwell. Cambs 5C 64
Osbaldeston. Lanc 1E 91
Osbaldwick. York 4A 100
Osbaston. Leics 5B 74
Osbaston. Shrp 3F 71
Osbournby. Linc 2H 75
Osclay. High 5E 169
Oscroft. Ches W 4H 83
Ose. High 4C 154
Osgathorpe. Leics 4B 74
Osgodby. Linc 1H 87
Osgodby. N Yor
nr. Scarborough 1E 101
nr. Selby 1G 93
Oskaig. High 5E 155
Oskamull. Arg 5F 139
Osleston. Derbs 2G 73
Osmaston. Derb 2A 74
Osmaston. Derbs 1G 73
Osmington. Dors 4C 14
Osmington Mills. Dors 4C 14
Osmondthorpe. W Yor 1D 92
Osmondwall. Orkn 9C 172
Osmotherley. N Yor 5B 106
Osnaburgh. Fife 2G 137
Ospisdale. High 5E 164
Ospringe. Kent 4E 40
Ossett. W Yor 2C 92
Ossington. Notts 4E 87
Ostend. Essx 1D 40
Ostend. Norf 2F 79
Osterley. G Lon 3C 38
Oswaldkirk. N Yor 2A 100
Oswaldtwistle. Lanc 2F 91
Oswestry. Shrp 3E 71
Otby. Linc 1A 88
Otford. Kent 5G 39
Otham. Kent 5B 40
Otherton. Staf 4D 72
Othery. Som 3G 21
Otley. Suff 5E 66
Otley. W Yor 5E 98
Otterbourne. Hants 4C 24
Otterburn. Nmbd 5C 120
Otterburn. N Yor 4A 98
Otterburn Camp.
Nmbd 5C 120
Otterburn Hall. Nmbd 5C 120
Otter Ferry. Arg 1H 125
Otterford. Som 1F 13
Otterham. Corn 3B 10
Otterhampton. Som 2F 21
Otterham Quay. Medw 4C 40
Ottershaw. Surr 4B 38
Otterspool. Mers 2F 83
Otterswick. Shet 3G 173
Otterton. Devn 4D 12
Otterwood. Hants 2C 16
Ottery St Mary. Devn 3D 12
Ottinge. Kent 1F 29
Ottringham. E Yor 2F 95
Oughterby. Cumb 4D 112
Oughtershaw. N Yor 1A 98
Oughterside. Cumb 5C 112
Oughtibridge. S Yor 1H 85
Oughtrington. Warr 2A 84
Oulston. N Yor 2H 99
Oulton. Cumb 4D 112
Oulton. Norf 3D 78
Oulton. Staf
nr. Gnosall Heath 3B 72
nr. Stone 2D 72
Oulton. Suff 1H 67
Oulton. W Yor 2D 92
Oulton Broad. Suff 1H 67
Oulton Street. Norf 3D 78
Oundle. Nptn 2H 63
Ousby. Cumb 1H 103
Ousdale. High 2H 165
Ousden. Suff 5G 65
Ousefleet. E Yor 2B 94
Ouston. Dur 4F 115
Ouston. Nmbd
nr. Bearsbridge 4A 114
nr. Stamfordham 2D 114
Outer Hope. Devn 4C 8
Outertown. Orkn 6B 172
Outgate. Cumb 5E 103
Outhgill. Cumb 4A 104
Outlands. Staf 2B 72
Outlane. W Yor 3A 92
Out Newton. E Yor 2G 95
Out Rawcliffe. Lanc 5D 96
Outwell. Norf 5E 77
Outwick. Hants 1G 15
Outwood. Surr 1E 27
Outwood. W Yor 2D 92
Outwood. Worc 3D 60
Outwoods. Leics 4B 74
Outwoods. Staf 4B 72
Ouzlewell Green.
W Yor 2D 92
Ovenden. W Yor 2A 92
Over. Cambs 3C 64
Over. Ches W 4A 84
Over. Glos 4D 48
Over. S Glo 3A 34
Overbister. Orkn 3F 172
Over Burrows. Derbs 2G 73
Overbury. Worc 2E 49
Overcombe. Dors 4B 14
Over Compton. Dors 1A 14
Over End. Cambs 1H 63
Over Finlarg. Ang 4D 144
Overgreen. Derbs 3H 85
Over Green. Warw 1F 61
Over Haddon. Derbs 4G 85
Over Hulton. G Man 4E 91
Over Kellet. Lanc 2E 97
Over Kiddington. Oxon 3C 50
Overleigh. Som 3H 21
Overley. Staf 4F 73
Over Monnow. Mon 4A 48
Over Norton. Oxon 3B 50
Over Peover. Ches E 3B 84
Overpool. Ches W 3F 83
Overscaig. High 1B 164
Overseal. Derbs 4G 73
Over Silton. N Yor 5B 106
Oversland. Kent 5E 41
Overstone. Nptn 4F 63
Over Stowey. Som 3E 21
Overstrand. Norf 1E 79
Over Stratton. Som 1H 13
Over Street. Wilts 3F 23
Overthorpe. Nptn 1C 50
Overton. Aber 2F 153
Overton. Ches W 3H 83
Overton. Hants 2D 24
Overton. High 5E 169
Overton. Lanc 4D 96
Overton. N Yor 4H 99
Overton. Shrp
nr. Bridgnorth 2A 60
nr. Ludlow 3H 59
Overton. Swan 4D 30
Overton. W Yor 3C 92
Overton. Wrex 1F 71
Overtown. Lanc 2F 97
Overtown. N Lan 4B 128
Overtown. Swin 4G 35
Over Wallop. Hants 3A 24
Over Whitacre. Warw 1G 61
Over Worton. Oxon 3C 50
Oving. Buck 3F 51
Oving. W Sus 5A 26
Ovingdean. Brig 5E 27
Ovingham. Nmbd 3D 115
Ovington. Dur 3E 105
Ovington. Essx 1A 54
Ovington. Hants 3D 24
Ovington. Norf 5B 78
Ovington. Nmbd 3D 114
Owen's Bank. Staf 3G 73
Ower. Hants
nr. Holbury 2C 16
nr. Totton 1B 16
Owermoigne. Dors 4C 14
Owlbury. Shrp 1F 59
Owler Bar. Derbs 3G 85
Owlerton. S Yor 1H 85
Owlsmoor. Brac 5G 37
Owlswick. Buck 5F 51
Owmby. Linc 4D 94
Owmby-by-Spital. Linc 2H 87
Ownham. W Ber 4C 36
Owrytn. Wrex 1F 71
Owslebury. Hants 4D 24
Owston. Leics 5E 75
Owston. S Yor 3F 93
Owston Ferry. N Lin 4B 94
Owstwick. E Yor 1F 95
Owthorne. E Yor 2G 95
Owthorpe. Notts 2D 74
Owton Manor. Hart 2B 106
Oxborough. Norf 5G 77
Oxbridge. Dors 3H 13
Oxcombe. Linc 3C 88
Oxen End. Essx 3G 53
Oxenhall. Glos 3C 48
Oxenholme. Cumb 5G 103
Oxenhope. W Yor 1A 92
Oxen Park. Cumb 1C 96
Oxenpill. Som 2H 21
Oxenton. Glos 2E 49
Oxenwood. Wilts 1B 24
Oxford. Oxon 207 (5D 50)
Oxgangs. Edin 3F 129
Oxhey. Herts 1C 38
Oxhill. Warw 1B 50
Oxley. W Mid 5D 72
Oxley Green. Essx 4C 54
Oxley's Green. E Sus 3A 28
Oxlode. Cambs 2D 65
Oxnam. Bord 3B 120
Oxshott. Surr 4C 38
Oxspring. S Yor 4C 92
Oxted. Surr 5E 39
Oxton. Mers 2F 83

Peterchurch—Powick

Peterchurch. *Here* 2G 47
Peterculter. *Aber* 3F 153
Peterhead. *Abers* 4H 161
Peterlee. *Dur* 5H 115
Petersfield. *Hants* 4F 25
Petersfinger. *Wilts* 4G 23
Peters Green. *Herts* 4B 52
Peters Marland. *Devn* 1E 11
Peterstone Wentlooge. *Newp* 3F 33
Peterston-super-Ely. *V Glam* 4D 32
Peterstow. *Here* 3A 48
Peters Village. *Kent* 4B 40
Peter Tavy. *Devn* 5F 11
Petertown. *Orkn* 7C 172
Petham. *Kent* 5F 41
Petherwin Gate. *Corn* 4C 10
Petrockstowe. *Devn* 2F 11
Petsoe End. *Mil* 1G 51
Pett. *E Sus* 4C 28
Pettaugh. *Suff* 5D 66
Pett Bottom. *Kent* 5F 41
Petteridge. *Kent* 1A 28
Pettinain. *S Lan* 5C 128
Pettistree. *Suff* 5E 67
Petton. *Devn* 4D 20
Petton. *Shrp* 3G 71
Petts Wood. *G Lon* 4F 39
Pettycur. *Fife* 1F 129
Pettywell. *Norf* 3C 78
Petworth. *W Sus* 3A 26
Pevensey. *E Sus* 5H 27
Pevensey Bay. *E Sus* 5A 28
Pewsey. *Wilts* 5G 35
Pheasants Hill. *Buck* 3F 37
Philadelphia. *Tyne* 4G 115
Philham. *Devn* 4C 18
Philiphaugh. *Bord* 2G 119
Phillack. *Corn* 3C 4
Philleigh. *Corn* 5C 6
Philpstoun. *W Lot* 2D 128
Phocle Green. *Here* 3B 48
Phoenix Green. *Hants* 1F 25
Pibsbury. *Som* 4H 21
Pibwrlwyd. *Carm* 4E 45
Pica. *Cumb* 2B 102
Piccadilly. *Warw* 1G 61
Piccadilly Corner. *Norf* 2E 67
Piccotts End. *Herts* 5A 52
Pickering. *N Yor* 1B 100
Picket Piece. *Hants* 2B 24
Picket Post. *Hants* 2G 15
Pickford. *W Mid* 2G 61
Pickhill. *N Yor* 1F 99
Picklenash. *Glos* 3C 48
Picklescott. *Shrp* 1G 59
Pickletillem. *Fife* 1G 137
Pickmere. *Ches E* 3A 84
Pickstock. *Telf* 3B 72
Pickwell. *Devn* 2E 19
Pickwell. *Leics* 4E 75
Pickworth. *Linc* 2H 75
Pickworth. *Rut* 4G 75
Picton. *Ches W* 3G 83
Picton. *Flin* 2D 82
Picton. *N Yor* 4B 106
Pict's Hill. *Som* 4H 21
Piddinghoe. *E Sus* 5F 27
Piddington. *Buck* 2G 37
Piddington. *Nptn* 5F 63
Piddington. *Oxon* 4E 51
Piddlehinton. *Dors* 3C 14
Piddletrenthide. *Dors* 2C 14
Pidley. *Cambs* 3C 64
Pidney. *Dors* 2C 14
Pie Corner. *Here* 4A 60
Piercebridge. *Darl* 3F 105
Pierowall. *Orkn* 3D 172
Pigdon. *Nmbd* 1E 115
Pightley. *Som* 3F 21
Pikehall. *Derbs* 5F 85
Pikeshill. *Hants* 2A 16
Pilford. *Dors* 2F 15
Pilgrims Hatch. *Essx* 1G 39
Pilham. *Linc* 1F 87
Pill, The. *Mon* 3H 33
Pill. *N Som* 4A 34
Pillaton. *Corn* 2H 7
Pillaton. *Staf* 4D 72
Pillerton Hersey. *Warw* 1B 50
Pillerton Priors. *Warw* 1A 50
Pilleth. *Powy* 4E 59
Pilley. *Hants* 3B 16
Pilley. *S Yor* 4D 92
Pillgwenlly. *Newp* 3G 33
Pilling. *Lanc* 5D 96
Pilling Lane. *Lanc* 5C 96
Pillowell. *Glos* 5B 48
Pillwell. *Dors* 1C 14
Pilning. *S Glo* 3A 34
Pilsbury. *Derbs* 4F 85
Pilsdon. *Dors* 3H 13
Pilsgate. *Pet* 5H 75
Pilsley. *Derbs*
nr. Bakewell 3G 85
nr. Clay Cross 4B 86
Pilson Green. *Norf* 4F 79
Piltdown. *E Sus* 3F 27
Pilton. *Edin* 2F 129
Pilton. *Nptn* 2H 63
Pilton. *Rut* 5G 75
Pilton. *Som* 2A 22
Pilton Green. *Swan* 4D 30
Pimperne. *Dors* 2E 15
Pinchbeck. *Linc* 3B 76
Pinchbeck Bars. *Linc* 3A 76
Pinchbeck West. *Linc* 3B 76
Pinfold. *Lanc* 3B 90
Pinford End. *Suff* 5H 65
Pinged. *Carm* 5E 45
Pinhoe. *Devn* 3C 12
Pinkerton. *E Lot* 2D 130
Pinkneys Green. *Wind* 3G 37
Pinley. *W Mid* 3A 62
Pinley Green. *Warw* 4G 61
Pinmill. *Suff* 2F 55
Pinmore. *S Ayr* 5B 116
Pinner. *G Lon* 2C 38
Pins Green. *Worc* 1C 48
Pinsley Green. *Ches E* 1H 71
Pinvin. *Worc* 1E 49
Pinwherry. *S Ayr* 1G 109
Pinxton. *Derbs* 5B 86
Pipe and Lyde. *Here* 1A 48
Pipe Aston. *Here* 3G 59
Pipe Gate. *Shrp* 1B 72
Pipehill. *Staf* 5E 73
Piperhill. *High* 3C 158
Pipe Ridware. *Staf* 4E 73
Pipers Pool. *Corn* 4C 10
Pipewell. *Nptn* 2F 63
Pippacott. *Devn* 3F 19
Pipton. *Powy* 2E 47
Pirbright. *Surr* 5A 38
Pirnmill. *N Ayr* 5G 125
Pirton. *Herts* 2B 52
Pirton. *Worc* 1D 49
Pisgah. *Stir* 3G 135
Pishill. *Oxon* 3F 37
Pistyll. *Gwyn* 1C 68
Pitagowan. *Per* 2F 143
Pitcairn. *Per* 3F 143
Pitcairngreen. *Per* 1C 136
Pitcalnie. *High* 1C 158
Pitcaple. *Abers* 1E 152
Pitchcombe. *Glos* 5D 48
Pitchcott. *Buck* 3F 51
Pitchford. *Shrp* 5H 71
Pitch Green. *Buck* 5F 51
Pitch Place. *Surr* 5A 38
Pitcombe. *Som* 3B 22
Pitcox. *E Lot* 2C 130
Pitcur. *Per* 5B 144
Pitfichie. *Abers* 2D 152
Pitgrudy. *High* 4E 165
Pitkennedy. *Ang* 3E 145
Pitlessie. *Fife* 3F 137
Pitlochry. *Per* 3G 143
Pitmachie. *Abers* 1D 152
Pitmaduthy. *High* 1B 158
Pitmedden. *Abers* 1F 153
Pitminster. *Som* 1F 13
Pitnacree. *Per* 3G 143
Pitney. *Som* 4H 21
Pitroddie. *Per* 1E 136
Pitscottie. *Fife* 2G 137
Pitsea. *Essx* 2B 40
Pitsford. *Nptn* 4E 63
Pitsford Hill. *Som* 3E 20
Pitsmoor. *S Yor* 2A 86
Pitstone. *Buck* 4H 51
Pitt. *Hants* 4C 24
Pitt Court. *Glos* 2C 34
Pittentrail. *High* 3E 164
Pittenweem. *Fife* 3H 137
Pittington. *Dur* 5G 115
Pitton. *Swan* 4D 30
Pitton. *Wilts* 3H 23
Pittswood. *Kent* 1H 27
Pittulie. *Abers* 2G 161
Pittville. *Glos* 3E 49
Pitversie. *Per* 2D 136
Pityme. *Corn* 1D 6
Pity Me. *Dur* 5F 115
Pixey Green. *Suff* 3E 67
Pixley. *Here* 2B 48
Place Newton. *N Yor* 2C 100
Plaidy. *Abers* 3E 161
Plaidy. *Corn* 3G 7
Plain Dealings. *Pemb* 3E 43
Plains. *N Lan* 3A 128
Plainsfield. *Som* 3E 21
Plaish. *Shrp* 1H 59
Plaistow. *Here* 2B 48
Plaistow. *W Sus* 2B 26
Plaitford. *Wilts* 1A 16
Plastow Green. *Hants* 5D 36
Plas yn Cefn. *Den* 3C 82
Platt, The. *E Sus* 2G 27
Platt Bridge. *G Man* 4E 90
Platt Lane. *Shrp* 2H 71
Platts Common. *S Yor* 4D 92
Platt's Heath. *Kent* 5C 40
Plawsworth. *Dur* 5F 115
Plaxtol. *Kent* 5H 39
Playden. *E Sus* 3D 28
Playford. *Suff* 1F 55
Play Hatch. *Oxon* 4F 37
Playing Place. *Corn* 4C 6
Playley Green. *Glos* 2C 48
Plealey. *Shrp* 5G 71
Plean. *Stir* 1B 128
Pleasington. *Bkbn* 2E 91
Pleasley. *Derbs* 4C 86
Pledgdon Green. *Essx* 3F 53
Plenmeller. *Nmbd* 3A 114
Pleshey. *Essx* 4G 53
Plockton. *High* 5H 155
Plocrapol. *W Isl* 8D 171
Ploughfield. *Here* 1G 47
Plowden. *Shrp* 2F 59
Ploxgreen. *Shrp* 5F 71
Pluckley. *Kent* 1D 28
Plucks Gutter. *Kent* 4G 41
Plumbland. *Cumb* 1C 102
Plumgarths. *Cumb* 5F 103
Plumley. *Ches E* 3B 84
Plummers Plain. *W Sus* 3D 26
Plumpton. *Cumb* 1F 103
Plumpton. *E Sus* 4E 27
Plumpton. *Nptn* 1D 50
Plumpton Foot. *Cumb* 1F 103
Plumpton Green. *E Sus* 4E 27
Plumpton Head. *Cumb* 1G 103
Plumstead. *G Lon* 3F 39
Plumstead. *Norf* 2D 78
Plumtree. *Notts* 2D 74
Plumtree Park. *Notts* 2D 74
Plungar. *Leics* 2E 75
Plush. *Dors* 2C 14
Plushabridge. *Corn* 5D 10
Plwmp. *Cdgn* 5C 56
Plymouth. *Plym* 208 (3A 8)
Plympton. *Plym* 3B 8
Plymstock. *Plym* 3B 8
Plymtree. *Devn* 2D 12
Pockley. *N Yor* 1A 100
Pocklington. *E Yor* 5C 100
Pode Hole. *Linc* 3B 76
Podimore. *Som* 4A 22
Podington. *Bed* 4G 63
Podmore. *Staf* 2B 72
Poffley End. *Oxon* 4B 50
Point Clear. *Essx* 4D 54
Pointon. *Linc* 2A 76
Pokesdown. *Bour* 3G 15
Polbae. *Dum* 2H 109
Polbain. *High* 3E 163
Polbathic. *Corn* 3H 7
Polbeth. *W Lot* 3D 128
Polbrock. *Corn* 2E 6
Polchar. *High* 3C 150
Polebrook. *Nptn* 2H 63
Pole Elm. *Worc* 1D 48
Polegate. *E Sus* 5G 27
Pole Moor. *W Yor* 3A 92
Poles. *High* 4E 165
Polesworth. *Warw* 5G 73
Polglass. *High* 3E 163
Polgooth. *Corn* 3D 6
Poling. *W Sus* 5B 26
Poling Corner. *W Sus* 5B 26
Polio. *High* 1B 158
Polkerris. *Corn* 3E 7
Polla. *High* 3D 166
Pollard Street. *Norf* 2F 79
Pollicott. *Buck* 4F 51
Pollington. *E Yor* 3G 93
Polloch. *High* 2B 140
Pollok. *Glas* 3G 127
Pollokshaws. *Glas* 3G 127
Pollokshields. *Glas* 3G 127
Polmaily. *High* 5G 157
Polmassick. *Corn* 4D 6
Polmont. *Falk* 2C 128
Polnessan. *E Ayr* 3D 116
Polnish. *High* 5F 147
Polperro. *Corn* 3G 7
Polruan. *Corn* 3F 7
Polscoe. *Corn* 2F 7
Polsham. *Som* 2A 22
Polskeoch. *Dum* 4F 117
Polstead. *Suff* 2C 54
Polstead Heath. *Suff* 1C 54
Poltesco. *Corn* 5E 5
Poltimore. *Devn* 3C 12
Polton. *Midl* 3F 129
Polwarth. *Bord* 4D 130
Polyphant. *Corn* 4C 10
Polzeath. *Corn* 1D 6
Ponde. *Powy* 2E 46
Pondersbridge. *Cambs* 1B 64
Ponders End. *G Lon* 1E 39
Pond Street. *Essx* 2E 53
Pondtail. *Hants* 1G 25
Ponsanooth. *Corn* 5B 6
Ponsongath. *Corn* 5E 5
Ponsworthy. *Devn* 5H 11
Pontamman. *Carm* 4G 45
Pontantwn. *Carm* 4E 45
Pontardawe. *Neat* 5H 45
Pontarddulais. *Swan* 5F 45
Pontarfynach. *Cdgn* 3G 57
Pont-ar-gothi. *Carm* 3F 45
Pont ar Hydfer. *Powy* 3B 46
Pontarllechau. *Carm* 3H 45
Pontarsais. *Carm* 3E 45
Pontblyddyn. *Flin* 4E 83
Pontbren Llwyd. *Rhon* 5C 46
Pont-Cyfyng. *Cnwy* 5G 81
Pontdolgoch. *Powy* 1C 58
Pontefract. *W Yor* 2E 93
Ponteland. *Nmbd* 2E 115
Ponterwyd. *Cdgn* 2G 57
Pontesbury. *Shrp* 5G 71
Pontesford. *Shrp* 5G 71
Pontfadog. *Wrex* 2E 71
Pontfaen. *Pemb* 1E 43
Pont-faen. *Powy* 2C 46
Pont-Faen. *Shrp* 2E 71
Pontgarreg. *Cdgn* 5C 56
Pont-Henri. *Carm* 5E 45
Ponthir. *Torf* 2G 33
Ponthirwaun. *Cdgn* 1C 44
Pont-iets. *Carm* 5E 45
Pontllanfraith. *Cphy* 2E 33
Pontlliw. *Swan* 5G 45
Pont Llogel. *Powy* 4C 70
Pontllyfni. *Gwyn* 5D 80
Pontlottyn. *Cphy* 5E 46
Pontneddfechan. *Powy* 5C 46
Pont-newydd. *Carm* 5E 45
Pont-newydd. *Flin* 4D 82
Pontnewydd. *Torf* 2F 33
Ponton. *Shet* 6E 173
Pont Pen-y-benglog. *Gwyn* 4F 81
Pontrhydfendigaid. *Cdgn* 4G 57
Pont Rhyd-y-cyff. *B'end* 3B 32
Pontrhydyfen. *Neat* 2A 32
Pont-rhyd-y-groes. *Cdgn* 3G 57
Pontrhydyrun. *Torf* 2F 33
Pont-Rhythallt. *Gwyn* 4E 81
Pontrilas. *Here* 3G 47
Pontrilas Road. *Here* 3G 47
Pontrobert. *Powy* 4D 70
Pont-rug. *Gwyn* 4E 81
Ponts Green. *E Sus* 4A 28
Pontshill. *Here* 3B 48
Pont-Sian. *Cdgn* 1E 45
Pontsticill. *Mer T* 4D 46
Pont-Walby. *Neat* 5B 46
Pontwelly. *Carm* 2E 45
Pontwgan. *Cnwy* 3G 81
Pontyates. *Carm* 5E 45
Pontyberem. *Carm* 4F 45
Pontybodkin. *Flin* 5E 83
Pontyclun. *Rhon* 3D 32
Pontycymer. *B'end* 2C 32
Pontyglazier. *Pemb* 1F 43
Pontygwaith. *Rhon* 2D 32
Pont-y-pant. *Cnwy* 5G 81
Pontypool. *Torf* 2F 33
Pontypridd. *Rhon* 3D 32
Pontypwl. *Torf* 2F 33
Pontywaun. *Cphy* 2F 33
Pooksgreen. *Hants* 1B 16
Pool. *Corn* 4A 6
Pool. *W Yor* 5E 99
Poole. *N Yor* 2E 93
Poole. *Pool* 215 (3F 15)
Poole. *Som* 4E 21
Poole Keynes. *Glos* 2E 35
Poolend. *Staf* 5D 84
Poolewe. *High* 5C 162
Pooley Bridge. *Cumb* 2F 103
Poolfold. *Staf* 5C 84
Pool Head. *Here* 5H 59
Pool Hey. *Lanc* 3B 90
Poolhill. *Glos* 3C 48
Poolmill. *Here* 3A 48
Pool o' Muckhart. *Clac* 3C 136
Pool Quay. *Powy* 4E 71
Poolsbrook. *Derbs* 3B 86
Pool Street. *Essx* 2A 54
Pootings. *Kent* 1F 27
Pope Hill. *Pemb* 3D 42
Pope's Hill. *Glos* 4B 48
Popeswood. *Brac* 5G 37
Popham. *Hants* 2D 24
Poplar. *G Lon* 2E 39
Popley. *Hants* 1E 25
Porchfield. *IOW* 3C 16
Porin. *High* 3F 157
Poringland. *Norf* 5E 79
Porkellis. *Corn* 5A 6
Porlock. *Som* 2B 20
Porlock Weir. *Som* 2B 20
Portachoillan. *Arg* 4F 125
Port Adhair Bheinn na Faoghla.
W Isl 3C 170
Port Adhair Thirlodh. *Arg* 4B 138
Port Ann. *Arg* 1H 125
Port Appin. *Arg* 4D 140
Port Asgaig. *Arg* 3C 124
Port Askaig. *Arg* 3C 124
Portavadie. *Arg* 3H 125
Port Bannatyne. *Arg* 3B 126
Portbury. *N Som* 4A 34
Port Carlisle. *Cumb* 3D 112
Port Charlotte. *Arg* 4A 124
Portchester. *Hants* 2E 16
Port Clarence. *Stoc T* 2B 106
Port Driseach. *Arg* 2A 126
Port Dundas. *Glas* 3G 127
Port Ellen. *Arg* 5B 124
Port Elphinstone. *Abers* 1E 153
Portencalzie. *Dum* 2F 109
Portencross. *N Ayr* 5C 126
Port Erin. *IOM* 5A 108
Port Erroll. *Abers* 5H 161
Porter's Fen Corner. *Norf* 5E 77
Portesham. *Dors* 4B 14
Portessie. *Mor* 2B 160
Port e Vullen. *IOM* 2D 108
Port-Eynon. *Swan* 4D 30
Portfield. *Som* 4H 21
Portfield Gate. *Pemb* 3D 42
Portgate. *Devn* 4E 11
Port Gaverne. *Corn* 4A 10
Port Glasgow. *Inv* 2E 127
Portgordon. *Mor* 2A 160
Portgower. *High* 2H 165
Porth. *Corn* 2C 6
Porth. *Rhon* 2D 32
Porthaethwy. *IOA* 3E 81
Porthallow. *Corn*
nr. Looe 3G 7
nr. St Keverne 4E 5
Porthcawl. *B'end* 4B 32
Porthceri. *V Glam* 5D 32
Porthcothan. *Corn* 1C 6
Porthcurno. *Corn* 4A 4
Port Henderson. *High* 1G 155
Porthgain. *Pemb* 1C 42
Porthgwarra. *Corn* 4A 4
Porthill. *Shrp* 4G 71
Porthkerry. *V Glam* 5D 32
Porthleven. *Corn* 4D 4
Porthllechog. *IOA* 1D 80
Porthmadog. *Gwyn* 2E 69
Porthmeor. *Corn* 3B 4
Porth Navas. *Corn* 4E 5
Portholland. *Corn* 4D 6
Porthoustock. *Corn* 4F 5
Porthtowan. *Corn* 4A 6
Porth Tywyn. *Carm* 5E 45
Porth-y-felin. *IOA* 2B 80
Porthyrhyd. *Carm*
nr. Carmarthen 4F 45
nr. Llandovery 2H 45
Porth-y-waen. *Shrp* 3E 71
Portincaple. *Arg* 4B 134
Portington. *E Yor* 1A 94
Portinnisherrich. *Arg* 2G 133
Portinscale. *Cumb* 2D 102
Port Isaac. *Corn* 1D 6
Portishead. *N Som* 4H 33
Portknockie. *Mor* 2B 160
Port Lamont. *Arg* 2B 126
Portlethen. *Abers* 4G 153
Portlethen Village. *Abers* 4G 153
Portling. *Dum* 4F 111
Port Lion. *Pemb* 4D 43
Portloe. *Corn* 5D 6
Port Logan. *Dum* 5F 109
Portmahomack. *High* 5G 165
Portmead. *Swan* 3F 31
Portmeirion. *Gwyn* 2E 69
Portmellon. *Corn* 4E 6
Port Mholair. *W Isl* 4H 171
Port Mor. *High* 1F 139
Portmore. *Hants* 3B 16
Port Mulgrave. *N Yor* 3E 107
Portnacroish. *Arg* 4D 140
Portnahaven. *Arg* 4A 124
Portnalong. *High* 5C 154
Portnaluchaig. *High* 5E 147
Portnancon. *High* 2E 167
Port Nan Giuran. *W Isl* 4H 171
Port nan Long. *W Isl* 1D 170
Port Nis. *W Isl* 1H 171
Portobello. *Edin* 2G 129
Portobello. *W Yor* 3D 92
Port of Menteith. *Stir* 3E 135
Porton. *Wilts* 3G 23
Portormin. *High* 5D 168
Portpatrick. *Dum* 4F 109
Port Quin. *Corn* 1D 6
Port Ramsay. *Arg* 4C 140
Portreath. *Corn* 4A 6
Portree. *High* 4D 155
Port Righ. *High* 4D 155
Port St Mary. *IOM* 5B 108
Portscatho. *Corn* 5C 6
Portsea. *Port* 2E 17
Port Seton. *E Lot* 2H 129
Portskerra. *High* 2A 168
Portskewett. *Mon* 3A 34
Portslade-by-Sea. *Brig* 5D 26
Portsmouth. *Port* 209 (2E 17)
Portsmouth. *W Yor* 2H 91
Port Soderick. *IOM* 4C 108
Port Solent. *Port* 2E 17
Portsonachan. *Arg* 1H 133
Portsoy. *Abers* 2C 160
Port Sunlight. *Mers* 2F 83
Portswood. *Sotn* 1C 16
Port Talbot. *Neat* 3A 32
Porttannachy. *Mor* 2A 160
Port Tennant. *Swan* 3F 31
Portuairk. *High* 2F 139
Portway. *Here* 1H 47
Portway. *Worc* 3E 61
Port Wemyss. *Arg* 4A 124
Port William. *Dum* 5A 110
Portwrinkle. *Corn* 3H 7
Poslingford. *Suff* 1A 54
Postbridge. *Devn* 5G 11
Postcombe. *Oxon* 2F 37
Post Green. *Dors* 3E 15
Postling. *Kent* 2F 29
Postlip. *Glos* 3F 49
Post-Mawr. *Cdgn* 5D 56
Postwick. *Norf* 5E 79
Potarch. *Abers* 4D 152
Potsgrove. *C Beds* 3H 51
Potten End. *Herts* 5A 52
Potter Brompton. *N Yor* 2D 101
Pottergate Street. *Norf* 1D 66
Potterhanworth. *Linc* 4H 87
Potterhanworth Booths.
Linc 4H 87
Potter Heigham. *Norf* 4G 79
Potter Hill. *Leics* 3E 75
Potteries, The. *Stoke* 1C 72
Potterne. *Wilts* 1E 23
Potterne Wick. *Wilts* 1F 23
Potternewton. *W Yor* 1D 92
Potters Bar. *Herts* 5C 52
Potters Brook. *Lanc* 4D 97
Potter's Cross. *Staf* 2C 60
Potters Crouch. *Herts* 5B 52
Potter Somersal. *Derbs* 2F 73
Potterspury. *Nptn* 1F 51
Potter Street. *Essx* 5E 53
Potterton. *Abers* 2G 153
Potthorpe. *Norf* 3B 78
Pottle Street. *Wilts* 2D 22
Potto. *N Yor* 4B 106
Potton. *C Beds* 1C 52
Pott Row. *Norf* 3G 77
Pott Shrigley. *Ches E* 3D 84
Poughill. *Corn* 2C 10
Poughill. *Devn* 2B 12
Poulner. *Hants* 2G 15
Poulshot. *Wilts* 1E 23
Poulton. *Glos* 5G 49
Poulton-le-Fylde. *Lanc* 1B 90
Pound Bank. *Worc* 3B 60
Poundbury. *Dors* 3B 14
Poundfield. *E Sus* 2G 27
Poundgate. *E Sus* 3F 27
Pound Green. *E Sus* 3G 27
Pound Green. *Suff* 5G 65
Pound Hill. *W Sus* 2D 27
Poundland. *S Ayr* 1G 109
Poundon. *Buck* 3E 51
Poundsgate. *Devn* 5H 11
Poundstock. *Corn* 3C 10
Pound Street. *Hants* 5C 36
Pounsley. *E Sus* 3G 27
Powburn. *Nmbd* 3E 121
Powderham. *Devn* 4C 12
Powerstock. *Dors* 3A 14
Powfoot. *Dum* 3C 112
Powick. *Worc* 5C 60

Powmill—Rexon

Powmill. *Per* 4C 136
Poxwell. *Dors* 4C 14
Poyle. *Slo* 3B 38
Poynings. *W Sus* 4D 26
Poyntington. *Dors* 4B 22
Poynton. *Ches E* 2D 84
Poynton. *Telf* 4H 71
Poynton Green. *Telf* 4H 71
Poystreet Green. *Suff* 5B 66
Praa Sands. *Corn* 4C 4
Pratt's Bottom. *G Lon* 4F 39
Praze-an-Beeble. *Corn* 3D 4
Prees. *Shrp* 2H 71
Preesall. *Lanc* 5C 96
Preesall Park. *Lanc* 5C 96
Prees Green. *Shrp* 2H 71
Prees Higher Heath. *Shrp* 2H 71
Prendergast. *Pemb* 3D 42
Prendwick. *Nmbd* 3E 121
Pren-gwyn. *Cdgn* 1E 45
Prenteg. *Gwyn* 1E 69
Prenton. *Mers* 2F 83
Prescot. *Mers* 1G 83
Prescott. *Devn* 1D 12
Prescott. *Shrp* 3G 71
Preshute. *Wilts* 5G 35
Pressen. *Nmbd* 1C 120
Prestatyn. *Den* 2C 82
Prestbury. *Ches E* 3D 84
Prestbury. *Glos* 3E 49
Presteigne. *Powy* 4F 59
Presthope. *Shrp* 1H 59
Prestleigh. *Som* 2B 22
Preston. *Brig* 5E 27
Preston. *Devn* 5B 12
Preston. *Dors* 4C 14
Preston. *E Lot*
  nr. East Linton 2B 130
  nr. Prestonpans 2G 129
Preston. *E Yor* 1E 95
Preston. *Glos* 5F 49
Preston. *Herts* 3B 52
Preston. *Kent*
  nr. Canterbury 4G 41
  nr. Faversham 4E 41
Preston. *Lanc* 208 (2D 90)
Preston. *Nmbd* 2F 121
Preston. *Rut* 5F 75
Preston. *Bord* 4D 130
Preston. *Shrp* 4H 71
Preston. *Suff* 5B 66
Preston. *Wilts*
  nr. Aldbourne 4A 36
  nr. Lyneham 4F 35
Preston Bagot. *Warw* 4F 61
Preston Bissett. *Buck* 3E 51
Preston Bowyer. *Som* 4E 21
Preston Brockhurst. *Shrp* 3H 71
Preston Brook. *Hal* 2H 83
Preston Candover. *Hants* 2E 24
Preston Capes. *Nptn* 5C 62
Preston Cross. *Glos* 2B 48
Preston Gubbals. *Shrp* 4G 71
Preston-le-Skerne. *Dur* 2A 106
Preston Marsh. *Here* 1A 48
Prestonmill. *Dum* 4A 112
Preston on Stour. *Warw* 1H 49
Preston on the Hill. *Hal* 2H 83
Preston on Wye. *Here* 1G 47
Prestonpans. *E Lot* 2G 129
Preston Plucknett. *Som* 1A 14
Preston-under-Scar. *N Yor* 5D 104
Preston upon the Weald Moors.
  Telf 4A 72
Preston Wynne. *Here* 1A 48
Prestwich. *G Man* 4G 91
Prestwick. *Nmbd* 2E 115
Prestwick. *S Ayr* 2C 116
Prestwold. *Leics* 3C 74
Prestwood. *Buck* 5G 51
Prestwood. *Staf* 1F 73
Price Town. *B'end* 2C 32
Prickwillow. *Cambs* 2E 65
Priddy. *Som* 1A 22
Priestcliffe. *Derbs* 3F 85
Priesthill. *Glas* 3G 127
Priest Hutton. *Lanc* 2E 97
Priestland. *E Ayr* 1E 117
Priest Weston. *Shrp* 1E 59
Priestwood. *Brac* 4G 37
Priestwood. *Kent* 4A 40
Primethorpe. *Leics* 1C 62
Primrose Green. *Norf* 4C 78
Primrose Hill. *Glos* 5B 48
Primrose Hill. *Lanc* 4B 90
Primrose Valley. *N Yor* 2F 101
Primsidemill. *Bord* 2C 120
Princes Gate. *Pemb* 3F 43
Princes Risborough. *Buck* 5G 51
Princethorpe. *Warw* 3B 62
Princetown. *Devn* 5F 11
Prinsted. *W Sus* 2F 17
Prion. *Den* 4C 82
Prior Muir. *Fife* 2H 137
Prior's Frome. *Here* 2A 48
Priors Halton. *Shrp* 3G 59
Priors Hardwick. *Warw* 5B 62
Priorslee. *Telf* 4B 72
Priors Marston. *Warw* 5B 62
Prior's Norton. *Glos* 3D 48
Priory, The. *W Ber* 5B 36
Priory Wood. *Here* 1F 47
Priston. *Bath* 5B 34
Pristow Green. *Norf* 2D 66
Prittlewell. *S'end* 2C 40
Privett. *Hants* 4E 25
Prixford. *Devn* 3F 19
Probus. *Corn* 4C 6
Prospect. *Cumb* 5C 112
Prospect Village. *Staf* 4E 73
Provanmill. *Glas* 3H 127
Prudhoe. *Nmbd* 3D 115
Publow. *Bath* 5B 34
Puckeridge. *Herts* 3D 53
Puckington. *Som* 1G 13
Pucklechurch. *S Glo* 4B 34
Puckrup. *Glos* 2D 49
Puddinglake. *Ches W* 4B 84
Puddington. *Ches W* 3F 83
Puddington. *Devn* 1B 12
Puddlebrook. *Glos* 4B 48
Puddledock. *Norf* 1C 66
Puddletown. *Dors* 3C 14
Pudleston. *Here* 5H 59
Pudsey. *W Yor* 1C 92
Pulborough. *W Sus* 4B 26
Puleston. *Telf* 3B 72
Pulford. *Ches W* 5F 83
Pulham. *Dors* 2C 14
Pulham Market. *Norf* 2D 66
Pulham St Mary. *Norf* 2E 66
Pulley. *Shrp* 5G 71
Pulloxhill. *C Beds* 2A 52
Pulpit Hill. *Arg* 1F 133
Pulverbatch. *Shrp* 5G 71
Pumpherston. *W Lot* 3D 128
Pumsaint. *Carm* 1G 45
Puncheston. *Pemb* 2E 43
Puncknowle. *Dors* 4A 14
Punnett's Town. *E Sus* 3H 27
Purbrook. *Hants* 2E 17
Purfleet. *Thur* 3G 39
Puriton. *Som* 2G 21
Purleigh. *Essx* 5B 54
Purley. *G Lon* 4E 39
Purley on Thames. *W Ber* 4E 37
Purlogue. *Shrp* 3E 59
Purl's Bridge. *Cambs* 2D 65
Purse Caundle. *Dors* 1B 14
Purslow. *Shrp* 2F 59
Purston Jaglin. *W Yor* 3E 93
Purtington. *Som* 2G 13
Purton. *Glos*
  nr. Lydney 5B 48
  nr. Sharpness 5B 48
Purton. *Wilts* 3F 35
Purton Stoke. *Wilts* 2F 35
Pury End. *Nptn* 1F 51
Pusey. *Oxon* 2B 36
Putley. *Here* 2B 48
Putney. *G Lon* 3D 38
Putsborough. *Devn* 2E 19
Puttenham. *Herts* 4G 51
Puttenham. *Surr* 1A 26
Puttock End. *Essx* 1B 54
Puttock's End. *Essx* 4F 53
Puxey. *Dors* 1C 14
Puxton. *N Som* 5H 33
Pwll. *Carm* 5E 45
Pwll. *Powy* 5D 70
Pwllcrochan. *Pemb* 4D 42
Pwll-glas. *Den* 5D 82
Pwllgloyw. *Powy* 2D 46
Pwllheli. *Gwyn* 2C 68
Pwllmeyric. *Mon* 2A 34
Pwlltrap. *Carm* 3G 43
Pwll-y-glaw. *Neat* 2A 32
Pyecombe. *W Sus* 4D 27
Pye Corner. *Herts* 4E 53
Pye Corner. *Newp* 3G 33
Pye Green. *Staf* 4D 73
Pyewipe. *NE Lin* 3F 95
Pyle. *B'end* 3B 32
Pyle. *IOW* 5C 16
Pyle Hill. *Surr* 5A 38
Pylle. *Som* 3B 22
Pymoor. *Cambs* 2D 65
Pymore. *Dors* 3H 13
Pyrford. *Surr* 5B 38
Pyrford Village. *Surr* 5B 38
Pyrton. *Oxon* 2E 37
Pytchley. *Nptn* 3F 63
Pyworthy. *Devn* 2D 10

Q

Quabbs. *Shrp* 2E 58
Quadring. *Linc* 2B 76
Quadring Eaudike. *Linc* 2B 76
Quainton. *Buck* 3F 51
Quaking Houses. *Dur* 4E 115
Quarley. *Hants* 2A 24
Quarndon. *Derbs* 1H 73
Quarrendon. *Buck* 4G 51
Quarrier's Village. *Inv* 3E 127
Quarrington. *Linc* 1H 75
Quarrington Hill. *Dur* 1A 106
Quarry, The. *Glos* 2C 34
Quarry Bank. *W Mid* 2D 60
Quarrywood. *Mor* 2F 159
Quartalehouse. *Abers* 4G 161
Quarter. *N Ayr* 3C 126
Quarter. *S Lan* 4A 128
Quatford. *Shrp* 1B 60
Quatt. *Shrp* 2B 60
Quebec. *Dur* 5E 115
Quedgeley. *Glos* 4D 48
Queen Adelaide. *Cambs* 2E 65
Queenborough. *Kent* 3D 40
Queen Camel. *Som* 4A 22
Queen Charlton. *Bath* 5B 34
Queen Dart. *Devn* 1B 12
Queenhill. *Worc* 2D 48
Queen Oak. *Dors* 3C 22
Queensbury. *W Yor* 1B 92
Queensferry Crossing. *Edin* 1E 129
Queensferry. *Flin* 4F 83
Queenstown. *Bkpl* 1B 90
Queen Street. *Kent* 1A 28
Queenzieburn. *N Lan* 2H 127
Quemerford. *Wilts* 5F 35
Quendale. *Shet* 10E 173
Quendon. *Essx* 2F 53
Queniborough. *Leics* 4D 74
Quenington. *Glos* 5G 49
Quernmore. *Lanc* 3E 97
Quethiock. *Corn* 2H 7
Quholm. *Orkn* 6B 172
Quick's Green. *W Ber* 4D 36
Quidenham. *Norf* 2C 66
Quidhampton. *Hants* 1D 24
Quidhampton. *Wilts* 3G 23
Quilquox. *Abers* 5G 161
Quina Brook. *Shrp* 2H 71
Quindry. *Orkn* 8D 172
Quine's Hill. *IOM* 4C 108
Quinton. *Nptn* 5E 63
Quinton. *W Mid* 2D 61
Quintrell Downs. *Corn* 2C 6
Quixhill. *Staf* 1F 73
Quoditch. *Devn* 3E 11
Quorn. *Leics* 4C 74
Quorndon. *Leics* 4C 74
Quothquan. *S Lan* 1B 118
Quoyloo. *Orkn* 5B 172
Quoyness. *Orkn* 7B 172
Quoys. *Shet*
  on Mainland 5F 173
  on Unst 1H 173

R

Rableyheath. *Herts* 4C 52
Raby. *Cumb* 4C 112
Raby. *Mers* 3F 83
Rachan Mill. *Bord* 1D 118
Rachub. *Gwyn* 4F 81
Rack End. *Oxon* 5C 50
Rackenford. *Devn* 1B 12
Rackham. *W Sus* 4B 26
Rackheath. *Norf* 4E 79
Racks. *Dum* 2B 112
Rackwick. *Orkn*
  on Hoy 8B 172
  on Westray 3D 172
Radbourne. *Derbs* 2G 73
Radcliffe. *G Man* 4F 91
Radcliffe. *Nmbd* 4G 121
Radcliffe on Trent. *Notts* 2D 74
Radclive. *Buck* 2E 51
Radernie. *Fife* 3G 137
Radfall. *Kent* 4F 41
Radford. *Bath* 1B 22
Radford. *Nott* 1C 74
Radford. *Oxon* 3C 50
Radford. *W Mid* 2H 61
Radford. *Worc* 5E 61
Radford Semele. *Warw* 4H 61
Radipole. *Dors* 4B 14
Radlett. *Herts* 1C 38
Radley. *Oxon* 2D 36
Radnage. *Buck* 2F 37
Radstock. *Bath* 1B 22
Radstone. *Nptn* 1D 50
Radway. *Warw* 1B 50
Radway Green. *Ches E* 5B 84
Radwell. *Bed* 5H 63
Radwell. *Herts* 2C 52
Radwinter. *Essx* 2G 53
Radyr. *Card* 3E 33
RAF Coltishall. *Norf* 3E 79
Rafford. *Mor* 3E 159
Ragdale. *Leics* 4D 74
Ragdon. *Shrp* 1G 59
Ragged Appleshaw.
  Hants 2B 24
Raggra. *High* 4F 169
Raglan. *Mon* 5H 47
Ragnall. *Notts* 3F 87
Raigbeg. *High* 1C 150
Rainford. *Mers* 4C 90
Rainford Junction. *Mers* 4C 90
Rainham. *G Lon* 2G 39
Rainham. *Medw* 4C 40
Rainhill. *Mers* 1G 83
Rainow. *Ches E* 3D 84
Rainton. *N Yor* 2F 99
Rainworth. *Notts* 5C 86
Raisbeck. *Cumb* 4H 103
Raise. *Cumb* 5A 114
Rait. *Per* 1E 137
Raithby. *Linc* 2C 88
Raithby by Spilsby. *Linc* 4C 88
Raithwaite. *N Yor* 3F 107
Rake. *W Sus* 4G 25
Rake End. *Staf* 4E 73
Rakeway. *Staf* 1E 73
Rakewood. *G Man* 3H 91
Ralia. *High* 4B 150
Ram Alley. *Wilts* 5H 35
Ramasaig. *High* 4A 154
Rame. *Corn*
  nr. Millbrook 4A 8
  nr. Penryn 5B 6
Ram Lane. *Kent* 1D 28
Ramnageo. *Shet* 1H 173
Rampisham. *Dors* 2A 14
Rampside. *Cumb* 3B 96
Rampton. *Cambs* 4D 64
Rampton. *Notts* 3E 87
Ramsbottom. *G Man* 3F 91
Ramsburn. *Mor* 3C 160
Ramsbury. *Wilts* 4A 36
Ramscraigs. *High* 1H 165
Ramsdean. *Hants* 4F 25
Ramsdell. *Hants* 1D 24
Ramsden. *Oxon* 4B 50
Ramsden. *Worc* 1E 49
Ramsden Bellhouse. *Essx* 1B 40
Ramsden Heath. *Essx* 1B 40
Ramsey. *Cambs* 2B 64
Ramsey. *Essx* 2F 55
Ramsey. *IOM* 2D 108
Ramsey Forty Foot.
  Cambs 2C 64
Ramsey Heights. *Cambs* 2B 64
Ramsey Island. *Essx* 5C 54
Ramsey Mereside. *Cambs* 2B 64
Ramsey St Mary's.
  Cambs 2B 64
Ramsgate. *Kent* 4H 41
Ramsgill. *N Yor* 2D 98
Ramshaw. *Dur* 5C 114
Ramshorn. *Staf* 1E 73
Ramsley. *Devn* 3G 11
Ramsnest Common. *Surr* 2A 26
Ramstone. *Abers* 2D 152
Ranais. *W Isl* 5G 171
Ranby. *Linc* 3B 88
Ranby. *Notts* 2D 86
Rand. *Linc* 3A 88
Randwick. *Glos* 5D 48
Ranfurly. *Ren* 3E 127
Rangag. *High* 4D 169
Rangemore. *Staf* 3F 73
Rangeworthy. *S Glo* 3B 34
Rankinston. *E Ayr* 3D 116
Rank's Green. *Essx* 4H 53
Ranmore Common. *Surr* 5C 38
Rannoch Station. *Per* 3B 142
Ranochan. *High* 5G 147
Ranskill. *Notts* 2D 86
Ranton. *Staf* 3C 72
Ranton Green. *Staf* 3C 72
Ranworth. *Norf* 4F 79
Raploch. *Stir* 4G 135
Rapness. *Orkn* 3E 172
Rapps. *Som* 1G 13
Rascal Moor. *E Yor* 1B 94
Rascarrel. *Dum* 5E 111
Rashfield. *Arg* 1C 126
Rashwood. *Worc* 4D 60
Raskelf. *N Yor* 2G 99
Rassau. *Blae* 4E 47
Rastrick. *W Yor* 2B 92
Ratagan. *High* 2B 148
Ratby. *Leics* 5C 74
Ratcliffe Culey. *Leics* 1H 61
Ratcliffe on Soar. *Notts* 3B 74
Ratcliffe on the Wreake.
  Leics 4D 74
Rathen. *Abers* 2H 161
Rathillet. *Fife* 1F 137
Rathmell. *N Yor* 3H 97
Ratho. *Edin* 2E 129
Ratho Station. *Edin* 2E 129
Rathven. *Mor* 2B 160
Ratley. *Hants* 4B 24
Ratley. *Warw* 1B 50
Ratlinghope. *Shrp* 1G 59
Rattar. *High* 1E 169
Ratten Row. *Cumb* 5E 113
Ratten Row. *Lanc* 5D 96
Rattery. *Devn* 2D 8
Rattlesden. *Suff* 5B 66
Ratton Village. *E Sus* 5G 27
Rattray. *Abers* 3H 161
Rattray. *Per* 4A 144
Raughton. *Cumb* 5E 113
Raughton Head. *Cumb* 5E 113
Raunds. *Nptn* 3G 63
Ravenfield. *S Yor* 1B 86
Ravenfield Common. *S Yor* 1B 86
Ravenglass. *Cumb* 5B 102
Ravenhills Green. *Worc* 5B 60
Raveningham. *Norf* 1F 67
Ravenscar. *N Yor* 4G 107
Ravensdale. *IOM* 2C 108
Ravensden. *Bed* 5H 63
Ravenseat. *N Yor* 4B 104
Ravenshead. *Notts* 5C 86
Ravensmoor. *Ches E* 5A 84
Ravensthorpe. *Nptn* 3D 62
Ravensthorpe. *W Yor* 2C 92
Ravenstone. *Leics* 4B 74
Ravenstone. *Mil* 5F 63
Ravenstonedale. *Cumb* 4A 104
Ravenstown. *Cumb* 2C 96
Ravenstruther. *S Lan* 5C 128
Ravensworth. *N Yor* 4E 105
Raw. *N Yor* 4G 107
Rawcliffe. *E Yor* 2G 93
Rawcliffe. *York* 4H 99
Rawcliffe Bridge. *E Yor* 2G 93
Rawdon. *W Yor* 1C 92
Rawgreen. *Nmbd* 4C 114
Rawmarsh. *S Yor* 1B 86
Rawnsley. *Staf* 4E 73
Rawreth. *Essx* 1B 40
Rawridge. *Devn* 2F 13
Rawson Green. *Derbs* 1A 74
Rawtenstall. *Lanc* 2G 91
Raydon. *Suff* 2D 54
Raylees. *Nmbd* 5D 120
Rayleigh. *Essx* 1C 40
Raymond's Hill. *Devn* 3G 13
Rayne. *Essx* 3H 53
Rayners Lane. *G Lon* 2C 38
Reach. *Cambs* 4E 65
Read. *Lanc* 1F 91
Reading. *Read* 209 (4F 37)
Reading Green. *Suff* 3D 66
Reading Street. *Kent* 2D 28
Readymoney. *Corn* 3F 7
Reagill. *Cumb* 3H 103
Rearquhar. *High* 4E 165
Rearsby. *Leics* 4D 74
Reasby. *Linc* 3H 87
Reaseheath. *Ches E* 5A 84
Reaster. *High* 2E 169
Reawick. *Shet* 7E 173
Reay. *High* 2B 168
Rechullin. *High* 3A 156
Reculver. *Kent* 4G 41
Redberth. *Pemb* 4E 43
Redbourn. *Herts* 4B 52
Redbourne. *N Lin* 4C 94
Redbrook. *Glos* 5A 48
Redbrook. *Wrex* 1H 71
Redburn. *High* 4D 158
Redburn. *Nmbd* 3A 114
Redcar. *Red C* 2D 106
Redcastle. *High* 4H 157
Redcliffe Bay. *N Som* 4H 33
Red Dial. *Cumb* 5D 112
Redding. *Falk* 2C 128
Reddingmuirhead. *Falk* 2C 128
Reddings, The. *Glos* 3E 49
Reddish. *G Man* 1C 84
Redditch. *Worc* 4E 61
Rede. *Suff* 5H 65
Redenhall. *Norf* 2E 67
Redesdale Camp. *Nmbd* 5C 120
Redesmouth. *Nmbd* 1B 114
Redford. *Ang* 4E 145
Redford. *Dur* 1D 105
Redford. *W Sus* 4G 25
Redfordgreen. *Bord* 3F 119
Redgate. *Corn* 2G 7
Redgrave. *Suff* 3C 66
Redhill. *Abers* 3E 153
Redhill. *Herts* 2C 52
Redhill. *N Som* 5A 34
Redhill. *Shrp* 4B 72
Redhill. *Surr* 5D 39
Red Hill. *Warw* 5F 61
Red Hill. *W Yor* 2E 93
Redhouses. *Arg* 3B 124
Redisham. *Suff* 2G 67
Redland. *Bris* 4A 34
Redland. *Orkn* 5C 172
Redlingfield. *Suff* 3D 66
Red Lodge. *Suff* 3F 65
Redlynch. *Som* 3C 22
Redlynch. *Wilts* 4H 23
Redmain. *Cumb* 1C 102
Redmarley. *Worc* 4B 60
Redmarley D'Abitot. *Glos* 2C 48
Redmarshall. *Stoc T* 2A 106
Redmile. *Leics* 2E 75
Redmire. *N Yor* 5D 104
Rednal. *Shrp* 3F 71
Redpath. *Bord* 1H 119
Redpoint. *High* 2G 155
Red Post. *Corn* 2C 10
Red Rock. *G Man* 4D 90
Red Roses. *Carm* 3G 43
Red Row. *Nmbd* 5G 121
Redruth. *Corn* 4B 6
Red Street. *Staf* 5C 84
Redvales. *G Man* 4G 91
Red Wharf Bay. *IOA* 2E 81
Redwick. *Newp* 3H 33
Redwick. *S Glo* 3A 34
Redworth. *Darl* 2F 105
Reed. *Herts* 2D 52
Reed End. *Herts* 2D 52
Reedham. *Linc* 5B 88
Reedham. *Norf* 5G 79
Reedness. *E Yor* 2B 94
Reeds Beck. *Linc* 4B 88
Reemshill. *Abers* 4E 161
Reepham. *Linc* 3H 87
Reepham. *Norf* 3C 78
Reeth. *N Yor* 5D 104
Regaby. *IOM* 2D 108
Regil. *N Som* 5A 34
Regoul. *High* 3C 158
Reiff. *High* 2D 162
Reigate. *Surr* 5D 38
Reighton. *N Yor* 2F 101
Reilth. *Shrp* 2E 59
Reinigeadal. *W Isl* 7E 171
Reisque. *Abers* 2F 153
Reiss. *High* 3F 169
Rejerrah. *Corn* 3B 6
Releath. *Corn* 5A 6
Relubbus. *Corn* 3C 4
Relugas. *Mor* 4D 159
Remenham. *Wok* 3F 37
Remenham Hill. *Wok* 3F 37
Rempstone. *Notts* 3C 74
Rendcomb. *Glos* 5F 49
Rendham. *Suff* 4F 67
Rendlesham. *Suff* 5F 67
Renfrew. *Ren* 3G 127
Renhold. *Bed* 5H 63
Renishaw. *Derbs* 3B 86
Rennington. *Nmbd* 3G 121
Renton. *W Dun* 2E 127
Renwick. *Cumb* 5G 113
Repps. *Norf* 4G 79
Repton. *Derbs* 3H 73
Rescassa. *Corn* 4D 6
Rescobie. *Ang* 3E 145
Rescorla. *Corn*
  nr. Penwithick 3E 7
  nr. Sticker 4D 6
Resipole. *High* 2B 140
Resolfen. *Neat* 5B 46
Resolis. *High* 2A 158
Resolven. *Neat* 5B 46
Rest and be thankful. *Arg* 3B 134
Reston. *Bord* 3E 131
Restrop. *Wilts* 3F 35
Retford. *Notts* 2E 86
Retire. *Corn* 2E 6
Rettendon. *Essx* 1B 40
Revesby. *Linc* 4B 88
Rew. *Devn* 5D 8
Rewe. *Devn* 3C 12
Rew Street. *IOW* 3C 16
Rexon. *Devn* 4E 11

Rudge—Saxham Street

Rudge. Wilts 1D 22
Rudge Heath. Shrp 1B 60
Rudgeway. S Glo 3B 34
Rudgwick. W Sus 2B 26
Rudhall. Here 3B 48
Rudheath. Ches W 3A 84
Rudley Green. Essx 5B 54
Rudloe. Wilts 4D 34
Rudry. Cphy 3F 33
Rudston. E Yor 3E 101
Rudyard. Staf 5D 84
Rufford. Lanc 3C 90
Rufforth. York 4H 99
Rugby. Warw 3C 62
Rugeley. Staf 4E 73
Ruglen. S Ayr 4B 116
Ruilick. High 4H 157
Ruisaurie. High 4G 157
Ruishton. Som 4F 21
Ruisigearraidh. W Isl 1E 170
Ruislip. G Lon 2B 38
Ruislip Common. G Lon 2B 38
Rumbling Bridge. Per 4C 136
Rumburgh. Suff 2F 67
Rumford. Corn 1C 6
Rumford. Falk 2C 128
Rumney. Card 4F 33
Rumwell. Som 4E 21
Runcorn. Hal 2H 83
Runcton. W Sus 2G 17
Runcton Holme. Norf 5F 77
Rundlestone. Devn 5F 11
Runfold. Surr 2G 25
Runhall. Norf 5C 78
Runham. Norf 4G 79
Runnington. Som 4E 20
Runshaw Moor. Lanc 3D 90
Runswick. N Yor 3F 107
Runtaleave. Ang 2B 144
Runwell. Essx 1B 40
Ruscombe. Wok 4F 37
Rushall. Here 2B 48
Rushall. Norf 2D 66
Rushall. W Mid 5E 73
Rushall. Wilts 1G 23
Rushbrooke. Suff 4A 66
Rushbury. Shrp 1H 59
Rushden. Herts 2D 52
Rushden. Nptn 4G 63
Rushenden. Kent 3D 40
Rushford. Devn 5E 11
Rushford. Suff 2B 66
Rush Green. Herts 3C 52
Rushlake Green. E Sus 4H 27
Rushmere. Suff 2G 67
Rushmere St Andrew.
Suff 1F 55
Rushmoor. Surr 2G 25
Rushock. Worc 3C 60
Rusholme. G Man 1C 84
Rushton. Ches W 4H 83
Rushton. Nptn 2F 63
Rushton. Shrp 5A 72
Rushton Spencer. Staf 4D 84
Rushwick. Worc 5C 60
Rushyford. Dur 2F 105
Ruskie. Stir 3F 135
Ruskington. Linc 5H 87
Rusland. Cumb 1C 96
Rusper. W Sus 2D 26
Ruspidge. Glos 4B 48
Russell's Water. Oxon 3F 37
Russel's Green. Suff 3E 67
Russ Hill. Surr 1D 26
Russland. Orkn 6C 172
Rusthall. Kent 2G 27
Rustington. W Sus 5B 26
Ruston. N Yor 1D 100
Ruston Parva. E Yor 3E 101
Ruswarp. N Yor 4F 107
Rutherglen. S Lan 3H 127
Ruthernbridge. Corn 2E 6
Ruthin. Den 5D 82
Ruthin. V Glam 4C 32
Ruthrieston. Aber 3G 153
Ruthven. Abers 4C 160
Ruthven. Ang 4B 144
Ruthven. High
nr. Inverness 5C 158
nr. Kingussie 4B 150
Ruthvoes. Corn 2D 6
Ruthwaite. Cumb 1D 102
Ruthwell. Dum 3C 112
Ruxton Green. Here 4A 48
Ruyton-XI-Towns. Shrp 3F 71
Ryal. Nmbd 2D 114
Ryall. Dors 3H 13
Ryall. Worc 1D 48
Ryarsh. Kent 5A 40
Rychraggan. High 5G 157
Rydal. Cumb 4E 103
Ryde. IOW 3D 16
Rye. E Sus 3D 28
Ryecroft Gate. Staf 4D 84
Ryeford. Here 3B 48
Rye Foreign. E Sus 3D 28
Rye Harbour. E Sus 4D 28
Ryehill. E Yor 2F 95
Rye Street. Worc 2C 48
Ryhall. Rut 4H 75
Ryhill. W Yor 3D 93
Ryhope. Tyne 4H 115
Ryhope Colliery. Tyne 4H 115
Rylands. Notts 2C 74
Rylstone. N Yor 4B 98
Ryme Intrinseca. Dors 1A 14
Ryther. N Yor 1F 93
Ryton. Glos 2C 48
Ryton. N Yor 2B 100
Ryton. Shrp 5B 72
Ryton. Tyne 3E 115
Ryton. Warw 2B 62
Ryton-on-Dunsmore. Warw 3A 62
Ryton Woodside. Tyne 3E 115

S

Saasaig. High 3E 147
Sabden. Lanc 1F 91
Sacombe. Herts 4D 52
Sacriston. Dur 5F 115
Sadberge. Darl 3A 106
Saddell. Arg 2B 122
Saddington. Leics 1D 62
Saddle Bow. Norf 4F 77
Saddlescombe. W Sus 4D 26
Saddleworth. G Man 4H 91
Sadgill. Cumb 4F 103
Saffron Walden. Essx 2F 53
Sageston. Pemb 4E 43
Saham Hills. Norf 5B 78
Saham Toney. Norf 5A 78
Saighdinis. W Isl 2D 170
Saighton. Ches W 4G 83
Sain Dunwyd. V Glam 5C 32
Sain Hilari. V Glam 4D 32
St Abbs. Bord 3F 131
St Agnes. Corn 3B 6
St Albans. Herts 5B 52
St Allen. Corn 3C 6
St Andrews. Fife 209 (2H 137)
St Andrews Major. V Glam 4E 33
St Anne's. Lanc 2B 90
St Ann's. Dum 5C 118
St Ann's Chapel. Corn 5E 11
St Ann's Chapel. Devn 4C 8
St Anthony. Corn 5C 6
St Anthony-in-Meneage. Corn 4E 5
St Arvans. Mon 2A 34
St Asaph. Den 3C 82
Sain Tathan. V Glam 5D 32
St Athan. V Glam 5D 32
St Austell. Corn 3E 6
St Bartholomew's Hill. Wilts 4E 23
St Bees. Cumb 3A 102
St Blazey. Corn 3E 7
St Blazey Gate. Corn 3E 7
St Boswells. Bord 1H 119
St Breock. Corn 1D 6
St Breward. Corn 5A 10
St Briavels. Glos 5A 48
St Brides. Pemb 3B 42
St Brides Major. V Glam 4B 32
St Bride's Netherwent. Mon 3H 33
St Bride's-super-Ely. V Glam 4D 32
St Brides Wentlooge. Newp 3F 33
St Budeaux. Plym 3A 8
Saintbury. Glos 2G 49
St Buryan. Corn 4B 4
St Catherine. Bath 4C 34
St Catherines. Arg 3A 134
St Clears. Carm 3G 43
St Cleer. Corn 2G 7
St Clement. Corn 4C 6
St Clether. Corn 4C 10
St Colmac. Arg 3B 126
St Columb Major. Corn 2D 6
St Columb Minor. Corn 2C 6
St Columb Road. Corn 3D 6
St Combs. Abers 2H 161
St Cross. Hants 4C 24
St Cross South Elmham.
Suff 2E 67
St Cyrus. Abers 2G 145
St Davids. Pemb 2B 42
St David's. Per 1B 136
St Day. Corn 4B 6
St Dennis. Corn 3D 6
St Dogmaels. Pemb 1B 44
St Dominick. Corn 2H 7
St Donat's. V Glam 5C 32
St Edith's Marsh. Wilts 5E 35
St Endellion. Corn 1D 6
St Enoder. Corn 3C 6
St Erme. Corn 4C 6
St Erney. Corn 3H 7
St Erth. Corn 3C 4
St Erth Praze. Corn 3C 4
St Ervan. Corn 1C 6
St Eval. Corn 2C 6
St Ewe. Corn 4D 6
St Fagans. Card 4E 32
St Fergus. Abers 3H 161
St Fillans. Per 1F 135
St Florence. Pemb 4E 43
St Gennys. Corn 3B 10
St George. Cnwy 3B 82
St George's. N Som 5G 33
St Georges. V Glam 4D 32
St George's Hill. Surr 4B 38
St Germans. Corn 3H 7
St Giles in the Wood. Devn 1F 11
St Giles on the Heath. Devn 3D 10
St Giles's Hill. Hants 4C 24
St Gluvias. Corn 5B 6
St Harmon. Powy 3B 58
St Helena. Warw 5G 73
St Helen Auckland. Dur 2E 105
St Helens. Cumb 1B 102
St Helen's. E Sus 4C 28
St Helens. IOW 4E 17
St Helens. Mers 1H 83
St Hilary. Corn 3C 4
St Hilary. V Glam 4D 32
Saint Hill. Devn 2D 12
Saint Hill. W Sus 2E 27
St Illtyd. Blae 5F 47
St Ippolyts. Herts 3B 52
St Ishmael. Carm 5D 44
St Ishmael's. Pemb 4C 42
St Issey. Corn 1D 6
St Ive. Corn 2H 7
St Ives. Cambs 3C 64
St Ives. Corn 2C 4
St Ives. Dors 2G 15
St James' End. Nptn 4E 63
St James South Elmham. Suff 2F 67
St Jidgey. Corn 2D 6
St John. Corn 3A 8
St John's. IOM 3B 108
St John's. Worc 5C 60
St John's Chapel. Devn 4F 19
St John's Chapel. Dur 1B 104
St John's Fen End. Norf 4E 77
St John's Town of Dalry.
Dum 1D 110
St Judes. IOM 2C 108
St Just. Corn 3A 4
St Just in Roseland. Corn 5C 6
St Katherines. Abers 5E 161
St Keverne. Corn 4E 5
St Kew. Corn 5A 10
St Kew Highway. Corn 5A 10
St Keyne. Corn 2G 7
St Lawrence. Corn 2E 7
St Lawrence. Essx 5C 54
St Lawrence. IOW 5D 16
St Leonards. Buck 5H 51
St Leonards. Dors 2G 15
St Leonards. E Sus 5B 28
St Levan. Corn 4A 4
St Lythans. V Glam 4E 32
St Mabyn. Corn 5A 10
St Madoes. Per 1D 136
St Margarets. Here 2G 47
St Margaret's. Herts 4A 52
St Margarets. Herts 4D 53
St Margaret's. Wilts 5H 35
St Margaret's at Cliffe. Kent 1H 29
St Margaret's Hope. Orkn 8D 172
St Margaret South Elmham.
Suff 2F 67
St Mark's. IOM 4B 108
St Martin. Corn
nr. Helston 4E 5
nr. Looe 3G 7
St Martins. Per 5A 144
St Martin's. Shrp 2F 71
St Mary Bourne. Hants 1C 24
St Marychurch. Torb 2F 9
St Mary Church. V Glam 4D 32
St Mary Cray. G Lon 4F 39
St Mary Hill. V Glam 4C 32
St Mary Hoo. Medw 3C 40
St Mary in the Marsh. Kent 3E 29
St Mary's. Orkn 7D 172
St Mary's Airport. IOS 1B 4
St Mary's Bay. Kent 3E 29
St Marys Platt. Kent 5H 39
St Maughan's Green. Mon 4H 47
St Mawes. Corn 5C 6
St Mawgan. Corn 2C 6
St Mellion. Corn 2H 7
St Mellons. Card 3F 33
St Merryn. Corn 1C 6
St Mewan. Corn 3D 6
St Michael Caerhays. Corn 4D 6
St Michael Penkevil. Corn 4C 6
St Michaels. Kent 2C 28
St Michaels. Torb 3E 9
St Michaels. Worc 4H 59
St Michael's on Wyre. Lanc 5D 96
St Michael South Elmham. Suff 2F 67
St Minver. Corn 1D 6
St Monans. Fife 3H 137
St Neot. Corn 2F 7
St Neots. Cambs 4A 64
St Newlyn East. Corn 3C 6
St Nicholas. Pemb 1C 42
St Nicholas. V Glam 4D 32
St Nicholas at Wade. Kent 4G 41
St Nicholas South Elmham.
Suff 2F 67
St Ninians. Stir 4G 135
St Olaves. Norf 1G 67
St Osyth. Essx 4E 54
St Osyth Heath. Essx 4E 55
St Owen's Cross. Here 3A 48
St Paul's Cray. G Lon 4F 39
St Paul's Walden. Herts 3B 52
St Peter's. Kent 4H 41
St Peter The Great. Worc 5C 60
St Petrox. Pemb 5D 42
St Pinnock. Corn 2G 7
St Quivox. S Ayr 2C 116
St Ruan. Corn 5E 5
St Stephen. Corn 3D 6
St Stephens. Corn
nr. Launceston 4D 10
nr. Saltash 3A 8
St Teath. Corn 4A 10
St Thomas. Devn 3C 12
St Thomas. Swan 3F 31
St Tudy. Corn 5A 10
St Twynnells. Pemb 5D 42
St Veep. Corn 3F 7
St Vigeans. Ang 4F 145
St Wenn. Corn 2D 6
St Weonards. Here 3H 47
St Winnolls. Corn 3H 7
St Winnow. Corn 3F 7
Salcombe. Devn 5D 8
Salcombe Regis. Devn 4E 13
Salcott. Essx 4C 54
Sale. G Man 1B 84
Saleby. Linc 3D 88
Sale Green. Worc 5D 60
Salehurst. E Sus 3B 28
Salem. Carm 3G 45
Salem. Cdgn 2F 57
Salen. Arg 4G 139
Salen. High 2A 140
Salesbury. Lanc 1E 91
Saleway. Worc 5D 60
Salford. C Beds 2H 51
Salford. G Man 201 (1C 84)
Salford. Oxon 3A 50
Salford Priors. Warw 5E 61
Salfords. Surr 1D 27
Salhouse. Norf 4F 79
Saligo. Arg 3A 124
Saline. Fife 4C 136
Salisbury. Wilts 210 (3G 23)
Salkeld Dykes. Cumb 1G 103
Sallachan. High 2D 141
Sallachy. High
nr. Lairg 3C 164
nr. Stromeferry 5B 156
Salle. Norf 3D 78
Salmonby. Linc 3C 88
Salmond's Muir. Ang 5E 145
Salperton. Glos 3F 49
Salph End. Bed 5H 63
Salsburgh. N Lan 3B 128
Salt. Staf 3D 72
Salta. Cumb 5B 112
Saltaire. W Yor 1B 92
Saltash. Corn 3A 8
Saltburn. High 2B 158
Saltburn-by-the-Sea. Red C 2D 106
Saltby. Leics 3F 75
Saltcoats. Cumb 5B 102
Saltcoats. N Ayr 5D 126
Saltdean. Brig 5E 27
Salt End. E Yor 2E 95
Salter. Lanc 3F 97
Salterforth. Lanc 5A 98
Salters Lode. Norf 5E 77
Salterswall. Ches W 4A 84
Salterton. Wilts 3G 23
Saltfleet. Linc 1D 88
Saltfleetby All Saints. Linc 1D 88
Saltfleetby St Clements. Linc 1D 88
Saltfleetby St Peter. Linc 2D 88
Saltford. Bath 5B 34
Salthouse. Norf 1C 78
Saltmarshe. E Yor 2A 94
Saltness. Orkn 9B 172
Saltness. Shet 7D 173
Saltney. Flin 4F 83
Salton. N Yor 2B 100
Saltrens. Devn 4E 19
Saltwick. Nmbd 2E 115
Saltwood. Kent 2F 29
Salum. Arg 4B 138
Salwarpe. Worc 4C 60
Salwayash. Dors 3H 13
Samalaman. High 1A 140
Sambourne. Warw 4E 61
Sambourne. Wilts 2D 22
Sambrook. Telf 3B 72
Samhia. W Isl 2C 170
Samlesbury. Lanc 1D 90
Samlesbury Bottoms. Lanc 2E 90
Sampford Arundel. Som 1E 12
Sampford Brett. Som 2D 20
Sampford Courtenay. Devn 2G 11
Sampford Peverell. Devn 1D 12
Sampford Spiney. Devn 5F 11
Samsonslane. Orkn 5F 172
Samuelston. E Lot 2A 130
Sanaigmore. Arg 2A 124
Sancreed. Corn 4B 4
Sancton. E Yor 1C 94
Sand. High 4D 162
Sand. Shet 7E 173
Sand. Som 2H 21
Sandaig. Arg 4A 138
Sandaig. High 3F 147
Sandale. Cumb 5D 112
Sandal Magna. W Yor 3D 92
Sandavore. High 5C 146
Sanday Airport. Orkn 3F 172
Sandbach. Ches E 4B 84
Sandbank. Arg 1C 126
Sandbanks. Pool 4F 15
Sandend. Abers 2C 160
Sanderstead. G Lon 4E 39
Sandfields. Neat 3G 31
Sandford. Cumb 3A 104
Sandford. Devn 2B 12
Sandford. Dors 4E 15
Sandford. Hants 2G 15
Sandford. IOW 4D 16
Sandford. N Som 1H 21
Sandford. Shrp
nr. Oswestry 3F 71
nr. Whitchurch 2H 71
Sandford. S Lan 5A 128
Sandfordhill. Abers 4H 161
Sandford-on-Thames. Oxon 5D 50
Sandford Orcas. Dors 4B 22
Sandford St Martin. Oxon 3C 50
Sandgate. Kent 2F 29
Sandgreen. Dum 4C 110
Sandhaven. Abers 2G 161
Sandhead. Dum 4F 109
Sandhill. Cambs 2E 65
Sandhills. Dors 1B 14
Sandhills. Oxon 5D 50
Sandhills. Surr 2A 26
Sandhoe. Nmbd 3C 114
Sand Hole. E Yor 1B 94
Sandholme. E Yor 1B 94
Sandholme. Linc 2C 76
Sandhurst. Brac 5G 37
Sandhurst. Glos 3D 48
Sandhurst. Kent 3B 28
Sandhurst Cross. Kent 3B 28
Sand Hutton. N Yor 4A 100
Sandhutton. N Yor 1F 99
Sandiacre. Derbs 2B 74
Sandilands. Linc 2E 89
Sandiway. Ches W 3A 84
Sandleheath. Hants 1G 15
Sandling. Kent 5B 40
Sandlow Green. Ches E 4B 84
Sandness. Shet 6C 173
Sandon. Essx 5H 53
Sandon. Herts 2D 52
Sandon. Staf 3D 72
Sandonbank. Staf 3D 72
Sandown. IOW 4D 16
Sandplace. Corn 3G 7
Sandridge. Herts 4B 52
Sandringham. Norf 3F 77
Sands, The. Surr 2G 25
Sandsend. N Yor 3F 107
Sandside. Cumb 2C 96
Sandsound. Shet 7E 173
Sandtoft. N Lin 4H 93
Sandvoe. Shet 2E 173
Sandway. Kent 5C 40
Sandwich. Kent 5H 41
Sandwick. Cumb 3F 103
Sandwick. Orkn
on Mainland 6B 172
on South Ronaldsay 9D 172
Sandwick. Shet
on Mainland 9F 173
on Whalsay 5G 173
Sandwith. Cumb 3A 102
Sandy. Carm 5E 45
Sandy. C Beds 1B 52
Sandy Bank. Linc 5B 88
Sandycroft. Flin 4F 83
Sandy Cross. Here 5A 60
Sandygate. Devn 5B 12
Sandygate. IOM 2C 108
Sandy Haven. Pemb 4C 42
Sandyhills. Dum 4F 111
Sandylands. Lanc 3D 96
Sandylane. Swan 4E 31
Sandy Lane. Wilts 5E 35
Sandystones. Bord 2H 119
Sandyway. Here 3H 47
Sangobeg. High 2E 167
Sangomore. High 2E 166
Sankyn's Green. Worc 4B 60
Sanna. High 2F 139
Sanndabhaig. W Isl
on Isle of Lewis 4G 171
on South Uist 4D 170
Sannox. N Ayr 5B 126
Sanquhar. Dum 3G 117
Santon. Cumb 4B 102
Santon Bridge. Cumb 4C 102
Santon Downham. Suff 2H 65
Sapcote. Leics 1B 62
Sapey Common. Here 4B 60
Sapiston. Suff 3B 66
Sapley. Cambs 3B 64
Sapperton. Derbs 2F 73
Sapperton. Glos 5E 49
Sapperton. Linc 2H 75
Saracen's Head. Linc 3C 76
Sarclet. High 4F 169
Sardis. Carm 5F 45
Sardis. Pemb
nr. Milford Haven 4D 42
nr. Tenby 4F 43
Sarisbury Green. Hants 2D 16
Sarn. B'end 3C 32
Sarn. Powy 1E 58
Sarnau. Carm 3E 45
Sarnau. Cdgn 5C 56
Sarnau. Gwyn 2B 70
Sarnau. Powy
nr. Brecon 2D 46
nr. Welshpool 4E 71
Sarn Bach. Gwyn 3C 68
Sarnesfield. Here 5F 59
Sarn Meyllteyrn. Gwyn 2B 68
Saron. Carm
nr. Ammanford 4G 45
nr. Newcastle Emlyn 2D 45
Saron. Gwyn
nr. Bethel 4E 81
nr. Bontnewydd 5D 80
Sarratt. Herts 1B 38
Sarre. Kent 4G 41
Sarsden. Oxon 3A 50
Satley. Dur 5E 115
Satron. N Yor 5C 104
Satterleigh. Devn 4G 19
Satterthwaite. Cumb 5E 103
Satwell. Oxon 3F 37
Sauchen. Abers 2D 152
Saucher. Per 5A 144
Saughall. Ches W 3F 83
Saughtree. Bord 5H 119
Saul. Glos 5C 48
Saundby. Notts 2E 87
Saundersfoot. Pemb 4F 43
Saunderton. Buck 5F 51
Saunderton Lee. Buck 2G 37
Saunton. Devn 3E 19
Sausthorpe. Linc 4C 88
Saval. High 3C 164
Saverley Green. Staf 2D 72
Sawbridge. Warw 4C 62
Sawbridgeworth. Herts 4E 53
Sawdon. N Yor 1D 100
Sawley. Derbs 2B 74
Sawley. Lanc 5G 97
Sawley. N Yor 3E 99
Sawston. Cambs 1E 53
Sawtry. Cambs 2A 64
Saxby. Leics 3F 75
Saxby. Linc 2H 87
Saxby All Saints. N Lin 3C 94
Saxelby. Leics 3D 74
Saxelbye. Leics 3D 74
Saxham Street. Suff 4C 66

Saxilby—Shoresdean

Saxilby. Linc 3F 87
Saxlingham. Norf 2C 78
Saxlingham Green. Norf 1E 67
Saxlingham Nethergate.
Norf 1E 67
Saxlingham Thorpe. Norf 1E 66
Saxmundham. Suff 4F 67
Saxondale. Notts 1D 74
Saxon Street. Cambs 5F 65
Saxtead. Suff 4E 67
Saxtead Green. Suff 4E 67
Saxthorpe. Norf 2D 78
Saxton. N Yor 1E 93
Sayers Common. W Sus 4D 26
Scackleton. N Yor 2A 100
Scadabhagh. W Isl 8D 171
Scaftworth. Notts 1D 86
Scagglethorpe. N Yor 2C 100
Scaitcliffe. Lanc 2F 91
Scaladal. W Isl 6D 171
Scalasaig. Arg 4A 132
Scalby. E Yor 2B 94
Scalby. N Yor 5H 107
Scalby Mills. N Yor 5H 107
Scaldwell. Nptn 3E 63
Scaleby. Cumb 3F 113
Scaleby Hill. Cumb 3F 113
Scale Houses. Cumb 5G 113
Scales. Cumb
nr. Barrow-in-Furness 2B 96
nr. Keswick 2E 103
Scalford. Leics 3E 75
Scaling. N Yor 3E 107
Scaling Dam. Red C 3E 107
Scalloway. Shet 8F 173
Scalpaigh. W Isl 8E 171
Scalpay House. High 1E 147
Scamblesby. Linc 3B 88
Scamodale. High 1C 140
Scampston. N Yor 2C 100
Scampton. Linc 3G 87
Scaniport. High 5A 158
Scapa. Orkn 7D 172
Scapegoat Hill. W Yor 3A 92
Scar. Orkn 3F 172
Scarasta. W Isl 8C 171
Scarborough. N Yor 1E 101
Scarcliffe. Derbs 4B 86
Scarcroft. W Yor 5F 99
Scardroy. High 3E 156
Scarfskerry. High 1E 169
Scargill. Dur 3D 104
Scarinish. Arg 4B 138
Scarisbrick. Lanc 3B 90
Scarning. Norf 4B 78
Scarrington. Notts 1E 75
Scarth Hill. Lanc 4C 90
Scartho. NE Lin 4F 95
Scarvister. Shet 7E 173
Scatness. Shet 10E 173
Scatwell. High 3F 157
Scaur. Dum 4F 111
Scawby. N Lin 4C 94
Scawby Brook. N Lin 4C 94
Scawsby. S Yor 4F 93
Scawton. N Yor 1H 99
Scaynes Hill. W Sus 3E 27
Scethrog. Powy 3E 46
Scholar Green. Ches E 5C 84
Scholes. G Man 4D 90
Scholes. W Yor
nr. Bradford 2B 92
nr. Holmfirth 4B 92
nr. Leeds 1D 93
Scholey Hill. W Yor 2D 93
School Aycliffe. Darl 2F 105
School Green. Ches W 4A 84
School Green. Essx 2H 53
Scissett. W Yor 3C 92
Scleddau. Pemb 1D 42
Scofton. Notts 2D 86
Scole. Norf 3D 66
Scolpaig. W Isl 1C 170
Scolton. Pemb 2D 43
Scone. Per 1D 136
Sconser. High 5E 155
Scoonie. Fife 3F 137
Scopwick. Linc 5H 87
Scoraig. High 4E 163
Scorborough. E Yor 5E 101
Scorrier. Corn 4B 6
Scorriton. Devn 2D 8
Scorton. Lanc 5E 97
Scorton. N Yor 4F 105
Sco Ruston. Norf 3E 79
Scotbheinn. W Isl 3D 170
Scotby. Cumb 4F 113
Scotch Corner. N Yor 4F 105
Scotforth. Lanc 3D 97
Scot Hay. Staf 1C 72
Scothern. Linc 3H 87
Scotland End. Oxon 2B 50
Scotlandwell. Per 3D 136
Scot Lane End. G Man 4E 91
Scotsburn. High 1B 158
Scotsburn. Mor 2G 159
Scotsdike. Cumb 2E 113
Scot's Gap. Nmbd 1D 114
Scotstoun. Glas 3G 127
Scotstown. High 2C 140
Scotswood. Tyne 3F 115
Scottas. High 3F 147
Scotter. Linc 4B 94
Scotterthorpe. Linc 4B 94
Scottlethorpe. Linc 3H 75
Scotton. Linc 1F 87
Scotton. N Yor
nr. Catterick Garrison 5E 105
nr. Harrogate 4F 99
Scottow. Norf 3E 79
Scoulton. Norf 5B 78
Scounslow Green. Staf 3E 73
Scourie. High 4B 166
Scourie More. High 4B 166
Scousburgh. Shet 10E 173
Scout Green. Cumb 4G 103
Scouthead. G Man 4H 91
Scrabster. High 1C 168
Scrafield. Linc 4C 88
Scrainwood. Nmbd 4D 121
Scrane End. Linc 1C 76
Scraptoft. Leics 5D 74
Scratby. Norf 4H 79
Scrayingham. N Yor 3B 100
Scredington. Linc 1H 75
Scremby. Linc 4D 88
Scremerston. Nmbd 5G 131
Screveton. Notts 1E 75
Scrivelsby. Linc 4B 88
Scriven. N Yor 4F 99
Scronkey. Lanc 5D 96
Scrooby. Notts 1D 86
Scropton. Derbs 2F 73
Scrub Hill. Linc 5B 88
Scruton. N Yor 5F 105
Scuggate. Cumb 2F 113
Sculamus. High 1E 147
Sculcoates. Hull 1D 94
Sculthorpe. Norf 2B 78
Scunthorpe. N Lin 3B 94
Scurlage. Swan 4D 30
Sea. Som 1G 13
Seaborough. Dors 2H 13
Seabridge. Staf 1C 72
Seabrook. Kent 2F 29
Seaburn. Tyne 3H 115
Seacombe. Mers 1F 83
Seacroft. Linc 4E 89
Seacroft. W Yor 1D 92
Seadyke. Linc 2C 76
Seafield. High 5G 165
Seafield. Midl 3F 129
Seafield. S Ayr 2C 116
Seafield. W Lot 3D 128
Seaford. E Sus 5F 27
Seaforth. Mers 1F 83
Seagrave. Leics 4D 74
Seaham. Dur 5H 115
Seahouses. Nmbd 1G 121
Seal. Kent 5G 39
Sealand. Flin 4F 83
Seale. Surr 2G 25
Seamer. N Yor
nr. Scarborough 1E 101
nr. Stokesley 3B 106
Seamill. N Ayr 5D 126
Sea Mills. Bris 4A 34
Sea Palling. Norf 3G 79
Searby. Linc 4D 94
Seasalter. Kent 4E 41
Seascale. Cumb 4B 102
Seaside. Per 1E 137
Seater. High 1F 169
Seathorne. Linc 4E 89
Seathwaite. Cumb
nr. Buttermere 3D 102
nr. Ulpha 5D 102
Seatle. Cumb 1C 96
Seatoller. Cumb 3D 102
Seaton. Corn 3H 7
Seaton. Cumb 1B 102
Seaton. Devn 3F 13
Seaton. Dur 4G 115
Seaton. E Yor 5F 101
Seaton. Nmbd 2G 115
Seaton. Rut 1G 63
Seaton Burn. Tyne 2F 115
Seaton Carew. Hart 2C 106
Seaton Delaval. Nmbd 2G 115
Seaton Junction. Devn 3F 13
Seaton Ross. E Yor 5B 100
Seaton Sluice. Nmbd 2G 115
Seatown. Abers 2C 160
Seatown. Dors 3H 13
Seatown. Mor
nr. Cullen 2C 160
nr. Lossiemouth 1G 159
Seave Green. N Yor 4C 106
Seaview. IOW 3E 17
Seaville. Cumb 4C 112
Seavington St Mary. Som 1H 13
Seavington St Michael. Som 1H 13
Seawick. Essx 4E 55
Sebastopol. Torf 2F 33
Sebergham. Cumb 5E 113
Seckington. Warw 5G 73
Second Coast. High 4D 162
Sedbergh. Cumb 5H 103
Sedbury. Glos 2A 34
Sedbusk. N Yor 5B 104
Sedgeberrow. Worc 2F 49
Sedgebrook. Linc 2F 75
Sedgefield. Dur 2A 106
Sedgeford. Norf 2G 77
Sedgehill. Wilts 4D 22
Sedgley. W Mid 1D 60
Sedgwick. Cumb 1E 97
Sedlescombe. E Sus 4B 28
Seend. Wilts 5E 35
Seend Cleeve. Wilts 5E 35
Seer Green. Buck 1A 38
Seething. Norf 1F 67
Sefster. Shet 6E 173
Sefton. Mers 4B 90
Sefton Park. Mers 2F 83
Segensworth. Hants 2D 16
Seggat. Abers 4E 161
Seghill. Nmbd 2F 115
Seifton. Shrp 2G 59
Seighford. Staf 3C 72
Seilebost. W Isl 8C 171
Seisdon. Staf 1C 60
Seisiadar. W Isl 4H 171
Selattyn. Shrp 2E 71
Selborne. Hants 3F 25
Selby. N Yor 1G 93
Selham. W Sus 3A 26
Selkirk. Bord 2G 119
Sellack. Here 3A 48
Sellafirth. Shet 2G 173
Sellick's Green. Som 1F 13
Sellindge. Kent 2F 29
Selling. Kent 5E 41
Sells Green. Wilts 5E 35
Selly Oak. W Mid 2E 61
Selmeston. E Sus 5G 27
Selsdon. G Lon 4E 39
Selsey. W Sus 3G 17
Selsfield Common. W Sus 2E 27
Selside. Cumb 5G 103
Selside. N Yor 2G 97
Selsley. Glos 5D 48
Selsted. Kent 1G 29
Selston. Notts 5B 86
Selworthy. Som 2C 20
Semblister. Shet 6E 173
Semer. Suff 1D 54
Semington. Wilts 5D 35
Semley. Wilts 4D 23
Sempringham. Linc 2A 76
Send. Surr 5B 38
Send Marsh. Surr 5B 38
Senghenydd. Cphy 2E 32
Sennen. Corn 4A 4
Sennen Cove. Corn 4A 4
Sennybridge. Powy 3C 46
Serlby. Notts 2D 86
Sessay. N Yor 2G 99
Setchey. Norf 4F 77
Setley. Hants 2B 16
Setter. Shet 3F 173
Settiscarth. Orkn 6C 172
Settle. N Yor 3H 97
Settrington. N Yor 2C 100
Seven Ash. Som 3E 21
Sevenhampton. Glos 3F 49
Sevenhampton. Swin 2H 35
Sevenoaks. Kent 5G 39
Sevenoaks Weald. Kent 5G 39
Seven Sisters. Neat 5B 46
Seven Springs. Glos 4E 49
Severn Beach. S Glo 3A 34
Severn Stoke. Worc 1D 48
Sevington. Kent 1E 29
Sewards End. Essx 2F 53
Sewardstone. Essx 1E 39
Sewell. C Beds 3H 51
Sewerby. E Yor 3G 101
Seworgan. Corn 5B 6
Sewstern. Leics 3F 75
Sgallairidh. W Isl 9B 170
Sgarasta Mhor. W Isl 8C 171
Sgiogarstaigh. W Isl 1H 171
Sgreadan. Arg 4A 132
Shabbington. Buck 5E 51
Shackerley. Shrp 5C 72
Shackerstone. Leics 5A 74
Shackleford. Surr 1A 26
Shadforth. Dur 5G 115
Shadingfield. Suff 2G 67
Shadoxhurst. Kent 2D 28
Shadsworth. Bkbn 2F 91
Shadwell. Norf 2B 66
Shadwell. W Yor 1D 92
Shaftesbury. Dors 4D 22
Shafton. S Yor 3D 93
Shafton Two Gates. S Yor 3D 93
Shaggs. Dors 4D 14
Shakesfield. Glos 2B 48
Shalbourne. Wilts 5B 36
Shalcombe. IOW 4B 16
Shalden. Hants 2E 25
Shaldon. Devn 5C 12
Shalfleet. IOW 4C 16
Shalford. Essx 3H 53
Shalford. Surr 1B 26
Shalford Green. Essx 3H 53
Shallowford. Devn 2H 19
Shallowford. Staf 3C 72
Shalmsford Street. Kent 5E 41
Shalstone. Buck 2E 51
Shamley Green. Surr 1B 26
Shandon. Arg 1D 126
Shandwick. High 1C 158
Shangton. Leics 1E 62
Shankhouse. Nmbd 2F 115
Shanklin. IOW 4D 16
Shannochie. N Ayr 3D 123
Shap. Cumb 3G 103
Shapwick. Dors 2E 15
Shapwick. Som 3H 21
Sharcott. Wilts 1G 23
Shardlow. Derbs 2B 74
Shareshill. Staf 5D 72
Sharlston. W Yor 3D 93
Sharlston Common. W Yor 3D 93
Sharnal Street. Medw 3B 40
Sharnbrook. Bed 5G 63
Sharneyford. Lanc 2G 91
Sharnford. Leics 1B 62
Sharnhill Green. Dors 2C 14
Sharoe Green. Lanc 1D 90
Sharow. N Yor 2F 99
Sharpenhoe. C Beds 2A 52
Sharperton. Nmbd 4D 120
Sharpness. Glos 5B 48
Sharp Street. Norf 3F 79
Sharpthorne. W Sus 2E 27
Sharrington. Norf 2C 78
Shatterford. Worc 2B 60
Shatton. Derbs 2F 85
Shaugh Prior. Devn 2B 8
Shavington. Ches E 5B 84
Shaw. G Man 4H 91
Shaw. W Ber 5C 36
Shaw. Wilts 5D 35
Shawbirch. Telf 4A 72
Shawbury. Shrp 3H 71
Shawell. Leics 2C 62
Shawford. Hants 4C 24
Shawforth. Lanc 2G 91
Shaw Green. Lanc 3D 90
Shawhead. Dum 2F 111
Shaw Mills. N Yor 3E 99
Shawwood. E Ayr 2E 117
Shearington. Dum 3B 112
Shearsby. Leics 1D 62
Shearston. Som 3F 21
Shebbear. Devn 2E 11
Shebdon. Staf 3B 72
Shebster. High 2C 168
Sheddocksley. Aber 3F 153
Shedfield. Hants 1D 16
Shedog. N Ayr 2D 122
Sheen. Staf 4F 85
Sheepbridge. Derbs 3A 86
Sheep Hill. Dur 4E 115
Sheepscar. W Yor 1D 92
Sheepscombe. Glos 4D 49
Sheepstor. Devn 2B 8
Sheepwash. Devn 2E 11
Sheepwash. Nmbd 1F 115
Sheepway. N Som 4H 33
Sheepy Magna. Leics 5H 73
Sheepy Parva. Leics 5H 73
Sheering. Essx 4F 53
Sheerness. Kent 3D 40
Sheerwater. Surr 4B 38
Sheet. Hants 4F 25
Sheffield. S Yor 210 (2A 86)
Sheffield Bottom. W Ber 5E 37
Sheffield Green. E Sus 3F 27
Shefford. C Beds 2B 52
Shefford Woodlands. W Ber 4B 36
Sheigra. High 2B 166
Sheinton. Shrp 5A 72
Shelderton. Shrp 3G 59
Sheldon. Derbs 4F 85
Sheldon. Devn 2E 12
Sheldon. W Mid 2F 61
Sheldwich. Kent 5E 40
Sheldwich Lees. Kent 5E 40
Shelf. W Yor 2B 92
Shelfanger. Norf 2D 66
Shelfield. Warw 4F 61
Shelfield. W Mid 5E 73
Shelford. Notts 1D 74
Shelford. Warw 2B 62
Shell. Worc 5D 60
Shelley. Suff 2D 54
Shelley. W Yor 3C 92
Shell Green. Hal 2H 83
Shellingford. Oxon 2B 36
Shellow Bowells. Essx 5G 53
Shelsley Beauchamp. Worc 4B 60
Shelsley Walsh. Worc 4B 60
Shelthorpe. Leics 4C 74
Shelton. Bed 4H 63
Shelton. Norf 1E 67
Shelton. Notts 1E 75
Shelton. Shrp 4G 71
Shelton Green. Norf 1E 67
Shelton Lock. Derb 2A 74
Shelve. Shrp 1F 59
Shelwick. Here 1A 48
Shelwick Green. Here 1A 48
Shenfield. Essx 1H 39
Shenington. Oxon 1B 50
Shenley. Herts 5B 52
Shenley Brook End. Mil 2G 51
Shenleybury. Herts 5B 52
Shenley Church End. Mil 2G 51
Shenmore. Here 2G 47
Shennanton. Dum 3A 110
Shenstone. Staf 5F 73
Shenstone. Worc 3C 60
Shenstone Woodend. Staf 5F 73
Shenton. Leics 5A 74
Shenval. Mor 1G 151
Shepeau Stow. Linc 4C 76
Shephall. Herts 3C 52
Shepherd's Bush. G Lon 2D 38
Shepherd's Gate. Norf 4E 77
Shepherd's Green. Oxon 3F 37
Shepherd's Port. Norf 2F 77
Shepherdswell. Kent 1G 29
Shepley. W Yor 4B 92
Sheppardstown. High 4D 169
Shepperdine. S Glo 2B 34
Shepperton. Surr 4B 38
Shepreth. Cambs 1D 53
Shepshed. Leics 4B 74
Shepton Beauchamp. Som 1H 13
Shepton Mallet. Som 2B 22
Shepton Montague. Som 3B 22
Shepway. Kent 5B 40
Sheraton. Dur 1B 106
Sherborne. Dors 1B 14
Sherborne. Glos 4G 49
Sherborne. Som 1A 22
Sherborne Causeway. Dors 4D 22
Sherborne St John. Hants 1E 24
Sherbourne. Warw 4G 61
Sherburn. Dur 5G 115
Sherburn. N Yor 2D 100
Sherburn Hill. Dur 5G 115
Sherburn in Elmet. N Yor 1E 93
Shere. Surr 1B 26
Shereford. Norf 3A 78
Sherfield English. Hants 4A 24
Sherfield on Loddon. Hants 1E 25
Sherford. Devn 4D 9
Sherford. Dors 3E 15
Sheriffhales. Shrp 4B 72
Sheriff Hutton. N Yor 3A 100
Sheriffston. Mor 2G 159
Sheringham. Norf 1D 78
Sherington. Mil 1G 51
Shermanbury. W Sus 4D 26
Shernal Green. Worc 4D 60
Shernborne. Norf 2G 77
Sherrington. Wilts 3E 23
Sherston. Wilts 3D 34
Sherwood. Nott 1C 74
Sherwood Green. Devn 4F 19
Shettleston. Glas 3H 127
Shevington. G Man 4D 90
Shevington Moor. G Man 3D 90
Shevington Vale. G Man 4D 90
Sheviock. Corn 3H 7
Shide. IOW 4C 16
Shiel Bridge. High 2B 148
Shieldaig. High
nr. Charlestown 1H 155
nr. Torridon 3H 155
Shieldhill. Dum 1B 112
Shieldhill. Falk 2B 128
Shieldhill. S Lan 5D 128
Shieldmuir. N Lan 4A 128
Shielfoot. High 1A 140
Shielhill. Abers 3H 161
Shielhill. Ang 3D 144
Shifnal. Shrp 5B 72
Shilbottle. Nmbd 4F 121
Shilbottle Grange. Nmbd 4G 121
Shildon. Dur 2F 105
Shillford. E Ren 4F 127
Shillingford. Devn 4C 20
Shillingford. Oxon 2D 36
Shillingford St George. Devn 4C 12
Shillingstone. Dors 1D 14
Shillington. C Beds 2B 52
Shillmoor. Nmbd 4C 120
Shilton. Oxon 5A 50
Shilton. Warw 2B 62
Shilvinghampton. Dors 4B 14
Shilvington. Nmbd 1E 115
Shimpling. Norf 2D 66
Shimpling. Suff 5A 66
Shimpling Street. Suff 5A 66
Shincliffe. Dur 5F 115
Shiney Row. Tyne 4G 115
Shinfield. Wok 5F 37
Shingay. Cambs 1D 52
Shingham. Norf 5G 77
Shingle Street. Suff 1G 55
Shinner's Bridge. Devn 2D 9
Shinness. High 2C 164
Shipbourne. Kent 5G 39
Shipdham. Norf 5B 78
Shipham. Som 1H 21
Shiphay. Torb 2E 9
Shiplake. Oxon 4F 37
Shipley. Derbs 1B 74
Shipley. Nmbd 3F 121
Shipley. Shrp 1C 60
Shipley. W Sus 3C 26
Shipley. W Yor 1B 92
Shipley Bridge. Surr 1E 27
Shipmeadow. Suff 2F 67
Shippon. Oxon 2C 36
Shipston-on-Stour. Warw 1A 50
Shipton. Buck 3F 51
Shipton. Glos 4F 49
Shipton. N Yor 4H 99
Shipton. Shrp 1H 59
Shipton Bellinger. Hants 2H 23
Shipton Gorge. Dors 3H 13
Shipton Green. W Sus 3G 17
Shipton Moyne. Glos 3D 35
Shipton-on-Cherwell. Oxon 4C 50
Shiptonthorpe. E Yor 5C 100
Shipton-under-Wychwood.
Oxon 4A 50
Shirburn. Oxon 2E 37
Shirdley Hill. Lanc 3B 90
Shire. Cumb 1H 103
Shirebrook. Derbs 4C 86
Shiregreen. S Yor 1A 86
Shirehampton. Bris 4A 34
Shiremoor. Tyne 2G 115
Shirenewton. Mon 2H 33
Shireoaks. Notts 2C 86
Shires Mill. Fife 1D 128
Shirkoak. Kent 2D 28
Shirland. Derbs 5A 86
Shirley. Derbs 1G 73
Shirley. Sotn 1B 16
Shirley. W Mid 3F 61
Shirleywich. Staf 3D 73
Shirl Heath. Here 5G 59
Shirrell Heath. Hants 1D 16
Shirwell. Devn 3F 19
Shiskine. N Ayr 3D 122
Shobdon. Here 4F 59
Shobnall. Staf 3G 73
Shobrooke. Devn 2B 12
Shoby. Leics 3D 74
Shocklach. Ches W 1G 71
Shoeburyness. S'end 2D 40
Sholden. Kent 5H 41
Sholing. Sotn 1C 16
Sholver. G Man 4H 91
Shoot Hill. Shrp 4G 71
Shop. Corn
nr. Bude 1C 10
nr. Padstow 1C 6
Shop. Devn 1D 11
Shopford. Cumb 2G 113
Shoreditch. G Lon 2E 39
Shoreditch. Som 4F 21
Shoregill. Cumb 4A 104
Shoreham. Kent 4G 39
Shoreham-by-Sea. W Sus 5D 26
Shoresdean. Nmbd 5F 131

Stobo Castle—Swallowfield

Stobo Castle. *Bord* 1D 118
Stoborough. *Dors* 4E 15
Stoborough Green. *Dors* 4E 15
Stobs Castle. *Bord* 4H 119
Stobswood. *Nmbd* 5G 121
Stock. *Essx* 1A 40
Stockbridge. *Hants* 3B 24
Stockbridge. *W Yor* 5C 98
Stockbury. *Kent* 4C 40
Stockcross. *W Ber* 5C 36
Stockdalewath. *Cumb* 5E 113
Stocker's Head. *Kent* 5D 40
Stockerston. *Leics* 1F 63
Stock Green. *Worc* 5D 61
Stocking. *Here* 2B 48
Stockingford. *Warw* 1H 61
Stocking Green. *Essx* 2F 53
Stocking Pelham. *Herts* 3E 53
Stockland. *Devn* 2F 13
Stockland Bristol. *Som* 2F 21
Stockleigh English. *Devn* 2B 12
Stockleigh Pomeroy.
Devn 2B 12
Stockley. *Wilts* 5F 35
Stocklinch. *Som* 1G 13
Stockport. *G Man* 2C 84
Stocks, The. *Kent* 3D 28
Stocksbridge. *S Yor* 1G 85
Stocksfield. *Nmbd* 3D 114
Stockstreet. *Essx* 3B 54
Stockton. *Here* 4H 59
Stockton. *Norf* 1F 67
Stockton. *Shrp*
nr. Bridgnorth 1B 60
nr. Chirbury 5E 71
Stockton. *Telf* 4B 72
Stockton. *Warw* 4B 62
Stockton. *Wilts* 3E 23
Stockton Brook. *Staf* 5D 84
Stockton Cross. *Here* 4H 59
Stockton Heath. *Warr* 2A 84
Stockton-on-Tees. *Stoc T* 3B 106
Stockton on Teme. *Worc* 4B 60
Stockton-on-the-Forest.
York 4A 100
Stockwell Heath. *Staf* 3E 73
Stockwood. *Bris* 5B 34
Stock Wood. *Worc* 5E 61
Stodmarsh. *Kent* 4G 41
Stody. *Norf* 2C 78
Stoer. *High* 1E 163
Stoford. *Som* 1A 14
Stoford. *Wilts* 3F 23
Stogumber. *Som* 3D 20
Stogursey. *Som* 2F 21
Stoke. *Devn* 4C 18
Stoke. *Hants*
nr. Andover 1C 24
nr. South Hayling 2F 17
Stoke. *Medw* 3C 40
Stoke. *W Mid* 3A 62
Stoke Abbott. *Dors* 2H 13
Stoke Albany. *Nptn* 2F 63
Stoke Ash. *Suff* 3D 66
Stoke Bardolph. *Notts* 1D 74
Stoke Bliss. *Worc* 4A 60
Stoke Bruerne. *Nptn* 1F 51
Stoke by Clare. *Suff* 1H 53
Stoke-by-Nayland. *Suff* 2C 54
Stoke Canon. *Devn* 3C 12
Stoke Charity. *Hants* 3C 24
Stoke Climsland. *Corn* 5D 10
Stoke Cross. *Here* 5A 60
Stoke D'Abernon. *Surr* 5C 38
Stoke Doyle. *Nptn* 2H 63
Stoke Dry. *Rut* 1F 63
Stoke Edith. *Here* 1B 48
Stoke Farthing. *Wilts* 4F 23
Stoke Ferry. *Norf* 5G 77
Stoke Fleming. *Devn* 4E 9
Stokeford. *Dors* 4D 14
Stoke Gabriel. *Devn* 3E 9
Stoke Gifford. *S Glo* 4B 34
Stoke Golding. *Leics* 1A 62
Stoke Goldington. *Mil* 1G 51
Stokeham. *Notts* 3E 87
Stoke Hammond. *Buck* 3G 51
Stoke Heath. *Shrp* 3A 72
Stoke Holy Cross. *Norf* 5E 79
Stokeinteignhead. *Devn* 5C 12
Stoke Lacy. *Here* 1B 48
Stoke Lyne. *Oxon* 3D 50
Stoke Mandeville. *Buck* 4G 51
Stokenchurch. *Buck* 2F 37
Stoke Newington. *G Lon* 2E 39
Stokenham. *Devn* 4E 9
Stoke on Tern. *Shrp* 3A 72
Stoke-on-Trent. *Stoke* **211** (1C 72)
Stoke Orchard. *Glos* 3E 49
Stoke Pero. *Som* 2B 20
Stoke Poges. *Buck* 2A 38
Stoke Prior. *Here* 5H 59
Stoke Prior. *Worc* 4D 60
Stoke Rivers. *Devn* 3G 19
Stoke Rochford. *Linc* 3G 75
Stoke Row. *Oxon* 3E 37
Stoke St Gregory. *Som* 4G 21
Stoke St Mary. *Som* 4F 21
Stoke St Michael. *Som* 2B 22
Stoke St Milborough. *Shrp* 2H 59
Stokesay. *Shrp* 2G 59
Stokesby. *Norf* 4G 79
Stokesley. *N Yor* 4C 106
Stoke sub Hamdon. *Som* 1H 13
Stoke Talmage. *Oxon* 2E 37
Stoke Town. *Stoke* **211** (1C 72)
Stoke Trister. *Som* 4C 22
Stoke Wake. *Dors* 2C 14
Stolford. *Som* 2F 21
Stondon Massey. *Essx* 5F 53
Stone. *Buck* 4F 51
Stone. *Glos* 2B 34
Stone. *Kent* 3G 39
Stone. *Som* 3A 22
Stone. *Staf* 2D 72
Stone. *Worc* 3C 60
Stonea. *Cambs* 1D 64
Stoneacton. *Shrp* 1H 59
Stone Allerton. *Som* 1H 21
Ston Easton. *Som* 1B 22
Stonebridge. *N Som* 1G 21
Stonebridge. *Surr* 1C 26
Stone Bridge Corner. *Pet* 5B 76
Stonebroom. *Derbs* 5B 86
Stonebyres Holdings. *S Lan* 5B 128
Stone Chair. *W Yor* 2B 92
Stone Cross. *E Sus* 5H 27
Stone Cross. *Kent* 2G 27
Stone-edge Batch. *N Som* 4H 33
Stoneferry. *Hull* 1D 94
Stonefield. *Arg* 5D 140
Stonefield. *S Lan* 4H 127
Stonegate. *E Sus* 3A 28
Stonegate. *N Yor* 4E 107
Stonegrave. *N Yor* 2A 100
Stonehall. *Worc* 1D 49
Stonehaugh. *Nmbd* 2A 114
Stonehaven. *Abers* 5F 153
Stone Heath. *Staf* 2D 72
Stone Hill. *Kent* 2E 29
Stone House. *Cumb* 1G 97
Stonehouse. *Glos* 5D 48
Stonehouse. *Nmbd* 4H 113
Stonehouse. *S Lan* 5A 128
Stone in Oxney. *Kent* 3D 28
Stoneleigh. *Warw* 3H 61
Stoneley Green. *Ches E* 5A 84
Stonely. *Cambs* 4A 64
Stonepits. *Worc* 5E 61
Stoner Hill. *Hants* 4F 25
Stonesby. *Leics* 3F 75
Stonesfield. *Oxon* 4B 50
Stones Green. *Essx* 3E 55
Stone Street. *Kent* 5G 39
Stone Street. *Suff*
nr. Boxford 2C 54
nr. Halesworth 2F 67
Stonethwaite. *Cumb* 3D 102
Stoneyburn. *W Lot* 3C 128
Stoney Cross. *Hants* 1A 16
Stoneyford. *Devn* 2D 12
Stoneygate. *Leic* 5D 74
Stoneyhills. *Essx* 1D 40
Stoneykirk. *Dum* 4F 109
Stoney Middleton. *Derbs* 3G 85
Stoney Stanton. *Leics* 1B 62
Stoney Stoke. *Som* 3C 22
Stoney Stratton. *Som* 3B 22
Stoney Stretton. *Shrp* 5F 71
Stoneywood. *Aber* 2F 153
Stonham Aspal. *Suff* 5D 66
Stonnall. *Staf* 5E 73
Stonor. *Oxon* 3F 37
Stonton Wyville. *Leics* 1E 63
Stonybreck. *Shet* 1B 172
Stony Cross. *Devn* 4F 19
Stony Cross. *Here*
nr. Great Malvern 1C 48
nr. Leominster 4H 59
Stony Houghton. *Derbs* 4B 86
Stony Stratford. *Mil* 1F 51
Stoodleigh. *Devn*
nr. Barnstaple 3G 19
nr. Tiverton 1C 12
Stopham. *W Sus* 4B 26
Stopsley. *Lutn* 3B 52
Stoptide. *Corn* 1D 6
Storeton. *Mers* 2F 83
Stormontfield. *Per* 1D 136
Stornoway. *W Isl* 4G 171
Stornoway Airport. *W Isl* 4G 171
Storridge. *Here* 1C 48
Storrington. *W Sus* 4B 26
Storrs. *Cumb* 5E 103
Storth. *Cumb* 1D 97
Storwood. *E Yor* 5B 100
Stotfield. *Mor* 1G 159
Stotfold. *C Beds* 2C 52
Stottesdon. *Shrp* 2A 60
Stoughton. *Leics* 5D 74
Stoughton. *Surr* 5A 38
Stoughton. *W Sus* 1G 17
Stoul. *High* 4F 147
Stoulton. *Worc* 1E 49
Stourbridge. *W Mid* 2C 60
Stourpaine. *Dors* 2D 14
Stourport-on-Severn.
Worc 3C 60
Stour Provost. *Dors* 4C 22
Stour Row. *Dors* 4D 22
Stourton. *Staf* 2C 60
Stourton. *Warw* 2A 50
Stourton. *W Yor* 1D 92
Stourton. *Wilts* 3C 22
Stourton Caundle. *Dors* 1C 14
Stove. *Orkn* 4F 172
Stove. *Shet* 9F 173
Stoven. *Suff* 2G 67
Stow. *Linc*
nr. Billingborough 2H 75
nr. Gainsborough 2F 87
Stow. *Bord* 5A 130
Stow Bardolph. *Norf* 5F 77
Stow Bedon. *Norf* 1B 66
Stowbridge. *Norf* 5F 77
Stow cum Quy. *Cambs* 4E 65
Stowe. *Glos* 5A 48
Stowe. *Shrp* 3F 59
Stowe. *Staf* 4F 73
Stowe-by-Chartley. *Staf* 3E 73
Stowell. *Som* 4B 22
Stowey. *Bath* 1A 22
Stowford. *Devn*
nr. Colaton Raleigh 4D 12
nr. Combe Martin 2G 19
nr. Tavistock 4E 11
Stowlangtoft. *Suff* 4B 66
Stow Longa. *Cambs* 3A 64
Stow Maries. *Essx* 1C 40
Stowmarket. *Suff* 5C 66
Stow-on-the-Wold. *Glos* 3G 49
Stowting. *Kent* 1F 29
Stowupland. *Suff* 5C 66
Straad. *Arg* 3B 126
Strachan. *Abers* 4D 152
Stradbroke. *Suff* 3E 67
Stradishall. *Suff* 5G 65
Stradsett. *Norf* 5F 77
Stragglethorpe. *Linc* 5G 87
Stragglethorpe. *Notts* 2D 74
Straid. *S Ayr* 5A 116
Straight Soley. *Wilts* 4B 36
Straiton. *Midl* 3F 129
Straiton. *S Ayr* 4C 116
Straloch. *Per* 2H 143
Stramshall. *Staf* 2E 73
Strang. *IOM* 4C 108
Strangford. *Here* 3A 48
Stranraer. *Dum* 3F 109
Strata Florida. *Cdgn* 4G 57
Stratfield Mortimer. *W Ber* 5E 37
Stratfield Saye. *Hants* 5E 37
Stratfield Turgis. *Hants* 1E 25
Stratford. *G Lon* 2E 39
Stratford. *Worc* 2D 49
Stratford St Andrew. *Suff* 4F 67
Stratford St Mary. *Suff* 2D 54
Stratford sub Castle. *Wilts* 3G 23
Stratford Tony. *Wilts* 4F 23
Stratford-upon-Avon.
Warw **212** (5G 61)
Strath. *High*
nr. Gairloch 1G 155
nr. Wick 3E 169
Strathan. *High*
nr. Fort William 4B 148
nr. Lochinver 1E 163
nr. Tongue 2F 167
Strathan Skerray. *High* 2G 167
Strathaven. *S Lan* 5A 128
Strathblane. *Stir* 2G 127
Strathcanaird. *High* 3F 163
Strathcarron. *High* 4B 156
Strathcoil. *Arg* 5A 140
Strathdon. *Abers* 2A 152
Strathkinness. *Fife* 2G 137
Strathmashie House. *High* 4H 149
Strathmiglo. *Fife* 2E 136
Strathmore Lodge. *High* 4D 168
Strathpeffer. *High* 3G 157
Strathrannoch. *High* 1F 157
Strathtay. *Per* 3G 143
Strathvaich Lodge. *High* 1F 157
Strathwhillan. *N Ayr* 2E 123
Strathy. *High*
nr. Invergordon 1A 158
nr. Melvich 2A 168
Strathyre. *Stir* 2E 135
Stratton. *Corn* 2C 10
Stratton. *Dors* 3B 14
Stratton. *Glos* 5F 49
Stratton Audley. *Oxon* 3E 50
Stratton-on-the-Fosse. *Som* 1B 22
Stratton St Margaret. *Swin* 3G 35
Stratton St Michael. *Norf* 1E 66
Stratton Strawless. *Norf* 3E 78
Stravithie. *Fife* 2H 137
Stream. *Som* 3D 20
Streat. *E Sus* 4E 27
Streatham. *G Lon* 3E 39
Streatley. *C Beds* 3A 52
Streatley. *W Ber* 3D 36
Street. *Corn* 3C 10
Street. *Lanc* 4E 97
Street. *N Yor* 4E 107
Street. *Som*
nr. Chard 2G 13
Street. *Som*
nr. Glastonbury 3H 21
Street Ash. *Som* 1F 13
Street Dinas. *Shrp* 2F 71
Street End. *Kent* 5F 41
Street End. *W Sus* 3G 17
Streetgate. *Tyne* 4F 115
Streethay. *Staf* 4F 73
Streethouse. *W Yor* 2D 93
Streetlam. *N Yor* 5A 106
Street Lane. *Derbs* 1A 74
Streetly. *W Mid* 1E 61
Streetly End. *Cambs* 1G 53
Street on the Fosse. *Som* 3B 22
Strefford. *Shrp* 2G 59
Strelley. *Notts* 1C 74
Strensall. *York* 3A 100
Strensall Camp. *York* 4A 100
Stretcholt. *Som* 2F 21
Strete. *Devn* 4E 9
Stretford. *G Man* 1C 84
Stretford. *Here* 5H 59
Strethall. *Essx* 2E 53
Stretham. *Cambs* 3E 65
Stretton. *Ches W* 5G 83
Stretton. *Derbs* 4A 86
Stretton. *Rut* 4G 75
Stretton. *Staf*
nr. Brewood 4C 72
nr. Burton upon Trent 3G 73
Stretton. *Warr* 2A 84
Stretton en le Field. *Leics* 4H 73
Stretton Grandison. *Here* 1B 48
Stretton Heath. *Shrp* 4F 71
Stretton-on-Dunsmore.
Warw 3B 62
Stretton-on-Fosse. *Warw* 2H 49
Stretton Sugwas. *Here* 1H 47
Stretton under Fosse.
Warw 2B 62
Stretton Westwood. *Shrp* 1H 59
Strichen. *Abers* 3G 161
Strines. *G Man* 2D 84
Stringston. *Som* 2E 21
Strixton. *Nptn* 4G 63
Stroanfreggan. *Dum* 5F 117
Stroat. *Glos* 2A 34
Stromeferry. *High* 5A 156
Stromemore. *High* 5A 156
Stromness. *Orkn* 7B 172
Stronachie. *Per* 3C 136
Stronachlachar. *Stir* 2D 134
Stronchreggan. *High* 1E 141
Strone. *Arg* 1C 126
Strone. *High*
nr. Drumnadrochit 1H 149
nr. Kingussie 3B 150
Stronenaba. *High* 5E 148
Stronganess. *Shet* 1G 173
Stronmilchan. *Arg* 1A 134
Stronsay Airport. *Orkn* 5F 172
Strontian. *High* 2C 140
Strood. *Kent* 2C 28
Strood. *Medw* 4B 40
Strood Green. *Surr* 1D 26
Strood Green. *W Sus*
nr. Billingshurst 3B 26
nr. Horsham 2C 26
Strothers Dale. *Nmbd* 4C 114
Stroud. *Glos* 5D 48
Stroud. *Hants* 4F 25
Stroud Green. *Essx* 1C 40
Stroxton. *Linc* 2G 75
Struan. *High* 5C 154
Struan. *Per* 2F 143
Struanmore. *High* 5C 154
Strubby. *Linc* 2D 88
Strugg's Hill. *Linc* 2B 76
Strumpshaw. *Norf* 5F 79
Strutherhill. *S Lan* 4A 128
Struy. *High* 5G 157
Stryd. *IOA* 2B 80
Stryt-issa. *Wrex* 1E 71
Stuartfield. *Abers* 4G 161
Stubbington. *Hants* 2D 16
Stubbins. *Lanc* 3F 91
Stubble Green. *Cumb* 5B 102
Stubb's Cross. *Kent* 2D 28
Stubbs Green. *Norf* 1F 67
Stubhampton. *Dors* 1E 15
Stubton. *Linc* 1F 75
Stubwood. *Staf* 2E 73
Stuckton. *Hants* 1G 15
Studham. *C Beds* 4A 52
Studland. *Dors* 4F 15
Studley. *Warw* 4E 61
Studley. *Wilts* 4E 35
Studley Roger. *N Yor* 2E 99
Stuntney. *Cambs* 3E 65
Stunts Green. *E Sus* 4H 27
Sturbridge. *Staf* 2C 72
Sturgate. *Linc* 2F 87
Sturmer. *Essx* 1G 53
Sturminster Marshall. *Dors* 2E 15
Sturminster Newton. *Dors* 1C 14
Sturry. *Kent* 4F 41
Sturton. *N Lin* 4C 94
Sturton by Stow. *Linc* 2F 87
Sturton le Steeple. *Notts* 2E 87
Stuston. *Suff* 3D 66
Stutton. *N Yor* 5G 99
Stutton. *Suff* 2E 55
Styal. *Ches E* 2C 84
Stydd. *Lanc* 1E 91
Styrrup. *Notts* 1D 86
Suainebost. *W Isl* 1H 171
Suardail. *W Isl* 4G 171
Succoth. *Abers* 5B 160
Succoth. *Arg* 3B 134
Suckley. *Worc* 5B 60
Suckley Knowl. *Worc* 5B 60
Sudborough. *Nptn* 2G 63
Sudbourne. *Suff* 5G 67
Sudbrook. *Linc* 1G 75
Sudbrook. *Mon* 3A 34
Sudbrooke. *Linc* 3H 87
Sudbury. *Derbs* 2F 73
Sudbury. *Suff* 1B 54
Sudgrove. *Glos* 5E 49
Suffield. *Norf* 2E 79
Suffield. *N Yor* 5G 107
Sugnall. *Staf* 2B 72
Sugwas Pool. *Here* 1H 47
Suisnish. *High* 5E 155
Sulaisiadar. *W Isl* 4H 171
Sùlaisiadar Mòr. *High* 4D 155
Sulby. *IOM* 2C 108
Sulgrave. *Nptn* 1D 50
Sulham. *W Ber* 4E 37
Sulhamstead. *W Ber* 5E 37
Sullington. *W Sus* 4B 26
Sullom. *Shet* 4E 173
Sully. *V Glam* 5E 33
Sumburgh. *Shet* 10F 173
Sumburgh Airport. *Shet* 10E 173
Summer Bridge. *N Yor* 3E 98
Summercourt. *Corn* 3C 6
Summergangs. *Hull* 1E 94
Summerhill. *Aber* 3G 153
Summerhill. *Pemb* 4F 43
Summer Hill. *W Mid* 1D 60
Summerhouse. *Darl* 3F 105
Summersdale. *W Sus* 2G 17
Summerseat. *G Man* 3F 91
Summit. *G Man* 3H 91
Sunbury. *Surr* 4C 38
Sunderland. *Cumb* 1C 102
Sunderland. *Lanc* 4D 96
Sunderland. *Tyne* **212** (4G 115)
Sunderland Bridge. *Dur* 1F 105
Sundon Park. *Lutn* 3A 52
Sundridge. *Kent* 5F 39
Sunk Island. *E Yor* 3F 95
Sunningdale. *Wind* 4A 38
Sunninghill. *Wind* 4A 38
Sunningwell. *Oxon* 5C 50
Sunniside. *Dur* 1E 105
Sunniside. *Tyne* 4F 115
Sunny Bank. *Cumb* 5D 102
Sunny Hill. *Derb* 2H 73
Sunnyhurst. *Bkbn* 2E 91
Sunnylaw. *Stir* 4G 135
Sunnymead. *Oxon* 5D 50
Sunnyside. *S Yor* 1B 86
Sunnyside. *W Sus* 2E 27
Sunton. *Wilts* 1H 23
Surbiton. *G Lon* 4C 38
Surby. *IOM* 4B 108
Surfleet. *Linc* 3B 76
Surfleet Seas End. *Linc* 3B 76
Surlingham. *Norf* 5F 79
Surrex. *Essx* 3B 54
Sustead. *Norf* 2D 78
Susworth. *Linc* 4B 94
Sutcombe. *Devn* 1D 10
Suton. *Norf* 1C 66
Sutors of Cromarty. *High* 2C 158
Sutterby. *Linc* 3C 88
Sutterton. *Linc* 2B 76
Sutterton Dowdyke. *Linc* 2B 76
Sutton. *Buck* 3B 38
Sutton. *Cambs* 3D 64
Sutton. *C Beds* 1C 52
Sutton. *E Sus* 5F 27
Sutton. *G Lon* 4D 38
Sutton. *Kent* 1H 29
Sutton. *Norf* 3F 79
Sutton. *Notts* 2E 75
Sutton. *Oxon* 5C 50
Sutton. *Pemb* 3D 42
Sutton. *Pet* 1H 63
Sutton. *Shrp*
nr. Bridgnorth 2B 60
nr. Market Drayton 2A 72
nr. Oswestry 3F 71
nr. Shrewsbury 4H 71
Sutton. *Som* 3B 22
Sutton. *S Yor* 3F 93
Sutton. *Staf* 3B 72
Sutton. *Suff* 1G 55
Sutton. *W Sus* 4A 26
Sutton. *Worc* 4A 60
Sutton Abinger. *Surr* 1C 26
Sutton at Hone. *Kent* 3G 39
Sutton Bassett. *Nptn* 1E 63
Sutton Benger. *Wilts* 4E 35
Sutton Bingham. *Som* 1A 14
Sutton Bonington. *Notts* 3C 74
Sutton Bridge. *Linc* 3D 76
Sutton Cheney. *Leics* 5B 74
Sutton Coldfield, Royal.
W Mid 1F 61
Sutton Corner. *Linc* 3D 76
Sutton Courtenay. *Oxon* 2D 36
Sutton Crosses. *Linc* 3D 76
Sutton cum Lound. *Notts* 2D 86
Sutton Gault. *Cambs* 3D 64
Sutton Grange. *N Yor* 2E 99
Sutton Green. *Surr* 5B 38
Sutton Howgrave. *N Yor* 2F 99
Sutton in Ashfield. *Notts* 5B 86
Sutton-in-Craven. *N Yor* 5C 98
Sutton Ings. *Hull* 1E 94
Sutton in the Elms. *Leics* 1C 62
Sutton Lane Ends. *Ches E* 3D 84
Sutton Leach. *Mers* 1H 83
Sutton Maddock. *Shrp* 5B 72
Sutton Mallet. *Som* 3G 21
Sutton Mandeville. *Wilts* 4E 23
Sutton Montis. *Som* 4B 22
Sutton on Hull. *Hull* 1E 94
Sutton on Sea. *Linc* 2E 89
Sutton-on-the-Forest. *N Yor* 3H 99
Sutton on the Hill. *Derbs* 2G 73
Sutton on Trent. *Notts* 4E 87
Sutton Poyntz. *Dors* 4C 14
Sutton St Edmund. *Linc* 4C 76
Sutton St Edmund's Common.
Linc 5C 76
Sutton St James. *Linc* 4C 76
Sutton St Michael. *Here* 1A 48
Sutton St Nicholas. *Here* 1A 48
Sutton Scarsdale. *Derbs* 4B 86
Sutton Scotney. *Hants* 3C 24
Sutton-under-Brailes. *Warw* 2B 50
Sutton-under-Whitestonecliffe.
N Yor 1G 99
Sutton upon Derwent. *E Yor* 5B 100
Sutton Valence. *Kent* 1C 28
Sutton Veny. *Wilts* 2E 23
Sutton Waldron. *Dors* 1D 14
Sutton Weaver. *Ches W* 3H 83
Swaby. *Linc* 3C 88
Swadlincote. *Derbs* 4G 73
Swaffham. *Norf* 5H 77
Swaffham Bulbeck. *Cambs* 4E 65
Swaffham Prior. *Cambs* 4E 65
Swafield. *Norf* 2E 79
Swainby. *N Yor* 4B 106
Swainshill. *Here* 1H 47
Swainsthorpe. *Norf* 5E 78
Swainswick. *Bath* 5C 34
Swalcliffe. *Oxon* 2B 50
Swalecliffe. *Kent* 4F 41
Swallow. *Linc* 4E 95
Swallow Beck. *Linc* 4G 87
Swallowcliffe. *Wilts* 4E 23
Swallowfield. *Wok* 5F 37

Thorpe Common—Tregeseal

Thorpe Common. S Yor 1A 86
Thorpe Common. Suff 2F 55
Thorpe Constantine. Staf 5G 73
Thorpe End. Norf 4E 79
Thorpe Fendike. Linc 4D 88
Thorpe Green. Essx 3E 55
Thorpe Green. Suff 5B 66
Thorpe Hall. N Yor 2H 99
Thorpe Hamlet. Norf 5E 79
Thorpe Hesley. S Yor 1A 86
Thorpe in Balne. S Yor 3F 93
Thorpe in the Fallows. Linc 2G 87
Thorpe Langton. Leics 1E 63
Thorpe Larches. Dur 2A 106
Thorpe Latimer. Linc 1A 76
Thorpe-le-Soken. Essx 3E 55
Thorpe le Street. E Yor 5C 100
Thorpe Malsor. Nptn 3F 63
Thorpe Mandeville. Nptn 1D 50
Thorpe Market. Norf 2E 79
Thorpe Marriott. Norf 4D 78
Thorpe Morieux. Suff 5B 66
Thorpeness. Suff 5G 67
Thorpe on the Hill. Linc 4G 87
Thorpe on the Hill. W Yor 2D 92
Thorpe St Andrew. Norf 5E 79
Thorpe St Peter. Linc 4D 89
Thorpe Salvin. S Yor 2C 86
Thorpe Satchville. Leics 4E 75
Thorpe Thewles. Stoc T 2A 106
Thorpe Tilney. Linc 5A 88
Thorpe Underwood. N Yor 4G 99
Thorpe Waterville. Nptn 2H 63
Thorpe Willoughby. N Yor 1F 93
Thorpland. Norf 5F 77
Thorrington. Essx 3D 54
Thorverton. Devn 2C 12
Thrandeston. Suff 3D 66
Thrapston. Nptn 3G 63
Thrashbush. N Lan 3A 128
Threapland. Cumb 1C 102
Threapland. N Yor 3B 98
Threapwood. Ches W 1G 71
Threapwood. Staf 1E 73
Three Ashes. Here 3A 48
Three Bridges. Linc 2D 88
Three Bridges. W Sus 2D 27
Three Burrows. Corn 4B 6
Three Chimneys. Kent 2C 28
Three Cocks. Powy 2E 47
Three Crosses. Swan 3E 31
Three Cups Corner. E Sus 3H 27
Threehammer Common. Norf 3F 79
Three Holes. Norf 5E 77
Threekingham. Linc 2H 75
Three Leg Cross. E Sus 2A 28
Three Legged Cross. Dors 2F 15
Three Mile Cross. Wok 5F 37
Threemilestone. Corn 4B 6
Three Oaks. E Sus 4C 28
Threlkeld. Cumb 2E 102
Threshfield. N Yor 3B 98
Thrigby. Norf 4G 79
Thringarth. Dur 2C 104
Thringstone. Leics 4B 74
Thrintoft. N Yor 5A 106
Thriplow. Cambs 1E 53
Throckenholt. Linc 5C 76
Throcking. Herts 2D 52
Throckley. Tyne 3E 115
Throckmorton. Worc 1E 49
Throop. Bour 3G 15
Throphill. Nmbd 1E 115
Thropton. Nmbd 4E 121
Throsk. Stir 4A 136
Througham. Glos 5E 49
Throughgate. Dum 1F 111
Throwleigh. Devn 3G 11
Throwley. Kent 5D 40
Throwley Forstal. Kent 5D 40
Throxenby. N Yor 1E 101
Thrumpton. Notts 2C 74
Thrumster. High 4F 169
Thrunton. Nmbd 3E 121
Thrupp. Glos 5D 48
Thrupp. Oxon 4C 50
Thrushelton. Devn 4E 11
Thrushgill. Lanc 3F 97
Thrussington. Leics 4D 74
Thruxton. Hants 2A 24
Thruxton. Here 2H 47
Thrybergh. S Yor 1B 86
Thulston. Derbs 2B 74
Thundergay. N Ayr 5G 125
Thundersley. Essx 2B 40
Thundridge. Herts 4D 52
Thurcaston. Leics 4C 74
Thurcroft. S Yor 2B 86
Thurdon. Corn 1C 10
Thurgarton. Norf 2D 78
Thurgarton. Notts 1D 74
Thurgoland. S Yor 4C 92
Thurlaston. Leics 1C 62
Thurlaston. Warw 3B 62
Thurlbear. Som 4F 21
Thurlby. Linc
nr. Alford 3D 89
nr. Baston 4A 76
nr. Lincoln 4G 87
Thurleigh. Bed 5H 63
Thurlestone. Devn 4C 8
Thurloxton. Som 3F 21
Thurlstone. S Yor 4C 92
Thurlton. Norf 1G 67
Thurmaston. Leics 5D 74
Thurnby. Leics 5D 74
Thurne. Norf 4G 79
Thurnham. Kent 5C 40
Thurning. Norf 3C 78
Thurning. Nptn 2H 63
Thurnscoe. S Yor 4E 93
Thursby. Cumb 4E 113
Thursford. Norf 2B 78
Thursford Green. Norf 2B 78
Thursley. Surr 2A 26
Thurso. High 2D 168
Thurso East. High 2D 168
Thurstaston. Mers 2E 83
Thurston. Suff 4B 66
Thurston End. Suff 5G 65
Thurstonfield. Cumb 4E 112
Thurstonland. W Yor 3B 92
Thurton. Norf 5F 79
Thurvaston. Derbs
nr. Ashbourne 2F 73
nr. Derby 2G 73
Thuxton. Norf 5C 78
Thwaite. Dur 3D 104
Thwaite. N Yor 5B 104
Thwaite. Suff 4D 66
Thwaite Head. Cumb 5E 103
Thwaites. W Yor 5C 98
Thwaite St Mary. Norf 1F 67
Thwing. E Yor 2E 101
Tibbermore. Per 1C 136
Tibberton. Glos 3C 48
Tibberton. Telf 3A 72
Tibberton. Worc 5D 60
Tibenham. Norf 2D 66
Tibshelf. Derbs 4B 86
Tibthorpe. E Yor 4D 100
Ticehurst. E Sus 2A 28
Tichborne. Hants 3D 24
Tickencote. Rut 5G 75
Tickenham. N Som 4H 33
Tickhill. S Yor 1C 86
Ticklerton. Shrp 1G 59
Ticknall. Derbs 3A 74
Tickton. E Yor 5E 101
Tidbury Green. W Mid 3F 61
Tidcombe. Wilts 1A 24
Tiddington. Oxon 5E 51
Tiddington. Warw 5G 61
Tiddleywink. Wilts 4D 34
Tidebrook. E Sus 3H 27
Tideford. Corn 3H 7
Tideford Cross. Corn 2H 7
Tidenham. Glos 2A 34
Tideswell. Derbs 3F 85
Tidmarsh. W Ber 4E 37
Tidmington. Warw 2A 50
Tidpit. Hants 1F 15
Tidworth. Wilts 2H 23
Tidworth Camp. Wilts 2H 23
Tiers Cross. Pemb 3D 42
Tiffield. Nptn 5D 62
Tifty. Abers 4E 161
Tigerton. Ang 2E 145
Tighnabruaich. Arg 2A 126
Tigley. Devn 2D 8
Tilbrook. Cambs 4H 63
Tilbury. Thur 3H 39
Tilbury Green. Essx 1H 53
Tilbury Juxta Clare. Essx 1A 54
Tile Hill. W Mid 3G 61
Tilehurst. Read 4E 37
Tilford. Surr 2G 25
Tilgate Forest Row. W Sus 2D 26
Tillathrowie. Abers 5B 160
Tillers Green. Glos 2B 48
Tillery. Abers 1G 153
Tilley. Shrp 3H 71
Tillicoultry. Clac 4B 136
Tillingham. Essx 5C 54
Tillington. Here 1H 47
Tillington. W Sus 3A 26
Tillington Common. Here 1H 47
Tillybirloch. Abers 3D 152
Tillyfourie. Abers 2D 152
Tilmanstone. Kent 5H 41
Tilney All Saints. Norf 4E 77
Tilney Fen End. Norf 4E 77
Tilney High End. Norf 4E 77
Tilney St Lawrence. Norf 4E 77
Tilshead. Wilts 2F 23
Tilstock. Shrp 2H 71
Tilston. Ches W 5G 83
Tilstone Fearnall. Ches W 4H 83
Tilsworth. C Beds 3H 51
Tilton on the Hill. Leics 5E 75
Tiltups End. Glos 2D 34
Timberland. Linc 5A 88
Timbersbrook. Ches E 4C 84
Timberscombe. Som 2C 20
Timble. N Yor 4D 98
Timperley. G Man 2B 84
Timsbury. Bath 1B 22
Timsbury. Hants 4B 24
Timsgearraidh. W Isl 4C 171
Timworth Green. Suff 4A 66
Tincleton. Dors 3C 14
Tindale. Cumb 4H 113
Tindale Crescent. Dur 2F 105
Tingewick. Buck 2E 51
Tingrith. C Beds 2A 52
Tingwall. Orkn 5D 172
Tinhay. Devn 4D 11
Tinshill. W Yor 1C 92
Tinsley. S Yor 1B 86
Tinsley Green. W Sus 2D 27
Tintagel. Corn 4A 10
Tintern. Mon 5A 48
Tintinhull. Som 1H 13
Tintwistle. Derbs 1E 85
Tinwald. Dum 1B 112
Tinwell. Rut 5H 75
Tippacott. Devn 2A 20
Tipperty. Abers 1G 153
Tipps End. Cambs 1E 65
Tiptoe. Hants 3A 16
Tipton. W Mid 1D 60
Tipton St John. Devn 3D 12
Tiptree. Essx 4B 54
Tiptree Heath. Essx 4B 54
Tirabad. Powy 1B 46
Tircoed Forest Village.
Swan 5G 45
Tiree Airport. Arg 4B 138
Tirinie. Per 2F 143
Tirley. Glos 3D 48
Tiroran. Arg 1B 132
Tir-Phil. Cphy 5E 47
Tirril. Cumb 2G 103
Tirryside. High 2C 164
Tir-y-dail. Carm 4G 45
Tisbury. Wilts 4E 23
Tisman's Common.
W Sus 2B 26
Tissington. Derbs 5F 85
Titchberry. Devn 4C 18
Titchfield. Hants 2D 16
Titchmarsh. Nptn 3H 63
Titchwell. Norf 1G 77
Tithby. Notts 2D 74
Titley. Here 5F 59
Titlington. Nmbd 3E 121
Titsey. Surr 5F 39
Titson. Corn 2C 10
Tittensor. Staf 2C 72
Tittleshall. Norf 3A 78
Titton. Worc 4C 60
Tiverton. Ches W 4H 83
Tiverton. Devn 1C 12
Tivetshall St Margaret.
Norf 2D 66
Tivetshall St Mary. Norf 2D 66
Tivington. Som 2C 20
Tixall. Staf 3D 73
Tixover. Rut 5G 75
Toab. Orkn 7E 172
Toab. Shet 10E 173
Toadmoor. Derbs 5A 86
Tobermory. Arg 3G 139
Toberonochy. Arg 3E 133
Tobha Beag. W Isl 5C 170
Tobha-Beag. W Isl 1E 170
Tobha Mor. W Isl 5C 170
Tobhtarol. W Isl 4D 171
Tobson. W Isl 4D 171
Tocabhaig. High 2E 147
Tocher. Abers 5D 160
Tockenham. Wilts 4F 35
Tockenham Wick. Wilts 3F 35
Tockholes. Bkbn 2E 91
Tockington. S Glo 3B 34
Tockwith. N Yor 4G 99
Todber. Dors 4D 22
Todding. Here 3G 59
Toddington. C Beds 3A 52
Toddington. Glos 2F 49
Todenham. Glos 2H 49
Todhills. Cumb 3E 113
Todmorden. W Yor 2H 91
Todwick. S Yor 2B 86
Toft. Cambs 5C 64
Toft. Linc 4H 75
Toft Hill. Dur 2E 105
Toft Monks. Norf 1G 67
Toft next Newton. Linc 2H 87
Toftrees. Norf 3A 78
Tofts. High 2F 169
Toftwood. Norf 4B 78
Togston. Nmbd 4G 121
Tokavaig. High 2E 147
Tokers Green. Oxon 4F 37
Tolastadh a Chaolais.
W Isl 4D 171
Tolladine. Worc 5C 60
Tolland. Som 3E 20
Tollard Farnham. Dors 1E 15
Tollard Royal. Wilts 1E 15
Toll Bar. S Yor 4F 93
Toller Fratrum. Dors 3A 14
Toller Porcorum. Dors 3A 14
Tollerton. N Yor 3H 99
Tollerton. Notts 2D 74
Toller Whelme. Dors 2A 14
Tollesbury. Essx 4C 54
Tolleshunt D'Arcy. Essx 4C 54
Tolleshunt Knights. Essx 4C 54
Tolleshunt Major. Essx 4C 54
Tollie. High 3H 157
Tollie Farm. High 1A 156
Tolm. W Isl 4G 171
Tolpuddle. Dors 3C 14
Tolstadh bho Thuath.
W Isl 3H 171
Tolworth. G Lon 4C 38
Tomachlaggan. Mor 1F 151
Tomaknock. Per 1A 136
Tomatin. High 1C 150
Tombuidhe. Arg 3H 133
Tomdoun. High 3D 148
Tomich. High
nr. Cannich 1F 149
nr. Invergordon 1B 158
nr. Lairg 3D 164
Tomintoul. Mor 2F 151
Tomnavoulin. Mor 1G 151
Tomsléibhe. Arg 5A 140
Ton. Mon 2G 33
Tonbridge. Kent 1G 27
Tondu. B'end 3B 32
Tonedale. Som 4E 21
Tonfanau. Gwyn 5E 69
Tong. Shrp 5B 72
Tonge. Leics 3B 74
Tong Forge. Shrp 5B 72
Tongham. Surr 2G 25
Tongland. Dum 4D 111
Tong Norton. Shrp 5B 72
Tongue. High 3F 167
Tongue End. Linc 4A 76
Tongwynlais. Card 3E 33
Tonmawr. Neat 2B 32
Tonna. Neat 2A 32
Tonnau. Neat 2A 32
Ton Pentre. Rhon 2C 32
Ton-Teg. Rhon 3D 32
Tonwell. Herts 4D 52
Tonypandy. Rhon 2C 32
Tonyrefail. Rhon 3D 32
Toot Baldon. Oxon 5D 50
Toot Hill. Essx 5F 53
Toothill. Hants 1B 16
Topcliffe. N Yor 2G 99
Topcliffe. W Yor 2C 92
Topcroft. Norf 1E 67
Topcroft Street. Norf 1E 67
Toppesfield. Essx 2H 53
Toppings. G Man 3F 91
Toprow. Norf 1D 66
Topsham. Devn 4C 12
Torbay. Torb 2F 9
Torbeg. N Ayr 3C 122
Torbothie. N Lan 4B 128
Torbryan. Devn 2E 9
Torcross. Devn 4E 9
Tore. High 3A 158
Torgyle. High 2F 149
Torinturk. Arg 3G 125
Torksey. Linc 3F 87
Torlum. W Isl 3C 170
Torlundy. High 1F 141
Tormarton. S Glo 4C 34
Tormitchell. S Ayr 5B 116
Tormore. High 3E 147
Tormore. N Ayr 2C 122
Tornagrain. High 4B 158
Tornaveen. Abers 3C 152
Torness. High 1H 149
Toronto. Dur 1E 105
Torpenhow. Cumb 1D 102
Torphichen. W Lot 2C 128
Torphins. Abers 3D 152
Torpoint. Corn 3A 8
Torquay. Torb 2F 9
Torr. Devn 3B 8
Torra. Arg 4B 124
Torran. High 4E 155
Torrance. E Dun 2H 127
Torrans. Arg 1B 132
Torranyard. N Ayr 5E 127
Torre. Som 3D 20
Torre. Torb 2F 9
Torridon. High 3B 156
Torrin. High 1D 147
Torrisdale. Arg 2B 122
Torrisdale. High 2G 167
Torrish. High 2G 165
Torrisholme. Lanc 3D 96
Torroble. High 3C 164
Torroy. High 4C 164
Torry. Aber 3G 153
Torryburn. Fife 1D 128
Torthorwald. Dum 2B 112
Tortington. W Sus 5B 26
Tortworth. S Glo 2C 34
Torvaig. High 4D 155
Torver. Cumb 5D 102
Torwood. Falk 1B 128
Torworth. Notts 2D 86
Toscaig. High 5G 155
Toseland. Cambs 4B 64
Tosside. N Yor 4G 97
Tostock. Suff 4B 66
Totaig. High 3A 154
Totardor. High 5C 154
Tote. High 4D 154
Totegan. High 2A 168
Tothill. Linc 2D 88
Totland. IOW 4B 16
Totley. S Yor 3H 85
Totnell. Dors 2B 14
Totnes. Devn 2E 9
Toton. Notts 2B 74
Totronald. Arg 3C 138
Totscore. High 2C 154
Tottenham. G Lon 1E 39
Tottenhill. Norf 4F 77
Tottenhill Row. Norf 4F 77
Totteridge. G Lon 1D 38
Totternhoe. C Beds 3H 51
Tottington. G Man 3F 91
Totton. Hants 1B 16
Touchen-end. Wind 4G 37
Toulvaddie. High 5F 165
Towans, The. Corn 3C 4
Toward. Arg 3C 126
Towcester. Nptn 1E 51
Towednack. Corn 3B 4
Tower End. Norf 4F 77
Tower Hill. Mers 4C 90
Tower Hill. W Sus 3C 26
Towersey. Oxon 5F 51
Towie. Abers 2B 152
Towiemore. Mor 4A 160
Tow Law. Dur 1E 105
Town, The. IOS 1A 4
Town End. Cambs 1D 64
Town End. Cumb
nr. Ambleside 4F 103
nr. Kirkby Thore 2H 103
nr. Lindale 1D 96
nr. Newby Bridge 1C 96
Town End. Mers 2G 83
Townend. W Dun 2F 127
Townfield. Dur 5C 114
Towngate. Cumb 5G 113
Towngate. Linc 4A 76
Town Green. Lanc 4C 90
Town Head. Cumb
nr. Grasmere 4E 103
nr. Great Asby 3H 103
Townhead. Cumb
nr. Lazonby 1G 103
nr. Maryport 1B 102
nr. Ousby 1H 103
Townhead. Dum 5D 111
Townhead of Greenlaw.
Dum 3E 111
Townhill. Fife 1E 129
Townhill. Swan 3F 31
Town Kelloe. Dur 1A 106
Town Littleworth. E Sus 4F 27
Town Row. E Sus 2G 27
Towns End. Hants 1D 24
Townsend. Herts 5B 52
Townshend. Corn 3C 4
Town Street. Suff 2G 65
Town Yetholm. Bord 2C 120
Towthorpe. E Yor 3D 100
Towthorpe. York 4A 100
Towton. N Yor 1E 93
Towyn. Cnwy 3B 82
Toxteth. Mers 2F 83
Toynton All Saints. Linc 4C 88
Toynton Fen Side. Linc 4C 88
Toynton St Peter. Linc 4D 88
Toy's Hill. Kent 5F 39
Trabboch. E Ayr 2D 116
Traboe. Corn 4E 5
Tradespark. High 3C 158
Tradespark. Orkn 7D 172
Trafford Park. G Man 1B 84
Trallong. Powy 3C 46
Y Trallwng. Powy 5E 70
Tranent. E Lot 2H 129
Tranmere. Mers 2F 83
Trantlebeg. High 3A 168
Trantlemore. High 3A 168
Tranwell. Nmbd 1E 115
Trapp. Carm 4G 45
Traquair. Bord 1F 119
Trash Green. W Ber 5E 37
Trawden. Lanc 1H 91
Trawscoed. Powy 2D 46
Trawsfynydd. Gwyn 2G 69
Trawsgoed. Cdgn 3F 57
Treaddow. Here 3A 48
Trealaw. Rhon 2D 32
Treales. Lanc 1C 90
Trearddur. IOA 3B 80
Treaslane. High 3C 154
Treator. Corn 1D 6
Trebanog. Rhon 2D 32
Trebanos. Neat 5H 45
Trebarber. Corn 2C 6
Trebartha. Corn 5C 10
Trebarwith. Corn 4A 10
Trebetherick. Corn 1D 6
Treborough. Som 3D 20
Trebudannon. Corn 2C 6
Trebullett. Corn 5D 10
Treburley. Corn 5D 10
Treburrick. Corn 1C 6
Trebyan. Corn 2E 7
Trecastle. Powy 3B 46
Trecenydd. Cphy 3E 33
Trecott. Devn 2G 11
Trecwn. Pemb 1D 42
Trecynon. Rhon 5C 46
Tredaule. Corn 4C 10
Tredavoe. Corn 4B 4
Tredegar. Blae 5E 47
Trederwen. Powy 4E 71
Tredington. Glos 3E 49
Tredington. Warw 1A 50
Tredinnick. Corn
nr. Bodmin 2F 7
nr. Looe 3G 7
nr. Padstow 1D 6
Tredogan. V Glam 5D 32
Tredomen. Powy 2E 46
Tredunnock. Mon 2G 33
Tredustan. Powy 2E 47
Treen. Corn
nr. Land's End 4A 4
nr. St Ives 3B 4
Treeton. S Yor 2B 86
Trefaldwyn. Powy 1E 58
Trefasser. Pemb 1C 42
Trefdraeth. IOA 3D 80
Trefdraeth. Pemb 1E 43
Trefecca. Powy 2E 47
Trefechan. Mer T 5D 46
Trefeglwys. Powy 1B 58
Trefenter. Cdgn 4F 57
Treffgarne. Pemb 2D 42
Treffynnon. Flin 3D 82
Treffynnon. Pemb 2C 42
Trefil. Blae 4E 46
Trefilan. Cdgn 5E 57
Trefin. Pemb 1C 42
Treflach. Shrp 3E 71
Trefnant. Den 3C 82
Trefonen. Shrp 3E 71
Trefor. Gwyn 1C 68
Trefor. IOA 2C 80
Treforest. Rhon 3D 32
Trefrew. Corn 4B 10
Trefriw. Cnwy 4G 81
Tref-y-Clawdd. Powy 3E 59
Trefynwy. Mon 4A 48
Tregada. Corn 4D 10
Tregadillett. Corn 4C 10
Tregare. Mon 4H 47
Tregarne. Corn 4E 5
Tregaron. Cdgn 5F 57
Tregarth. Gwyn 4F 81
Tregear. Corn 3C 6
Tregeare. Corn 4C 10
Tregeiriog. Wrex 2D 70
Tregele. IOA 1C 80
Tregeseal. Corn 3A 4

(1) A strict alphabetical order is used e.g. Benmore Botanic Gdn. follows Ben Macdui but precedes Ben Nevis.

(2) Places of Interest which fall on City and Town Centre maps are referenced first to the detailed map page, followed by the main map page if appropriate.
The name of the map is included if it is not clear from the index entry.
e.g. Ashmolean Mus. of Art & Archaeology (OX1 2PH) .... **Oxford 207** (5D **50**)

(3) Entries in italics are not named on the map but are shown with a symbol only.
e.g. *Aberdour Castle (KY3 0XA) 1E* ***129***

SAT NAV POSTCODES

Postcodes are shown to assist Sat Nav users and are included on this basis.
It should be noted that postcodes have been selected by their proximity to the Place of Interest and that they may not form part of the actual postal address.
Drivers should follow the Tourist Brown Signs when available.

ABBREVIATIONS USED IN THIS INDEX

Centre : Cen. Garden : Gdn. Gardens : Gdns. Museum : Mus. National : Nat. Park : Pk.

A

Abbeydale Industrial Hamlet (S7 2QW) 2H **85**
Abbey House Mus. (LS5 3EH) 1C **92**
Abbot Hall Art Gallery (LA9 5AL) 5G ***103***
Abbotsbury Subtropical Gdns. (DT3 4LA) 4A **14**
Abbotsbury Swannery (DT3 4JG) 4A **14**
Abbotsford (TD6 9BQ) 1H **119**
Aberdeen Maritime Mus.
(AB11 5BY) **187** (3G **153**)
Aberdour Castle (KY3 0XA) 1E ***129***
Aberdulais Falls (SA10 8EU) 5A **46**
Aberglasney Gdns. (SA32 8QH) 3F **45**
Abernethy Round Tower (PH2 9RT) 2D **136**
Aberystwyth Castle (SY23 1DZ) **187** (2E **57**)
Acorn Bank Gdn. & Watermill (CA10 1SP) 2H **103**
Acton Burnell Castle (SY5 7PF) 5H ***71***
Acton Scott Historic Working Farm
(SY6 6QN) 2G **59**
Adlington Hall (SK10 4LF) 2D **84**
Africa Alive! (NR33 7TF) 2H **67**
Aintree Racecourse (L9 5AS) 1F **83**
Aira Force (CA11 0JX) 2F **103**
A la Ronde (EX8 5BD) 4D **12**
Alfriston Clergy House (BN26 5TL) 5G **27**
Alloa Tower (FK10 1PP) 4A **136**
Alnwick Castle (NE66 1NQ) 3F ***121***
Alnwick Gdn. (NE66 1YU) 3F ***121***
Althorp (NN7 4HQ) 4D **62**
Alton Towers (ST10 4DB) 1E **73**
Amberley Mus. & Heritage Cen. (BN18 9LT) 4B **26**
The American Mus. in Britain (BA2 7BD) 5C **34**
Angel of the North (NE9 6PG) 4F **115**
Anglesey Abbey & Lode Mill (CB25 9EJ) 4E **65**
Animalarium at Borth (SY24 5NA) 2F **57**
Anne Hathaway's Cottage (CV37 9HH) 5F **61**
Antonine Wall, Rough Castle (FK4 2AA) 2B **128**
Antony (PL11 2QA) 3A **8**
Appuldurcombe House (PO38 3EW) 4D **16**
Arbeia Roman Fort & Mus. (NE33 2BB) 3G **115**
Arbroath Abbey (DD11 1JQ) 4F ***145***
Arbury Hall (CV10 7PT) 2H **61**
Arbuthnott House Gdn. (AB30 1PA) 1G **145**
Ardkinglas Woodland Gdns.
(PA26 8BG) 2A **134**
Ardnamurchan Point (PH36 4LN) 2E **139**
Arduaine Gdn. (PA34 4XQ) 2E **133**
Ardwell Gdns. (DG9 9LY) 5G **109**
Argyll's Lodging (FK8 1EG) **Stirling 211** (4G **135**)
Arley Hall & Gdns. (CW9 6NA) 2A **84**
Arlington Court (EX31 4LP) 3G **19**
Arlington Row (GL7 5NJ) 5G **49**
Armadale Castle Gdns. (IV45 8RS) 3E **147**
Arniston House (EH23 4RY) 4G **129**
Arundel Castle (BN18 9AB) 5B ***26***
Arundel Wetland Cen. (BN18 9PB) 5B **26**
Ascot Racecourse (SL5 7JX) 4A **38**
Ascott (LU7 0PT) 3G **51**
Ashby-de-la-Zouch Castle (LE65 1BR) 4A ***74***
Ashdown Forest (TN7 4EU) 2F **27**
Ashdown House (RG17 8RE) 3A **36**
Ashmolean Mus. of Art & Archaeology
(OX1 2PH) **Oxford 207** (5D **50**)
Astley Hall Mus. & Art Gallery (PR7 1NP) 3D ***90***
Athelhampton House & Gdns. (DT2 7LG) 3C **14**
Attingham Pk. (SY4 4TP) 5H **71**
Auchingarrich Wildlife Cen. (PH6 2JE) 2G **135**
Auckland Castle (DL14 7NP) 1F ***105***
Audley End House & Gdns. (CB11 4JF) 2F **53**
Avebury (SN8 1RE) 4G ***35***
Avoncroft Mus. of Historic Buildings
(B60 4JR) 4D **60**
Avon Valley Adventure & Wildlife Pk.
(BS31 1TP) 5B **34**
Avon Valley Railway (BS30 6HD) 4B **34**
Aydon Castle (NE45 5PJ) 3C **114**
Ayr Racecourse (KA8 0JE) **187** (2C **116**)
Ayscoughfee Hall Mus. & Gdns. (PE11 2RA) 3B **76**
Aysgarth Falls (DL8 3SR) 1C **98**
Ayton Castle (Eyemouth) (TD14 5RD) 3F ***131***

B

Bachelors' Club (KA5 5RB) 2D **116**
Baconsthorpe Castle (NR25 6PS) 2D ***78***
Baddesley Clinton (B93 0DQ) 3F **61**
Bala Lake Railway (LL23 7DD) 2A **70**
Ballindalloch Castle (AB37 9AX) 5F **159**
Balmoral Castle (AB35 5TB) 4G **151**
Balvaird Castle (PH2 9PY) 2D **136**
Balvenie Castle (AB55 4DH) 4H **159**
Bamburgh Castle (NE69 7DF) 1F ***121***
Bangor Cathedral (LL57 1DN) 3E ***81***
Banham Zoo (NR16 2HE) 2C **66**
Bannockburn Battle Site (FK7 0PL) 4G **135**
Barbara Hepworth Mus. & Sculpture Gdn.
(TR26 1AD) 2C **4**
Barnard Castle (DL12 8PR) 3D ***104***
Barnsdale Gdns. (LE15 8AH) 4G **75**
Barrington Court (TA19 0NQ) 1G **13**
Basildon Pk. (RG8 9NR) 4E **36**
Basing House (RG24 8AE) 1E **25**
Basingwerk Abbey (CH8 7GH) 3D **82**
Bateman's (TN19 7DS) 3A **28**
Bath Abbey (BA1 1LT) **187** (5C **34**)
Bath Assembly Rooms (BA1 2QH) **187**
Battle Abbey (TN33 0AD) 4B **28**
The Battlefield Line Railway (CV13 0BS) 5A **74**
The Battle of Britain Memorial (CT18 7JJ) 2G **29**
Battle of Britain Memorial Flight Visitors Cen.
(LN4 4SY) 5B **88**
Battle of Hastings Site (TN33 0AD) 4B **28**
Bayham Abbey (TN3 8BG) 2H **27**
Beachy Head (BN20 7YA) 5G **27**
Beamish (DH9 0RG) 4F **115**
The Beatles Story
(L3 4AD) **Liverpool 200** (2F **83**)
Beaulieu Abbey (SO42 7ZN) 2B **16**
Beauly Priory (IV4 7BL) 4H **157**
Beaumaris Castle (LL58 8AP) 3F ***81***
Beck Isle Mus. (YO18 8DU) 1B **100**
Bedgebury Nat. Pinetum (TN17 2SL) 2B **28**
Bedruthan Steps (PL27 7UW) 2C **6**
Beeston Castle & Woodland Pk. (CW6 9TX) 5H ***83***
Bekonscot Model Village & Railway
(HP9 2PL) 1A **38**
Belgrave Hall Mus. & Gdns. (LE4 5PE) 5C **74**
Belmont House & Gdns. (ME13 0HH) 5D **40**
Belsay Hall, Castle & Gdns. (NE20 0DX) 2D **115**
Belton House (NG32 2LS) 2G **75**
Belvoir Castle (NG32 1PD) 2F **75**
Beningbrough Hall & Gdns. (YO30 1DD) 4H **99**
Benington Lordship Gdns. (SG2 7BS) 3C **52**
Ben Lawers (PH15 2PA) 4D **142**
Ben Lomond (FK8 3TR) 3C **134**
Ben Macdui (PH22 1RB) 4D **151**
Benmore Botanic Gdn. (PA23 8QU) 1C **126**
Ben Nevis (PH33 6SY) 1F **141**
Benthall Hall (TF12 5RX) 5A **72**
Bentley Wildfowl & Motor Mus.
(BN8 5AF) 4F **27**
Berkeley Castle (GL13 9BQ) 2B **34**
Berkhamsted Castle (HP4 1LJ) 5H **51**
Berney Arms Windmill (NR31 9HU) 5G **79**
Berrington Hall (HR6 0DW) 4H **59**
Berry Pomeroy Castle (TQ9 6LJ) 2E **9**
Bessie Surtees House
(NE1 3JF) **Newcastle upon Tyne 205**
Beverley Minster (HU17 0DP) 1D **94**
Bicton Pk. Botanical Gdns. (EX9 7BJ) 4D **12**
Biddulph Grange Gdn. (ST8 7SD) 5C **84**
Big Ben (SW1A 2PW) **London 203**
Bignor Roman Villa (RH20 1PH) 4A **26**
Big Pit Nat. Coal Mus. (NP4 9XP) 5F **47**
Binham Priory (NR21 0DJ) 1B **78**
Birmingham Mus. & Art Gallery (B3 3DH) **188**
Bishop's Waltham Palace (SO32 1DP) 1D **16**
Black Country Living Mus. (DY1 4SQ) 1D ***60***
Blackgang Chine (PO38 2HN) 5C **16**
Blackhouse (HS2 9DB) 3F **171**
Blackness Castle (EH49 7NH) 1D **128**
Blackpool Pleasure Beach (FY4 1EZ) 1B **90**
Blackpool Zoo (FY3 8PP) 1B **90**
The Blackwell Arts & Crafts House
(LA23 3JR) 5F **103**
Blaenavon Ironworks (NP4 9RJ) 5F **47**
Blaenavon World Heritage Cen. (NP4 9AS) 5F ***47***
Blair Castle (PH18 5TL) 2F **143**
Blair Drummond Safari & Adventure Pk.
(FK9 4UR) 4G **135**
Blakeney Point (NR25 7SA) 1C **78**
Blakesley Hall (B25 8RN) 2F **61**
Blenheim Palace (OX20 1PX) 4C **50**
Bletchley Pk. (MK3 6EB) 2G **51**
Blickling Estate (NR11 6NF) 3D **78**
Blists Hill Victorian Town (TF7 5DS) 5A **72**
Bluebell Railway (TN22 3QL) 3E **27**
Blue John Cavern (S33 8WP) 2F **85**
Blue Reef Aquarium, Hastings (TN34 3DW) 5C **28**
Blue Reef Aquarium, Newquay (TR7 1DU) 2C **6**
Blue Reef Aquarium, Portsmouth
(PO5 3PB) **209** (3E **17**)
Blue Reef Aquarium, Tynemouth
(NE30 4JF) 2G **115**
Boath Doocot (IV12 5TD) 3D **158**
Bodelwyddan Castle (LL18 5YA) 3B **82**
Bodiam Castle (TN32 5UA) 3B ***28***
Bodleian Library (OX1 3BG) **Oxford 207**
Bodmin & Wenford Railway (PL31 1AQ) 2E **7**
Bodmin Moor (PL15 7TN) 5B **10**
Bodnant Gdn. (LL28 5RE) 3H **81**
Bodrhyddan Hall (LL18 5SB) 3C **82**
Bolingbroke Castle (PE23 4HH) 4C **88**
Bolsover Castle (S44 6PR) 3B ***86***
Bolton Castle (DL8 4ET) 5D **104**
Bolton Priory (BD23 6AL) 4C **98**
Bonawe Historic Iron Furnace (PA35 1JQ) 5E **141**
Bo'ness & Kinneil Railway (EH51 9AQ) 1C **128**
Booth Mus. of Natural History
(BN1 5AA) **Brighton & Hove 189** (5D **27**)
Borde Hill Gdn. (RH16 1XP) 3E **27**
Boscobel House (ST19 9AR) 5C **72**
Boston Stump (PE21 6NQ) 1C **76**
Bosworth Field Battle Site (CV13 0AB) 5A **74**
Bothwell Castle (G71 8BL) 4H **127**
Boughton House (NN14 1BJ) 2G **63**
Bowes Castle (DL12 9LE) 3C ***104***
Bowes Mus. (DL12 8NP) 3D **104**
Bowhill House & Country Estate
(TD7 5ET) 2G **119**
Bowood House & Gdns. (SN11 0LZ) 5E **35**
Box Hill (KT20 7LF) 5C **38**
Braemar Castle (AB35 5XR) 4F **151**
Bramall Hall (SK7 3NX) 2C **84**
Bramber Castle (BN44 3FJ) 4C ***26***
Bramham Pk. (LS23 6ND) 5G **99**
Brands Hatch (DA3 8NG) 4G **39**
Brantwood (LA21 8AD) 5E **102**
Breamore House (SP6 2DF) 1G **15**
Brean Down (TA8 2RS) 1F **21**
Brecon Beacons Nat. Pk. (CF44 9JG) 3C **46**
Brecon Mountain Railway (CF48 2UP) 4D **46**
Bressingham Steam & Gdns. (IP22 2AB) 2C **66**
Brimham Rocks (HG3 4DW) 3E **98**
Brindley Mill & The James Brindley Mus.
(ST13 8FA) 5D **85**
Brinkburn Priory (NE65 8AR) 5F **121**
Bristol Aquarium (BS1 5TT) **189**
Bristol Cathedral (BS1 5TJ) **189** (4A **34**)
Bristol Zoo Gdns. (BS8 3HA) **189** (4A **34**)
Britannia Bridge (LL61 5YH) 3E **81**
British Airways i360
(BN1 2LN) **Brighton & Hove 189** (5E **27**)
British Golf Mus.
(KY16 9AB) **St Andrews 209** (2H **137**)
British in India Mus. (BB9 8AD) 1G **91**
British Library (NW1 2DB) **London 203**
British Motor Mus. (CV35 0BJ) 5A **62**
British Mus. (WC1B 3DG) **London 203**
Broadlands (SO51 9ZD) 4B **24**
Broads Nat. Pk. (NR3 1BJ) 5G **79**
Broadway Tower (WR12 7LB) 2G **49**
Brobury House Gdns. (HR3 6BS) 1G **47**
Brockhampton Estate (WR6 5TB) 5A **60**
Brockhole, Lake District Visitor Cen.
(LA23 1LJ) 4E **103**
Brodick Castle & Gdn. (KA27 8HY) 2E **123**
Brodie Castle (IV36 2TE) 3D **159**
Brodsworth Hall & Gdns. (DN5 7XJ) 4F **93**
Brogdale (ME13 8XU) 5E **40**
Bronllys Castle (LD3 0HL) 2E **47**
Brontë Parsonage Mus. (BD22 8DR) 1A **92**
Broseley Pipeworks (TF12 5LX) 5A ***72***
Brougham Castle (CA10 2AA) 2G ***103***
Brough Castle (CA17 4EJ) 3A **104**
Broughton Castle (OX15 5EB) 2C **50**
Broughton House & Gdn. (DG6 4JX) 4D **111**
Brownsea Island (BH13 7EE) 4F **15**
Bruce's Stone (DG7 3SQ) 2C **110**
Brunel's SS Great Britain (BS1 6TY) **Bristol 189**
Bubblecar Mus. (PE22 7AW) 1B **76**
Buckfast Abbey (TQ11 0EE) 2D **8**
Buckingham Palace (SW1A 1AA) **London 202**
Buckland Abbey (PL20 6EY) 2A **8**
Buckler's Hard Maritime Mus. (SO42 7XB) 3C **16**
Buildwas Abbey (TF8 7BW) 5A **72**
Bungay Castle (NR35 1DD) 2F ***67***
Bure Valley Railway (NR11 6BW) 3E **79**
Burford House Gdns. (WR15 8HQ) 4H **59**
Burghley (PE9 3JY) 5H **75**
Burleigh Castle (KY13 9TD) 3D **136**
Burnby Hall Gdns. & Mus.
(YO42 2QF) 5C **100**
Burns House Mus. (KA5 5BZ) 2D **117**
Burton Agnes Hall (YO25 4ND) 3F **101**
Burton Constable Hall (HU11 4LN) 1E **95**
Buscot Pk. (SN7 8BU) 2H **35**
Butser Ancient Farm (PO8 0QF) 1F **17**
The Buttertubs (DL11 6DR) 5B **104**
Buxton Pavilion Gdns. (SK17 6XN) 3E **85**
Byland Abbey (YO61 4BD) 2H **99**

C

Cadair Idris (LL40 1TN) 4F **69**
Cadbury World (B30 1JR) 2E **61**
Caerlaverock Castle (DG1 4RU) 3B **112**
Caerleon Roman Fortress (NP18 1AY) 2G **33**
Caernarfon Castle (LL55 2AY) **190** (4D **81**)
Caerphilly Castle (CF83 1JD) 3E ***33***
Cairngorms Nat. Pk. (PH26 3HG) 3D **151**
Cairnpapple Hill (EH48 4NW) 2C **128**
Caister Castle (NR30 5SN) 4H **79**
Calanais Standing Stones (HS2 9DY) 4E **171**
Caldey Island (SA70 7UH) 5F **43**
Caldicot Castle (NP26 5JB) 3H ***33***
Caledonian Railway (DD9 7AF) 3F **145**
Calke Abbey (DE73 7LE) 3A **74**
Calshot Castle (SO45 1BR) 2C ***16***
Camber Castle (TN31 7TB) 4D **28**
Cambo Gdns. (KY16 8QD) 2H **137**
Cambridge University Botanic Gdn.
(CB2 1JF) **191** (5D **64**)
Camperdown Wildlife Cen. (DD2 4TF) 5C **144**
Canal Mus. (NN12 7SE) 5E **63**
Cannock Chase (WS12 4PW) 4D **73**
Cannon Hall Mus. (S75 4AT) 4C **92**
Canons Ashby House (NN11 3SD) 5C **62**
Canterbury Cathedral (CT1 2EH) **190** (5F **41**)
Capesthorne Hall (SK11 9JY) 3C **84**
Cape Wrath (IV27 4QQ) 1C **166**
Captain Cook Schoolroom Mus.
(TS9 6NB) 3C **106**
Cardiff Castle (CF10 3RB) **191** (4E **33**)
Cardoness Castle (DG7 2EH) 4C **110**
Carew Castle (SA70 8SL) 4E ***43***
Carisbrooke Castle & Mus. (PO30 1XY) 4C **16**
Carlisle Castle (CA3 8UR) **192** (4E **113**)
Carlisle Cathedral (CA3 8TZ) **192** (4E **113**)
Carlyle's Birthplace (DG11 3DG) 2C **112**
Carnasserie Castle (PA31 8RQ) 3F **133**
Carn Euny Ancient Village (TR20 8RB) 4B **4**
Carreg Cennen Castle & Farm (SA19 6UA) 4G **45**
Carsluith Castle (DG8 7DY) 4B **110**
Cartmel Priory (LA11 6QQ) 2C ***96***
Castell Coch (CF15 7JQ) 3E ***33***
Castell Dinas Bran (LL20 8DY) 1E **70**
Castell y Bere (LL36 9TP) 5F **69**
Castle Acre Castle (PE32 2XB) 4H **77**
Castle Acre Priory (PE32 2AA) 4H **77**
Castle & Gdns. of Mey (KW14 8XH) 1E **169**
Castle Campbell & Gdn. (FK14 7PP) 4B **136**
Castle Drogo (EX6 6PB) 3H **11**
Castle Fraser (AB51 7LD) 2E **152**
Castle Howard (YO60 7DA) 2B **100**
Castle Kennedy Gdns. (DG9 8SJ) 3G **109**
Castle Leod (IV14 9AA) 3G **157**
Castle Menzies (PH15 2JD) 4F **143**
Castlerigg Stone Circle (CA12 4RN) 2D **102**
Castle Rising Castle (PE31 6AH) 3F ***77***
Catalyst Science Discovery Cen. (WA8 0DF) 2H ***83***
Cawdor Castle (IV12 5RD) 4C ***158***
Cerne Giant (DT2 7TS) 2B **14**
Chanonry Point (IV10 8SD) 3B **158**
Charlecote Pk. (CV35 9ER) 5G **61**
Charleston (BN8 6LL) 5F **27**
Chartwell (TN16 1PS) 5F **39**
Chastleton House (GL56 0SU) 3H **49**
Chatsworth House (DE45 1PP) 3G **85**
Chavenage House (GL8 8XP) 2D **34**
Cheddar Gorge (BS40 7XT) 1H **21**
Chedworth Roman Villa (GL54 3LJ) 4F **49**
Cheltenham Racecourse (GL50 4SH) 3E **49**
Chenies Manor House & Gdns. (WD3 6ER) 1B **38**
Chepstow Castle (NP16 5EZ) 2A ***34***
Chepstow Racecourse (NP16 6EG) 2A **34**
Chesil Beach (DT3 4ED) 4B **14**
Chessington World of Adventures
(KT9 2NE) 4C **38**
Chester Cathedral (CH1 2HU) **192** (4G **83**)
Chester Roman Amphitheatre (CH1 1RF) **192**
Chesters Roman Fort & Mus. (NE46 4EU) 2C **114**
Chester Zoo (CH2 1LH) 3G **83**
Chichester Cathedral (PO19 1PX) 2G ***17***
Chiddingstone Castle (TN8 7AD) 1F **27**
Chillingham Castle (NE66 5NJ) 2E ***121***
Chillingham Wild Cattle (NE66 5NJ) 2E **121**
Chillington Hall (WV8 1RE) 5C **72**
Chiltern Hills (RG9 6DR) 3E **37**
Chiltern Open Air Mus. (HP8 4AB) 1B **38**
Chirk Castle (LL14 5AF) 2E **71**
Cholmondeley Castle Gdns. (SY14 8AH) 5H **83**
Christchurch Castle & Norman Ho.
(BH23 1BW) 3G ***15***
Christchurch Mansion
(IP4 2BE) **Ipswich 198** (1E **55**)
Churnet Valley Railway (ST13 7EE) 5D **85**
Chysauster Ancient Village (TR20 8XA) 3B **4**
Cilgerran Castle (SA43 2SF) 1B ***44***
Cissbury Ring (BN14 0SQ) 5C **26**
Clandon Pk. (GU4 7RQ) 5B **38**
Claremont Landscape Gdn. (KT10 9JG) 4C **38**
Claydon (MK18 2EY) 3F **51**
Clearwell Caves (GL16 8JR) 5A **48**
Cleeve Abbey (TA23 0PS) 2D **20**
Clevedon Court (BS21 6QU) 4H **33**
Clifford's Tower (YO1 9SA) **York 214** (4A **100**)
Clifton Suspension Bridge (BS8 3PA) **Bristol 189**
Cliveden (SL6 0JA) 2A **38**
Clouds Hill (BH20 7NQ) 3D **14**
Clumber Pk. (S80 3BX) 3D **86**
Clun Castle (SY7 8JR) 2E ***59***
Clyde Muirshiel Regional Pk.
(PA10 2PZ) 3D **126**
Coalbrookdale Mus. of Iron (TF8 7DQ) 5A **72**
Coalport China Mus. (TF8 7HT) 5A **72**
Coed y Brenin Visitor Cen. (LL40 2HZ) 3G **69**
Coggeshall Grange Barn (CO6 1RE) 3B **54**
Coity Castle (CF35 6AU) 3C ***32***
Colby Woodland Gdn. (SA67 8PP) 4F **43**
Colchester Castle Mus. (CO1 1TJ) 3D ***54***
Colchester Zoo (CO3 0SL) 3C **54**
Coleridge Cottage (TA5 1NQ) 3E **21**
Coleton Fishacre (TQ6 0EQ) 3F **9**
Colour Experience (BD1 2JB) **Bradford 190**
Colzium Walled Gdn. (G65 0PY) 2A **128**
Combe Martin Wildlife & Dinosaur Pk.
(EX34 0NG) 2F **19**
Compton Acres (BH13 7ES) 4F **15**
Compton Castle (TQ3 1TA) 2E ***9***
Compton Verney (CV35 9HZ) 5H **61**
Conisbrough Castle (DN12 3BU) 1C ***86***
Conishead Priory (LA12 9QQ) 2C **96**
Conkers (DE12 6GA) 4H **73**
Constable Burton Hall Gdns. (DL8 5LJ) 5E **105**
Conwy Castle (LL32 8LD) 3G ***81***
Coombes & Churnet Nature Reserve
(ST13 7NN) 5E ***85***
Corbridge Roman Town (NE45 5NT) 3C **114**
Corfe Castle (BH20 5EZ) 4E ***15***
Corgarff Castle (AB36 8YP) 3G **151**
Corinium Mus. (GL7 2BX) 5F **49**
Cornish Seal Sanctuary (TR12 6UG) 4E **5**
Corrieshalloch Gorge (IV23 2PJ) 1E **156**
Corsham Court (SN13 0BZ) 4D **35**
Cotehele (PL12 6TA) 2A **8**
Coton Manor Gdn. (NN6 8RQ) 3D **62**
Cotswold Farm Pk. (GL54 5UG) 3G **49**
Cotswold Hills (GL8 8NU) 2E **35**
Cotswold Water Pk. (GL7 5TL) 2F **35**
Cottesbrooke Hall & Gdns. (NN6 8PF) 3E **62**
Cotton Mechanical Music Mus.
(IP14 4QN) 4C **66**
Coughton Court (B49 5JA) 4E **61**
The Courts Gdn. (BA14 6RR) 5D **34**
Coventry Cathedral (CV1 5AB) **192** (3H **61**)
Coventry Transport Mus. (CV1 1JD) **192** (3H **61**)
Cowdray House (GU29 9AL) 4G **25**
Cragside (NE65 7PX) 4E **121**
Craigievar Castle (AB33 8JF) 3C **152**
Craigmillar Castle (EH16 4SY) 2F ***129***
Craignethan Castle (ML11 9PL) 5B **128**
Craigston Castle (AB53 5PX) 3E **161**
Cranborne Manor Gdns. (BH21 5PS) 1F **15**
Cranwell Aviation Heritage Cen.
(NG34 8QR) 1H **75**
Crarae Gdn. (PA32 8YA) 4G **133**
Crathes Castle, Gdn. & Estate
(AB31 5QJ) 4E **153**
Creswell Crags (S80 3LH) 3C **86**
Crewe Heritage Cen. (CW1 2DD) 5B **84**
Criccieth Castle (LL52 0DP) 2D ***69***
Crichton Castle (EH37 5XA) 3G **129**
Crich Tramway Village (DE4 5DP) 5H **85**
Croft Castle (HR6 9PW) 4G **59**
Croft Circuit (DL2 2PL) 4F **105**
Cromford Mill (DE4 3RQ) 5G **85**

270 A-Z Great Britain Road Atlas

Limited Interchange Motorway Junctions are shown on the maps by RED junction indicators

M1

Junction 2
Northbound: No exit, access from A1 only
Southbound: No access, exit to A1 only

Junction 4
Northbound: No exit, access from A41 only
Southbound: No access, exit to A41 only

Junction 6a
Northbound: No exit, access from M25 only
Southbound: No access, exit to M25 only

Junction 17
Northbound: No access, exit to M45 only
Southbound: No exit, access from M45 only

Junction 19
Northbound: Exit to M6 only,
    access from A14 only
Southbound: Access from M6 only,
    exit to A14 only

Junction 21a
Northbound: No access, exit to A46 only
Southbound: No exit, access from A46 only

Junction 24a
Northbound: No exit
Southbound: Access from A50 only

Junction 35a
Northbound: No access, exit to A616 only
Southbound: No exit, access from A616 only

Junction 43
Northbound: Exit to M621 only
Southbound: Access from M621 only

Junction 48
Eastbound: Exit to A1(M)
  Northbound only
Westbound: Access from A1(M) Southbound
  only

M2

Junction 1
Eastbound: Access from A2 Eastbound only
Westbound: Exit to A2 Westbound only

M3

Junction 8
Westbound: No access, exit to A303 only
Eastbound: No exit, access from A303 only

Junction 10
Northbound: No access from A31
Southbound: No exit to A31

Junction 13
Southbound: No access from A335 to M3
  leading to M27 Eastbound

M4

Junction 1
Westbound: Access from A4 Westbound only
Eastbound: Exit to A4 Eastbound only

Junction 21
Westbound: No access from M48
Eastbound: No exit to M48

Junction 23
Westbound: No exit to M48
Eastbound: No access from M48

Junction 25
Westbound: No access
Eastbound: No exit

Junction 25a
Westbound: No access
Eastbound: No exit

Junction 29
Westbound: No access, exit to A48(M) only
Eastbound: No exit, access from A48(M) only

Junction 38
Westbound: No access, exit to A48 only

Junction 39
Westbound: No exit, access from A48 only
Eastbound: No access or exit

Junction 42
Westbound: No exit to A48
Eastbound: No access from A48

M5

Junction 10
Southbound: No access, exit to A4019 only
Northbound: No exit, access from A4019 only

Junction 11a
Southbound: No exit to A417 Westbound

Junction 18a
Southbound: No exit to M49
Northbound: No access from M49

M6

Junction 3a
Eastbound: No exit to M6 TOLL
Westbound: No access from M6 TOLL

Junction 4
Northbound: No exit to M42 Northbound
    No access from M42 Southbound
Southbound: No exit to M42
    No access from M42 Southbound

Junction 4a
Northbound: No exit, access from M42
  Southbound only
Southbound: No access, exit to M42 only

Junction 5
Northbound: No access, exit to A452 only
Southbound: No exit, access from A452 only

Junction 10a
Northbound: No access, exit to M54 only
Southbound: No exit, access from M54 only

Junction 11a
Northbound: No exit to M6 TOLL
Southbound: No access from M6 TOLL

Junction 20
Northbound: No exit to M56 Eastbound
Southbound: No access from M56 Westbound

Junction 24
Northbound: No exit, access from A58 only
Southbound: No access, exit to A58 only

Junction 25
Northbound: No access, exit to A49 only
Southbound: No exit, access from A49 only

Junction 30
Northbound: No exit, access from M61
  Northbound only
Southbound: No access, exit to M61
  Southbound only

Junction 31a
Northbound: No access, exit to B6242 only
Southbound: No exit, access from B6242 only

Junction 45
Northbound: No access onto A74(M)
Southbound: No exit from A74(M)

M6 TOLL

Junction 11
Northbound: No exit
Southbound: No access

Junction 12
Northbound: No access or exit
Southbound: No access

Junction 15
Northbound: No exit
Southbound: No access

Junction 17
Northbound: No access from A5
Southbound: No exit

Junction 18
Northbound: No exit to A460 Northbound
Southbound: No exit

M8

Junction 6
Westbound: No access, exit only
Eastbound: No exit, access only

Junction 6a
Westbound: No exit, access only
Eastbound: No access, exit only

Junction 7
Westbound: No exit, access only
Eastbound: No access, exit only

Junction 7a
Westbound: No access,
    Exit to A725 Southbound only
Eastbound: No exit,
    Access from A725 Northbound only

Junction 8
Westbound: No access from M73 Southbound
Eastbound: No exit to M73 Northbound

Junction 9
Westbound: No access, exit only
Eastbound: No exit, access only

Junction 13
Westbound: No exit to M80 Northbound
Eastbound: No access from M80 Southbound

Junction 14
Westbound: No access, exit only
Eastbound: No exit, access only

Junction 16
Westbound: No access, exit only
Eastbound: No exit, access only

Junction 17
Westbound: No access, exit to A82 only
Eastbound: No exit, access from A82 only

M8 CONTINUED

Junction 18
Westbound: No exit, access only

Junction 19
Westbound: No access from A814 Westbound
Eastbound: No exit to A814 Eastbound

Junction 20
Westbound: No access, exit only
Eastbound: No exit, access only

Junction 21
Westbound: No exit, access only
Eastbound: No access, exit only

Junction 22
Westbound: No access, exit to M77 only
Eastbound: No exit, access from M77 only

Junction 23
Westbound: No exit, access to B768 only
Eastbound: No access from B768 only

Junction 25
Westbound and Eastbound:
  Exit to A739 Northbound only
  Access from A739 Southbound only

Junction 25a
Eastbound: Access only
Westbound: Exit only

Junction 28
Westbound: no access, exit to airport only
Eastbound: no exit, access from airport only

M9

Junction 2
Northbound: No exit, access from B8046 only
Southbound: No access, exit to B8046 only

Junction 3
Northbound: No access, exit to A803 only
Southbound: No exit, access from A803 only

Junction 6
Northbound: No exit, access only
Southbound: No access, exit to A905 only

Junction 8
Northbound: No access, exit to M876 only
Southbound: No exit, access from M876 only

M11

Junction 4
Northbound: No exit, access from A406
  Eastbound only
Southbound: No access, exit to A406
  Westbound only

Junction 5
Northbound: No access, exit to A1168 only
Southbound: No exit, access from A1168 only

Junction 8a
Northbound: No access, exit only
Southbound: No exit, access only

Junction 9
Northbound: No access, exit only
Southbound: No exit, access only

Junction 13
Northbound: No access, exit only
Southbound: No exit, access only

Junction 14
Northbound: No access from A428 Eastbound
    No exit to A428 Westbound
Southbound: No exit, access from A428
    Eastbound only

M20

Junction 2
Eastbound: No access, exit to A20 only
  (access via M26 Junction 2a)
Westbound: No exit, access only
  (exit via M26 Junction 2a)

Junction 3
Eastbound: No exit, access from M26
  Eastbound only
Westbound: No access, exit to M26
  Westbound only

Junction 11a
Westbound: No exit to Channel Tunnel
Eastbound: No access from Channel Tunnel

M23

Junction 7
Southbound: No access from A23 Northbound
Northbound: No exit to A23 Southbound

Junction 10a
Northbound: No exit, access only
Southbound: No access, exit only

M25

Junction 5
Clockwise: No exit to M26 Eastbound
Anti-clockwise: No access from M26 Westbound

Spur to A21
Southbound: No access from M26 Westbound
Northbound: No exit to M26 Eastbound

Junction 19
Clockwise: No access exit only
Anti-clockwise: No exit access only

Junction 21
Clockwise and Anti-clockwise:
  No exit to M1 Southbound
  No access from M1 Northbound

Junction 31
Southbound: No exit access only
  (exit via Junction 30)
Northbound: No access exit only
  (access via Junction 30)

M26

Junction with M25 (M25 Junc. 5)
Westbound: No exit to M25 anti-clockwise
  or spur to A21 Southbound
Eastbound: No access from M25 clockwise
  or spur from A21 Northbound

Junction with M20 (M20 Junc. 3)
Eastbound: No exit to M20 Westbound
Westbound: No access from M20 Eastbound

M27

Junction 4
Eastbound and Westbound: No exit to A33
  Southbound (Southampton)
  No access from A33 Northbound

Junction 10
Eastbound: No exit, access from A32 only
Westbound: No access, exit to A32 only

M40

Junction 3
North-Westbound: No access,
      exit to A40 only
South-Eastbound: No exit,
      access from A40 only

Junction 7
South-Eastbound: No exit, access only
North-Westbound: No access, exit only

Junction 13
South-Eastbound: No exit, access only
North-Westbound: No access, exit only

Junction 14
South-Eastbound: No exit, access only
North-Westbound: No access, exit only

Junction 16
South-Eastbound: No access, exit only
North-Westbound: No exit, access only

M42

Junction 1
Eastbound: No exit
Westbound: No access

Junction 7
Northbound: No access, exit to M6 only
Southbound: No exit, access from M6
  Northbound only

Junction 8
Northbound: No exit, access from M6
  Southbound only
Southbound: Exit to M6 Northbound only
    Access from M6 Southbound only

M45

Junction with M1 (M1 Junc. 17)
Eastbound: No exit to M1 Northbound
Westbound: No access from M1 Southbound

**Junction with A45 east
of Dunchurch**
Eastbound: No access, exit to A45 only
Westbound: No exit, access from A45
  Northbound only

M48

Junction with M4 (M4 Junc. 21)
Westbound: No access from M4 Eastbound
Eastbound: No exit to M4 Westbound

Junction with M4 (M4 Junc. 23)
Westbound: No exit to M4 Eastbound
Eastbound: No access from M4 Westbound

M53

Junction 11
Southbound and Northbound: No access from M56 Eastbound, no exit to M56 Westbound

M56

Junction 1
Westbound: No access from M60 South-Eastbound
No access from A34 Northbound
Eastbound: No exit to M60 North-Westbound
No exit to A34 Southbound
Junction 2
Westbound: No access, exit to A560 only
Eastbound: No exit, access from A560 only
Junction 3
Westbound: No exit, access only
Eastbound: No access, exit only
Junction 4
Westbound: No access, exit only
Eastbound: No exit, access only
Junction 7
Westbound: No access, exit only
Junction 8
Westbound: No exit, access from A556 only
Eastbound: No access or exit
Junction 9
Westbound: No exit to M6 Southbound
Eastbound: No access from M6 Northbound
Junction 15
Westbound: No access from M53
Eastbound: No exit to M53

M57

Junction 3
Northbound: No exit, access only
Southbound: No access, exit only
Junction 5
Northbound: No exit, access from A580 Westbound only
Southbound: No access, exit to A580 Eastbound only

M58

Junction 1
Eastbound: No exit, access from A506 only
Westbound: No access, exit to A506 only

M60

Junction 2
Nth.-Eastbound: No access, exit to A560 only
Sth.-Westbound: No exit, access from A560 only
Junction 3
Westbound: No exit to A34 Northbound
Eastbound: No access from A34 Southbound
Junction 4
Westbound: No access from A34 Southbound
No access from M56 Eastbound
Eastbound: No exit to M56 South-Westbound
No exit to A34 Northbound
Junction 5
South-Eastbound: No access from or exit to A5103 Northbound
North-Westbound: No access from or exit to A5103 Southbound
Junction 14
Eastbound: No exit to A580
No access from A580 Westbound
Westbound: No exit to A580 Eastbound
No access from A580
Junction 16
Eastbound: No exit, access from A666 only
Westbound: No access, exit to A666 only
Junction 20
Eastbound: No access from A664
Westbound: No exit to A664
Junction 22
Westbound: No access from A62
Junction 25
South-Westbound:
No access from A560/A6017
Junction 26
North-Eastbound: No access or exit
Junction 27
North-Eastbound: No access, exit only
South-Westbound: No exit, access only

M61

Junctions 2 and 3
North-Westbound:
No access from A580 Eastbound
Sth.-Eastbound: No exit to A580 Westbound

M61 CONTINUED

Junction with M6 (M6 Junc. 30)
North-Westbound:
No exit to M6 Southbound
South-Eastbound:
No access from M6 Northbound

M62

Junction 23
Eastbound: No access, exit to A640 only
Westbound: No exit, access from A640 only

M65

Junction 9
Nth.-Westbound: No access, exit to A679 only
Sth.-Westbound:
No exit, access from A679 only
Junction 11
North-Eastbound: No exit, access only
South-Westbound: No access, exit only

M66

Junction 1
Southbound: No exit, access from A56 only
Northbound: No access, exit to A56 only

M67

Junction 1
Eastbound: Access from A57 Eastbound only
Westbound: Exit to A57 Westbound only
Junction 1a
Eastbound: No access, exit to A6017 only
Westbound: No exit, access from A6017 only
Junction 2
Eastbound: No access, exit to A57 only
Westbound: No exit, access to A57 only

M69

Junction 2
North-Eastbound:
No exit, access from B4669 only
South-Westbound:
No access, exit to B4669 only

M73

Junction 1
Southbound: No exit to A74 Eastbound
Junction 2
Northbound: No access from M8 Eastbound
No exit to A89 Eastbound
Southbound: No exit to M8 Westbound
No access from A89 Westbound
Junction 3
Northbound: No exit to A80 South-Westbound
Southbound:
No access from A80 North-Eastbound

M74

Junction 1
Eastbound: No access from M8 Westbound
Westbound: No exit to M8 Westbound
Junction 3
Eastbound: No exit
Westbound: No access
Junction 7
Southbound: No access, exit to A72 only
Northbound: No exit, access from A72 only
Junction 9
Southbound: No access, exit to B7078 only
Northbound: No access or exit
Junction 10
Southbound: No exit, access from B7078 only
Junction 11
Southbound: No exit, access to B7078 only
Northbound: No exit, access from B7078 only
Junction 12
Southbound: No access, exit to A70 only
Northbound: No access, exit to A70 only

M77

Junction with M8 (M8 Junc. 22)
Southbound: No access from M8 Eastbound
Northbound: No exit to M8 Westbound
Junction 4
Southbound: No access
Northbound: No exit
Junction 6
Southbound: No access from A77
Northbound: No exit to A77
Junction 7
Northbound: No access from A77
No exit to A77

M80

Junction 1
Northbound: No access from M8 Westbound
Southbound: No exit to M8 Eastbound
Junction 4a
Northbound: No access
Southbound: No exit
Junction 6a
Northbound: No exit
Southbound: No access
Junction 8
Northbound: No access from M876
Southbound: No exit to M876

M90

Junction 1
Northbound: No exit to A90
Southbound: No access from A90
Junction 2a
Northbound: No access, exit to A92 only
Southbound: No exit, access from A92 only
Junction 7
Northbound: No exit, access from A91 only
Southbound: No access, exit to A91 only
Junction 8
Northbound: No access, exit to A91 only
Southbound: No exit, access from A91 only
Junction 10
Northbound: No access from A912
Exit to A912 Northbound only
Southbound: No exit to A912
Access from A912 Southbound only

M180

Junction 1
Eastbound: No access, exit only
Westbound: No exit, access from A18 only

M606

Junction 2
Northbound: No access, exit only

M621

Junction 2a
Eastbound: No exit, access only
Westbound: No access, exit only
Junction 4
Southbound: No exit
Junction 5
Northbound: No access, exit to A61 only
Southbound: No exit, access from A61 only
Junction 6
Northbound: No exit, access only
Southbound: No access, exit only
Junction 7
Westbound: No exit, access only
Eastbound: No access, exit only
Junction 8
Northbound: No access, exit only
Southbound: No access, exit only

M876

Junction with M80 (M80 Junc. 5)
North-Eastbound:
No access from M80 Southbound
South-Westbound: No exit to M80 Northbound
Junction with M9 (M9 Junc. 8)
North-Eastbound: No exit to M9 Northbound
South-Westbound:
No access from M9 Southbound

A1(M) (Hertfordshire Section)

Junction 2
Southbound: No exit, access from A1001 only
Northbound: No access, exit only
Junction 3
Southbound: No access, exit only
Junction 5
Northbound: No exit, access only
Southbound: No access or exit

A1(M) (Cambridgeshire Section)

Junction 14
Northbound: No exit, access only
Southbound: No access, exit only

A1(M) (Leeds Section)

Junction 40
Southbound: Exit to A1 Southbound only
Junction 43
Northbound: Access from M1 Eastbound only
Southbound: Exit to M1 Westbound only

A1(M) (Durham Section)

Junction 57
Northbound: No access,
exit to A66(M) only
Southbound: No exit, access from A66(M)
Junction 65
Northbound: Exit to A1 North-Westbound,
and to A194(M) only
Southbound: Access from A1 South-Eastbound,
and from A194(M) only

A3(M)

Junction 4
Northbound: No access, exit only
Southbound: No exit, access only

A38(M) Aston Expressway

Junction with Victoria Road, Aston
Northbound: No exit, access only
Southbound: No access, exit only

A48(M)

Junction with M4 (M4 Junc. 29)
South-Westbound: access from M4 Westbound
North-Eastbound: exit to M4 Eastbound only
Junction 29a
South-Westbound: Exit to A48 Westbound only
North-Eastbound:
Access from A48 Eastbound only

A57(M) Mancunian Way

Junction with A34 Brook Street, Manchester
Eastbound: No access, exit to A34 Brook Street Southbound only
Westbound: No exit, access only

A58(M) Leeds Inner Ring Road

Junction with Park Lane/ Westgate
Southbound: No access, exit only

A64(M) Leeds Inner Ring Road (Continuation of A58(M))

Junction with A58 Clay Pit Lane
Eastbound: No Access
Westbound: No exit

A66(M)

Junction with A1(M) (A1(M) Junc. 57)
South-Westbound:
Exit to A1(M) Southbound only
North-Eastbound:
Access from A1(M) Northbound only

A74(M)

Junction 18
Northbound: No access
Southbound: No exit

A167(M) Newcastle Central Motorway

Junction with Camden Street
Northbound: No exit, access only
Southbound: No access or exit

A194(M)

Junction with A1(M) (A1(M) Junc. 65) and A1 Gateshead Western By-Pass
Southbound: Exit to A1(M) only
Northbound: Access from A1(M) only

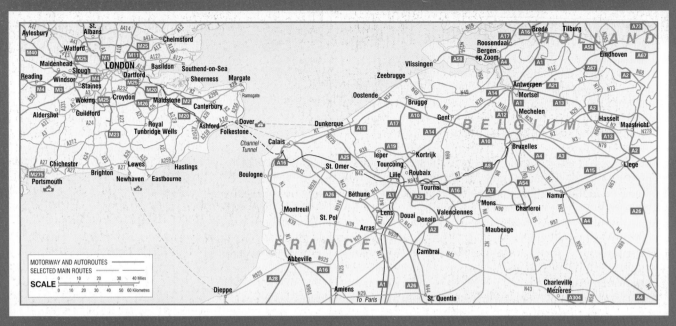

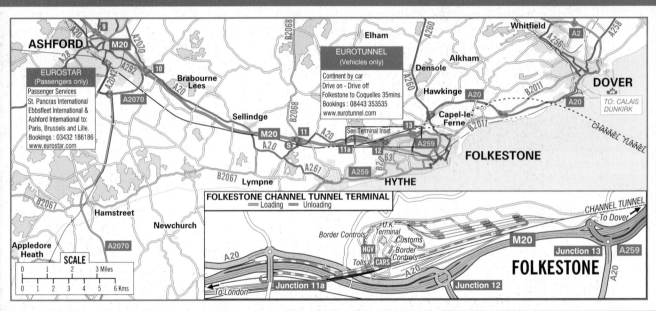

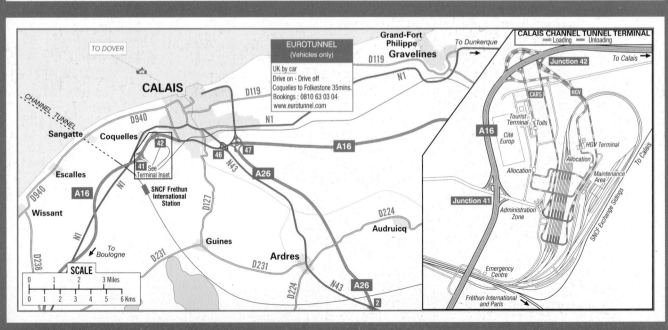